牧隱研究會研究叢書 8

국역 한주집 제2권

이 도서의 국립중앙도서관 출판예정도서목록(CIP)은 서지정보유통지원시스템 홈페이지(http://seoji.nl.go.kr)와 국가자료공동목록시스템(http://www.nl.go.kr/kolisnet)에서 이용하실 수 있습니다. (CIP제어번호 : CIP2014021312)

牧隱研究會研究叢書

8

국역

한주집 · 第二卷

韓州集

이 집 지음
권오호 옮김
송재소 해제

한울
아카데미

차례

해제(解題)

1. 한주와 그의 시대

　『한주집(韓州集)』은 조선조 숙종(肅宗)대의 문인 학자인 이집(李潗)의 시문집이다. 이집(李潗)의 본관은 한산(韓山), 호(號)는 한주(韓州), 자(字)는 계통(季通)이고, 1670년(현종 11) 부친 이정룡(李廷龍)과 모친 제주(濟州) 양씨(梁氏) 사이의 넷째 아들로 태어났다. 그는 한산 이씨 명문가 출신으로 12대조가 가정(稼亭) 이곡(李穀)이며 목은(牧隱) 이색(李穡)이 그의 11대조가 된다.

　현전(現傳)하는 『한주집』에는 그에 관한 자료를 얻을 수 있는 묘지명이나 묘갈명, 행장, 연보 등이 빠져 있기 때문에 그의 생애를 구체적으로 알기 어렵다. 이제 그가 남긴 시문(詩文)들과 한주공 10대 종손 이도성(李度晟) 씨가 쓴 「한주공 약전」에 의거해 한주의 생애를 거칠게나마 재구성해보기로 한다.

　그는 30세 되던 1699년에 소과(小科) 생원시(生員試)에 급제하여 첫 벼슬로 목릉(穆陵) 침랑(寢郞)에 제수(除授)되었다. 1709년(40세) 무렵에는 계방(桂坊)의 관원으로 있으면서 지은 시가 보인다. 1710년(41세) 겨울에는 강원도 흡주현감(歙州縣監)으로 부임하여 1712년 가을까지 재직했다. 이 시기에 친구, 친지와 금강산 등지를 유람하며 쓴 시가 있다. 이후 전감사(典監司), 장악원(掌樂院)

등에서 벼슬했으며, 1718년(49세)에 이천부사(利川府使)를 제수받았으나 이듬해 2월에 체직(遞職)되었다는 편지글이 있다(권19, 「答李祭酒書」).

그는 이후에도 청주목사(淸州牧使), 장례원(掌隷院) 판결사(判決事), 병조(兵曹) 참지(參知), 예조(禮曹) 참의(參議) 등을 역임하고 1725년(56세) 10월에 비교적 늦은 나이로 문과(文科)에 급제했다. 이듬해에 황해도(黃海道) 관찰사(觀察使)에 제수되었고, 1727년 4월 4일 대사간(大司諫)에 발탁되었으나, 나흘 후인 4월 8일 임지인 해주(海州)에서 58세를 일기로 서거했다.

한주(韓州)는 길지 않은 생애 동안 끊임없이 병마(病魔)에 시달린 것으로 보인다. 그는 25세 때 쓴 시에서도 "영지(靈芝)는 어느 곳에 자라는가/이 병은 어느 때나 나을는지"라고 하여 영지를 구해 병을 치료하고 싶은 심경을 토로하고 있는 것으로 보아 젊었을 때부터 병약(病弱)했던 듯하다. 흡주현감 시절 지인(知人)에게 보낸 한 편지에서도 "나는 바닷바람에 상하여 팔과 다리가 곪고 마비되는 증상이 심히 가볍지 않은데, 바닷가라서 고칠 약도 없고 치료가 쉽지 않아 근심하고 시름하지만 어찌할 수 없네"(권18, 「與申正甫書」)라고 했으며, 46세 때 참판 이희조에게 보낸 서한에서는 "저는 갑자기 이상한 병을 얻어 반년이나 병에 잠겨 있어 원기가 날이 갈수록 사그라져 마른 뼈만 남았습니다. 그래서 다시 일어나 완전한 사람이 될 기약을 쉽게 할 수 없습니다"(권19, 「與李參判喜朝書」)라고 했다. 주위 사람들에게 보낸 서한에 나타난 바로는 그가 소갈증, 가슴앓이, 풍토병 등을 앓고 있었던 것으로 보인다.

한주가 살았던 시대는 당쟁(黨爭)이 극심한 때였다. 선조(宣祖) 초년에 동인(東人)과 서인(西人)으로 갈린 후 한동안 동인이 득세했는데, 동인은 다시 남인(南人)과 북인(北人)으로 갈라졌다. 1623년 인조반정(仁祖反正)으로 서인이 집권하게 되지만, 1674년 조대비(趙大妃)의 복(服)을 둘러싼 예론(禮論) 싸움에서 남인이 이겨 다시 남인 천하가 된다. 1680년의 경신대출척(庚申大黜陟)으로 서인이 다시 집권하게 되는데, 1683년에는 서인이 노론(老論)과 소론(少論)으로 갈라진다. 이후 1689년의 기사환국(己巳換局)으로 남인이 정국을 주도하다가

1694년의 이른바 갑술환국(甲戌換局)으로 서인이 다시 집권했으나, 이후 노론과 소론의 싸움이 치열했다.

　이와 같은 당쟁은 애초에 국리민복(國利民福)과는 거리가 멀었다. 철저하게 자당(自黨)의 정치적 이익을 위한 싸움이었기 때문에 그 폐단이 적지 않았다. 그래서 숙종은 재위 기간에 여러 차례 탕평책(蕩平策)을 유시한 바 있다. 그리고 1709년(숙종 35)에는 첨예하게 대립하고 있던 노론과 소론의 폐단을 직접 언급하기도 했다. 한주가 소과(小科)에 급제하여 정계에 진출한 1699년 이후는 특히 노소(老少) 양당의 대립과 투쟁이 극심했던 시기였다. 한주의 집안은 노론에 속해 있었는데, 노론과 소론 간의 싸움으로 그와 그의 가족은 직접 혹은 간접적으로 크고 작은 피해를 입었다.

2. 『한주집』의 구성과 편차(編次)

　『한주집』은 연세대학교 중앙도서관 소장 귀중본으로, 7책 27권으로 구성되어 있으나 이 중 권7에서 권17까지와 권22, 권23이 누락되었다. 권1부터 권6까지에 사(詞) 1편, 부(賦) 2편, 시(詩) 1063수, 잡가(雜歌) 1편이 수록되어 있고, 권18에서 권21까지에는 서(書)와 별폭(別幅), 소지(小紙), 추고(追告) 등 192편이 수록되어 있다. 그리고 권24부터 권26까지에 제문(祭文) 56편을 비롯하여 축문(祝文), 애사(哀辭), 뇌사(誄詞) 등이 수록되어 있고, 권27에는 행장(行狀), 가장(家狀), 선훈(先訓), 가제(家祭), 고사(告辭), 축문 등이 수록되어 있다.

　권6에는 1712년까지의 시가, 권18에는 1711년(42세)부터의 서(書)가, 권21에는 한주가 사망한 1727년의 서한(書翰)이 실려 있는 것으로 보아 누락된 권7에서 권17까지에는 1713년부터 1727년까지의 시와 1710년까지의 서(書)가 수록되어 있었을 것으로 추정된다. 마찬가지로 누락된 권22와 권23에는 문집의 일반적인 체제로 보아 서(序), 기(記), 발(拔) 유의 글들이 수록되어 있었을 것으로 추정된다. 이렇게 보면 총 27권 중에서 13권 분량의 글이 빠져 있다.

『한주집』에는 서문(序文)과 발문(跋文)이 없어서 이 책이 어느 시대에 누구에 의하여 간행되었는지 알 수가 없다. 또한 한주의 묘지명이나 행장, 연보 등 그의 생애를 살필 수 있는 자료가 수록되지 않아서 아쉽다.

3. 『한주집』의 내용

한주는 정치가라기보다 문인(文人)의 자질을 타고났다. 그는 특히 시에 능하여 지금 우리가 볼 수 있는 시만 해도 1064수나 되는데, 결본(缺本)에 수록되었을 시까지 합하면 적어도 1500수는 넘을 것이다. 상당한 양이다. 『한주집』에는 시재(詩才)가 있던 한주가 8세에 지었다는 「춘초(春草)」라는 작품이 실려 있다.

春雨來春草芃芃生	봄비 오니 봄풀이 무성하게 나오고
春雨晴春草漸漸長	봄비 그치니 봄풀이 점점 크게 자라네

(권1)

이렇게 예민한 감수성으로 어렸을 때부터 시작(詩作)에 몰두한 한주는 부귀공명과 같은 세속적 출세에는 별 뜻이 없었던 것으로 보인다.

永辭兩蠻觸	만과 촉의 싸움에서 영원히 벗어나
閒閒獨采眞	나 홀로 한가하게 참[眞]을 캐려네
山中何所好	산중에 무엇이 그리 좋은가
千柳數家春	일 천 그루 버들과 두어 집의 봄이라오

(권1, 「謾題」)

15세 무렵의 작품으로 추정되는데 이때 벌써 한주가 추구하는 이상의 윤곽이 드러난다. "만과 촉의 싸움"이란 조그마한 일로 서로 다투는 것을 말한다. 이해관계에 얽힌 세속적인 싸움으로부터 벗어나 산속에서 홀로 "참[眞]을 캐는" 것이 한주의 이상이다. 나물을 캐듯이 참을 캐겠다는 것이다. 그러면 그가 추구하려는 '참'의 실체는 무엇인가? 비슷한 시기에 쓴 「채진당(采眞堂)」이라는 시가 그 답이 될 수 있다.

楊柳梧桐霽月明	버드나무, 오동나무에 달은 밝은데
春山一面石泉鳴	봄 산 한쪽에는 바위 위에 물소리
簞瓢陋巷專吾樂	단표누항이 오로지 내 즐거움
這裡誰知意味淸	이 속의 맑은 뜻을 누가 알리오

(권1, 「采眞堂」)

시끄러운 곳을 떠나 자연을 벗 삼으며 "단표누항"하는 것이 그의 즐거움이라 했다. "단표누항"은 『논어』「옹야(雍也)」편에서 공자가 안회(顔回)를 칭찬하면서 한 말이다. 공자는 "어질도다, 안회여. 한 그릇의 밥과 한 표주박의 물을 마시며 누추한 곳에 사는 것을 사람들은 그 근심을 견디지 못하거늘 안회는 그 즐거움을 고치지 않으니, 어질도다 안회여[賢哉回也 一簞食 一瓢飮 在陋巷 人不堪其憂 回也不改其樂 賢哉回也]"라고 말했다. 그러므로 한주가 "단표누항이 오로지 내 즐거움"이라 말한 것은 안빈낙도(安貧樂道)하는 안회의 자세를 본받겠다는 의지의 표현이다. 그것이 그가 추구하는 '참'이라 할 수 있다.

이렇게 젊은 시절의 한주는 정신적으로 세속과 거리를 두고 있었다. 왜 그는 현실로부터 거리를 두려고 했는가? 그가 바라본 당시의 현실이 극도로 어지러웠기 때문이다. 그는 「종남산을 멋대로 읊다[終南謾吟]」(권1)이라는 시에서 "끼었다가 걷히는 남산의 안개는/이리저리 뒤집는 티끌세상 인정이래[或舒或卷南山霧 一覆一翻塵世情]"라고 했다. 반복을 일삼는 세상인심을 남산의 안개에 비유한 것이다. 세상인심은 남산의 안개처럼 이랬다저랬다 반복만 일삼는 것이 아니다.

黨論誤人情	당론이 사람 마음 잘못 이끌어
鬪爭似蝸角	싸움질하는 꼴이 와각과 같네
莫言天地濶	천지가 넓다고 말하지 마라
處處是劍閣	곳곳이 바로 검각이라네

(권2, 「病中」 其二)

이 시는 22세경의 작품이다. 이 무렵에 세자 책봉 문제로 노론이 실각하고 남인이 집권한 기사환국(己巳換局)이 있었고, 노론의 영수 송시열(宋時烈)이 사사되었다. 왕비 민씨(閔氏)가 폐서인(廢庶人)이 되고 희빈 장씨(張氏)가 왕비로 책봉되는 과정에서도 당파 싸움이 계속되었다. 급기야 숙종(肅宗)은 붕당(朋黨)의 폐해를 경계하는 율시(律詩)를 지어 내리기도 했다. 앞의 시는 이러한 정치판을 반영한 작품이다. "와각(蝸角)"이란 앞의 시 「만제(謾題)」에 나온 "만과 촉의 싸움"과 같은 말로, 당파 싸움을 말한다. "검각(劍閣)"은 중국 사천성에 있는 험하기로 이름난 요새이다. 한주 당시의 모든 곳이 검각과 같다고 했으니 세상살이가 어려울 수밖에 없다. 한주가 현실을 멀리한 이유가 여기에 있다. 소모적인 당파 싸움에 휘말리기 싫었고, 또 스스로 위험을 자초하고 싶지 않았기 때문일 것이다. 그는 「높은 산을 노래하다[高山歌]」(권2)라는 시에서도 험한 산길을 가는 어려움을 다음과 같이 말하면서, 당시의 정치판을 호랑이가 사람을 잡아먹는 형국에 비유했다.

......

| 莫道此間猛虎惡 | 이곳에 호랑이가 사납다고 하지 마라 |
| 長安道上盡豺虎 | 장안의 길 위에선 모두가 이리와 범 |

嚙人如虀草	사람 잡아먹기를 풀 씹듯 하니
我已將身得保護	나는 이미 몸을 빼내 보호하였네

　그렇지 않아도 권력과 부귀에 흥미가 없었던 그가 혼탁한 현실을 멀리하고, 안회와 같이 고고한 삶을 추구한 것은 당연한 일이었을 것이다. 남들보다 비교적 늦은 시기에 과거에 급제한 것도 애초에 벼슬길에 나아갈 적극적인 의사가 없었기 때문이 아닌가 생각된다. 벼슬살이하면서도 그의 생활 자세는 바뀌지 않았다. 흡주현감으로 있던 43세경의 시에서 "벼슬살이하면서 하는 사업 없으니/좋은 글귀 짓는 것이 내가 하는 일이네[爲官無事業 佳句是經營]" (권6, 「觀鋤亭次唐韻」)라 말한 것을 보면 그가 사또로서의 정무(政務)보다 시 짓는 일에 더 열중했음을 알 수 있다. 그렇다고 해서 그가 음풍농월(吟風弄月)이나 하면서 세월을 보낸 것은 아니다. 글 읽은 사대부(士大夫)로서 응당 기울여야 할 민생(民生) 문제를 그는 외면하지 않았다.

麥熟將可刈	보리가 익었으니 벨 만도 하고
稻生水如油	벼 자라는 물결은 기름같이 맑은데
如何把鋤嫗	어찌하여 호미 잡은 늙은 아낙은
眉攢萬端愁	눈썹에 온갖 시름 모여 있는가

(권1, 「西湖道中」)

　21세경의 작품으로 추정된다. 보리도 익었고 벼도 잘 자라는데 "늙은 아낙"의 "눈썹에 온갖 시름이 모여 있는" 이유가 무엇일까? 시의 문면에 드러나지는 않았지만, 아마 관리들의 가렴주구(苛斂誅求) 때문이라 생각된다. 또 다른 시에서도 "지난해엔 팔로에 가뭄이 들어/흩어진 백성들 갈 곳이 없네/동과 서, 남과 북으로/굶주려 달려가나 역질만 만날 뿐[前年八路旱 散民靡所適 東西與南北 飢走但遭疫]"(권1, 「待雨不來見月得赤字」)이라 하여 가뭄으로 고통 받는 백성에게 애정 어린 시선을 보내고 있다.

그러나 한주는 각종 질병으로 시달리는 데다 당시의 정치적 환경도 좋지 않았고 그 자신이 권력 지향적 인간형이 아니어서, 벼슬살이를 하면서도 적극적으로 정사(政事)에 임하지 않은 듯하다.

吏隱管花事	이은하며 꽃 가꾸는 일 맡아서 하는데
藥埠留晚春	약초 심은 뜰에는 늦은 봄이 남아 있네
此中添一勝	이 가운데 한 가지 좋은 일이 더 있으니
三日伴詩人	사흘 동안 시인들과 짝하는 일이네

(권6,「觀鋤亭次唐韻」其三)

흡주현감 시절의 시(詩)로 한주의 정신적 지향(志向)을 잘 보여주고 있는 작품이다. "이은(吏隱)"은 부득이 벼슬은 하고 있으나, 본마음은 은거하고자 하는 것을 말한다. 한주는 흡주현감으로 있는 자신의 상황을 '이은'이라 표현했다. 즉 벼슬에 별 뜻이 없다는 말이다. 그래서 꽃 가꾸는 일을 아랫사람에게 시키지 않고 자신이 직접 맡아서 하고 뜰에 약초도 심으며 지낸다. 게다가 시 짓는 친구들이 와서 사흘 동안 같이 지내게 되어 더욱 좋다고 했다. 이것이 한주의 본모습이 아닐까? 흡주현감 이후 그는 계속해서 관직에 있었는데, 그 이후의 작품은 결본(缺本)이 되어 볼 수 없기에 단정할 수는 없지만, 아마 그의 관직 생활은 '이은'의 범위를 크게 벗어나지 않았을 것이라 추측해볼 수 있다.

이 밖에도 한주는 '시벽(詩癖)'이 있다고 할 정도로 시 짓기를 즐겨서 사소한 일상의 일을 마치 일기를 쓰듯이 시로 기록했다. 『한주집』에는 친구들과 만나서 창수(唱酬)한 시, 송별 시, 만시(輓詩), 연구(聯句) 등의 시 작품이 다량 수록되어 있다.

200여 편에 달하는 서간문(書簡文)에는 가까이 지내는 친구들의 안부를 묻고, 혹 귀양길에 오르거나 귀양살이하고 있는 친구들을 위로하는 등의 글이 보인다. 또한 친지(親知)나 자질(子姪)에게 험한 세상에서 살아나가기 위한 지혜를 담은 편지를 보내기도 했다. 한주의 서간문에서 우리는 또 공식적인 문서에서는 볼 수 없는 정치적 이면사(裏面史)를 읽을 수도 있다.

시를 제외한 한주의 글 중에서 눈에 띄는 것은 제문(祭文)이다. 그는 상당한 양의 제문을 지었는데, 공식적이고 규격적인 일반 제문과 달리 망자(亡者)에 대한 자신의 애절한 감정을 곡진하게 표현하고 있다. 특히 지친(至親)에 대한 제문은 더욱 애절하다. 그는 사형제 중 막내로 세 명의 형이 모두 먼저 사망했는데, 이 세 명의 형과 두 분 형수에 대한 제문은 감동적이다. 그와 가장 가까웠을 셋째 형의 제문은 마치 묘지명이나 행장을 쓰듯이 망자의 행적과 인품을 자세히 묘사하고 한주 자신과 관계된 생시의 일화 등을 적절하게 삽입하여 지은 명문이다. 일찍 죽은 딸 강임(康任)의 제문은 아름답고 애절한 한 편의 문학 작품이라 할 만하다.

『한주집』에서 누락된 13권 분량의 글이 앞으로 발견되어, 한주의 생애와 문학 세계의 전모가 정리되기를 기대한다.

宋載卲(성균관대학교 명예교수)

한주공(韓州公) 약전(略傳)

1. 한주공의 생애

이 문집의 저자인 한주공의 본관은 한산(韓山), 휘(諱)는 집(潗), 자(字)는 계통(季通), 호(號)는 한주(韓州)이다. 공은 1670년(현종 11) 7월 13일 아버지 김제공(金堤公) 휘 정룡(廷龍)과 어머니 제주(濟州) 양씨(梁氏)의 넷째 아들로 태어났다.

한주공이 당대의 여러 석유(碩儒)들의 문하에서 학문을 익혔음은 기록을 통해 알 수 있는데, 그중에서도 특히 두드러진 분이 현석(玄石) 박세채(朴世采)[1] 선생이다. 한주공은 1695년 현석 선생의 영전(靈前)에 올린 제문에서 "저

---

[1] **박세채**(朴世采): 1631~1695. 조선 후기 문신 성리학자. 본관 반남(潘南), 자 화숙(和叔), 호 현석(玄石), 남계(南溪), 시호 문순(文純). 김상헌(金尙憲)의 문인. 주로 송시열(宋時烈), 송준길(宋浚吉) 등 서인과 학문적 교유 관계를 맺음. 1683년 서인이 노론과 소론으로 분립되자 윤증(尹拯), 최석정(崔錫鼎), 남구만(南九萬) 등과 소론의 영수가 되었으며, 1694년 갑술환국(甲戌換局)으로 소론이 정권을 잡자 좌의정에 오름. 소론의 힘으로 좌의정이 되었지만, 이후에는 노론의 정치·학문적 입장을 지지함. 숙종 후반 산림학자를 대표하는 위치에 오르자 붕당 간의 조정에 힘을 기울여 영조·정조대에 이르러 탕평책을 시행할 수 있는 중요한 기반을 제공함.

는 늦게 선생의 학당으로 들어가 …… 어리석고 지지부진하여 충분히 할 수 없는 자질인데도 수레를 돌리고 바퀴를 고치게 하여 한 울타리에 머물게 하셨으니, …… 선생께서는 제가 불가(佛家)와 노자(老子)에 병들었다고 하셨습니다. 제가 과명(科名)에 오를 때에도 이미 불교와 도교의 논리를 말하였다가 여러 시관(試官)들에게 비난을 당한 일이 있었지만, …… 어느 날 이런 일로 나아가서 뵙고 말씀을 드렸는데 허황한 논리에 빠지지 말라고 하시면서 해오던 학문을 오로지 가르쳐주셨으니 ……"라고 했다. 현석 선생은 김제공과는 사돈지간으로 현석 선생의 아들 태정(泰正)이 김제공의 사위이다.

1699년 3월 생원시(生員試)²⁾에서 3등으로 입격(入格)한 한주공은 이듬해 목릉(穆陵)³⁾ 침랑(寢郎)⁴⁾을 지냈으며 계방(桂坊)⁵⁾에서도 근무했다. 1710년 겨울에 흡주(歙州)⁶⁾ 현감(縣監)⁷⁾으로 부임하여 1712년 가을까지 재직했다. 이후 전감사(典監司)⁸⁾, 장악원(掌樂院)⁹⁾ 등에서 관직을 지냈으며 1718년에는 이천부사(利川府使)¹⁰⁾를 제수받았는데, 품계는 통훈대부(通訓大夫)¹¹⁾였다.

---

2) **생원시**(生員試): 조선 시대 사마시(司馬試)의 하나. 여기에 뽑힌 사람을 생원이라 함. 사서오경(四書五經)을 시험했는데, 1차 시험인 초시(初試)와 2차 시험인 복시(覆試)가 있었음.

3) **목릉**(穆陵): 조선 제14대 왕 선조와 원비 의인왕후(懿仁王后) 박씨, 계비 인목왕후(仁穆王后) 김씨 등 세 사람의 무덤임. 경기도 구리시 동구릉(東九陵) 소재.

4) **침랑**(寢郎): 조선 시대에 종묘 능원(園)의 영(令)과 참봉(參奉)을 통틀어 이르는 말.

5) **계방**(桂坊): 조선 시대 세자의 호위를 맡았던 세자익위사(世子翊衛司)의 별칭.

6) **흡주**(歙州): 지금의 강원도 통천군으로 흡현·흡곡현이라고도 함.

7) **현감**(縣監): 조선 시대 동반(東班) 종6품 외관직(外官職).

8) **전감사**(典監司): 조선 시대에 강과 바다의 운항을 담당하던 관아.

9) **장악원**(掌樂院): 조선 시대에 음악에 관한 일을 맡아보던 관아.

10) **부사**(府使): 조선 시대의 지방 장관직. 정3품의 대도호부사(大都護府使)와 종3품의 도호부사(都護府使)를 가리키는 칭호. 대도호부사는 목사(牧使)보다 상위직이었으며, 도호부사는 목사와 군수의 중간에 해당함.

11) **통훈대부**(通訓大夫): 조선 시대 정3품 동반(東班) 문관(文官)에게 주던 품계. 정3품의

한주공은 젊은 시절부터 예순을 못 넘기고 서세(逝世)할 때까지 줄곧 극심한 병마에 시달렸다. 흡주현감 시절, 한주공은 당시의 괴로움을 지인들에게 보낸 편지에서 "나는 바닷바람에 상하여 팔과 다리가 곯고 마비되는 증상이 심히 가볍지 않은데, 바닷가라서 고칠 약도 없고 치료가 쉽지 않아 근심하고 시름하지만 어찌할 수 없네. 오래된 마비 증세가 날마다 더해 고통이 심해지니 바다의 풍기(風氣)가 좋지 못하여 이렇게 된 것 같네. 앞길이 어떻게 될지 근심스럽고 또 근심스럽네"라고 썼다.

1725년 2월에는 한 지인에게 보낸 편지에서 "8년 동안이나 당뇨를 앓은 뒤에 다시 풍토병을 앓았으니 진이 다 빠져 다시는 온전한 사람이 될 희망이 없고 몸이 아파 죽을 듯한 괴로움이 깊어져서 극에 달했습니다. 저는 해묵은 병이 나이가 먹을수록 깊어져서 살이 다 빠진 채 빈 껍질만 남아 있을 뿐이니, 스스로 가련하고 가련합니다"라고 썼다.

공은 이천부사를 지낸 뒤 권간(權奸)들의 핍박을 받으며 한동안 선산 아래에서 은거 생활을 하기도 했다. 한주공은 1725년(영조 1) 문과(文科) 급제 후 선조들의 영전에 드린 고사(告辭)에서 당시 통한(痛恨)의 심경을 "지난여름에는 다른 사람으로부터 대장을 위조해 거짓으로 꾸미고 없는 일을 만드는 거짓 참소(讒訴)[12]를 받기에 이르렀습니다. 그 뒤 여러 고을에 임용이 되었으나, 끝내 감히 부임하지 아니하였습니다. 오늘에 와서 과거(科擧)를 빌려 은혜롭게 발탁되어 가난과 굶주림을 구제하라는 명을 받았기에 물러났다가 다시 벼슬로 나아가야 할 것입니다"라고 썼다.

청주목사(淸州牧使), 장례원(掌隷院)[13] 판결사(判決事), 병조(兵曹) 참지(參知)[14],

하계(下階)로서 통정대부(通政大夫)보다 아래 자리로 당하관(堂下官)의 최상임.

통정대부(通政大夫): 조선 시대의 관계(官階). 정3품의 상계(上階)임.

12) **참소**(讒訴): 남을 헐뜯어 없는 죄도 있는 것처럼 윗사람에게 고해바침.

13) **장례원**(掌隷院): 조선 시대 노비의 부적(簿籍)과 소송에 관한 일을 관장하던 관청.

예조(禮曹) 참의(參議)15)를 지내던 한주공은 1725년 10월 20일 통정대부로 승자(陞資)16)했고, 다음 날인 10월 21일 증광시(增廣試)17)에서 장원급제했다. 그해 11월 19일 승정원(承政院)18) 좌부승지(左副承旨) 참찬관(參贊官)19)으로 임명되었고, 1726년 5월 11일 황해도 관찰사(黃海道觀察使)20)에 제수된 한주공은 7월 2일 임금에게 하직 인사를 하고 부임했다. 한주공은 황해도 관찰사 재임 중인 1727년 4월 4일 대사간(大司諫)21)에 발탁되었으나, 나흘 후인 4월 8일 임지 해주(海州)에서 58세를 일기로 서세했다.

『조선왕조실록(朝鮮王朝實錄)』에는 공이 서세하자 "처음에 음사(蔭仕)로 고을의 목사에 이르렀다가 늦게야 비로소 등제(登第)했고 발탁하여 황해도 관찰

판결사(정3품) 1명, 사의(司議: 정5품) 세 명, 사평(司評: 정6품) 네 명의 관원을 둠.

14) **참지**(參知): 조선 시대 병조에 소속된 정3품 벼슬. 정원은 1명.

15) **참의**(參議): 조선 시대 육조(六曹)에 소속된 정3품 당상관직. 지금의 차관보에 해당하며 각 조의 참판과 함께 판서를 보좌하면서도 판서와 대등한 발언권을 지님.

16) **승자**(陞資): 조선 시대 당하관이 당상관(堂上官)의 자급(資級)에 오르던 일.

17) **증광시**(增廣試): 조선 시대 즉위경(卽位慶)이나 30년 등극경(登極慶)과 같은 큰 경사가 있을 때, 또는 작은 경사가 여러 개 겹쳤을 때 임시로 실시한 과거. 소과(小科)·문과(文科)·무과(武科)·잡과(雜科)가 있음.

18) **승정원**(承政院): 조선 시대의 중추적 정치 기구이며 왕명의 출납(出納)을 맡아봄. 도승지는 이조, 좌승지는 호조, 우승지는 예조, 좌부승지는 병조, 우부승지는 형조, 동부승지는 공조를 맡았는데 모두 정3품 당상관으로 임명함.

19) **참찬관**(參贊官): 조선 시대 경연청(經筵廳)에서 국왕에게 경서(經書) 강론 및 경연(經筵)에 참여하였던 정3품 당상관으로, 정원은 홍문관 부제학과 승정원의 여섯 승지 등 일곱 명으로 구성됨.

20) **관찰사**(觀察使): 조선 시대 각 도에 파견된 지방 행정의 최고 책임자. 감사(監司), 도백(道伯), 방백(方伯), 외헌(外憲), 도선생(道先生), 영문선생(營門先生) 등으로도 불림. 종2품 관직.

21) **대사간**(大司諫): 조선 시대 사간원(司諫院)의 으뜸 벼슬로 정3품 당상관이며, 정원은 1원임. 임금에게 간언(諫言)하는 일을 맡아보면서 다른 사람의 상소를 임금에게 올리는 일도 맡아보았으므로, 학식과 경험이 풍부한 사람이 임명됨.

사를 제수했었는데, 이에 이르러 병으로 졸(卒)하므로 애석하게 여기는 사람이 많았다"라고 적혀 있다.

묘는 경기도 성남시(城南市) 분당구(盆唐區) 수내동(藪內洞) 65번지 영장산(靈長山) 중앙공원의 선영 아래 있다. 묘역은 1989년 12월 29일 경기도 문화재 제116호로 지정되었다.

2. 한산 이씨의 선계(先系)

한산 이씨는 지금의 충청남도 서천군(舒川郡) 한산면(韓山面) 지방에 토착세거(土着世居)해온 호족(豪族)[22]의 후예로, 고려 시대 권지(權智)[23] 합문지후(閤門祗侯)[24] 휘 윤우(允佑)를 시조로 하는 백파(伯派)와 동생 권지호장(權知戶長)[25] 휘 윤경(允卿, 호장공)을 시조로 하는 숙파(叔派)가 있는데 한주공의 17대조가 호장공이다.

호장공이 관청 곡식을 맡은 여러 해 동안 출납하는 것이 공정하여 백성들이 큰 혜택을 입었으며, 옛 한산군 내 사람들이 공의 덕을 추모하여 목우상(木偶

---

22) **호족**(豪族): 중앙의 귀족과 대비되는 용어로서 지방의 토착 세력.

23) **권지**(權智): 고려 및 조선 시대에 실직(實職)이 아닌 임시직의 벼슬아치를 말하는 것으로 대개 관직명 앞에 붙여 호칭함.

24) **합문지후**(閤門祗侯): 고려 시대 조회(朝會), 의례(儀禮) 등 국가 의식을 맡아보던 합문 소속의 정7품 관직.

25) **호장**(戶長): 고려 시대 향직(鄕職)의 우두머리. 일반적인 직무는 호구장적(戶口帳籍)의 관장, 전조(田租) 및 공물(貢物)의 징수 상납, 역역(力役)을 동원하는 일 등을 수행함. 군사적 기반과 전투적 성향이 있었기 때문에 궁과(弓科) 시험을 거쳐 주현일품군(州縣一軍)의 별장(別長)에 임명되어, 지방 군사 조직의 장교로서 주현군을 통솔하기도 함. 호장 신분은 대체로 세습되었기 때문에 그 자손에게는 지방 교육의 기회와 더불어 과거에 응시할 수 있는 자격이 주어졌고 과거를 통한 중앙 관료로의 진출이 가능했음.

像)을 만들어 성황묘(城隍廟)에 봉안하고 봄, 가을에 제사를 지냈다고 전한다.

공의 묘소는 한산군 지현리(芝峴里) 건지산(乾至山) 밑에 있는데 금계포란형 (金鷄抱卵形)의 명당으로 알려져 있다. 묘소는 본래 한산군의 동헌(東軒)이 있던 곳이었는데 관가의 현감이 앉는 널빤지가 지기(地氣) 때문에 자꾸 썩어가는 것을 눈여겨보고 지혈(地穴)이 바로 그 자리임을 익혀두었다가 묘를 썼다고 한다.

호장공의 묘소에 얽힌 전설이 전해 내려오는데, 자손들이 한산 고을에서 여러 대에 걸쳐 호장으로 봉직할 때 하루는 동헌 마룻장이 뒤틀리고, 마루 틈으로 안개 같은 기운이 스며 올랐다고 한다. 이를 수상히 여긴 후손이 마룻장 밑에다 계란을 파묻어 두었다가 얼마 후에 꺼내 보니 상하지 않고 그대로 있었는데, 바로 이곳이 필시 명당일 것 같아 원님 몰래 밤중에 호장공을 평분(平墳)으로 입장(入葬)해 놓았다는 것이다.

묘소를 평분으로 만든 까닭에 세월이 흐르자 실전(失傳)되었다. 호장공의 24세손인 삼은공(三隱公) 휘 승오(承五)[26]가 1880년(고종 17) 충청도 관찰사로 부임하여 퇴락한 관부를 수리하다가 발견하여, 현재와 같이 재봉축하고 표석을 세웠다.

호장공의 외아들 휘 인간(仁幹)은 정조호장(正朝戶長)[27]을 지냈으며, 첫째 아들 휘 충진(忠進)과 비서랑(秘書郎)[28]을 지낸 둘째 아들 휘 효진(孝進, 비서랑공)을 두었는데 비서랑공이 한주공의 15대조이다. 비서랑공은 두 아들을 두

---

26) **이승오**(李承五): 조선 말기 문신(1837~1900). 자 규서(奎瑞). 호 삼은. 이조 판서, 병조 판서 등을 지냄.

27) **정조호장**(正朝戶長): 고려 시대의 지방 향리 가운데 향직 7품에 해당하는 '정조'의 직위를 받은 호장. 매년 정월 초하루에 도성의 궐문에 나아가서 임금에게 문안드리는 예식에 참여하는 향리(鄕吏).

28) **비서랑**(秘書郎): 고려 시대 경적(經籍)과 축문(祝文)에 관한 일을 관장하던 비서성(秘書省)의 종6품 관직.

었는데 첫째 아들 휘 영장(永莊)은 안일호장(安逸戶長)을 지냈고, 한주공의 14대조인 휘 창세(昌世)는 봉익대부(奉翊大夫)[29] 판도판서(版圖判書)[30]에 추봉(追封)[31]되었다.

한주공의 13대조인 감무공(監務公) 휘 자성(自成: ?~1310)은 진사로서 정읍(井邑)의 감무[32]를 지냈는데, 셋째 아들 가정공(稼亭公) 휘 곡(穀)의 출세로 광정대부(匡靖大夫)[33] 도첨의(都僉議)[34] 찬성사(贊成事, 본국) 비서감승(秘書監丞, 원나라)[35]에 추증(追贈)되었다. 부인은 흥례(興禮) 이씨로 삼한국대부인(三韓國大夫人)[36](본국) 요양현군(遼陽縣君)[37](원나라)에 추증되었다.

---

29) **봉익대부**(奉翊大夫): 고려 시대 문관 종2품 하(下)의 품계명.
30) **판도판서**(版圖判書): 고려 시대 호구(戶口), 공부(貢賦), 전량(錢糧) 등에 관한 사무를 관장하던 판도사(版圖司) 소속의 정3품 관직.
31) **추봉**(追封): 죽은 뒤에 작위를 봉(封)함.
32) **감무**(監務): 고려 시대에 지방의 군현(郡縣)에 파견된 5·6품의 관직. 설치 목적은 주현(州縣)에 의해 피해를 입은 속군현의 유망민을 안정시켜 조세와 역을 효과적으로 수취하면서 중앙집권책을 실시하기 위한 것임. 감무는 과거 급제자를 파견하는 것을 원칙으로 했으며, 조선 태종 때 군현제를 정비하면서 현감으로 개칭함.
33) **광정대부**(匡靖大夫): 고려 시대 문관 종2품의 품계명.
34) **도첨의**(都僉議): 문하부(門下府). 고려 시대 백규(百揆)의 서무(庶務)를 관장하고, 그 낭사(郎舍)는 간쟁(諫諍)과 봉박(封駁)을 관장하던 관아. 내의성(內議省), 내사문하성(內史門下省), 중서문하성(中書門下省), 첨의부(僉議府), 도첨의사사(都僉議使司), 문하부(門下府) 등으로 이름이 바뀜. 영부사 한 명, 좌시중 한 명, 우시중 한 명 등은 정1품. 시랑(侍郎), 찬성사(贊成事) 이 두 명은 종1품.
   시랑(侍郎): 고려 시대 관직. 상서 6부의 정4품 벼슬.
35) **비서감승**(秘書監丞): 경적(經籍)과 축소(祝疏)에 관한 일을 관장하던 관청에 속한 관원.
36) **대부인**(大夫人): 고려 시대 문무관 3품 관직을 지닌 사람의 어머니에게 내린 작위.
37) **현군**(縣君): 조정 관료의 부인 또는 어머니에게 그의 남편이나 자식의 품계에 따라 내리는 작위.

3. 한주공의 세계(世系)

■ 12대조 가정공 곡(穀)

감무공의 부인은 흥례부(興禮府:지금의 경상남도 울산) 향리(鄕吏) 이춘년(李椿年)의 딸인데 슬하에 휘 배(培), 휘 축(畜), 휘 곡(穀) 등 세 아들과 딸 하나를 두었다. 한산 이씨는 시조 호장공으로부터 감무공에 이르기까지는 한산의 향리 가문이었으나, 가정공대에 이르러 명문(名門)으로서의 기틀을 세웠다.

가정공(稼亭公, 1298~1351)의 자는 중부(仲父), 초명은 운백(雲白), 호는 가정(稼亭)이다. 1298년(충렬왕 23) 한산 북고촌(北古村)에서 태어났으나, 청소년기에는 외가가 있는 흥례부에서 살았는데 외가에 머무는 동안 당시 유명한 유학자인 우탁(禹倬)[38]을 만나 사사(師事)하며 학문적 영향을 받았다. 가정공은 16세 때 흥례부에서 가까운 영해(寧海) 향교(鄕校)의 대현(大賢)[39]인 김택(金澤)의 딸 함창(咸昌) 김씨(金氏)와 혼인했다.

가정공은 1317년 국자감시(國子監試)에 합격했으며 1320년(충숙왕 7) 국시(國試) 수재과(秀才科) 제2명(第二名)으로 급제했는데, 당시 지공거(知貢擧)[40] 익재(益齋) 이제현(李齊賢)[41]은 가정공의 좌주(座主)로서 부자 관계와 같은 긴밀한

---

38) **우탁(禹倬)**: 고려의 문신(1262~1342). 본관 단양(丹陽). 자 천장(天章), 탁보(卓甫). 호 백운(白雲), 단암(丹巖). 시호 문희(文僖). '역동(易東) 선생(先生)'이라 불림. 문과에 급제, 영해 사록(寧海司錄), 감찰규정(監察糾正) 등을 지냄. 원나라를 통해 들어온 정주학(程朱學) 서적을 처음으로 해득해 후진에게 가르쳤으며, 경사(經史)와 역학(易學)에 통달함.
39) **대현(大賢)**: 생도(生徒)의 연장자.
40) **지공거(知貢擧)**: 고려 시대 과거의 시험관. 지공거에 대해 당해 연도의 급제자들은 좌주 은문(恩門)이라 칭하며 평생 부모처럼 모셨고 문생(門生)의 예를 행함.
41) **이제현(李齊賢)**: 고려 말기 문신 학자(1287~1367). 초명은 지공(之公). 자는 중사(仲思). 호는 역옹(櫟翁), 익재. 벼슬은 문하시중에 이르렀으며 당대의 명문장가로 정주학의

관계를 맺게 되었다. 수재과에 급제한 가정공은 복주(福州)⁴²⁾ 사록참군(司錄參軍), 예문(藝文) 검열(檢閱)을 지냈는데 복주(지금의 경상북도 안동)에서 가정공은 정도전(鄭道傳)⁴³⁾의 아버지 정운경(鄭云敬)⁴⁴⁾을 만나 친교를 맺었다.

　수재과에 급제를 했다고 하더라도 시골 향리 출신인 가정공은 문벌의 배경이 없어 중앙 관직을 받지 못했다. 가정공은 좌주인 이제현에게 구직을 청해 1331년 봄 정구품인 예문춘추관(藝文春秋館)⁴⁵⁾ 검열이 되었으나 이에 만족할 수 없어 1332년 정동성(征東省)⁴⁶⁾ 향시(鄕試)에 합격한 데 이어, 1333년 원나라 전시(殿試) 제과(制科)⁴⁷⁾에 급제하여 승사랑(承仕郞) 한림(翰林)⁴⁸⁾ 국사원(國史

기초를 닦음. 저서로 『익재집(益齋集)』, 『역옹패설(櫟翁稗說)』, 『익재난고(益齋亂藁)』가 있음.

42) **복주(福州)**: 지금의 경상북도 안동.
43) **정도전(鄭道傳)**: 고려 말 조선 초의 정치가, 학자(1342~1398). 자 종지(宗之), 호 삼봉(三峰), 시호 문헌(文憲). 아버지와 가정공과의 교우 관계가 인연이 되어, 가정공의 아들 목은공(牧隱公)의 문하에서 수학함. 1360년(공민왕 9) 성균시에 합격하고, 2년 후에 동 진사시에 합격해 충주(忠州) 사록(司錄), 전교(典校) 주부(注簿), 통례문(通禮門) 지후(祗候)를 지냄. 1383년 동북면 도지휘사로 있던 이성계(李成桂)를 함주 막사로 찾아가서 그와 인연을 맺기 시작해 이듬해 이성계의 천거로 성균관 대사성으로 승진함. 1388년 6월에 위화도회군으로 이성계 일파가 실권을 장악하자 조선 건국의 기초를 닦았으며, 개국 1등 공신으로 문하시랑(門下侍郞) 찬성사(贊成事) 등 요직을 지냄.
44) **정운경(鄭云敬)**: 고려 말기의 문신(1305~1366). 본관은 봉화(奉化). 어려서 영주(榮州)와 복주(福州) 향교에서 수학한 뒤 개경에 올라와 가정공 등과 사귐. 1330년 문과에 급제해 도평의녹사(都評議錄事), 전의(典儀) 주부(注簿), 밀성군(密城郡) 지사(知事) 등을 지냄.
45) **예문춘추관(藝文春秋館)**: 고려 시대 왕명의 작성과 시정(時政)의 기록 및 역사의 편찬을 관장한 관서.
46) **정동성(征東省)**: 고려 충렬왕 6년(1280)에 원나라가 일본 원정을 위해 개경에 설치했던 기구. 두 차례의 원정 실패로 철폐했다가 충렬왕 11년에 다시 세운 이후 고려 말까지 존속함. 정동행성(征東行省).
47) **제과(制科)**: 중국 천자가 직접 나와 보는 과거.
48) **한림(翰林)**: 임금의 말과 명령을 글로 짓는 일을 맡아보던 벼슬. 예문관 검열.

院) 검열관에 제수되었다.

이후 가정공은 개경보다 연경(燕京)에 머무르는 기간이 많았다. 가정공은 원나라 관리로서 고려의 이익을 대변하는 역할을 했는데 1337년 정동성 좌우사원외랑(左右司員外郎)을 지낼 때 나라 안은 70, 80년째 계속된 동녀(童女, 숫처녀) 징발로 원한이 하늘에 사무치고 깊은 비탄에 빠져 있었다. 이에 공이 원나라 순제(順帝)에게 장문의 청파(請罷) 소문(疏文)을 올려 그의 마음을 움직여 바로 잡아지자 온 백성이 기뻐했다. 이십대 약관 시절 울분을 삼키던 최영(崔瑩)[49]은 "나도 가정 선생 같은 선비의 붓끝과 다름없는 훌륭한 위력을 지닌 창칼로 나라를 구하겠다"라고 다짐하며 매진하여, 훗날 명장으로 이름을 떨치기도 했다.

그 후 가정공은 본국과 원나라를 오가며 여러 벼슬을 지냈는데 중대광한산군(重大匡韓山君) 예문관(藝文館)[50] 대제학(大提學)을 거쳐 광정대부 도첨의 찬성사에 올랐으며, 1350년 원나라에서 봉의대부(奉議大夫) 정동성 좌우사낭중(左右司郎中)을 제수받았다.

그해 겨울 모친상을 당하고 이듬해 1월 한산 숭문동(崇文洞)에서 서세하니 향년 54세였으며, 시호는 문효(文孝)이다. 공은 경학(經學)뿐 아니라 문학적으로도 뛰어난 소양을 보여 가전체(假傳體)[51] 문학 작품의 효시로 국문학사상 귀중한 작품인 『죽부인전(竹夫人傳)』[52], 『절부조씨전(節婦曺氏傳)』 등 역사에 남는 명작을 남겼다. 묘는 서천군 기산면(麒山面) 광암리(光岩里)에 있다.

가정공은 외아들 휘 색(穡)과 4녀를 두었다. 사위는 반남(潘南) 박상충(朴尙

---

49) **최영**(崔瑩): 고려의 명장, 충신(1316~1388). 본관 동주(東州). 시호 무민(武愍).

50) **예문관**(藝文館): 고려 시대 사명(詞命)의 제찬(制撰)을 맡은 관청. 관원으로는 대제학(大提學, 종2품), 제학(提學, 정3품), 직제학(直提學, 정4품) 등을 둠.

51) **가전체**(假傳體): 사물을 의인화하여 일대기 형식으로 서술한 글.

52) 『**죽부인전**(竹夫人傳)』: 당시 음란한 궁중과 타락한 사회에 경종을 울리고 점차 절개를 지키는 여인이 드물어가는 것을 한탄한 소설.

夷)[53], 영해(寧海) 박보생(朴寶生), 나주(羅州) 나계종(羅繼從), 경주(慶州) 정인량(鄭仁良)이다. 박상충은 공민왕조에 등제(登第)해 고려의 판전교시사(判典校寺事) 우문관(右文館) 직제학(直提學)을 지냈으며, 조선조에 영의정 금성부원군(錦城府院君)[54]에 추증되었다. 박상충의 아들 은(訔)은 조선 태종대에 금천부원군(錦川府院君)에 올랐다. 박보생은 1349년 판위위시사(判衛尉寺事)를 지냈고, 나계종은 공민왕조에 등제해 1371년 예문관 제학에 올랐으며 가정공의 화상찬(畵像讚)을 지었다. 정인량의 아버지는 대제학을 지낸 정종보(鄭宗輔)이며, 할아버지는 병조 판서를 지낸 정홍덕(鄭弘德)이었다.

■ 11대조 목은공 색(穡)

목은공(牧隱公, 1328~1396)의 자는 영숙(潁叔), 호는 목은(牧隱)이다. 목은공은 1328년(충숙왕 15) 5월 9일 외가가 있던 경상북도 영해부(寧海府)에서 동쪽으로 20리쯤 되는 괴시촌(槐市村) 무가정(無價亭)에서 태어났다. 목은공은 14세 되던 1341년 성균시 십운과(十韻科)에 급제했고, 1343년 구재(九齋)[55] 도회(都會)[56] 각촉시(刻燭試)[57]에서 장원한 뒤 1346년 지밀직사사(知密直司事)[58]

---

53) **박상충**(朴尙衷): 고려 말기 문신(1332~1375). 자 성부(誠夫), 시호 문정(文正). 공민왕 때 과거에 급제, 예조 정랑 전교령(典校令), 판전교시사(判典校寺事) 등을 지냈으며 북원(北元)의 사신과 그 수행원을 포박하여 명나라로 보낼 것을 상서하는 등 친명책을 주장함. 친원파 이인임(李仁任)과 지윤(池奫)의 주살을 주장한 것에 연좌되어 친명파인 전녹생(田祿生), 정몽주(鄭夢周), 김구용(金九容), 이숭인(李崇仁), 염흥방(廉興邦) 등과 함께 귀양을 가던 도중 별세함.
54) **부원군**(府院君): 왕비의 부(父), 또는 정1품 공신(功臣)의 작호(爵號).
55) **구재**(九齋): 고려 시대 관학(官學) 학재(學齋)의 하나.
56) **도회**(都會): 지방에서 행하는 향시(鄕試).
57) **각촉시**(刻燭試): 초에 금을 새기고 그 금까지 타기 전에 글을 지어냄.
58) **지밀직사사**(知密直司事): 고려 시대 밀직사의 종2품 관직.

중대광 화원군(花原君) 중달(仲達)의 딸인 안동 권씨(1331~1394)와 결혼했다. 중달의 아버지는 태자좌찬선(太子左贊善)이요, 도첨의(都僉議) 좌정승(左政丞)인 당대의 권력자 권한공(權漢功)이었다.

결혼을 한 목은공은 1347년 아버님 가정공에게 근친(覲親)하기 위해 원나라에 들어가 우문자정(宇文子貞)에게서 『주역(周易)』을 배웠는데 이듬해 가정공은 원나라 조정의 중서사전부(中瑞司典簿)[59]에 올랐고, 목은공은 국자감(國子監) 생원이 되어 3년간 원의 성리학을 공부했다. 이때 유명한 구양현(歐陽玄)[60]과 사귀게 되었다. 목은공은 1350년 가을 잠시 귀국했다가 12월에 다시 원으로 들어가 국자감에 재입학했는데, 1351년 1월 부친상을 당해 다시 귀국하여 삼년상을 치렀다.

목은공은 1353년(공민왕 2) 명경과(明經科)[61]에 을과로 장원급제했는데, 당시 지공거 역시 이제현이었다. 이어 정동성 향시에도 장원하여 진봉사(進奉使)[62] 서장관으로 다시 북경에 가게 되었다. 1354년 북경에서 회시(會試)에 급제한 데 이어 전시(殿試)에서도 급제하여 응봉한림문자(應奉翰林文字) 승사랑(承仕郎)을 지내다가 귀국했다.

밀직사(密直司): 고려 시대 정령(政令)의 출납(出納), 궁중의 숙위(宿衛), 군기(軍機) 등에 관한 일을 맡아보던 관아.
59) **전부**(典簿): 조선 시대의 종친부에 속한 정5품 벼슬.
60) **구양현**(歐陽玄): 원나라의 문신(1273~1357). 유양(瀏陽) 사람. 자는 원공(原功), 호는 규재(圭齋). 국자박사(國子博士), 감승(監丞), 한림직학사(翰林直學士), 한림학사 승지(翰林學士承旨) 등을 지냄. 40여 년 동안 관직에 있으면서 종묘와 조정의 문책(文冊)과 제고(制誥)를 거의 도맡아 쓰면서 문명(文名)을 떨침.
61) **명경과**(明經科): 고려·조선 시대 과거 시험의 한 분과. 초시(初試), 회시(會試), 복시(覆試) 등 3차에 걸친 시험에 모두 합격해야 최종 합격자로 결정되었으며, 최종 합격자에게 홍패(紅牌)를 줌.
62) **진봉사**(進奉使): 중국 황제에게 보내는 조공품(朝貢品)인 방물(方物)을 바치기 위해 보내는 사신.

목은공은 1355년 춘추관(春秋館)⁶³⁾ 편수관(編修官) 등을 역임하다가 다시 서장관(書狀官)으로 북경에 가서 한림원 경력(經歷)을 지내다가 1356년 귀국하여 중산대부(中散大夫),⁶⁴⁾ 이부시랑(吏部侍郎), 한림직학사(翰林直學士)⁶⁵⁾ 등 여러 벼슬을 거쳤다. 1357년(공민왕 6) 10월에는 3년상제(三年喪制)를 실시할 것을 상소해 관철했다.

목은공은 1360년 정의대부(正議大夫)⁶⁶⁾ 추밀원(樞密院)⁶⁷⁾ 좌부승선(左副承宣)⁶⁸⁾ 등을 지냈는데, 1361년(공민왕 10) 홍건적의 난으로 개경이 함락되자 복주(福州) 남쪽으로 파천하는 왕의 곁을 떠나지 않고 호위하여 일등 공신이 되어, 철권(鐵券),⁶⁹⁾ 밭 100결(結), 노비 20구를 하사받았다.

목은공은 1368년 원나라로부터 조열대부(朝列大夫) 정동성 좌우사 낭중(郎中)⁷⁰⁾을 선수(宣受)받았고, 이듬해 광정대부(匡靖大夫) 판밀직사사(判密直司事)⁷¹⁾ 판개성부사(判開城府使) 겸 성균관 대사성에 올랐다. 1371년 숭록대부(崇祿大夫) 진현관(進賢館)⁷²⁾ 태학사(太學士) 동지공거(同知貢擧)⁷³⁾가 되었고, 정당

---

63) **춘추관**(春秋館): 시정(時政)의 기록을 맡아오던 관청.
64) **중산대부**(中散大夫): 고려 시대 문산계(文散階)의 한 품계. 정4품.
65) **직학사**(直學士): 고려 시대 중추원(中樞院), 청연각(淸燕閣), 홍문각(弘文閣)의 한 벼슬. 정원은 1명이며, 품계는 정3품이나 재추(宰樞: 재상급 이상의 신료)에 포함됨.
66) **정의대부**(正議大夫): 고려 시대의 문산계. 정3품 상(上).
67) **추밀원**(樞密院): 밀직사.
68) **좌부승선**(左副承宣): 고려 시대 추밀원의 정3품 관직.
69) **철권**(鐵券): 임금이 공신에게 하사하던 쇠로 만든 패(牌). 패의 표면에는 공신의 이력(履歷)과 은수(恩數)를 새기고 그 공을 기록하며, 안쪽에는 면죄(免罪)나 감록(減祿)을 새겨 나중의 화를 면하게 했음.
70) **낭중**(郎中): 정동성의 정5품 관직.
71) **판밀직사사**(判密直司事): 밀직사의 종2품 관직.
72) **진현관**(進賢館): 고려 시대 학문 연구에 관한 일을 맡아보던 관아. 학식이 풍부한 문신들을 뽑아 학문을 연구하고 임금을 시종케 하던 관전(館殿) 중의 하나.
73) **동지공거**(同知貢擧): 고려 시대 과거의 부고시관(副考試官).

문학(政堂文學)[74]에 보임되었다. 이어 명나라 고시관이 되어 추충보절찬화공신(推忠保節贊化功臣)의 호를 받았으나, 이해 9월 어머니 상을 당했다.

1373년 11월 삼년상을 마치자 목은공은 대광(大匡) 한산군(韓山君)의 작호를 받았으나 이듬해 공민왕이 훙서(薨逝)[75]하자 벼슬에 뜻을 버리고 7년여 동안 두문불출했다. 신병을 이유로 계속 사직하려 해도 받아들여지지 않자, 목은공은 녹봉을 사양하고 받지 않았다. 그런데도 관직은 계속 올라가 1377년에는 추충보절동덕찬화공신(推忠保節同德贊化功臣)의 호를 받았고, 1382년 삼중대광(三重大匡)[76] 판삼사사(判三司事)[77]가 되었다. 이어 1384년에는 한산부원군, 이듬해에는 벽상삼중대광검교(壁上三重大匡檢敎)[78] 문하시중(門下侍中)[79]에 제수되었다.

1388년 4월 이성계(李成桂)의 위화도(威化島) 회군으로 우왕(禑王)이 쫓겨나고 창왕(昌王)이 섰다. 이때 목은공은 조민수(曺敏修)[80]가 창왕을 세우자고 하자 마땅히 우왕의 아들 창왕을 세워야 한다는 데 동의했다. 같은 해 8월 한산부원군이 되었다. 공민왕이 죽은 뒤 명나라 황제가 집정대신을 입조(入朝)하라고 하는데 두려워서 가려는 자가 없자, 목은공은 어린 왕을 대신해 입조하

---

74) **정당문학**(政堂文學): 고려 시대 중서문하성에 설치된 종2품의 관직.

75) **훙서**(薨逝): 임금이나 후비(后妃) 등 왕공귀인(王公貴人)들의 죽음.

76) **삼중대광**(三重大匡): 고려 시대 문관 품계의 하나. 정1품 또는 종1품.

77) **판삼사사**(判三司事): 고려 시대 삼사(三司)의 으뜸 벼슬. 정원은 1명.

78) **벽상삼중대광**(壁上三重大匡): 고려 시대 문관 정1품의 품계명.

79) **문하시중**(門下侍中): 고려 시대의 수상(首相). 중서문하성(中書門下省)의 장관으로 종1품.

80) **조민수**(曺敏修): 고려의 무신(?~1390). 본관 창녕(昌寧). 1383년 문하시중을 거쳐 창성부원군(昌城府院君)에 봉해짐. 1388년(우왕 14) 요동정벌군(遼東征伐軍)의 좌군도통사(左軍都統使)로 이성계와 회군하여 공을 세웠으나 1389년(창왕 1) 이성계 일파의 전제 개혁을 반대해 유배되었으며, 우왕의 혈통을 둘러싼 논쟁으로 이성계 일파에 대항하다가 서인(庶人)으로 강등되고 다시 유배되어 배소에서 죽음.

겠다고 자원했다. 목은공은 하정사(賀正使)로서 이숭인, 김사안(金士安)과 함께 이성계의 아들 이방원(李芳遠)을 서장관으로 대동하고 갔는데, 이성계가 쿠데타를 일으켜 돌아오지 못할 상황에 대비해 이방원을 데리고 간 것이었다. 명 태조는 목은공이 원의 한림(翰林)을 지냈다는 명성을 익히 듣고 있어 극진히 대접했다.

목은공은 1389년 이성계 일파의 전제 개혁안에 반대하며 문하시중을 사임하고 그 자리에 이림(李琳)[81]을 추천했다. 창왕은 8월에 목은공과 이림, 이성계에게 검이상전(劍履上殿)[82], 찬배불명(贊拜不名)[83]의 특전을 내리고, 은 50량, 채단(綵緞) 10필, 말 1필씩을 내렸다.

1389년 겨울 즉위한 공양왕은 목은공을 판문하부사에 임명했다. 그러나 이성계 일파는 우왕의 신주 철거 문제, 전제 개혁 반대 문제, 불경 간행 문제 등을 들어 줄기차게 핍박했고, 이 때문에 목은공은 장단(長湍)·함창(咸昌) 등지에서 유배 생활을 해야 했다.

이때 '윤이(尹彝), 이초(李初) 옥사(獄事)'가 일어났다. 공양왕 2년(1390)에 명에서 돌아온 왕방(王昉)과 조반(趙胖)이 고하기를 "윤이와 이초가 명나라에 몰래 들어가 이성계가 자기의 인척인 왕요(王瑤)를 세우고 장차 명나라로 쳐들어오려고 했는데, 목은공 등이 반대하자 그들을 죽이거나 귀양을 보냈다"라고 하면서 군대를 동원해달라는 것이 그들의 주장이었다. 목은공과 우현보(禹玄寶), 권근(權近)[84] 등 많은 유신(儒臣)이 이 사건에 관계되었다고 하여 청주

---

81) **이림**(李琳): 고려 말기 문신(?~1391). 본관 고성(固城). 1379년 판개성부사로 딸이 우왕의 비(妃)로 책봉됨으로써 철성부원군(鐵城府院君)에 봉해짐. 이성계 등이 전제 개혁을 주장하자 이를 반대하였으나, 창왕의 외조부라 하여 극형을 면하고 철원에 유배됨. 1390년 윤이(尹彝)와 이초(李初)의 옥사가 일어나자 이성계 일파의 모함으로 충주에 유배되어 병사함.

82) **검이상전**(劍履上殿): 칼을 차고 신발 신고서 전에 오르는 특권.

83) **찬배불명**(贊拜不名): 높이 받들어 그 이름을 부르지 못하게 하는 특전.

(清州)에 유배되었다. 그런데 국문 도중 별안간 천둥번개가 치면서 폭우가 쏟아져 물난리가 나자 국문을 그만두고 함창에 안치했으며, 목은공은 경외종편(京外從便)[85]하도록 했다.

1392년(공양왕 4) 정몽주(鄭夢周)[86]가 이방원에게 죽은 뒤 김진양(金震陽)이 문초를 받을 때 목은공과 아들들의 이름이 거론되자 목은공은 금주(衿州)[87]로 추방되고, 아들 휘 종학(種學), 종선(種善)은 파직 후 서인(庶人)으로 강등되어 역시 금주에 유배되었다.

그해 7월 조선 왕조가 건국되었다. 태조는 목은공의 직첩을 회수하고 서인으로 강등해 해상으로 유배시키고, 종학도 직첩을 회수하고 곤장 100대를 때려 먼 곳으로 귀양 보냈다. 즉위 교서가 발표된 이튿날 도평의사사는 공을 섬으로 귀양 보낼 것을 요청했으나, 장흥에 유배시키는 데 그쳤다. 8월에 종학

---

84) **권근(權近)**: 고려 말 조선 초의 문신 학자(1352~1409). 본관 안동(安東). 자 가원(可遠), 사숙(思叔). 호 양촌(陽村). 시호 문충(文忠). 1367년(공민왕 16) 성균시를 거쳐 이듬해 문과에 급제, 춘추관 검열이 되고, 성균관 대사성 예의판서(禮儀判書) 등을 역임함. 1390년(공양왕 2) 이초(彝初)의 옥(獄)에 연루되어 청주에 투옥됐다가 풀려남. 조선이 개국되자 1393년(태조 2) 예문춘추관학사(藝文春秋館學士) 대사성 중추원사(中樞院使) 등을 지냄. 1401년(태종1) 좌명공신(佐命功臣) 1등으로 길창부원군(吉昌府院君)에 봉해졌으며 예문관 대제학이 되었고, 대사성 의정부 찬성사(議政府贊成事)를 거쳐 세자좌빈객(世子左賓客) 이사(貳師) 등을 역임하였으며, 왕명으로 『동국사략(東國史略)』을 편찬함.

85) **경외종편(京外從便)**: 서울 밖에 편한 대로 살게 함.

86) **정몽주(鄭夢周)**: 고려 말기 문신 겸 학자(1337~1392). 본관 영일(迎日). 자 달가(達可). 호 포은(圃隱). 시호 문충(文忠). 경상북도 영천(永川)에서 태어남. 1360년(공민왕 9) 문과에서 장원을 함. 1390년(공양왕 2) 벽상삼한삼중대광(壁上三韓三重大匡) 수문하시중(守門下侍中) 등이 됨. 1392년 이성계가 사냥하다가 말에서 떨어져 황주(黃州)에 드러눕자 이성계 일파를 제거하려 했으나 이를 눈치 챈 이방원 부하들에게 선죽교(善竹橋)에서 격살됨. 1401년(태종 1) 영의정에 추증되고 익양부원군(益陽府院君)에 추봉됨.

87) **금주(衿州)**: 서울 금천구 시흥동의 옛 지명.

은 장사(長沙)88) 가던 중 거창(居昌) 무촌역(茂村驛)에서 이방원이 보낸 체복사(體覆使)89) 손흥종(孫興宗)에게 목이 졸려 죽었으니, 나이 32세였다. 목은공은 10월에 해배(解配)되어 한산으로 돌아갔다.

목은공은 그 후 3년간 두문불출하고 한산에 머물다가 1395년 5월 여강(驪江)으로 갔는데, 그해 가을 관동(關東) 오대산(五臺山)으로 옮겨 오랫동안 기류(寄留)할 계획을 세웠다. 그러나 태조 이성계는 누차 친서를 보내 만나기를 원했다. 공은 교자를 타고 입경(入京)했다. 공이 입궐하자 태조는 국사에 참여할 것을 청했다. 이에 공은 "망국(亡國)의 대부(大夫)는 살기를 도모하지 않으며, 다만 장차 해골을 고향 산천에 장사 지내기를 원할 뿐"이라며 거절했다. 이때 공은 깊이 읍(揖)만 했을 뿐 절을 하지 않았고, 태조는 용상에서 내려와 옛 친구의 예로 대접했다.

1396년(태조 5) 5월, 공은 피서를 겸해 신륵사로 갈 계획을 세우고 여강으로 향했다. 5월 3일 여강 벽란도(碧瀾渡)에서 배를 타고 강물을 거슬러 올라가기 시작했는데, 그때 경기 감사가 쫓아와서 태조가 보낸 술이라며 선온례(宣醞禮)90)를 행하려 왔다고 했다. 5월 7일 청심루(淸心樓) 아래 연자탄(燕子灘)에 이르러 태조가 보냈다는 술을 마시려 할 때, 함께 배에 탔던 신륵사 중이 만류하자 공은 "죽고 사는 것은 명이 있으니 걱정할 것 없다"라고 하며 술병의 마개 삼은 죽엽(竹葉)을 빼어들고 "나에게 충성(忠誠)이 있다면 이 댓잎이 살 것이요, 없다면 죽을 것이다"라고 했다. 공은 댓잎을 던지고 술을 마시자마자

---

88) **장사**(長沙): 중국 호남성에 있는 현. 귀양지로 유명하였음. 전하여 귀양.

89) **체복사**(體覆使): 임금의 명령을 받고 지방에 가서 벼슬아치들의 군무(軍務)에 관한 범죄 사실을 조사하는 임시 벼슬.

90) **선온례**(宣醞禮): 선온은 임금이 신하에게 내려주는 술. 나라에 경사가 있거나 신하의 노고를 치하할 때 또는 상을 당한 신하를 위로할 때 어주(御酒)를 내렸음. 때로는 술뿐만 아니라 함께 내리는 음식 전체를 선온이라 부르기도 했으며 선온을 전할 때에는 선온례라는 의식이 행해졌음.

배 안에 조용히 누워 운명(殞命)했는데, 공이 서세(逝世)한 뒤 대나무는 과연 뿌리를 박고 수백 년간 살았다고 한다.

태조가 부음을 듣고 경기 감사를 불러 조사하니, 이방원의 명을 받고 정도전이 보낸 독주(毒酒)임이 밝혀졌다. 태조는 사신을 보내 조문했고, 3일 동안 조회(朝會)를 정지했으며, 시호를 문정(文靖)이라 내렸다. 그해 11월 셋째 아들 휘 종선이 영구(靈柩)를 한산으로 모시고 가서 가지원(加智原)[91] 기린봉(麒麟峰) 밑에 장례(葬禮)를 지냈다. 묘는 기산면 영모리(永慕里)에 있다.

■ 10대조 양경공 종선(種善)

목은공은 슬하에 휘 종덕(種德), 종학(種學), 종선(種善, 양경공) 등 세 아들과 딸 하나를 두었다. 그러나 종덕, 종학 등 두 아들은 조선 건국을 반대하다가 비명(悲鳴)에 세상을 떠났고, 양경공도 아버지, 형들과 함께 폐서인되어 유배되었으나 1392년(태조 1) 목은공이 방면될 때 풀려나 벼슬살이를 하기 시작했다.

양경공(良景公, 1368~1438)의 자는 경부(慶父)이며 1382년(우왕 8) 15세 때 문과에 급제해 좌랑, 정랑 등을 지냈다. 1396년(태조 5)에 병조 참의에 제수되었는데, 그해 5월 아버님 목은공을 모시고 여강으로 피서를 갔다가 연자탄에서 목은공이 폭졸(暴卒)하자 한산에 장사를 지내고 3년간 시묘를 살았다. 효도가 지극해 효자비가 섰으며, 양경공이 살던 마을을 효자리(孝子里)라고 했다. 목은공이 서세한 후 10년간 두문불출하며 1404년 『목은집』을 간행했다. 1407년(태종 7)에는 양촌(陽村) 권근의 사위인 연유로 좌사간대부(左司諫大夫)[92]를 제수받았다.

그러나 1411년(태종 11) 6월에 명나라 국자조교(國子助敎) 진연(陳璉)이 찬한

---

91) **가지원**(加智原): 지금의 한산 영모암(永慕庵).
92) **좌사간대부**(左司諫大夫): 조선 초기 사간원(司諫院)의 정3품 벼슬.

목은공의 묘지명에 잘못 쓰인 부분이 있다는 죄목으로, 동래로 귀양을 갔다가 10월에 경외종편하게 되었다. 문제가 된 비명의 내용은 1392년에 용사(用事)하는 자가 목은이 자기를 따르지 않음을 꺼려 장단으로 내쫓았다는 것인데, 여기서 용사하는 자란 이성계이므로 그를 비방했다는 것이다. 또 1390년에 이초(彝初)의 난으로 억지로 죄를 씌워 청주 옥에 가두니 하늘이 노해 청주에 크나큰 수재가 일어났다고 기록한 것 등을 들었다. 진연이 양경공과 친분이 있던 관계로 양경공이 시켜 태조를 비방한 묘지명을 썼다고 하여 귀양을 간 것인데, 1412년 정월에 고신(告身)[93]을, 10월에 과전(科田)[94]을 환급받았다. 그리고 순창·배천·여흥 부사를 거쳐 1417년(태종 17)에는 황해도 관찰사에 제수되었다.

1419년 세종이 즉위하면서 한성부윤, 인수부윤(仁壽府尹)[95]을 거쳐 1421년 12월 좌군동지총제(左軍同知摠制)[96]가 되었다. 1423년 5월에는 사은부사(謝恩副使)로 명나라에 갔으며, 1426년 11월 함길도 관찰사로 나갔다가 다음 해 10월에 돌아와 판한성부사가 되었다. 1426년(세종 10) 6월에는 진하사(進賀使)[97]로 중국에 갔다 와서 황주에 선무사(宣撫使)[98]로 파견되었고, 개성 유후, 충청도 관찰사를 끝으로 고향에 돌아가 10년간 은거했다. 1438년(세종 20)에

---

93) **고신**(告身): 직첩(職牒). 조정에서 내리는 벼슬아치의 임명장.

94) **과전**(科田): 조선 왕조에서 국가가 국정 운영에 참여한 대가로 문무양반 등 직역자(職役者)에게 그 직책의 품(品)을 기준으로 한 과(科)에 따라 일정한 특권을 갖도록 지정한 토지.

95) **인수부윤**(仁壽府尹): 세자 교육의 교도관으로서 실무총책임자. 정2품.

96) **좌군동지총제**(左軍同知摠制): 조선 시대 군사조직인 오위도총부(五衛都摠府)의 관직. 종2품.

97) **진하사**(進賀使): 조선 시대에 중국 황실에 경사가 있을 때에 축하의 뜻으로 보내던 사절(使節).

98) **선무사**(宣撫使): 조선 시대에 큰 재해나 난리가 일어났을 때 왕명을 받들어 재난을 당한 지방의 민심을 어루만져 안정시키는 일을 맡아보던 임시 벼슬.

자헌대부(資憲大夫)⁹⁹⁾, 지중추원사(知中樞院事)¹⁰⁰⁾로 승진되었으며, 3월 14일 향년 71세로 서세했다. 영의정과 한산부원군에 증직되었고, 시호는 양경(良景)이다.

묘는 영모리에 위치한 목은공의 묘 아래에 있다. 양경공은 참찬문하부사(參贊門下府使)¹⁰¹⁾를 지낸 권균(權鈞)의 딸인 안동 권씨와의 사이에 아들 하나를 낳았는데, 호조 정랑을 지낸 휘 계주(季疇)이다. 계주의 외아들이 사육신인 휘 개(塏)¹⁰²⁾이다. 후취는 길창군 권근의 딸인데 4남 2녀를 두었다. 권균과 권근은 육촌지간이었다. 둘째 아들 휘 계린(季疄)¹⁰³⁾은 태종의 딸인 정순공주(貞順公主)의 사위로 동부승지를 지냈는데, 1455년(세조 1)에 좌익공신 2등 한산군(韓山君)에 책봉되었다. 시호는 공무(恭武)이다. 셋째 아들 휘 계전(季甸)은 영중추원사(領中樞院事)¹⁰⁴⁾를, 넷째 아들 휘 계완(季畹)은 전직(殿直) 감찰(監察)

---

99) **자헌대부**(資憲大夫): 조선 시대에 둔 정2품 문무관의 품계.

100) **지중추원사**(知中樞院事): 조선 전기에 중추원에 속한 종2품 벼슬.

101) **참찬문하부사**(參贊門下府使): 조선 시대 의정부에 소속된 정2품 벼슬.

102) **이개**(李塏): 조선 전기 문신(1417~1456). 자는 청보(淸甫), 사고(士高), 호는 백옥헌(白玉軒). 단종을 위해 사절(死節)한 사육신의 한 사람. 1436년(세종 18) 친시 문과에 동진사(同進士)로 급제하고, 집현전 저작랑으로 훈민정음의 제정에 참여함. 1447년 중시 문과에 을과 1등으로 급제하고, 1456년(세조 2) 2월 집현전 부제학에 임명됨. 이해 6월, 성삼문(成三問) 등 육신(六臣)이 주동이 된 상왕 복위 계획이 발각되어 작형(灼刑)을 당하면서도 의연했음. 6월 7일 성삼문 등과 함께 같은 날 거열형(車裂刑)을 당함. 1691년(숙종 17)에 사육신의 관작이 추복(追復)되고, 1758년(영조 24) 이조 판서로 추증됨. 시호는 충간(忠簡).

103) **이계린**(李季疄): 조선 전기 문신(1401~1455). 자는 자경(子耕), 시호는 공무. 태종의 큰딸인 정순공주(貞順公主)의 사위. 어린 나이에 출사하는 것을 바람직하지 않게 여기던 태종의 뜻에 따라 오랫동안 관직에 나아가지 않음. 1436년(세종 18)에서야 동부승지로 발탁되었고, 이후 형조 판서, 호조 판서를 지냄. 호조 판서 재임 중에 수양대군(훗날의 세조)에 협력하여 좌익공신(佐翼功臣) 2등에 녹훈되고 한산군(韓山君)에 봉해짐.

104) **영중추원사**(領中樞院事): 조선 시대 중추부에 두었던 정1품 관직.

을, 다섯째 아들 휘 계정(季町)은 집의(執義) 좌참찬을 지냈으며, 첫째 딸은 강화도 호부사(戶部事) 이백상(李伯常)에게, 둘째 딸은 군수(郡守)105)를 지낸 김숭로(金崇老)에게 시집갔다.

■ 9대조 문열공 계전(季甸)

문열공(文烈公, 1404~1459)의 자는 병보(屛甫), 호는 존양재(存養齋)다. 양경공이 35세 되던 해에 태어났는데, 조선 건국 과정에서 조부 목은공, 첫째 댁 큰아버지 문양공(文襄公), 둘째 댁 큰아버지 인재공(麟齋公)이 비명에 세상을 떠나고 몇 년이 흐른 뒤였다. 이때는 양경공과 여러 사촌 형제가 조선의 신하로서 집안의 가계를 다시 튼튼하게 다져가는 전환기였다.

공은 24세 되던 1427년(세종 9) 친시 문과에 을과로 급제하여 집현전(集賢殿)106) 학사(學士)로 발탁되었으며, 1429년 집현전에 장서각(藏書閣)이 준공되자 왕명을 받아 장각송(藏閣頌)을 지었다. 1434년에는 바로 밑의 아우 계완이 문과에 급제했고, 1436년에는 왕명으로 김문(金汶) 등과 『강목통감훈의(綱目通鑑訓義)』를 편찬했다.

1444년에 집현전 직전으로 재직했는데 이때 조카 백옥헌 공도 집현전 학사로 같이 있었다. 1445년 2월 왕명을 받들어 세종의 장모인 죽계(竹溪) 안씨(安氏)의 묘지명을 지었고, 곧 집현전 직제학으로 승진했다. 이해 5월에 둘째 댁 사촌형인 순절공(順節公) 휘 숙치(叔畤)가 좌참찬이 되고, 7월에는 큰댁 사촌형인 판중추공 휘 맹진(孟畛)이 함경도 관찰사, 바로 위의 형인 공무공이 경상도 관찰사가 되는 등 문중의 벼슬이 줄을 이었다.

1447년에 동부승지가 되고 이듬해 2월 우부승지에 올랐으며, 5월에 우승지,

---

105) **군수**(郡守): 조선 시대 문관 종4품 외관직으로 군(郡)의 행정을 맡아봄.
106) **집현전**(集賢殿): 1420년(세종 2) 궁중에 설치한 학문 연구 기관.

7월에 도승지가 되었다. 1450년 2월 세종이 훙서하고 문종이 즉위하자, 명에 부고를 알리고 시호를 청하는 표(表)와 전(箋)을 지었다. 이 무렵 왕세손은 문열공의 집으로 옮겨와 거처했다. 문열공은 같은 해 7월에 도승지가 되었는데 이때 정몽주, 길재(吉再)를 포장(襃獎)할 것과, 고려 왕씨의 후예를 찾아내어 그 작위를 높이고 제사를 이어가게 해달라고 건의해 왕명을 받아 교서를 지었다. 1452년(문종 2) 『세종실록』을 편찬했으며, 이조(吏曹) 판서(判書) 겸 동지경연사(同知經筵事)가 되었다. 1453년(단종 1)에는 계유정난(癸酉靖難)[107]에 참여해 정난공신(靖難功臣) 1등에 녹훈되었다.

같은 해 호조 판서에 이어 병조 판서로 자리를 옮겼으며, 병조 판서로 재임할 때 수양대군이 왕권 강화를 위해 육조(六曹) 직계(直啓) 체제를 부활하자 예조 판서였던 하위지(河緯地) 등과 함께 반대하는 소를 올려 폐지를 주장했다. 그러나 수양대군은 이를 용납하지 않고 더욱 전제권을 강화해나갔다. 이에 불만을 품은 성삼문 등 집현전 출신의 학자가 중심이 되어 수양대군 제거 운동을 일으켰으나 이에 참여하지 않고 수양대군을 도왔다. 이 공로로 신숙주(申叔舟) 등과 함께 좌익공신에 녹훈되었다. 1455년(세조 1) 이조 판서를 제수받았고, 다음 해 판중추부사에 임명되었다. 1458년 세조로부터 정권 획득 과정에서 보인 협력과 사육신 사건에 참여하지 않고 도운 공로를 칭송하는 특별 교서를 받았다. 8월에는 영중추원사를 제수받았고, 이듬해인 1459년 7월 경기도 관찰사로 나갔다가 9월에 서세했다. 시호는 문열(文烈)이며, 묘지는 경기도 여주군 점동면(占東面) 사곡리(沙谷里)에 있다.

문열공은 군수 진호(秦浩)의 딸 풍기(豊基) 진씨(秦氏)와의 사이에 4남 4녀를

---

107) **계유정난**(癸酉靖難): 계유년(1453년)에 세종의 둘째 아들인 수양대군이 김종서(金宗瑞), 황보인(皇甫仁), 정분(鄭苯) 등 3재상을 비롯한 정부의 핵심 인물을 죽이고, 가장 강력한 경쟁자였던 세종의 셋째 아들 안평대군(安平大君)을 강화로 축출, 사사(賜死)한 뒤 정권을 잡은 사건.

두었다. 첫째 아들 휘 육(堉)은 무후(無後)했다. 둘째 아들 휘 우(堣)는 대사성, 셋째 아들 휘 파(坡)는 좌찬성(左贊成)[108], 넷째 아들 휘 봉(封)은 형조 판서에 이르렀다. 사위는 유소(劉昭) 최연년(崔延年), 권선(權善), 정계금(鄭繼金)이다.

■ 8대조 대사성공 우(堣)

　　대사성공(大司成公, 1432~1467)은 문열공의 둘째 아들로 자는 명중(明仲)이다. 1453년 증광시 문과에 병과로 급제했고, 1453년(세조 2) 중시(重試)[109]에 합격하여 통정대부 성균관 대사성을 지냈다. 1467년 서른여섯 나이에 서세했는데, 가선대부(嘉善大夫)[110] 이조 참판 겸 동지경연 의금부 춘추관 성균관사 홍문관 예문관 제학(提學) 세자좌부빈객(世子左副賓客) 한산군에 추증되었다. 묘는 경기도 광주 색지리(穡枝里) 갈마치(渴馬峙) 동록(東麓)의 고산동(古山洞)에 있다.

　　공의 부인은 판사(判事) 서진(徐晉)의 딸인 이천(利川) 서씨(徐氏)이고, 후처는 목사(牧使) 권숭지(權崇智)의 딸인 안동 권씨이다. 대사성공은 슬하에 아들 둘, 딸 셋을 두었다. 첫째 아들은 봉화현감(奉化縣監)을 지낸 휘 장윤(長潤), 둘째 아들은 장사랑(將仕郎)[111]을 지낸 휘 세윤(世潤)이고, 사위는 이지(李漬), 조경(趙瓊), 유한장(柳漢長)이다.

---

108) **좌찬성(左贊成)**: 조선 시대 의정부의 종1품 관직으로 정원은 1원.
109) **중시(重試)**: 조선 시대 당하관 이하의 문무관에게 10년마다 한 번씩 보이는 과거.
110) **가선대부(嘉善大夫)**: 조선 시대 종2품의 문관과 무관에게 주던 품계.
111) **장사랑(將仕郎)**: 조선 시대 문산계의 종9품 위호(位號).

■ 7대조 봉화공 장윤(長潤)

봉화공(奉化公, 1455~1528)의 자는 수연(粹然)이다. 음보(蔭補)[112]로 서사(筮仕)[113]했다가 예에 의해 광흥창 주부로 옮겼다. 이후 충청도 이산(尼山)[114]과 경상도 봉화현감(奉化縣監), 안동진관(安東鎭管), 병마절제도위(兵馬節制都尉)[115] 등을 역임했으며, 74세로 서세했다. 정헌대부[116] 이조 판서 겸 지의금부사 오위 도총부 도총관(正憲大夫吏曹判書兼知義禁府事五衛都摠府都摠管)에 추증되었으며, 한원군(韓原君)에 봉해졌다. 묘는 수내동 중앙공원 내에 있다.

봉화공은 현감 인효(仁孝)의 딸인 고령(高靈) 박씨(朴氏)와의 사이에 4남 2녀를 두었다. 첫째 아들 휘 질(秩)은 부사를, 둘째 아들 휘 치(稞)는 수원 판관을, 셋째 아들 휘 온(穩)은 현감을, 넷째 아들 휘 정(程)은 부호군(副護軍)[117]을 지냈다. 사위는 김한(金瀚), 김충윤(金忠胤)이다.

■ 6대조 한성군 질(秩)

한성군(韓城君, 1474~1560)의 자는 자서(子序)이다. 26세 되던 해 생원시에 합격하고 문음(門蔭)[118]으로 의금부 경력(經歷)을 제수받았으며, 호조 좌랑으

---

112) **음보**(蔭補): 조상의 덕으로 벼슬을 얻음. 또는 그 벼슬.

113) **서사**(筮仕): 처음으로 벼슬을 얻음.

114) **이산**(尼山): 충청남도 논산(論山) 지역의 옛 지명.

115) **병마절제도위**(兵馬節制都尉): 조선 시대 종6품 외관직(外官職) 무관.

116) **정헌대부**(正憲大夫): 조선 시대 정2품 동서반(東西班) 문무관(文武官)에게 주던 품계로 자헌대부보다 상위 자리.

117) **부호군**(副護軍): 조선 시대 오위(五衛)에 둔 종4품 서반 무관직.

118) **문음**(門蔭): 조선 시대 관리 선발 제도의 하나. 선조나 친척이 국가에 큰 공을 세웠거나 고관직을 얻으면 후손이 일정한 벼슬을 얻게 하는 제도.

로 승진했다. 그 후 문화(文化)[119], 상주(尙州), 울진, 양천(陽川), 삭녕(朔寧), 덕천(德川), 장단(長湍) 등 일곱 군데의 수령을 지냈다. 통정대부로 승진하자 수직(壽職)[120]으로 선조(先朝)의 훈봉(勳封)[121]을 이어받았으며 명종 15년 여든일곱의 나이로 서세했다. 가선대부 동지중추부사 겸 오위도총부 도총관에 추증되었으며, 한성군(韓城君)에 봉해졌다. 묘는 수내동 중앙공원 내에 있다.

부인 연안(延安) 김씨(金氏)는 부사(府使) 석현(錫賢)의 딸이며, 후배(後配) 무송(茂松) 윤씨(尹氏)는 별좌(別坐)[122] 준(浚)의 딸이다. 한성군은 슬하에 아들 셋과 딸 둘을 두었다. 첫째 아들은 승지공(承旨公) 휘 지훈(之薰), 둘째 아들은 의정공(議政公) 휘 지란(之蘭), 셋째 아들은 한평군(韓平君) 휘 지숙(之菽)이며, 사위는 홍덕종(洪德種), 한예원(韓禮源)이다.

■ 5대조 한평군 지숙(之菽)

한평군(韓平君, ?~1561)의 자는 대유(大有)이며 종묘서[123]령(宗廟署令)을 지냈다. 명종 16년에 서세하여 순충보조공신(純忠輔祚功臣) 정헌대부(正憲大夫) 이조 판서에 증직되었고, 한평군에 봉해졌다. 부인 선산(善山) 김씨(金氏)는 진사 필신(弼臣)의 딸이며, 슬하에 4남 1녀를 두었다. 첫째 아들은 전부공(典簿公) 휘 원(垣), 둘째 아들은 의간공(懿簡公) 휘 증(增), 셋째 아들은 휘 보(堡), 넷째 아들은 휘 경(坰)이며, 사위는 성한경(成漢卿)이다.

---

119) **문화(文化)**: 황해도 삼천 신천의 서부. 안악의 남부에 있던 옛 고을 이름.

120) **수직(壽職)**: 해마다 정월에 80세 이상의 벼슬아치와 90세 이상의 백성에게 은전(恩典)으로 주던 벼슬.

121) **훈봉(勳封)**: 공훈(功勳)에 따른 봉군(封君), 봉작(封爵) 등에 관한 일.

122) **별좌(別坐)**: 조선 시대에 각 관아에 둔 정·종 5품 벼슬.

123) **종묘서(宗廟署)**: 조선 시대 관청의 침묘(寢廟)와 정자각(丁字閣)을 관장하던 곳. 원으로는 영(令), 직장(直長,) 봉사(奉事), 부봉사 각 한 명씩을 둠.

■ 고조부 의간공 증(贈)

의간공(懿簡公, 1525~1600)의 자는 가겸(可謙), 호는 북애(北崖)이다. 중종 20년에 태어나서 25세에 사마시에 합격했고, 36세에 문과에 급제하여 승문원(承文院)[124] 정자(正字)[125]에 보임되었으며, 그 뒤에 홍문관(弘文館) 정자에 제수되었다.

육조에서는 호조·병조·형조·예조·이조 낭관[126]을, 홍문관에서는 정자, 박사(博士), 수찬(修撰), 교리(校理)를, 사헌부에서는 지평(持平), 사간원에서는 정언(正言), 헌납(獻納)을 지냈다. 또 외임(外任)으로는 함경도(咸鏡道) 북평사(北評事) 및 경기도사(京畿都事)에 제수되었다.

1568년 명나라 사신이 왔을 때 원접사(遠接使)[127]의 종사관(從事官)[128]으로 임명되었고, 1590년(선조 23)에는 성절사로서 연경에 갔다. 1573년 자급(資級)을 뛰어넘어 통정대부가 되었는데, 통정대부 때 내직으로는 병조·호조·형조 참의와 판결사 및 도승지를 지냈고 외직으로는 황해, 충청, 전라, 경상 등 4도의 관찰사를 지냈다.

1585년 가선대부가 되었으며, 뒤에 가의대부(嘉義大夫)가 되었다. 이때 형

---

124) **승문원**(承文院): 조선 시대 사대교린(事大交隣)에 관한 문서를 관장하기 위해 설치했던 관서. 이문(吏文)의 교육도 담당함.
　　이문(吏文): 조선 시대에 중국과 주고받던 문서에 쓰던 특수한 관용 공문의 용어나 문체.
125) **정자**(正字): 조선 시대에 홍문관, 승문원, 교서관에 속한 정7품 벼슬.
126) **낭관**(郎官): 조선 시대 육조의 5, 6품관인 정랑(正郎), 좌랑(佐郎)의 통칭.
127) **원접사**(遠接使): 조선 시대 명나라와 청나라의 사신을 맞아들이던 관직 또는 관원.
128) **종사관**(從事官): 중국에 보내던 하정사나 일본에 보내던 조선통신사(朝鮮通信使)를 수행하던 삼사(三使) 가운데 하나. 직무는 사행 중 정사(正使)와 부사(副使)를 보좌하면서 매일 매일의 사건을 기록했다가 귀국 후 국왕에게 견문한 바를 보고하는 것임.

조·예조·이조 참판, 한성부의 좌윤·우윤, 부제학, 대사헌, 동지의금부사를 역임했다. 1589년에는 사간원 대사간으로 정여립(鄭汝立)의 옥사(獄事)를 참국(參鞫)했다. 1590년에 평난공신(平難功臣) 3등훈(三等勳)에 책훈(策勳)되어 아천군(鵝川君)에 봉해지고, 1591년 겨울 형조 판서에 임명되었다. 이어 또 자급이 올라서 자헌대부가 되었고 그 뒤에 정헌대부로 승진했는데, 이조·형조·예조·공조 판서와 의정부의 좌우참찬(左右參贊)을 역임했다. 임진왜란 이듬해인 1593년에는 예조 판서를 맡아 국가의 헌장(憲章)과 예의(禮儀)를 정비했다. 선조 33년 10월에 76세의 나이로 서세하여 대광보국숭록대부(大匡輔國崇祿大夫) 의정부 영의정 아천부원군(鵝川府院君)에 추증되었으며, 시호는 의간(懿簡)이다. 묘는 수내동 중앙공원 내에 있다.

의간공은 사람됨이 정직하여 남에게 아부하지 않았다. 홍문관 정자로 재임할 때 권세 있는 간신들 눈에 거슬린다고 북평사로 좌천되었다. 또 성품이 청렴하고 겸손하여 벼슬이 재신(宰臣)의 반열에까지 올랐으면서도 항상 가난한 선비처럼 간소하게 살았다. 세 번이나 성균관 대사성에 임명되었으나 모두 출사하지 않으며 말하기를 "성균관의 사유(師儒)는 학식이 얕은 내가 감당할 수 있는 직임이 아니다"라고 했다.

효성과 우애가 태어날 때부터 타고났고 생일에도 잔치를 벌이지 않았으며, 새 음식을 먹을 때에는 반드시 형님인 전부공이 먼저 들기를 기다린 뒤에라야 먹었고, 아우와 누이동생 중에 살림이 궁핍한 자들은 모두 공에게 의지하여 살아갔다고 전한다. 저서로는 『북애집』 1권이 있다.

공의 부인은 경주(慶州) 이씨(李氏)로, 신라(新羅)의 원훈(元勳)인 알평(謁平)의 후손이자 사직(司直) 이몽원(李夢蘊)의 딸이다. 1612년(광해군 4)에 서세했는데 춘추는 82세였으며, 공의 묘소 왼쪽에 부장(附葬)되었다.

공은 5남 2녀를 두었는데, 첫째 아들 휘 경홍(慶洪)은 생원, 둘째 아들 휘 경함(慶涵)은 참판, 셋째 아들 휘 경심(慶深)은 통제사(統制使), 넷째 아들 휘 경류(慶流)는 병조 좌랑, 막내아들 휘 경황(慶滉)은 군수를 지냈다. 사위는 판관

유인(柳訒)과 현감 이계(李繼)이다. 임진왜란 때 넷째 아들 좌랑공이 순변사(巡邊使)의 종사관이 되어 싸우다가 경상북도 상주(尙州)에서 순절(殉節)했다.

■ 증조부 좌랑공 경류(慶流)

좌랑공(佐郎公, 1564~1592)의 자는 장원(長源), 호는 반금(伴琴)이다. 명종 19년인 1564년에 태어나 1591년 진사시에 합격하고, 그해 가을 명경과에 을과 제4인으로 급제했다. 같은 해 겨울에 바로 6품 관직이 되어 성균관 전적이 되었다. 1592년 정월에 사헌부 감찰이 되고, 2월에는 병조 좌랑이 되었다가 얼마 뒤 예조 좌랑으로 옮겼다.

4월 17일 왜구가 침략했다는 보고가 갑자기 이르자 사간원 관리로 있었던 공의 둘째 형 참판공을 비국(備局)[129]에서 조방장(助防將)[130] 변기(邊璣)의 종사관으로 삼았는데, 들어가서 보고할 때 착오로 공과 이름이 바뀌었다. 명령이 내려졌을 때 참판공이 "조정의 뜻은 나에게 있었는데 어찌 착오로 너를 대신 가게 하겠는가. 내가 당연히 청해서 갈 것이다"라고 하니, 공이 "이미 제 이름으로 승낙이 내려왔고 일이 급한데 어느 틈에 고치겠습니까"라고 하며 곧바로 임지로 달려갔다.

문경새재에 이르렀을 때 왜적이 점점 가까이 온다는 말을 듣고 여러 장수들은 흩어졌으나, 공은 서리 한 명, 종 한 명, 말 한 필로 고개를 넘어 상주로 달려갔다. 그러나 주장(主將)은 도망갔고, 종사관들은 이미 전사한 뒤였다. 공은 남은 병졸들에게 "나랏일이 이 지경인데 어찌 마음이 아프지 않겠느냐. 내

---

129) **비국(備局)**: 비변사(備邊司). 조선 시대에 군국의 사무를 맡아보던 관아. 중종 때 삼포 왜란의 대책으로 설치한 뒤 전시에만 두었다가 1555년(명종 10)에 상설 기관이 되었음. 임진왜란 이후 의정부를 대신해 정치의 중추 기관이 되었음.

130) **조방장(助防將)**: 주장(主將)을 도와서 적의 침입을 방어하는 장수.

가 궁하여 재주는 없으나 너희들과 함께 죽기를 각오하고 결전하리라"라고 하며 싸우다가 순절하니 4월 25일이었다.

공은 적진으로 뛰어들기 전에 조복과 띠와 이불을 서리에게 주어 돌려보내고, 편지를 써서 집에 계신 아버님에게 올리기를 "일은 이미 급박하고 저의 생명은 하늘에 달려 있으니, 다만 바라는 것은 평안하게 양친을 잘 모시고 아이들을 잘 키우라"라고 할 뿐이었다. 비참한 전쟁터에서 공은 흔적도 찾을 수 없이 순절하여 조복과 띠, 이불만으로 수내동 봉화공의 묘 동쪽 기슭 언덕에 장사 지냈다. 훗날 도승지에 추증되었고, 상주의 충신의사단(忠臣義士壇)에 제향되었다. 공은 첨지 인(遴)의 딸인 횡성(橫城) 조씨(趙氏)와의 사이에 1남 2녀를 두었다. 아들은 부사를 지낸 휘 제(穧)이고, 사위는 권영(權煐), 김효성(金孝誠)[131]이다.

■ 조부 부사공 제(穧)

부사공(府使公, 1589~1631)의 자는 이실(而實)이다. 1589년(선조 22)에 태어나 1613년(광해군 5) 5월 생원시에 합격했으며, 그해 10월 증광시에 병과로 급제했다. 1616년 문과에 급제 승문원(承文院) 정자(正字)로 보임되었는데, 아버지 좌랑공의 공덕으로 곧바로 6품에 승급했다. 내직으로는 공조·형조·예조 정랑, 사도시(司導寺)[132] 첨정(僉正)·사예(司藝)[133], 제용감(濟用監)[134]·상의원(尙

---

131) **김효성**(金孝誠): 조선 중기 문신(1585~1651). 본관은 광주(廣州). 자는 행원(行源). 1613년(광해군 5) 생원시에 합격함. 1615년 인목대비(仁穆大妃)를 폐하려 하자 정조(鄭造) 윤인(尹訒) 등의 목을 벨 것과 귀양 가 있는 이원익(李元翼)을 다시 부를 것을 주청했다가 길주(吉州)로 유배당하고 뒤에 진도로 이배됨. 1623년(인조 1) 인조반정과 함께 복관되어 이후 호조 좌랑, 형조 정랑, 청주목사 등을 지냄. 오랜 외직 생활 동안 선정을 베풀어 청빈한 목민관으로 이름을 떨쳤으며 강직한 성품의 소유자였음.
132) **사도시**(司導寺): 조선 시대 궁중의 쌀과 곡식 및 장(醬) 등의 물건을 맡은 관청.

衣院)135)·종부시(宗簿寺)136)의 정(正)·지제교(知製敎)137)를 지냈다. 외직으로는 금교(金郊)138) 찰방(察訪)139), 평안도사(平安都事), 영암군수(靈岩郡守), 대구부사(大邱府使)를 역임했다. 1630년 대구부사로 재직할 때 통정대부로 승진했으며, 이듬해 5월 서세했다. 가선대부 이조 참판에 추증되었으며, 묘는 경기도 광주 번천(樊川)에 있다.

부사공의 부인은 관찰사 서(惰)의 딸인 나주(羅州) 임씨(林氏)이며 슬하에 2남 3녀를 두었다. 첫째 아들은 참판공 휘 정기(廷夔), 둘째 아들은 김제공 휘 정룡(廷龍), 사위는 박승후(朴承後), 김광(金桄), 변박(卞搏)이다.

■ 부 김제공 정룡(廷龍)

김제공(金堤公, 1629~1689)의 자는 몽경(夢卿)이다. 공은 1629년 대구 관아에서 태어났다. 여러 번 대과와 소과, 지방시에 합격했으나 끝내 임용되지 못하다가, 1670년 조부 좌랑공의 공으로 특전을 받아 후릉(厚陵)140)과 목릉 참봉

관원은 제조(提調: 정2품) 한 명, 정(正: 정3품) 한 명, 부정(副正: 종3품) 한 명, 첨정(僉正: 종4품) 한 명 등이 있었음.

정(正): 종부시 등의 정3품 관원.

133) **사예**(司藝): 조선 시대 성균관의 정4품 관직.

134) **제용감**(濟用監): 조선 시대 왕실에 필요한 의복이나 식품 등을 관장한 관서.

135) **상의원**(尙衣院): 조선 시대 국왕과 왕비의 의복을 만들어 바치고, 내부의 보화, 금보 등을 맡아보던 관아.

136) **종부시**(宗簿寺): 조선 시대 왕실의 계보인 『선원보첩(璿源譜牒)』의 편찬과 종실의 잘못을 규탄하는 임무를 관장하기 위해 설치했던 관서.

137) **지제교**(知製敎): 조선 시대에 왕에게 교서(敎書) 따위의 글을 기초해 바치는 일을 맡아보던 벼슬.

138) **금교**(金郊): 경기도 개성의 서북쪽 지역.

139) **찰방**(察訪): 조선 시대 각 도의 역참(驛站)을 관리하던 종6품의 외관직.

46

이 되었다.

1674년에는 장흥고(長興庫)[141]의 봉사(奉事)[142]로 자리를 옮겼다. 인선대비
(仁宣大妃)[143]의 초상에 국장(國葬) 감동관(監董官)[144]으로 차출되었고, 군자감
(軍資監)[145] 주부(主簿)[146]로 승진했다. 현종이 승하하자 또 국장도감(國葬都
監)[147] 낭청(郎廳)[148]으로 차출되었다.

1676년에 다시 군자감 주부가 되고 본감(本監)의 판관으로 승진되었다가 문
화현령(文化縣令)[149]으로 나갔는데, 치민(治民)을 잘해 소두(召杜)[150]라는 칭송
을 받았다. 1681년에 김제군수가 되었다가, 1682년 방백의 미움을 받자 벼슬
을 버렸다. 1687년에 사복시(司僕寺)[151] 판관이 되고 1688년에 장렬왕후(莊烈王
后)[152] 초상에 산릉도감 낭청으로 차출되었다가 온양군수에 임명되었으나,

---

140) 후릉(厚陵): 조선 제2대 왕 정종(定宗)과 비(妃) 정안왕후(定安王后) 김씨(金氏)의 능으로
개성 판문군(板門郡) 영정리(嶺井里)에 있음.
141) **장흥고**(長興庫): 돗자리, 종이, 유지(油紙) 등의 관리를 맡아보던 관아.
142) **봉사**(奉事): 조선 시대의 종8품 벼슬.
143) **인선대비**(仁宣大妃): 조선 제17대 왕 효종의 비(1618~1674). 본관은 덕수(德水). 우의정
장유(張維)의 딸이며, 어머니는 우의정 김상용(金尙容)의 딸임.
144) **감동관**(監董官): 국가의 토목 공사나 서적 간행 등 특별한 사업을 수행하던 임시직
벼슬.
145) **군자감**(軍資監): 조선 시대 군수품(軍需品)의 비축을 관장하던 관아.
146) **주부**(主簿): 조선 시대의 종6품 벼슬.
147) **도감**(都監): 조선 시대에 나라의 일이 있을 때 임시로 설치하던 관아.
148) **낭청**(郎廳): 실록청, 도감 등 임시 기구에서 실무를 맡아보던 당하관 벼슬.
149) **현령**(縣令): 조선 시대 문관 종5품 외관직.
150) **소두**(召杜): 소신신(召信臣)과 두시(杜詩). 중국 한(漢)나라의 소신신과 후한(後漢)의
두시는 태수(太守)가 되어 백성에게 선정을 베풀었기 때문에 지방에서 백성을 편안하
게 잘 다스리는 수령이 있으면 그 수령을 이들에 비유함.
151) **사복시**(司僕寺): 조선 시대의 여마(輿馬), 구목(廐牧) 및 목장에 관한 일을 관장하기
위해 설치되었던 관서.
152) **장렬왕후**(莊烈王后): 조선 제16대 인조의 계비(1624~1688).

사복시와 도감이 모두 유임을 청해 부임하지 않았다. 1689년 2월 고향에 있는 본가에서 향년 61세로 서세했으며, 가선대부 이조 참판에 추증되었다. 묘는 수내동 중앙공원 내에 있다.

김제공의 부인은 응교(應敎) 만용(曼容)의 딸인 제주(濟州) 양씨(梁氏)이며, 슬하에 5남 1녀를 두었다. 첫째 아들은 부평부사(富平府使)를 지낸 휘 오(澳), 둘째 아들은 이조 참판을 지낸 휘 택(澤), 셋째 아들은 문청공(文淸公) 휘 협(浹), 넷째 아들은 한주공 휘 집(濈), 다섯째 아들은 절충(折衝) 첨사(僉使)[153] 휘 필(泌)이며, 사위는 박태정(朴泰正)이다.

4. 한주공의 종계(宗系)

한주공은 참판 유헌(兪櫶)의 딸인 기계(杞溪) 유씨(兪氏, 1670~1738)와의 사이에 외아들 정랑공(正郎公) 휘 병건(秉健, 1696~1742)과 딸 넷을 두었는데, 딸 강임(康任)은 1699년 어린 나이로 세상을 떠났다.

정랑공의 자는 여강(汝剛)이다. 정랑공은 1719년 생원시에 합격했고 통훈대부 호조 정랑(戶曹正郎)을 지냈으며, 가선대부 이조 참판 겸 판의금부사(嘉善大夫吏曹參判兼判義禁府事)에 증직되었다. 묘는 수내동 중앙공원 내에 있다.

맏사위는 좌찬성(左贊成)에 증직(贈職)된 김달행(金達行)[154], 둘째 사위는 참

<hr>

153) **첨사**(僉使): 조선 시대 각 진영(鎭營)에 속한 종3품 무관.

154) **김달행**(金達行): 김창집(金昌集)의 손자, 김제겸(金濟謙)의 아들이며, 김조순(金祖淳)의 조부. 낭관(郎官)을 지냈으며 좌찬성에 추증됨.

김창집(金昌集): 조선 후기 문신(1648~1722). 본관은 안동(安東). 자는 여성(汝成), 호는 몽와(夢窩). 좌의정 상헌(尙憲)의 증손으로, 할아버지는 동지중추부사 광찬(光燦)이고 아버지는 영의정 수항(壽恒)이며, 창협(昌協), 창흡(昌翕)의 형. 노론 4대신으로 불림. 호조·이조·형조 판서를 지냈으며, 우의정, 좌의정을 거쳐 1717년 영의정에 오름. 1721

판을 지낸 송재희(宋載禧)[155], 셋째 사위는 헌경의황후(獻敬懿皇后) 혜경궁(惠慶宮) 홍씨(洪氏)의 아버지로 영의정을 지낸 홍봉한(洪鳳漢)[156]이다.

정랑공은 판서 홍수헌(洪受瀗)[157]의 손녀딸인 남양(南陽) 홍씨(洪氏, 1694~

년(경종 1) 신임사화(辛壬士禍) 때 거제도에 위리안치되었다가 이듬해 성주에서 사사(賜死)됨. 1724년 영조 즉위 후 관작이 복구되었으며, 영조의 묘정(廟庭)에 배향됨. 시호는 충헌(忠獻).

김제겸(金濟謙): 조선 후기 문신(1680~1722). 자는 필형(必亨), 호는 죽취(竹醉). 사간, 예조 참의, 승지 등을 역임하다가 아버지가 사사되자 울산에 유배되고, 뒤에 부령(富寧)으로 이배되었다가 사형당함. 신임사화 때 죽은 삼학사(三學士)의 한 사람으로 꼽힘. 시호는 충민(忠愍). 한주공과는 사돈지간.

김조순(金祖淳): 조선 후기 문신(1765~1832). 자는 사원(士源), 호는 풍고(楓皐). 순조(純祖)의 장인. 1785년(정조 9) 정시 문과에 병과로 급제해 검열(檢閱), 이조 참의, 직각(直閣), 보덕(輔德) 등을 거치며 정조의 사랑을 받음. 1802년 대제학 등을 거쳐 딸이 순조의 비, 순원왕후(純元王后)가 되자 영돈령부사(領敦寧府使)로 영안부원군(永安府院君)에 봉해지고, 이어 훈련대장, 호위대장 등을 역임. 시호는 충문(忠文).

155) **송재희**(宋載禧): 조선 후기 문신(1711~?). 본관은 은진(恩津). 자는 영수(永受), 호는 취백정(翠白亭), 사호각(四皓閣). 1772년(영조 48) 임진 기로정시(耆老庭試) 을과에 장원급제해 대사헌 참판을 지냄. 임금으로부터 '사호각'이라는 호를 받음.

기로정시(耆老庭試): 조선 시대 왕, 왕비, 대비, 대왕대비 등이 60·70세가 되었을 때를 경축하기 위해 늙은 선비를 대상으로 실시한 과거 시험.

156) **홍봉한**(洪鳳漢): 조선 후기 문신으로 사도세자의 장인(1713~1778). 본관 풍산(豊山). 자는 익여(翼汝), 호는 익익재(翼翼齋), 시호는 익정(翼靖). 1755년 평안도 관찰사 좌참찬에 이어 우의정, 좌의정을 거쳐 영의정에 오름. 영조를 도와 국고를 충실히 하고 백성의 부담을 절감하도록 함. 1771년 벽파의 책동으로 세손(世孫: 훗날 정조)을 해하려 할 때 이를 막다가 삭직(削職), 청주(淸州)에 부처(付處)되었으나, 홍국영(洪國榮)의 수습으로 시파가 승리하여 풀려나온 뒤 봉조하(奉朝賀)가 됨.

봉조하(奉朝賀): 조선 시대에 전직 관원을 예우해 특별히 내린 벼슬.

157) **홍수헌**(洪受瀗): 조선 후기 문신(1640~1711). 자는 군택(君澤), 호는 담포(淡圃). 1682년(숙종 8) 증광문과에 병과로 급제해 교리, 이조 좌랑을 거쳐 1688년에 헌납으로 박세채(朴世采)를 변호하다가 귀양 간 영의정 남구만(南九萬)과 좌의정 여성제(呂聖齊) 등을

1769)와의 사이에 3남 1녀를 두었다. 첫째 아들은 군자감정공(軍資監正公) 휘 산중(山重, 1717~1775), 둘째 아들은 이조 참판에 증직된 휘 석중(石重, 1722~1750), 셋째 아들은 예조 참판을 지낸 휘 해중(海重, 1727~1778)[158]이며, 사위는 참의 신대년(申大年)이다.

통훈대부 군자감정을 지낸 군자감정공은 향년 59세로 서세하여 자헌대부 이조 판서 겸 지의금부사에 증직되고, 묘는 수내동 중앙공원 내에 있다. 부인은 우상(右相) 조태채(趙泰采)[159]의 손녀딸인 양주(楊州) 조씨(趙氏, 1715~1752)와 반남(潘南) 박씨(朴氏, 1737~1779)이며, 슬하에 3남 2녀를 두었다. 첫째 아들은 동전공(東田公) 휘 태영(泰永, 1744~1803), 둘째 아들은 이조 판서에 증직된 휘 규영(奎永, 1747~1771), 셋째 아들은 휘 순영(順永, 1775~1815)이며, 사위는 김이유(金履鍒), 서유용(徐有用)이다.

동전공의 자는 사앙(士仰), 호는 동전(東田)이다. 공은 1772년(영조 48) 정시 문과에 급제한 뒤 1784년(정조 8) 서장관으로 중국에 다녀왔다. 이후 대사간 광주부윤, 장단부사, 황해도 관찰사를 거쳐 1795년 경상도 관찰사에 제수되었

구하려고 여섯 차례 계(啓)를 올렸다가 북청판관으로 좌천되었으며, 이듬해 무안으로 유배됨. 1694년 갑술옥사로 유배에서 풀려나 민비(閔妃)의 복위도청(復位都廳)에 기용된 뒤 집의를 거쳐 대사간, 대사성, 이천부사, 이조 참판, 대사헌, 이조 판서, 공조 판서, 호조 판서, 좌참찬 등을 역임. 시호는 문정(文靖).

158) **이해중**(李海重): 자는 자함(子涵). 1750년(영조 26) 알성문과에 을과로 급제하여 경주부윤, 대사간, 대사성, 이조 참의, 승지, 예조 참판을 두루 역임함. 1776년 정조가 즉위하고 대사헌에 임명됨.

159) **조태채**(趙泰采): 조선 후기 문신(1660~1722). 자 유량(幼亮), 호 이우당(二憂堂), 시호 충익(忠翼). 1686년(숙종 12) 별시 문과에 병과로 급제해 호조 판서, 공조 판서, 이조 판서를 거쳐 1717년 우의정에 오름. 노론 4대신의 한 사람으로 세제(世弟: 영조) 책봉을 건의하여 실현시켜 대리청정하게 했으나 소론의 반대로 철회되자 사직하고, 소론의 사주받은 목호룡(睦虎龍)의 고변으로 진도(珍島)에 귀양 간 뒤 사사(賜死)됨. 1725년(영조 1) 복관됨.

다. 1797년 내직으로 복귀하여 가선대부에 올랐으며, 도승지에 제수되었다. 1798년(정조 22) 충청도 관찰사로 다시 외직에 나갔고, 이듬해 평안도 관찰사를 지냈으며, 1801년(순조 1) 예조 참판이 되었다. 60세를 일기로 서세한 동전공은 숭정대부 의정부 좌찬성에 추증되었다. 묘는 경기도 가평군 가평읍 금대리(金坮里)에 있다.

동전공의 부인은 목사(牧使) 유한갈(兪漢葛)의 딸 기계 유씨이며, 11남 3녀를 두었다. 아들은 보국공(輔國公) 휘 희갑(義甲, 1764~1847), 나주목사를 지낸 휘 희두(義斗, 1768~1854), 황주목사를 지낸 휘 희평(義平, 1772~1839), 진주목사를 지낸 휘 희승(義升, 1774~1851), 예조 판서를 지낸 휘 희준(義準, 1775~1842), 대사헌을 지낸 휘 희조(義肇, 1776~1848), 휘 희화(義華, 1780~1821), 안흥 첨사를 지낸 휘 희오(義午, 1783~1858), 감목관(監牧官)을 지낸 휘 희신(義申, 1789~1838), 현감을 지낸 휘 희명(義命, 1794~1869), 호조 참판을 지낸 휘 희공(義鞏, 1795~1829)이다. 사위는 홍집규(洪集圭), 김이근(金彛根), 조병찬(趙秉瓚)이다.

보국공의 자는 원여(元汝), 호는 평천(平泉)이다. 1790년(정조 14) 증광문과에 을과로 급제하여 호남 암행어사와 홍문관 교리를 역임했다. 1801년(순조 1) 부호군이 되었고 1807년 이조 참의, 이듬해 황해도 관찰사를 지냈다. 이어 대사간, 이조 참판을 거쳐 1816년 함경도 관찰사로 부임하여 수재로 큰 피해를 본 함흥을 비롯한 6개 읍에 진휼(賑恤) 정책을 시행했다. 이듬해 이조 판서에 임명되었고, 1820년 판의금부사로 동지정사(冬至正使)가 되어 청나라에 다녀왔다. 그 뒤 예조 판서, 형조 판서, 수원부 유수, 병조 판서, 평안도 관찰사 등을 역임했으며, 1833년 70세 때 기로소(耆老所)[160]에 들었다. 시호는 정헌(正獻)이다. 묘는 가평읍 금대리에 있다.

---

160) **기로소**(耆老所): 조선 시대에 나이가 많은 문신(文臣)을 예우하기 위해 설치한 기구. 정식 명칭은 치사(致仕)기로소. 왕과 조정 원로의 친목, 연회 등을 주관함.

보국공은 판서 김문순(金文淳)[161]의 딸 안동(安東) 김씨(金氏, 1762~1829)와의 사이에 2남 6녀를 두었다. 첫째 아들은 광주공(光州公) 휘 익재(益在, 1799~1860)이고, 둘째 아들은 이조 판서를 지낸 휘 겸재(謙在, 1800~1863)이다. 사위는 김면순(金勉淳), 김경선(金景善), 조발영(趙發永), 김공현(金公鉉), 김상희(金相喜)[162], 오치유(吳致愈)다.

광주공의 자는 공수(公受)이다. 관직은 광주목사를 지냈고, 자헌대부 의정부 찬정에 추증되었으며, 묘는 강원도 춘천시 남면 박암리(博岩里)에 있다. 광주공은 참판 민치문(閔致文)의 딸 여흥(驪興) 민씨(閔氏, 1798~1841)와의 사이에 5남 2녀를 두었다. 첫째 아들은 참봉공 휘 승조(承祖, 1820~1864), 둘째 아들은 장사랑(將仕郎)을 지낸 휘 승호(承祜, 1822~1888), 셋째 아들은 삼척부사를 지낸 휘 승우(承祐, 1823~1889), 넷째 아들은 의금부 도사를 지낸 승록(承祿, 1826~1898), 다섯째 아들은 의금부 도사를 지낸 휘 승례(承禮, 1832~1888)이다. 사위는 이빈현(李斌鉉), 윤기보(尹驥普)이다.

효정전(孝正殿)[163] 참봉을 지낸 참봉공의 자는 무경(武卿)이다. 참봉공은 서세 후 숭정대부(崇政大夫) 의정부(議政府) 참정(參政)에 추증되었으며, 묘는 경

---

161) **김문순**(金文淳): 조선 후기 문신(1744~1811). 자는 재인(在人). 고조부는 창집(昌集)이고, 할아버지는 준행(峻行)이며, 아버지는 이신(履信). 1767년(영조 43) 정시 문과에 장원 급제하였고 7년 만에 당상관에 올라 승지에 임명됨. 이후 대사간, 좌승지, 이조 참판, 대사헌을 지냈으며 남인인 지중추부사 채제공(蔡濟恭)의 죄를 논하고 유배시킬 것을 주장하다가 파직당함. 그러나 곧 기용되어 충청도 관찰사가 되고 이조 판서, 예조 판서, 형조 판서 등을 지냄. 1800년 순조 즉위 후 국구(國舅)인 김조순을 중심으로 김희순(金羲淳)과 함께 안동 김씨 세도의 중심인물이 되어 김씨 세도정치의 기반을 확립함.

162) **김상희**(金相喜): 조선 후기 문신(1794~1861). 추사(秋史) 김정희(金正喜)의 둘째 동생. 현령(縣令)을 지냄.

163) **효정전**(孝正殿): 조선 제24대왕 헌종(憲宗)의 혼전(魂殿).
    혼전(魂殿): 임금이나 왕비의 국장(國葬) 뒤 3년 동안 신위(神位)를 모시던 전각.

기도 파주시(坡州市) 맥금동(陌今洞)에 있다. 참봉공은 정랑 홍명규(洪明圭)의 딸인 부인 남양 홍씨(1820~1895)와의 사이에 1남 2녀를 두었다. 강암공(剛菴公) 휘 용직(容稙, 1853~1932)이 외아들이며, 사위는 조동규(趙東奎), 홍경택(洪景澤)이다.

강암공의 자는 치만(穉萬), 호는 강암(剛菴)이다. 공은 1875년(고종 12) 별시 문과에 급제하여 예문관 검열, 시강원(侍講院) 사서(司書) 등을 지내다가 1881년 용강현령이 되었으며, 1885년 정3품으로 승자하여 승정원 동부승지, 동래부사, 우부승지, 병조 참의, 형조 참의, 이조 참의, 한성부 소윤 등을 지냈다. 1891년 종2품으로 승자하여 형조 참판, 우승지, 예조 참판, 대사헌, 성균관 대사성을 지내고, 1893년 가의대부에 봉해져 동지중추부사, 의주부윤, 개성유수, 춘천 관찰사 등을 역임했다. 1901년 정헌대부 정2품으로 승자하여 장례원경, 의정부 찬정, 황해도 관찰사를 지냈고, 1904년 종1품으로 승자했다. 1904년 학부대신에 이어 전라북도 관찰사를 지냈고, 1909년 다시 학부대신에 임명되었다. 공은 1910년 국권피탈 당시에 대신들 중 유일하게 이에 반대했다. 공은 몇 차례 내각회의에서 조약에 반대하는 발언을 해 체결을 막았고, 8월 22일 조약이 체결된 날에는 총리대신 이완용(李完用)이 가택연금 중인 공에게 알리지 않아 참석조차 할 수 없었다. 공은 1919년 3월 독립운동 당시 독립청원서를 작성·배포·공표해 보안법 위반으로 조선총독부 재판소에서 징역 1년 6개월, 집행유예 3년의 형을 선고받았다.

공은 좌의정 조병세(趙秉世)[164]의 딸인 정경부인 양주 조씨(1850~1920)와

---

164) **조병세**(趙秉世): 조선 말기 문신이자 애국지사(1827~1905). 본관 양주(楊州), 자 치현(穉顯), 호 산재(山齋). 시호 충정(忠正). 1859년 증광시 문과에 병과로 급제해 대사헌, 의주부윤, 공조 판서, 이조 판서 등을 거쳐 1893년 좌의정이 됨. 1894년 중추원(中樞院) 좌의장(左議長)이 되었다가 사직하고 은거함. 1905년 을사조약이 체결되자 국권 회복과 을사오적의 처형을 주청하기 위해 고종을 만나려 하였으나 일본군의 방해로 거절당함. 이어 민영환(閔泳煥) 등과 함께 백관을 인솔하고 입궐하여 조약의 무효와 을사오적

후배(後配) 김해 김씨(1873~1946) 사이에 1남 5녀를 두었는데 감조원(監造員)을 지낸 휘 범규(範珪)가 외아들이며, 사위는 민충식(閔忠植), 김풍진(金豊鎭), 윤칠영(尹七榮), 이홍재(李弘宰), 윤완선(尹浣善)이다. 묘는 맥금동 참봉공의 묘 하에 있다. 강암공의 손자는 감조원을 지낸 휘 성구(聖求), 증손자는 도성(度晟), 현손(玄孫)은 재원(齊元)이다. 도성의 가명(家名)은 웅복(雄馥), 재원의 가명은 제원(齊遠)이다.

　종통(宗統) 외에 한주공의 후손 가운데 현달(顯達)한 이들이 적지 않았으니 휘 해중(海重)의 첫째 아들 휘 도영(道永)의 자는 사원(士源)인데 사마시에 입격했고, 둘째 아들 휘 선영(善永)의 자는 사경(士卿)인데 적성현감을 지냈다. 셋째 아들 휘 호영(好永)은 통덕랑(通德郎)[165]을 지냈고, 그의 아들 휘 희석(羲錫)의 자는 윤여(允汝)로 군기시(軍器寺) 판관(判官)을 지냈으며, 손자 긍재(兢在)의 자는 공리(公履)인데 과천현감을 지냈다.

　휘 희두(羲斗)의 자는 칠여(七汝)인데 나주목사 돈령부(敦寧府)[166] 동돈령(同敦寧)을 지냈으며, 품계는 가선대부였다. 증손인 휘 정재(鼎在)의 자는 공매(公梅)인데 별시 문과에 급제하여 예조 판서에 올랐으며, 동생 휘 관재(觀在)의 자는 공빈(公賓)으로 덕산군수를 지냈고, 휘 풍재(豊在)의 자는 공서(公瑞)인데 장악원 정(掌樂院正)을 지냈다. 휘 풍재의 첫째 아들 휘 승기(承耆)의 자는 성로(聖潞)인데 강화 판관을 지냈고, 둘째 아들 휘 승수(承壽)의 자는 성미(聖眉)인데 문과에

의 처형 등을 연소(聯疏)하다가 일본군에 의하여 강제로 해산당하고 표훈원(表勳院)에 연금됨. 곧 풀려났으나 다시 대한문(大漢門) 앞에서 석고대좌하며 조약의 파기를 주장 하다가 또다시 일본 헌병에 강제 연행됨. 그 후 가평 향제로 추방되었으나, 다시 상경하여 표훈원에서 유소(遺疏)와 각국 공사 및 동포에게 보내는 유서를 남기고 음독 자결함. 1962년 건국훈장 대한민국장이 추서됨.

165) **통덕랑**(通德郎): 조선 시대 정5품 동반 문관에게 주던 품계.

166) **돈령부**(敦寧府): 조선 시대 종친부(宗親府)에 속하지 않는 종친과 외척에 대한 사무를 처리하던 관청.

급제해 벼슬이 참판에 이르렀다. 휘 승수의 셋째 아들 휘 성직(性稙)의 자는 계선(季善)인데 김포군수를 지냈다.

휘 희평(羲平)의 첫째 아들 휘 항재(恒在)의 자는 공립(公立)인데 사헌부 지평을 지냈고, 둘째 아들 곤재(坤在)의 자는 공후(公厚)인데 통덕랑을 지냈다. 휘 희승(羲升)의 자는 양여(讓汝)인데 통천군수, 안성군수, 적성현감, 진주목사를 지냈으며 품계는 통훈대부였다. 휘 희조(羲肇)의 자는 성여(成汝)인데 1813년 증광시 문과에 급제하여 교리, 사은사(謝恩使)[167] 서장관, 대사간, 대사헌, 부호군을 지냈으며, 휘 희오(羲午)의 자는 회여(會汝)인데 1813년 무과에 급제해 안흥 첨사를 지냈다. 휘 희명(羲命)의 자는 신여(申汝)인데 무과에 급제해 현감을 지냈고, 아들 휘 필재(珌在)의 자는 계옥(季玉)인데 무과에 급제해 오위장(五衛將)[168]을 지냈다. 휘 희공(羲鞏)의 첫째 아들 휘 회재(晦在)의 자는 공엽(公燁), 호는 송천(松泉)으로 동지중추부사를 지냈다. 둘째 아들 휘 만재(晩在)의 자는 공기(公器), 호는 기석(箕石)으로 통덕랑을 지냈다.

휘 순영(順永)의 첫째 아들 휘 희중(羲中)의 자는 일여(一汝)인데 무과에 급제해 통정대부에 올랐으며, 휘 희중의 첫째 아들 휘 신재(信在)의 자는 계성(季誠)인데 가선대부 수사(水使)를 역임했다.

휘 겸재(謙在)의 자는 공익(公益)이다. 공은 강원도 관찰사, 평안도 관찰사, 공조 판서, 한성 판윤, 예조 판서, 이조 판서 등을 지냈고, 시호는 효헌(孝憲)이다. 부인은 김조순의 딸이며 맏아들 휘 승서(承緖)는 개령군수, 둘째 아들 휘 승위(承緯)는 임실군수, 다섯째 아들 휘 승순(承純)은 형조 판서, 공조 판서를 지냈다. 휘 승위의 첫째 아들 휘 완직(完稙)의 자는 치륜(穉輪)인데 통정대

---

167) **사은사**(謝恩使): 조선 시대 때 나라에 베푼 은혜에 감사한다는 뜻으로 외국에 보내던 사신(使臣).

168) **오위장**(五衛將): 조선 시대 오위(五衛)의 으뜸 벼슬로 종2품이었다가 정조 때 정3품으로 격하됨.

부 용양위(龍驤衛) 사과(司果)를 지냈다. 둘째 아들 휘 관직(觀稙)의 자는 치용(穉用), 호는 해관(海顴)인데 육군무관학교를 졸업하고 장교 생활을 하다가 이상설(李相卨), 이회영(李會榮), 이동녕(李東寧) 등과 함께 독립운동을 하여 1990년 건국훈장 독립장이 추서되었다. 다섯째 아들 휘 선직(宣稙)의 자는 치은(穉恩)인데 통훈대부 시강원(侍講院)[169] 전서관(典書官)을 지냈다.

휘 희조의 증손 휘 명직(明稙)의 자는 치선(穉善)인데 1893년 문과에 급제해 직각(直閣), 승지, 장례원(掌禮院) 부경(副卿)을 지냈다. 휘 희두의 증손 휘 경직(景稙)의 자는 유성(惟成)인데 문과에 급제하여 시강원 설서(設書)를 지냈고, 현손 휘 순규(洵珪)는 해미군수(海美郡守)를 지냈다.

5. 한주공의 처가

한주공의 장인은 기계 유씨로 휘는 헌(櫶), 자는 회이(晦而), 호는 송정(松汀)이며, 1617년(광해군 10)에 태어나 76세를 일기로 1692년(숙종 18)에 서세했다.

송정공의 6대조 유기창(兪起昌)은 첨지중추부사를, 5대조 유여림(兪汝霖)은 예조 판서, 고조부 유강(兪絳)은 호조 판서, 증조부 유영(兪泳)은 군수, 조부 유대의(兪大儀)는 이조 참판(추증), 아버지 유희증(兪希曾)은 군수를 지냈다.

송정공은 병자호란, 정묘호란을 당해 백성들이 크게 아픔에 잠기자 벼슬에 뜻을 버리고 한때 과거 공부를 중지했으나, 32세 때 처음 과거 시험장에 들어가 한성시(漢城試)[170]에서 장원을 했다. 이어 35세에 사마시에 합격하고 생원·진사 양장에서 모두 장원급제했으며, 동당(東堂)[171]의 초시에 합격했다.

---

169) **시강원**(侍講院): 조선 시대 왕세자의 교육을 담당한 관청인 세자시강원을 일컬음.
170) **한성시**(漢城試): 조선 시대 과거 중 한성부에서 실시한 생원·진사 초시와 식년시 문과의 제1차 시험.

54세에 병조 정랑이 되었고 곧 지평으로 제수되었으며, 59세 때인 숙종 2년 (1675) 형조 참의가 된 데 이어 승지, 경주부윤, 무주부사가 되었다. 64세 때 강원도 관찰사로 승진했다가 이듬해 호조·병조·형조 참의를 지냈고, 그 이듬해 대사간이 되었다. 그 후 10년 가까이 예조 참의, 공조 참의, 좌승지, 우승지를 지냈으며, 1687년 다시 대사간이 되었다. 이때 조정은 후궁 장씨, 즉 장희빈(張禧嬪) 문제로 극심한 혼돈 상태에 빠져 바람 잘 날이 없었다. 상황이 이에 이르자 뜻있는 조정 중신들과 지사들은 심하게 동요했는데, 그 선봉에 나선 인물이 중신(重臣)인 대제학 김만중(金萬重)[172]이었다.

숙종이 경연 석상에서 김만중과 언쟁을 벌인 끝에 김만중을 귀양 보내자 신하들은 숙종의 서슬에 놀라 모두 침묵했는데, 송정공은 병석에서 일어나 임금을 배알하며 앞장서서 귀양을 거두어들이기를 청했다.

"조정 공론은 갈기갈기 찢어져 각각 문호를 내세우고 서로 눈을 부라리면서 국사는 잊은 채 나라를 도우려는 생각이 없습니다. …… 조정은 관료들이 모여 당론을 만드는 장소로만 삼을 뿐입니다. 양전(兩銓: 이조와 병조)에서 추천되는 관리는 반이 그들의 친구들이니 사사로운 청탁과 인척 관계로 사사로움이 점점 깊어졌습니다. …… 대간에게는 보잘것없는 뇌물을 주어 잘못을

---

171) **동당**(東堂): 조선 시대 과거의 본시험에 대한 별칭.

172) **김만중**(金萬重): 조선 후기 문신(1637~1692). 본관은 광산(光山), 자는 중숙(重叔), 호는 서포(西浦), 시호는 문효(文孝). 사계(沙溪) 김장생(金長生)의 증손. 1665년(현종 6) 정시 문과에 장원급제하여 공조 판서, 대사헌, 홍문관 대제학, 지경연사(知經筵事) 등을 지냄. 김수항(金壽恒)이 아들 창협(昌協)의 비위(非違)까지 도맡아 처벌되는 것이 부당하다고 상소했다가 선천(宣川)에 유배되었으나, 1688년 방환(放還)됨. 이듬해 박진규(朴鎭圭), 이윤수(李允修) 등의 탄핵으로 다시 남해(南海) 노도(櫓島)에 유배되어 그곳에서 병사함. 『구운몽』은 선천에 유배되었을 때 지은 것으로 김만중이 어머니를 위로하기 위해 쓴 작품임. 1698년(숙종 24) 관직이 복구되고, 1706년(숙종 32) 효행에 대해 정표(旌表)가 내려짐.

전가하려고 하니 오늘날의 대간은 가련한 직책입니다. 이는 전하께서 왕으로서의 자질은 비록 높으시나 학력이 이에 미치지 못하시고, 덕과 도량이 넓으시나 사사로운 뜻을 버리지 못하셨기 때문입니다. …… 성의를 열어 보이시어 시비가 밝지 않은 폐단을 없게 하시고 김만중을 멀리 귀양을 보내라는 어명을 거두어주옵소서. 만중은 일품의 재상으로서 듣는 것을 모두 아뢰고 숨기지 말라는 뜻을 부쳤을 뿐인데, 어찌 뜻을 거스른다고 여기시어 신하를 시험할 계책이십니까. 지금 김만중을 귀양 보내라는 뜻밖의 어명으로 신하와 백성이 다 놀라 기색이 비참합니다. …… 전하께서는 마땅히 백성의 말을 두려워하시고 몸을 닦으시어 여러 선업을 모으시며, 언로를 여시고 재앙을 풀어 다스리는 도를 삼으셔야 합니다."

비록 숙종은 송정공의 이 같은 충언을 받아들이지 않았으나, 사람들은 그 용감함을 칭찬했다.

1689년 숙종이 인현왕후(仁顯王后) 민씨(閔氏)를 폐출시키자 송정공은 소(疏)를 올렸다가 죄인으로 불려 들어갔는데, 나이 칠십이 넘은 까닭에 형벌은 특별히 면했으나 삭직을 당했다. 공은 그날로 송정(松汀)으로 향했는데 가는 도중 병세가 심해져 용호의 우사(寓舍)에 머물렀다. 이곳에서 4년 동안 병을 앓다가 1692년 9월 16일 서세하여 양주에 있는 차유령 선영 아래 안장되었다.

한주공이 송정공의 사위가 된 것은 열여섯 나던 해인 1685년으로, 공은 한주공을 아들처럼 여기고 부지런히 학문을 권하고 가르치며 이끌어주었다. 인현왕후 민씨가 폐서인이 된 지 만 5년 만인 1694년 4월 복위되었다. 숙종은 그해 가을 송정공의 관직을 회복시키면서 한주공에게 제문을 짓도록 명했는데, 한주공이 25세 되던 해의 일이었다.

6. 한주공의 외가

　한주공의 외가는 호남의 망문(望門)인 제주(濟州) 양씨(梁氏)로 한주공 어머님의 5대조가 청사(靑史)에 아름다운 이름을 남긴 학포(學圃) 양팽손(梁彭孫, 1480~1545)이다. 전라남도 화순 능성현에서 태어난 학포공은 1510년(중종 5) 생원시 진사 시험에 급제했는데, 바로 이 과거 시험에 나란히 합격한 정암(靜庵) 조광조(趙光祖)와 평생을 변함없이 이어진 도의지교(道義之交)를 맺었다. 1516년 식년시 문과에 갑과로 급제한 학포공은 공조 좌랑, 형조 좌랑, 사간원 정언, 이조 정랑 등 청요직(淸要職)을 두루 거쳤고, 조광조와 함께 호당(湖堂)[173]에 뽑혀 학문을 연마했다.

　당시는 조선 역사상 유례를 보기 어려운 개혁 정치가 이루어지고 있던 시기였다. 반정으로 왕위에 올라 연산조의 폐정(弊政)을 바로잡으려던 중종의 명분과 도학정치(道學政治) 구현을 위해 온몸을 던진 조광조의 의지가 맞아떨어진 결과였다. 조광조는 홍문관 부제학을 거쳐 대사헌으로 기용되는 등 고속 승진을 하며, 국왕 교육, 성리학 이념 전파, 사림파 등용, 현량과(賢良科) 실시, 훈구(勳舊) 정치 개혁 등 과감한 개혁 정치를 펼쳐나갔다. 기묘년(1519)에 조광조는 중종반정 공신이 너무 많고 부당한 녹훈자(錄勳者)가 있음을 비판하면서 105명 공신 중 2등 이하 76명의 훈작을 삭제해야 한다고 주장해 이를 관철시켰다. 온갖 권세를 하루아침에 잃은 훈구파의 반발은 격렬했다.

　사림파의 강한 개혁 정책에 염증을 느끼며 마음이 바뀐 중종은 급기야 훈구파와 손잡고 1519년 10월 15일 밤 조광조를 비롯한 30대 개혁 관료 수십 명을 죽이거나 유배를 보내는 등 형벌을 가했다. 이른바 기묘사화였다.

　조광조는 다음 날 화순 능성으로 유배를 갔고, 당시 홍문관 교리로 있던

---

173) **호당**(湖堂): 조선 시대에 국가의 중요한 인재를 길러내기 위해 건립한 전문 독서 연구 기구. 독서당(讀書堂).

학포공은 곧바로 동료들과 연명으로 왕에게 극간(極諫)을 하다가 삭직되어 고향인 능성으로 내려갔다. 그로부터 두 달여 지난 12월 20일 조광조에게 사약이 내려졌다. 이 장면을 유일하게 지켜본 사인(詞人)이 학포공이다. 의금부 도사는 시신에 아무도 손을 대지 못하게 했지만, 학포공은 아랑곳하지 않았다. 공은 서슬 퍼런 엄혹한 상황 속에서 3대의 죽음을 무릅쓰고 손수 시신을 수습해 염습했다. 그러고는 아들을 시켜 인근 중조산(中條山) 밑 깊은 골짜기에 시신을 묻은 후 봄, 가을에 제사를 지내며 3년 동안 상을 치렀고, 훗날 경기도 용인에 있는 조씨 문중 선산까지 시신을 손수 운구하여 장사 지냈다.

세상이 다시 바뀌어 1537년 공은 복관(復官)되었으나 1544년 잠시 용담현령(정5품) 지냈을 뿐 줄곧 화순군 이양면 쌍봉 마을에 학포당을 짓고, 글과 그림으로 소일하며 생을 마쳤다. 신잠(申潛) 안견(安堅)과 교류하며 수묵(水墨)에 심취했던 공은 당대 최고 명작으로 꼽히는 산수화 등을 남겼으며, 훗날 남종화의 태두요 시조로 일컬어졌다. 공에게는 사후 300여 년 만인 1863년(철종 14) 이조 판서가 추증됐으며, 혜강(惠康)이라는 시호가 내려졌다.

학포공의 아들은 '선조조의 8문장'으로 이름을 떨친 송천(松川) 양응정(梁應鼎, 1519~1581)이다. 송천공은 1540년 생원시에서 장원한 데 이어 1552년 문과에 급제하여 홍문관 정자, 시강원 설서가 되었다가 호당에 선발되는 등 성망(聲望)을 떨쳤다. 1556년 문과 중시에 장원급제하여 자급(資級)이 올라 이조 좌랑을 제수받았으나, 사림파가 대거 숙청된 을사사화(乙巳士禍)가 일어나는 등 난세 속에서 공은 세상에 묻혀 살기로 결심했다.

거처도 능주에서 나주 박산(朴山)으로 옮기고 조양대(朝陽臺), 임류정(臨流亭)을 지어 학문에 열중했다. 그러자 후학 영재가 몰려들기 시작하니 송강(松江) 정철(鄭澈), 고죽(孤竹) 최경창(崔慶昌), 태헌(苔軒) 고경명(高敬命), 건재(健齋) 김천일(金千鎰) 등 훗날 고충(孤忠)과 준절(峻節)로 이름을 남긴 인물들이었다.

조정은 다시 공을 불러들였다. 송천공은 홍문관, 예문관, 직제학과 성균관 대사성에 이르렀는데, 이때 공은 훗날 대유(大儒)로 청사를 빛낸 율곡(栗谷) 이

이(李珥, 1536~1584)가 조종에 역사적인 첫발을 내딛도록 이끌었다. 1564년 식년시 문과의 고시관(考試官)으로 임명된 공은 율곡을 장원으로 뽑았다. 그러나 율곡을 장원으로 결정짓는 일은 순탄하지 않았다. 율곡의 입산(入山) 전력이 문제가 된 것이다. 조선에서 불교는 금기(禁忌)나 다름없었다. 율곡이 입산했던 과거를 들어 좌우에서 반대 논의가 빗발치자 공은 같은 고시관이었던 상공(相公) 유홍(兪泓)을 설득해 장원을 지켜줌으로써 율곡은 호조 좌랑으로 첫 벼슬길에 나아갈 수 있었다.

권간(權奸)의 눈에 거슬린 공은 다시 외직을 전전했는데 이때 판윤(判尹) 신립(申砬)을 제자로 삼아 학문을 연마하도록 해 명장으로 키워냈다. 1577년 성균관 대사성에 올랐을 때는 문하에 만취(晚翠) 권율(權慄)과 병사(兵使) 최경회(崔慶會) 등이 있었다. 공은 1581년 63세를 일기로 서세했다.

공이 세상을 떠난 지 11년 만인 1592년 임진왜란이 발발하자 공의 문인(門人)들 중 대절(大節)과 대공(大功)으로 이름을 남긴 인물이 한둘이 아니었다. 가족과 자손 또한 역사상 유례없는 비극적 청절(淸節)로 세상의 우러름을 받았다. 먼저 나라를 위해 순절한 인물은 공의 셋째 아들 양산숙(梁山璹, 1561~1593)이었다. 양산숙은 김천일, 고종후(高從厚), 최경회 등과 진주성을 지키다가 성이 무너지자 촉석루에 올라 북향재배한 뒤 남강에 몸을 던져 33세에 순절했다.

양산숙의 뒤를 이어 온 가족이 순절한 비극이 일어난 것은 그로부터 4년 후인 정유재란(1597) 때였다. 무안 삼향포를 향해 피난길에 나섰던 송천공의 부인 박씨가 적선(賊船)을 만나자 "대부의 아내로서 놈들에게 욕을 당할 수는 없다"라고 하며 바다에 뛰어들었다. 아들 산룡(山龍), 산축(山軸)과 산룡의 아내 류씨(柳氏), 박씨의 딸과 조카딸 들이 모두 함께 몸을 던져 세상을 떠났다.

이어 산숙의 아내 이씨(李氏)와 산축의 아내 고씨(高氏, 고경명의 아들이자 복수 의병장 고종후의 딸)도 바다에 뛰어들었다. 종들이 두 사람을 건져냈으나 이씨는 끝내 목에 칼을 꽂아 자결하고 말았다. 고씨는 다시 바다에 뛰어들려 했다. 그러나 종들이 시집 온 지 두 해 만에 첫아이를 임신한 고씨에게 "가문이 영원히 끊긴다"라고 하며 한사코 만류해 가족 중 유일한 생존자가 되었다.

왜적이 물러가자 고씨는 갯가에 즐비하게 떠오른 일가족의 시신을 수습해 부근 산에 가매장한 뒤 고향 박메 마을로 돌아와 이듬해 3월 아들을 낳았으니, 이분이 뒷날 '양한림(梁翰林)'이라는 이름을 얻은 한주공의 외조부 거오재(據梧齋) 양만용(梁曼容, 1598~1651)이다.

거오재공은 1633년(인조 11)에 과거에 들어 그날로 한림(翰林)을 제수받았고, 이듬해 세자시강원 설서에 임명되어 소현세자를 가르쳤다. 이어 예문관 검열, 예조 좌랑 등을 지내다가 병자호란이 일어나자 옥과현감(玉果縣監) 이흥발(李興勃) 등과 군사를 일으켜 의병도유사(義兵都有司)를 맡았다. 그 뒤 거오재공은 사헌부 집의를 거쳐 영국원종이등공신(寧國原從二等功臣)에 봉해졌다. 앞서 순절한 양산숙에게는 1631년(인조 9) 선무원종일등공(宣武原從一等功)이 내려져 예조 참판으로 추증되었고, 박씨 부인에게는 1635년 절부(節婦)로 정려(旌閭)가 내려졌다. 산룡과 산축에게도 효자 정려를 내렸으며, 박씨와 함께 순절한 딸과 조카딸에게는 열녀 정려가 내려졌다.

송천공 가문의 이와 같은 내력을 상고(詳考)할 만한 사적(事蹟), 구결(口訣) 등은 정유재란의 난리 통에 온 가족이 나라를 위해 목숨을 바칠 때 모두 바다에 던져져 사라져버렸다. 겨우 한주공이 어머니에게서 들은 집안 내력과 송천공 문인의 기록, 묘갈명 등 몇 가지를 자료로 삼아 찬(撰)한 행장을 통해 후세에 전해질 뿐이다.

2014년 갑오년(甲午年) 초춘(初春)
한주집국역본간행위원회 위원장
한주공 10대 종손 이도성(李度晟) 근찬(謹撰)

권18

서書

書

1. 병관(秉觀)[1]에게 부치는 글

■ 신묘(1711) 삼월 초하루

잠시 동안 만났다가 곧 헤어지면 이별한 생각이 비교적 오래가니, 이별할 때가 더욱 어려울 것 같다. 애오라지 때맞춰 좋은 비가 새로 개고 봄에 일이 바쁘게 시작되었구나. 부모님 모시고 또 글을 읽는 근황이 깨끗하고 좋으냐. 향천에 있을 때를 잠시 돌아보니 놀면서 구경하던 어렴풋한 기억이 꿈속의 일 같아 며칠이 지나도 잊을 수가 없었다.

지금 돌아가 보니 직아(稷衙)의 병이 차도를 보였다는구나. 나는 그저께 무사히 한강을 건너왔다. 너는 산길이 너무 멀어 시름과 고통을 어찌 감당하였느냐. 몇 자의 시를 너에게 보냈으니 받는 대로 화답하여 보냄이 어떠하겠느냐. 오산을 지나다가 한 구절을 얻었도다.

---

[1] **병관**(秉觀, 1691~1735): 한주공의 맏형님인 부평공(富平公, 휘 澳)의 둘째 아들. 자는 군빈(君賓). 봉사(奉事)를 지냈음.

征馬嘶穿小岡出	여행하는 말이 울며 작은 언덕 뚫고 나와
回頭倏已隔琴堂	머리를 돌려보니 홀연 금당이 막혔구나
誰能辦得移山力	뉘 능히 산 옮기는 힘을 판득(辦得)²)해
除去眼中多少岡	눈에 뵈는 많고 적은 언덕을 제거할 것인가

이 시를 보면 올 때의 생각을 알 수 있을 것이다. 모름지기 아버님께 읽어드려서 화답하시도록 아뢰고, 너도 또한 아울러 화답하여 속편으로 보내줄 것을 지극히 바라고 또 바란다. 나머지는 새벽에 쓰느라 다 갖추지 못한다.

2. 신정보(申正甫)에게 보내는 글

끝내 도봉에서 밤에 한 약속이 어그러져 슬픈 생각이 한 달이 넘도록 풀리지 않네. 말 위에서 여러 벗과 더불어 시를 지어 그 뜻을 표하네. 생각해보니 혹 허락해줄 터인가. 먼 곳에서 다만 이 더위를 지나는데 기거(起居)가 아름답고 좋은가. 이별한 지 이미 오래되었는데 사모하는 생각 감당할 수 없네.

나는 바닷바람에 상하여 팔과 다리가 곯고 마비되는 증상이 심히 가볍지 않은데, 바닷가라서 고칠 약도 없고 치료가 쉽지 않아 근심하고 시름하지만 어찌할 수 없네. 바다와 산의 경치가 비록 좋으나 날마다 찾을 수 없어 긴 여름을 빈집에서 다만 수마(睡魔)³)와 서로 짝이 되었

---

2) **판득**(辦得): 이리저리 변통해 얻음.
3) **수마**(睡魔): 쏟아지는 졸음을 악마에 비유함.

으니, 나그네의 회포를 참으로 누르기 어렵네.

저문 봄에 금강산에 들어가서 숙원을 이루었으나, 가평의 형님과 여오[4])와 함께 약속하였는데 오지 않아 괴로운 정이 점점 고통스러워 감당할 수가 없었네. 올라갔으나 바쁘게 보고 돌아옴을 면하지 못했으니, 신선의 산을 한번 보는 것도 참으로 운에 달린 것 같네. 가을에 형이 만약 여오의 무리를 데리고 와준다면 다시 한 번 가볼 계획인데 형들은 모두 공직에 있으니 어찌 꼭 올 수 있을지. 우습고 우습네.

다만 이곳을 가고 오는 길이 있다면 한번 들르기를 바라는 것이 심히 잘못이 아니며 지극히 어려운 일도 아닌 것 같네. 그러나 정보는 발을 뺄 여지가 없고 조정에 벼슬하는 몸이라 일을 소홀하게 못할 것이니, 정보가 다른 날 한번 조정을 위해 구하는 바에 긴요하게 쓰이기를 바랄 뿐 한가로운 행동을 어찌 얻을 수 있겠는가.

마땅히 지금이라면 할 수 있다고 생각할 뿐이네. 산에 들어가 약간의 시편을 얻었으나 아직도 글쓰기를 마치지 못해, 보내어 비판받지 못하니 한탄스럽네. 검남(劍南)의 『입촉일기(入蜀日記)』[5])를 일찍이 빌릴 뜻을 말했는데 기억하고 있는가. 이번 인편에 보내주기를 간절히

---

4) **여오**(汝五): 한주공의 백부인 귀천공(歸川公, 휘 廷燮)의 손자인 이병상(李秉常, 1676~1748). 호는 삼산(三山). 이조 좌랑, 대사간, 대사성, 대사헌, 이조 참판, 대제학, 형조 판서, 공조 판서, 판돈령부사 등을 지냈으며 기로소(耆老所)에 들어가 치사하고 봉조하(奉朝賀)를 받았음. 시호는 문정(文靖).
  봉조하(奉朝賀): 조선 시대 정3품 당상관(堂上官) 이상의 벼슬아치들이 사임하면 이들에게 특별히 주던 벼슬. 조하(朝賀)와 기타 의식이 있을 때만 대궐에 나가 참여하며 종신토록 녹봉(祿俸)을 받았음.
5) 『**입촉일기**(入蜀日記)』: 촉나라 사천성 성도에 들어가 보고 듣고 행동한 사실을 기록한 일기.

바라면서 나머지를 다하지 못하네.

3. 신경소(愼敬所)에게 보내는 글

금릉(金陵)[6] 가는 길을 착오로 어겨 하룻밤 같이할 기회를 잃었으니 지금까지 슬프고 한스럽네. 작별한 뒤 달이 이미 세 번 둥글었는데, 요사이는 어떠한가. 어른 모시고 사는 몸으로 더위에 잘 지내고 있는가. 산과 내가 멀리 막혀 마음속으로 그리워함을 지우기 어렵네.

나는 오래된 마비 증세가 날마다 더해 고통이 심해지니 대개 바다의 풍기(風氣)[7]가 좋지 못해 이렇게 된 것 같네. 앞길이 어떻게 될지 근심스럽고 또 근심스럽네. 긴 여름을 빈집에서 홀로 병을 읊조리자니 바다와 산의 좋은 경치에도 이마를 찌푸릴 뿐이어서 더욱 한탄스럽네.

늦은 봄 북동의 늙은 형님께서 여오(汝五)와 더불어 병을 참고 일어나 풍악(楓岳)[8]에 들어가시려 했으나, 형님과 조카가 모두 기약을 어겼으므로 다만 아이들만 거느리고 홀로 가는 처지가 되었네. 가다가 비를 만나 정양사(正陽寺)에서 사흘 밤을 지내는데, 그때 몇 번이나 형들을 생각한 줄 아는가.

만폭을 보고 난 뒤부터 병이 더욱 고통스러워 대강대강 보고 돌아왔네. 가을에 오히려 형들과 같이 손을 잡고 한번 구경하며 놀아, 남은 한 씻기를 간절히 바라네. 세 번 계획하고도 어찌 또 탄솔(坦率)[9]하게

---

6) **금릉**(金陵): 경상북도 중서부에 있는 군.
7) **풍기**(風氣): 온도나 지형의 차이로 말미암아 일어나는 공기의 흐름.
8) **풍악**(楓岳): 가을 금강산.

구숙(久叔)에게 양보하겠는가. 구숙의 일은 장하다고 할 수 있네. 요사이 자주 모여 시를 짓기도 하는가. 나는 병증이 이와 같아 붓과 벼루를 가까이 못하네. 장차 어떻게 될지 알지 못할 뿐이네. 나머지는 바빠서 이만 줄이네.

4. 고성(高城)군수 심정로(沈廷老)에게 답하는 글

■ 오월 열닷새

보내주신 편지는 잘 받았습니다. 요사이 좋은 비가 내리는데 행가(行駕)10)가 무사히 도착하고 즐거움이 날마다 더하십니까. 다만 지난날에 바쁘게 이별한 것을 위로할 뿐입니다. 홀로 현재에 거하심을 보니 부러움이 더욱 깊습니다.

나는 바람을 무릅쓰고 가서 병이 더하였는데, 통주(通州)의 송절주(松節酒)에 몸이 상해 아직도 그 고통으로 신음 중입니다. 한번 해금강(海金剛)을 본다면 아마도 고통을 보상하는 데 만족할 것 같으니 어찌해야 합니까. 금난(金𤄷)11)이 온 뒤에 아직 한 번도 보지 못했으니, 참으로 게으른 사나이입니다.

빨리 나가고자 하나 날씨가 이와 같이 아름답지 못하니 뜻처럼 되지

---

9) **탄솔**(坦率): 성품이 너그럽고 대범하며 솔직함.
10) **행가**(行駕): 임금이 수레를 타고 가는 일. 여기서는 군수가 수레를 타고 감을 뜻함.
11) **금난**(金𤄷): 전에 둘 사이에 말한 적이 있는 새로 온 기생 이름으로 추정됨.

않을 듯합니다. 그러나 만약에 날짜를 잘 가려서 뜻을 보여주신다면, 혹 떨치고 일어날 수 있을 것입니다. 말씀하신 황토는 파서 가져가도록 하십시오. 나머지는 다하지 못합니다.

겸하여 통주 집사의 끝 질문에 대해 감사하다는 말 전합니다. 다만 송절주의 해독이 지금까지 고통이 되어 한스러우니, 홀로 스스로 옷을 갈아입지 못하고 사람으로 하여금 잡아주도록 하는 곤란을 겪습니다. 좋습니다. 또 좋습니다. 다른 것은 앞에서 한 말과 같습니다.

5. 선비 정건[鄭生(鍵)]에게 답하는 글

오늘 편지를 받아 보니 뜻밖의 소식을 들었네. 가는 길에 가까운 곳에서 머문다고 하니 옛날 회포를 풀 수 있기 바라며, 말을 다하지 못하네. 산과 바다의 벽(癖)12)은 세상을 벗어난 사람 무리 속에 많다는 것을 깊이 알고 있네. 이는 더욱 기쁜 일일세.

곧 찾아가서 주인장과 금난의 약속을 겸하여 오랫동안 만나지 못한 그리움을 풀고자 하나 날씨가 이와 같아 뜻과 같이 되지 이니하니 크게 슬프고 크게 슬프네. 시중대(侍中臺)는 오는 사람이 없어 근심인데 무엇 때문에 문지기가 없음을 근심하겠는가. 나머지는 다하지 못하네.

---

12) **벽**(癖): 고치기 어렵게 굳어버린 버릇.

6. 도백(道伯) 김치룡(金致龍)13)에게 보내는 글

고을의 관리가 돌아와서 회답한 글을 받아 보고 위안과 감동을 지극히 받았습니다. 그 뒤에 열흘이 지났는데 엎드려 살피지 못했습니다. 좋은 비가 열흘 넘게 내리는데, 높으신 몸과 귀하신 모습이 만복(萬福)하십니까. 우러러 사모함이 간절하여 몸 둘 바를 모릅니다.

올리신 상소문에는 비답이 이미 돌아왔습니까. 이것으로 허락을 받지 못하였고 만기가 되어 돌아갈 기약이 가깝고 또한 머지않으니, 아랫사람의 생각에 서운함을 어찌 말로 형언하겠습니까. 도로가 너무 멀고 인편이 끊어져 찾아뵙기가 쉽지 아니하여 더욱 죄스러움을 이길 수 없습니다.

하관(下官)은 겨우 관청의 일을 보전하고 마비되고 줄어드는 고통이 심한 데다가 굶주리는 백성이 날마다 찾아들어, 공과 사가 다 어렵습니다. 어제 온 비는 조금이나마 세 가지 농사에 위로가 되지만 비 오기 전에 말라죽은 보리는 이미 살릴 수 없으니, 어떻게 조치해야 좋을지 알지 못합니다. 능히 허물을 면할 수 있겠습니까. 다만 망연(茫然)히 근심하고 두려울 뿐입니다.

---

13) **김치룡(金致龍)**: 조선 문신(1654~1724). 본관 언양(彦陽). 소론에 속했으며 1708년 동지중추부사를 거쳐 1711년 강원도 관찰사가 되고, 1721년(경종 1) 사은부사로 청나라에 다녀온 뒤 승지가 됨. 병조 참판, 공조 참판 등을 지냄. 외직으로 나갔을 때 선정을 베풀어 주민과 조정으로부터 칭송을 받음.

7. 신명원에게 보내는 글

　동쪽 들에서 작별하고 나서 아직도 어렴풋한 기억이 마음속에 남아 버릴 수가 없습니다. 요사이 더위가 심한데 대정(大庭)[14]께서는 병을 조섭하시어 이미 정상으로 회복되셨는지요. 또 모시는 몸으로 하는 일이 날마다 아름답습니까. 산과 내가 가로막히고 아득하여 만나지 못하니 어찌 일찍이 생각으로 그곳을 달려가지 않겠습니까.

　저는 동해에 장기(瘴氣)[15]는 없지만 아침저녁으로 바람과 안개가 절로 아름답지 못하여 상처를 받은 게 적지 않고, 묵은 병의 마비 증세가 점점 심하여, 다만 관사에서 오래도록 신음으로 날을 보냅니다. 바다와 산이 비록 좋지만 전혀 아름다운 흥이 없으니, 절로 가련할 뿐입니다. 늦은 봄에 금강사에 들어가 사액(寺額)[16]에서 당신의 어진 이름자를 보고도 인연이 없어 글 짓는 데 손을 끌지 못하니, 슬픈 생각이 지금까지도 그치지 아니합니다. 나머지는 급히 쓰느라 글 모양을 이루지 못하였습니다.

8. 이백온(李伯溫)에게 보내는 글

　제월루(霽月樓)에서 내려올 때 품은 생각은 지금 두 달이 지났는데도 아직 생생합니다. 곧 여름 더위에 모시고 있는 몸으로 행동이 아름답고

---

14) **대정**(大庭): 남의 아버지를 높여 부름.
15) **장기**(瘴氣): 장독(瘴毒). 축축하고 더운 땅에서 생기는 독한 기운.
16) **사액**(寺額): 절의 현판.

적합합니까. 소식이 아득하여 눈을 그곳에 멈추고 그칠 수가 없습니다.

저는 본래 있던 마비 증세가 요사이 바닷바람에 상하여 점점 고통이 더욱 무거워졌습니다. 급히 치료함이 마땅하나 외진 곳이라 의원이 없는 것이 더욱 답답한 일입니다. 현재는 고요하여 다만 신음하는 것을 일로 삼습니다.

이때에 오히려 낙하의 여러 벗과 하루쯤 이야기를 할 수 있다면 병이 조금 풀릴 것 같은데 그런 기회를 얻을 수가 없습니다. 늦은 봄에 금강산에 들어가기로 약속한 사람들이 다 오지 아니하여 병든 몸에 또한 흥까지 깨어졌습니다.

능히 뜻을 다하여 찾아 둘러보지 못하고 헐성루(歇惺樓)에 앉아 백운대를 감상하고 바라보았을 뿐입니다. 중향성(衆香城)[17]에 올라 은선암(隱仙庵)과 불정대(佛頂臺)를 보고 폭포수를 구경하니, 바다처럼 크고 넓고 한만(汗漫)하여 각각 그 나름대로 뜻을 다할 경치였습니다. 거의 그곳에 의지하여 살면서 돌아갈 뜻이 없었습니다. 그러나 정양사(正陽寺)는 일만 봉우리가 모여들어 사면을 둘러싸고 있어, 사람으로 하여금 답답한 생각이 들게 하여 밖으로 나가고자 하는 뜻이 있었습니다.

불정대에 다다르자 비로소 산과 바다의 전망이 쾌활함을 겸하여 정양사와 비교한다면 더 좋다고 하겠으나, 당신의 생각은 어떠한지 알지 못하겠습니다. 비로봉(毘盧峰)뿐만 아니라 불정대도 병으로 가지 못했으니, 남은 한을 어찌 다 말로 하겠습니까. 면담이 쉽지 않을 것 같으니 글쓰기에 임하여 갑절이나 망연함을 느낍니다. 다른 것은 아직 남겨두고 다하지 못합니다.

---

17) **중향성(衆香城)**: 금강산 내금강의 영랑봉 동남쪽을 병풍처럼 싸고 있는 하얀 바위 성.

9. 홍우서(洪虞瑞)와 하서(夏瑞)에게 주는 글

요사이 여름 더위가 극성을 부리는데, 모시고 받드는 기거가 모두 아름답고 좋습니까. 도원의 모임에 쌍벽이 되지 못함을 지금까지 슬퍼하여 마음속에 맺혀 있습니다. 재를 넘어온 뒤 소식이 아득하니 우러러 사모함을 어찌 말로 다 하겠습니까.

저는 바닷바람에 몸의 마비 증세가 더욱 심해지므로 해가 긴 빈집에서 홀로 병을 읊조리고 있고 바다와 산의 아름다움에는 전혀 올라볼 흥이 없으니, 스스로 가련할 뿐입니다. 늦봄에 풍악에 들어갔으나 병 때문에 다 둘러보지 못하고, 만폭동(萬瀑洞)을 구경하다가 비를 만나 정양사에서 잠을 자고 중향성을 보았습니다.

아침저녁의 경치가 너무 아름답습니다. 어찌 인간 세상에 이런 좋은 경계가 있는지 알았겠습니까. 갑자기 40년을 헛늙었다는 생각이 듭니다. 보덕굴(普德窟)[18]에 와서는 형이 외워준

| 天中有路闌干立 | 하늘 속에 길이 있으나 난간에 서고 |
| 頭上無雲河漢橫 | 머리 위에 구름 없으니 은하수 가로질렀네 |

라는 글귀를 본받고자 했으나, 뒤돌아 바라봄을 얻지 못했고 낙안봉으로 못 끌고 온 한이 있을 뿐입니다. 세 번 지었으나 어찌 또 시를 겨루겠습니까.

지키는 재실은 매우 한가로우니, 곧 능히 여러 어진 이를 모아 옛날

---

18) **보덕굴(寶德窟):** 금강산 법기봉 중턱 만폭동에 있는 사찰.

의 업을 다시 지을 수 있겠습니까. 나같이 병들어 해상에 체류하는 사람은 골골거리느라 붓과 글씨와는 거리가 머니, 장차 어떤 모양이 될지 알지 못할 뿐입니다. 나머지는 미루고 아직 다하지 못합니다.

10. 여오에게 주는 글

도봉에서 이별해 보내고 아직도 의의(依依)하다. 어찌 가히 잊을 수 있겠는가. 영남을 지나온 지 이미 세 달이 지났으나 편지 한 장도 새로 오고 가지 못하였으니, 사모함에 답답함이 더욱 깊어진다.

삼월 열흘 사이에 다섯째 형님[19]이 편지를 하시어 스무하룻날에 장안사(長安寺)[20]에 오신다고 하였으니, 여오도 또한 뜻이 있거든 서로

---

19) **다섯째 형님**: 한주공의 6대조인 한성군(漢城君, 휘 秩)의 동생인 찬성공(贊成公, 휘 釋)의 6대손인 속(涑, 1647~1720). 자 낙이(樂而), 호 수암(樹庵). 돈령부 도정(都正)을 지냈으며 병연(秉淵)의 아버지.

　이병연(李秉淵): 조선 후기 시인(1671~1751). 호 사천(槎川), 백악하(白嶽下), 자 일원(一源). 율곡(栗谷)의 학맥을 이은 삼연(三淵) 김창흡(金昌翕)에게 학문을 배웠으며, 벼슬은 음보(蔭補)로 한성부 우윤(右尹)에 이름. 시문에 능하고 글씨를 잘 썼으며, 화가 겸재(兼齋) 정선(鄭敾)과 절친했고 문인화가 조영석(趙榮祏), 영의정을 지낸 금석학(金石學)의 대가 유척기(兪拓基) 등과 어울려 시화(詩畵)를 논하며 각별히 지냄. 일생 동안 1만 300여 수에 이르는 시를 썼으며 영조 시대 최고의 시인으로 일컬어짐.

　돈령부(敦寧府): 조선 시대 종친부(宗親府)에 들어가지 못하는 임금의 친척과 외척(外戚)을 위한 예우(禮遇) 기관.

20) **장안사**(長安寺): 금강산에 있는 큰 절. 신라 법흥왕 원년(514) 진표(眞表)가 창건했음.

따라오도록 하라. 매우 신속하고 긴급할 때이니 말안장을 버리기 바란다. 치질 증세가 고통스러워 결코 산행을 할 수 없으나, 풍악은 비록 이르건 늦건 간에 찾을 것이라 스스로 생각했다.

다섯째 형님께서 원(源)과 평(平)을 데리고 온다고 하셨으나, 따라오기는 쉽지 않을 것이다. 내가 만약 홀로 약속을 저버린다면 어찌 평생에 한이 되지 않겠느냐. 드디어 억지로 길을 나서 기약에 당도하여 소식이 매우 감감하다가 비로소 사람이 신의를 지킨다는 것이 어렵다는 것을 알았으니, 공명(功名)에 구속된 사람은 더욱 심할 것이다. 다만 아이들과 한 사람의 스님과 조용히 찾아다니며 보노라니, 자못 옛사람의 홀로 가는 취미는 있으나 외롭고 단출함이 또한 심하니, 병 때문에 흥이 일어나지 않는다. 또한 고통만 더하여 대강대강 보고 돌아왔으니, 지금까지 마음속의 한이 쌓여 있을 뿐이다. 어쩌면 좋겠느냐.

요사이 해가 더운데 모시고 살아가는 재미가 아름답고 좋으냐. 요사이 조정의 글을 보니 벼슬의 이름을 풀어 넉넉하고 한가로움을 생각한다고 하니 맛이 있을 것 같구나.

나는 치질의 병이 조금 멈추었으나 마르고 마비되는 증세가 점점 고통을 더하니, 이것은 반드시 여행의 피로와 바닷바람이 빌미가 된 것 같다. 근심한들 어찌하겠느냐. 또한 해가 긴 날 빈집에서 병 때문에 글 읽기도 그만두고 더불어 말할 사람도 없어 다만 정신없이 잠에 빠질 뿐이니, 또한 억지(抑止)하기 어려운 일이다.

금강은 참으로 좋은 곳으로 현각(縣閣)에서 비로봉의 뛰어난 빛과 겸하여 넓은 바다의 뛰어난 경치를 대하니, 오히려 한가할 때 채찍 하나로 성을 나가 일원을 데리고 와서 술을 마시며 시를 짓다가 사오일 만에 돌아가니, 이 또한 평생에 족한 승사(勝事)²¹⁾가 되었다. 나와 여오가 어찌 쉽게 판단하겠느냐. 우습구나.

서울에 시끄러운 소리가 들리는데 겨울이 되자 더욱 심하다고 하니, 요사이는 또한 쉬지도 못하고 근심으로 지새운다. 모든 쓰임새를 막연하게 바라볼 뿐 다른 도리가 없다. 나머지는 인편에 다시 쓰기로 하고 여기서는 그만 마친다.

11. 이자우(李子雨)에게 보내는 글

올 때에 마침 도원에서 이야기하다가 이별하고 나니, 이별한 생각이 오래도록 더욱 감당하기 어렵네. 다만 뜨거운 더위에 행리(行李)[22]와 취미가 더욱 좋은가. 구구하게 바라보면서 위로함을 그치지 못하네.

나는 아픈 마비 증세 때문에 봄이 되면서부터 배나 고통이 중함을 느끼네. 동해는 염해(炎海) 바다가 맑고 서늘해 아침저녁으로 바람과 안개가 항상 일어나서 약한 사람에게 상처를 주기 쉬우니, 근심한들 어찌하겠나. 늦은 봄에 억지로 병을 붙들고 금강산에 갔었는데, 읊조릴 짝과 흥이 없어 쓸쓸하게 뜻을 다해보지 못하고 돌아오니 남은 한이 많네.

형은 일찍이 이 놀이를 한 일이 있는가. 가을이 되어 혹 몇 사람의 벗을 데리고 와서 얼마간 홍진(紅塵)을 씻고 간다면 참으로 좋은 일이 될 것이니, 힘을 내기 바라네. 세 번이나 탄솔하게 짓다가 말았으니 먼저 지은 네 번째와 여섯 번째 시도를 어찌 쉽게 판단하겠는가. 이 글을 펼쳐 보고 한번 크게 웃어주게나. 나머지는 뒤로 미루고 아직 다하지 못하네.

---

21) **승사(勝事)**: 뛰어난 사적(事跡). 훌륭한 일.
22) **행리(行李)**: 행장(行裝). 여행할 때 쓰는 물건과 차림.

12. 지촌(芝村)[23]에게 드리는 글

■ 신묘 팔월 초여드레

엎드려 생각하니 벌써 서늘함이 새로워졌습니다. 고요함 속에 동지 (動止)[24]가 좋으신지 우러러 위로하고 또한 믿는 마음 금할 길 없습니 다. 원종(遠悰) 군은 상중인 몸을 잘 보전하고 있습니까. 통곡하고 통곡 해야 하는데 또 무슨 말을 하겠습니까.

작년부터 갑자기 몸과 마음이 피곤하고 쇠해짐을 마음으로 항상 근심하 고 있었는데 나이 젊고 기운이 씩씩하여 스스로 건강의 차도를 감당하리 라 여겼습니다만, 어찌 갑자기 오늘 같은 일이 있겠습니까. 사람이란 진실로 믿기 어려운 것으로 그 기골을 가지고 나이 사십이 안 되어 힘없이 매몰되니, 이것이 어찌 한 집만의 아픔과 안타까움이겠습니까.

하물며 나의 형님은 이 한 아들을 두었는데 능히 보전하지 못했으 니, 헤아릴 수 없는 것은 참으로 저 푸른 하늘입니다. 그 모든 어린이 가 집에 가득한데 집안일이 물거품처럼 흩어진다고 생각할 때 누가 돌 보아서 보호하며 살아가게 하겠습니까.

갖가지 참혹하고 불쌍한 일을 차마 말로 못하겠습니다. 이 먼 곳에 앉아 병 때문에 가서 영결도 못하고 염도 못했으니 생각할수록 일이

---

23) **지촌(芝村)**: 조선 문신 이희조(李喜朝, 1655~1724)의 호. 본관 연안(延安). 자 동보(同甫), 시호 문간(文簡). 1707년 해주목사(海州牧使) 때 석담(石潭)에 있는 이이(李珥)의 유적에 요금정(瑤琴亭)을 세웠음. 1718년 이조 참판 등을 거쳐 1719년 대사헌을 지냈으며 1721년(경종 1) 신임사화(辛壬士禍)로 영암(靈巖)에 유배, 철산(鐵山)에 이배 도중 정주(定州)에서 죽었음.
24) **동지(動止)**: 움직임과 멈춤을 아울러 이르는 말. 행동거지.

더욱 어려워져 참기가 어렵습니다. 애정이 돈독하신데 지극한 아픔과 찢어지는 마음을 어찌 감당하시겠습니까.

여름에 이생(李生)이 돌아올 때 보내주신 해답과 서찰, 겸하여 보내주신 시문을 잘 받아 보았습니다. 주신 바가 참으로 많습니다. 마땅히 곧 나아가서 우러러 감사를 드려야 하나, 마비 증세가 중하고 여름이 되자 바닷바람에 갑절이나 더 심하게 몸이 상하여 편안할 날이 매우 적습니다. 그리하여 지금까지 늦췄으니 죄송스럽고 죄송스럽습니다.

그러나 때때로 그 글을 받들고 바다와 산 사이에서 읊조리니 어르신을 곁에서 모시고 대화하는 것과 같습니다. 헤아리건대 병이 조금 덜할 때를 기다려 다시 가르침에 화답하여 보내고자 하나, 다만 다 어려운 일이 될 뿐인 것 같습니다.

호해정(湖海亭)[25]을 개축하는 일은 비록 권하고 가르치심이 계시고 조금이지만 저의 정성도 또한 간절하여 항상 안변에 있는 문사들과 함께 의논하여 하고자 합니다. 그러나 일과 힘이 미치지 못하는 곳이 있어 아직 힘을 써보지 못하니, 자못 모자람이 많습니다.

밭을 개간하는 일은 조한(趙漢)과 허이여(許以汝)가 다하기 어렵고 한두 사람의 유력 인사와 같이 협력하여 고루 나눠 농사를 지어야 좋다는 말이 미치고 있으나, 올여름은 이미 지났으므로 마땅히 다시 권할 계획입니다. 이생의 일은 어찌 반드시 크게 나무라겠습니까. 사람됨이 충실하고 옹용(雍容)하여 일을 맡겨 시킬 만하니, 미처 모자란 곳을 보지 못했습니다. 나머지는 바빠 그만 대강 쓰고 갖추지 못합니다.

---

25) **호해정**(湖海亭): 강원도 강릉시 경포호(鏡浦湖)의 북쪽 언덕에 있는 조선 시대의 누각. 노론 4대신의 한 사람인 김창집(金昌集)이 머물렀던 곳.

13. 희성(希聖) 홍우제(洪禹齊) 형제에게 조상하는 글

모(某)는 머리 조아려 두 번 절하고 말씀드립니다. 나라가 불행하여 선존장(先尊丈) 대감께서 갑자기 관사를 버리시어 놀람과 슬픔이 극에 달하니, 또다시 어떤 말씀을 드리겠습니까.

환후가 여러 달 걸려 비록 구구한 근심이 없지 아니했으나 가만히 생각해보니 평소에 신체가 강건하시어 거의 약을 쓰지 않는 경사가 있으리라고 생각했는데, 어찌 하루아침에 문득 흉문을 받을 줄 알았겠습니까.

스스로 인연의 좋은 관계를 의탁하여 우러러 사모하는 즐거움이 당시보다 갑절이나 간절했는데, 갑자기 이런 일을 당하니 거듭 목이 멥니다. 엎드려 생각하건대 효심이 순수하고 지극하여 사모하므로, 호곡(號哭)하다가 기절함을 어찌 감당하겠습니까.

세월이 흘러 때와 달이 모두 바뀌었으니 애통함이 어떠하며 망극함이 어떠하십니까. 또한 생각해보니 여러 달 동안 시탕(侍湯)[26]하던 끝에 화를 만났으니, 다독(茶毒)[27]이나 걸리지 않으셨습니까. 더운 장마가 또한 그치지 아니하니 여러분의 기력을 어찌 유지합니까.

엎드려 빌건대 억지로라도 찬죽(饌粥)[28]을 더하고 예절을 굽어 따르시어 어머님의 근심을 위로하시고, 겸하여 멀리서 보낸 정성에 부응하시기 바랍니다. 모는 미관(糜官)으로 먼 곳에 있어 곧 영궤(靈几)[29]에

---

26) **시탕(侍湯)**: 어버이의 병환에 약시중을 드는 일.
27) **다독(茶毒)**: 상중에 음식을 먹지 못하고 물만 마셔서 생기는 병.
28) **찬죽(饌粥)**: 반찬과 죽.
29) **영궤(靈几)**: 영위를 모셔놓은 자리.

분곡하여 악수하며 서로 위로하지 못하고 바라보며 슬퍼할 뿐입니다.

출상한 지 무릇 스무닷새나 지나서 처음 부음을 받았으니, 예의 성글고 더딤이 어찌 이러한 지경에 이르렀습니까. 비록 먼 곳에 있는 인사라고 할지라도 그 부끄럽고 한이 됨이 더욱 어떠하겠습니까.

들으니 산의 일을 완전히 정한 곳이 없는 것 같은데 중간 상주께서 이미 산을 구하러 갔다고 하니 알지 못합니다만, 새 터를 구하셨으며 이미 장기(葬期)[30]까지 정하셨습니까. 이처럼 장맛비가 내려 그치지 않고 풀과 나무가 무성할 때, 아마도 산을 다니는 것이 더욱 뜻대로 되지 않을 것 같습니다. 생각의 달려감을 그치지 못할 뿐입니다. 삼가 글을 바칩니다.

14. 미백(美伯) 방언(李邦彦)에게 보내는 글

요사이 사리(仕履)[31]가 아름답고 좋은가. 배 타고 동쪽으로 갈 날이 이제 박두(迫頭)하였으니 도시의 거리에서 손을 잡고 이별하는 것도 어렵다는 생각이 들거늘, 하물며 멀리 떨어져서 서로 바라보기만 하다가 문득 만 리의 이별을 이루는 것인가. 일기가 점점 지극히 더운 때를 향하니 행리를 더욱 받들어서 생각해야 할 것이네.

보내는 말은 거듭 어겼으니 멀리 찾아서 감히 이렇게 만들어 보내네. 거듭 치질을 앓아 전혀 시에 뜻이 없으니 초솔(草率)[32]함이 심하다

---

30) **장기**(葬期): 상을 당한 날로부터 장사를 치르는 날까지의 기간.
31) **사리**(仕履): 벼슬하는 사람의 건강 상태를 높여 하는 말.
32) **초솔**(草率): 거칠고 엉성하여 볼품이 없음.

고 할 수밖에 없네. 무엇을 가지고 이별하는 회포를 풀겠는가. 한탄스
럽고 한탄스러울 뿐이네. 나머지는 글로써 다할 수 없으니, 다만 바라
는 것은 삼가서 몸을 보호하고 노력하여 음식을 더하게나.

15. 보내다[與]

봄 사이에 성으로 들어와 찾아가서 문을 두드렸으나 나가고 없어 헛
걸음했다고 말하네. 지금까지 그 생각이 맺혀 있네. 세초(歲初)33)에 그
대의 은혜로운 편지를 받아 보고 곧 걸음을 했으나, 때에 나가지 못해
답장 쓰는 것 또한 잊어버리고 이 뜻을 말로 바치니 더욱 책임이 간절
함을 탄식하네.

생각해보니 날이 뜨거운데 움직이는 데 도움이 되는가. 동쪽으로 배
를 타고 떠날 날이 임박한데 떨어져서 서로 바라보기만 하고 받들어
이별할 인연이 없으니, 슬프고 암울함을 어찌 말로 다 하겠는가. 떠나
는 길에 필요한 노자를 내 형편에 어찌 넉넉히 주어 특별한 마음을 표
할 수 있겠는가.

내가 인연한 고을이 힘이 약하고 박해 다만 생산되는 어물 몇 가지
를 보내니, 부끄러운 탄식을 그칠 줄 모르겠네. 나머지는 많지만 글로
다할 수 없으니, 다만 나라를 위해 자중하기를 빌면서 삼가 행리를 보
호하게. 다 펴지 못하네.

---

33) **세초**(歲初): 연초(年初).

16. 보내다[與]

　지난날 해산(海山)에게 보내는 글에 낮잠을 잘 여가가 있었다고 하여 기뻤는데, 형의 글이 그 가운데 함께 있었으니 참으로 뜻밖입니다. 펴 보니 뛸 듯이 기쁨이 옴을 어찌하겠습니까. 지금 열흘이 넘도록 아직 도 손에서 놓지 못하고 있습니다. 그러나 곧 서로 대면하지 못하니 슬 픈 생각이 물과 산이 서로 막힌 것보다 갑절이나 더합니다.

　형을 궁해(窮海)34)로 부르지 않고 형으로 하여금 지극히 가까운 좋 은 곳에 앉게 하였으니, 어찌 달려가서 회포를 만족하게 풀고자 하지 않겠습니까. 마침내 이를 알아 고통스러운 지가 이레가 되었는데 지금 에야 아픔이 진정되었으나 이와 볼에 아직도 붓기가 있고 오른팔을 또 잘 쓰지 못하니, 만약에 비바람을 무릅쓰고 바닷가로 간다면 반드시 더 상할 근심이 있습니다.

　그리하여 일을 생각한 지 여러 날 되었으나, 마침내 두려워서 감히 내놓지 못하였습니다. 몸소 찾아가려다가 글을 보내 감사하는 일 또한 늦었습니다. 생각하건대 형이 요사이 신상(神相)35)을 알지 못하고 있 어, 반드시 의심하고 답답했을 것입니다. 저버린 슬픔을 말로 할 수 없 습니다.

　다만 형이 이미 총석정(叢石亭)을 볼 뜻이 있으시니, 또한 비현의 북 쪽에 시중대라는 곳이 있는데 함께 보심이 어떠합니까. 그 절승(絶 勝)36)함이 거의 삼일포(三日浦)와 같고 이곳에서 삼십 리쯤 됩니다. 또

---

34) **궁해**(窮海): 먼 바다. 먼 고장. 벽지.
35) **신상**(神相): 윗사람의 안부.
36) **절승**(絶勝): 경치가 빼어남.

한 이른바 국도사봉(國島沙峰)이라는 곳이 있는데 이곳에는 저도 미처 가보지 못했으나 동쪽으로 놀러 가는 사람들이 모두 말하기를, 이곳을 보고 나서야 동쪽 유람지에 뛰어난 경치 가운데 극치를 알 수 있다고 합니다.

형의 뜻이 또한 이와 같다면 저의 고을을 두 번 지날 수밖에 없으니, 기다렸다가 날이 쾌청해지면 주인이 형을 인도하여 두 곳의 작은 원에 가서 보심이 어떠하겠습니까. 병세가 이와 같아서 능히 찾아뵙고 모셔 오지 못하고 편지로 알리니, 더욱 한탄스러움을 깨닫습니다. 나머지는 서로 만나 얘기할 때를 기다리니, 다만 원하는 것은 속히 오시기를 바랍니다. 아직 다 펴지 못하고 삼가 감사의 글을 올립니다.

17. 조카 정(鼎)[37)]에게 부치다

오산에서 만나지 못하고 보내준 편지에 이른바 일단의 한이 창자에 맺혔다는 것은 참으로 요사이의 회포를 말하는 것이다. 달려와서 다섯째 형님의 언약을 알려준 것은 사랑스러운 일이다.

다음 날 풍악에 들어갈 뜻으로 너와 여오가 다섯째 형님을 따라온다고 했는데, 다섯째 형님께서 나를 속여 한 사람도 산문에 온 사람이 없구나. 이때 비로소 한 세상에는 좋은 선비가 없다는 것을 알았다.

다만 아들 건(健)[38)]이는 비를 만나 정양사의 마하연(摩訶衍)[39)]에서

---

37) **조카 정(鼎)**: 한주공의 맏형님인 부평공의 첫째 아들 병정(秉鼎, 1678~1736). 자는 여수(汝受). 청주목사를 지냈음.
38) **아들 건(健)**: 한주공의 외아들인 병건(秉健, 1696~1742). 호조 정랑을 지냄.

나흘 동안 지체하다가 구름과 안개가 걷히지 아니하여 끝내 비로봉 정상에 오르지 못하고, 공사가 축박하기 때문에 홀홀히 사선(四仙)⁴⁰⁾의 유적을 찾아보고 돌아왔다고 한다. 다만 한스러운 것은 속세의 인연을 벗기가 어렵고 신선의 분수가 부족하기 때문이다.

18. 부치다[與]

■ 신묘년 오월 열엿새

요사이 더위가 일어나는 곳에서 깨끗하고 건강하게 지내시는지 궁금합니다. 이별한 지 여러 달이 바뀌었으나 소식이 묘연하여 접하기 어렵습니다. 때가 있을 때마다 제형(諸兄)들이 제월루에 의지하여 보내주었던 일에 대하여 염려가 되는 생각이 절로 풀리지 않을 뿐입니다.

제(弟)는 마비 증세가 갑절이나 더욱 무거워졌습니다. 대개 해상의 바람 기운이 달라서 사람으로 하여 쉽게 상하게 하니, 우려한들 어찌하겠습니까. 지금은 해가 길고 초초하여 사람이 없으니, 비록 바다와 산의 좋은 경치를 대하나 병에 대한 시름으로 흥이 없습니다.

한 생각이 어찌 서울에서 따라다니며 놀던 때를 오고 가지 않겠습니까. 이경(伊敬) 등 여러 친구들은 요사이 모두 무량한지, 또 공부하는 곳을 어디로 정했는지 궁금합니다. 세 번 써서 한 번 받으니 다 무미한

---

39) **마하연**(摩訶衍): 금강산에 있는 절. 신라 문무왕 1년(661)에 의상이 창건함.
40) **사선**(四仙): 신라의 네 국선(國仙). 영랑(永郎), 술랑(述郎), 안상(安詳), 남석행(南石行)을 이름.

탄식뿐입니다. 나머지는 인편에 맡기고 대강 쓰니 다만 원하건대 만날 때까지 진중하게 보위하기를 바라며 모두 펴지 못합니다.

19. 홍중웅(洪仲熊)[41] 우서(禹瑞)를 위로하는 글

모(某)는 아룁니다. 나라가 불행하여 숙부님[42]이신 판서 대감께서 갑자기 관사를 버리시니, 병들고 초췌한 아픔을 어찌 말로 다 할 수 있 겠습니까. 환후가 비록 여러 달 동안 있었다고 하나 평일의 영위(榮衛) 가 오히려 왕성하심을 믿어 절로 정상으로 회복되는 경사가 마땅히 있 으리라 믿었는데 어찌 흉문이 갑자기 전해질 것을 뜻하였겠습니까. 거 듭 위하여 목이 멥니다.

엎드려 생각하건대 친애가 융성하신 터라 애통과 침통을 어찌 가히 감당해 이를 수 있겠습니까. 얼마 전 회답하신 글의 말뜻으로 슬픔이 위로가 됩니다. 늦더위가 아직 감당하기 어려운데 살피지 못한 이때

---

41) **홍우서**(洪禹瑞): 조선 문신(1662~1716). 본관은 남양(南陽). 자는 중웅(仲熊), 호는 서암(西巖). 1710년 수찬, 부교리가 되었으며 언관의 직언정론(直言正論)에 대하여 임금에게 소대(召對)하여 성지(聖旨)를 거슬러 무안으로 귀양을 감. 1712 년 풀려나 은율현감으로 강등·보직되었다가 이조 정랑, 우승지 등을 지냄. 시문 에 능했고, 당대 명필로서 특히 예서에 능함.

42) **숙부님**: 홍수헌(洪受瀗, 1640~1711). 조선 후기의 문신. 자는 군택(君澤), 호는 담포(淡圃). 1702년 이조 판서가 되었으며 그 뒤 공조 판서, 판의금부사, 호조 판서, 좌참찬 등을 역임함. 시호는 문정(文靖). 홍수헌의 부 홍처후(洪處厚)는 4남을 두었는데 둘째 아들 홍수량(洪受瀧)의 아들이 우서(洪禹瑞). 우서와 홍수 제(洪禹齊)는 사촌지간.

복중의 건강이 어떠하신지 우러러 간절함을 사뢰며, 여러 상주님들이 모두 건강하신지요. 여러 달 시탕(侍湯)한 나머지 갑자기 다독에 걸렸을 텐데 장차 어찌 지지(支持)하시겠습니까.

산의 일은 이미 보아서 결정하시었는지요. 장사 지낼 기한은 어느 때로 정하셨습니까. 갖가지 달리는 생각을 능히 그칠 수 없습니다. 모는 몸이 먼 밖에 있어서 즉시 나가서 위로를 드리지 못하고 또한 의외의 일로 인해 편지로 이같이 늦게 위로를 드립니다. 슬픔과 부끄러움이 언제 그칠지 말할 바를 찾지 못합니다. 나머지는 많아서 글로 다 말씀드릴 수 없고, 다만 바라기는 깊이 스스로 너그럽게 생각하시고 감정을 누르십시오. 다하지 못합니다.

20. **진사 김삼연**(金三淵)[43]**에게 보내는 글**

오랫동안 소식이 없는 일이 세상에서는 흔한 경우이지만, 지극히 사

---

43) **김삼연**(金三淵): 조선 후기 학자인 김창흡(金昌翕, 1653~1722). 본관 안동. 자 자익(子益), 호 삼연(三淵), 시호 문강(文康). 영의정 수항(壽恒)의 셋째 아들. 병자호란 때 척화(斥和)를 주장하다가 심양으로 잡혀가면서 "가노라 삼각산아, 다시 보자 한강수야 ……"라는 유명한 시조를 남긴 김상헌(金尙憲)의 증손. 이단상(李端相)에게 수학하고, 1684년 장악원(掌樂院) 주부(主簿)에 임명되었으나 취임하지 않음. 1689년(숙종 15) 기사환국(己巳換局) 때 아버지가 진도(珍島)의 배소(配所)에서 사사되자, 형 창집(昌集), 창협(昌協)과 함께 영평(永平)에 은거함. 이때 그가 세운 정사(精舍)가 내설악 영시암(永矢庵)임. 성리학(性理學)에 뛰어나 형 창협과 함께 이이(李珥) 이후의 대학자로 이름을 떨쳤고, 이조 판서에 추증되었으며, 숙종의 묘정(廟庭)에 배향됨.

모하는 마음과 기울이는 정성을 어찌 그칠 수가 있겠습니까. 그러나 사이가 멀어진 것은 제가 바쁘고 쫓기다 보니 절로 그러한 것이지만, 또한 서운하셨으리라 생각됩니다. 다만 맑고 온화하고 고요한 속에 연마하고 기르는 것이 더욱 진보되었을 것입니다.

우러러 위로하니 구구하여 편지를 보냅니다. 오랫동안 바다 구석에 머물러 있고 병든 모양이 자못 중하여 다만 스스로 연민할 뿐이니 어찌하면 좋겠습니까. 나머지는 마침 인편이 있어 간략하게 쓰고 안후를 묻습니다.

21. 김 감찰(監察)⁴⁴⁾에게 보내다

한 번 편지가 오고 간 뒤로 끝내 만나서 얘기할 기회를 잃어버리고

기사환국(己巳換局): 1680년(숙종 6)의 경신출척(庚申黜陟)으로 실세하였던 남인이 1689년 원자정호(元子定號) 문제로 숙종의 환심을 사서 서인을 몰아내고 재집권한 일. 후궁 숙원(淑媛) 장씨(張氏)가 왕자 윤(昀)을 낳자 숙종은 윤을 원자(元子)로 책봉하고 장씨를 희빈(禧嬪)으로 삼으려 함. 이때 당시 집권 세력이던 서인은 정비(正妃) 민씨가 아직 나이 젊으므로 그의 몸에서 후사가 나기를 기다려 적자(嫡子)로써 왕위를 계승함이 옳다 하여 원자 책봉에 반대했음. 그러나 남인들은 숙종의 주장을 지지하였고, 숙종은 숙종대로 서인의 전횡을 누르기 위하여 남인을 등용하는 한편 원자의 명호를 자기 뜻대로 정하고 숙원을 희빈으로 책봉했음. 이때 서인의 영수인 송시열은 상소를 올려 숙종의 처사를 잘못이라고 간했음. 숙종은 남인 이현기(李玄紀) 등이 송시열의 주장을 반박하는 상소를 올리자 이를 기화로 송시열을 삭탈관직하고 제주로 귀양 보냈다가 후에 사약(賜藥)을 내림. 이어 김수흥(金壽興), 김수항(金壽恒) 등의 서인, 거물, 정치인을 비롯하여 많은 사람이 파직되고, 또는 유배되어 사사되는 등 실각했음.

돌아오니 몹시 서운함을 그칠 수 없네. 요사이 다만 맑고 온화한 형의 사리가 평소보다 나은지 우러러 위로함이 구구하네.

나는 겨우 돌아와서 헛된 수고로 이익이 없고 근심이 자못 중하여 바야흐로 이 때문에 고통과 번민이 심하니 또한 어찌할까. 팔대가(八大家)[45])의 글을 빌려온 지 오래되었으나 권질(卷帙)[46])이 넓고 많아 쉽게 익혀볼 수가 없네. 또한 이곳은 외지고 누추하여 서사(書史)가 없는지라 눈을 부칠 곳이 없어, 다만 이 한 권을 상자에 넣어두고 왔네.

지금 만약 이것을 돌려준다면 거의 눈 먼 자가 모양을 잃은 것과 같으니, 능히 민망함이 없지 않아 아직 돌려주지 못하고 다시 가르침을 기다리네. 만일 더 늦을 수가 없다면 마땅히 돌려줘야 할 것이나 그 약속을 깨뜨리기를 간절히 바라네.

나는 다른 능력이 없어 남에게 채권을 빌리기는 하지만 감히 더럽히거나 상하게 하지 않았으니, 제양(濟陽)의 강씨 문중 풍속[47])에 뒤지지 않네. 내가 간절하고 급해서 가르침을 어기니 이와 같은 죄송함을 이길 수 없네. 그러나 용서와 양해를 바라며 아직은 늦출 뿐이네. 나머지는 다하지 못하네.

---

44) **감찰(監察)**: 조선 시대 사헌부에 속하여 관리들의 비위(非違) 감시 등을 한 정6품 벼슬.

45) **팔대가(八大家)**: 중국 당·송 때의 뛰어난 여덟 명의 문장가. 당나라 한유, 유종원, 송의 구양수, 왕안석, 증공, 소순, 소식, 소철 등을 이름.

46) **권질(卷帙)**: 책을 낱개로 세는 단위인 권과 여러 책으로 된 한 벌을 세는 단위인 질을 아울러 이르는 말.

47) **제양(濟陽)의 강씨 문중 풍속**: 제양의 강씨 문중에 시중 벼슬을 하는 강개(江檆)라는 사람이 성질이 호사스러웠음. 그런데 한집안의 강가(江軻)라는 사람은 단정하고 검소하여 그를 보고 자신을 고친 데서 유래함.

22. 보내다[與]

　지난날 나아가서 뵈올 때 조용한 시간을 얻지 못하였으니 자못 엎드려 슬픈 탄식이 간절히 나옵니다. 엎드려 생각하건대 맑고 온화하신 대감의 체후(體候)⁴⁸⁾와 동지와 신상이 만복하십니까. 구구하게 우러러 사모하는 아랫사람의 정성을 다하지 못합니다.

　소인은 귀가 길에 겨우 엎어짐은 면했습니다. 그러나 재를 넘어온 뒤로 호남과 호서의 소식이 더욱 묘연하고 병든 모양에 고통이 더욱 심해져 사사로운 생각이 실로 헤아리기 어려움이 있으니 어찌해야 합니까. 우연히 시중호(侍中湖)에 나갔다가 게를 많이 얻었는데 문득 지난날 보내신 편지에서 게를 주워오셨다는 글과 다름이 없음을 기억했습니다.

　가을이 되면 보통이지만 봄에는 많이 생산됨이 이와 같으니 참으로 기이한 일입니다. 드디어 간장에 절여 삼십 마리를 이 뜻과 겸하여 우러러 고하면서 보내고, 또 송어 두 마리를 부쳐드립니다. 나머지는 갖추지 못합니다.

23. 병태(秉泰) 형제⁴⁹⁾에게 부치는 글

　■ 임진년

　이레 사이에 두 번 편지를 받으니 위로됨을 말로 할 수가 없다. 서신

---

48) **체후(體候)**: 남의 기거(起居)나 건강 상태를 높여 이르는 말.
49) **병태 형제**: 한주공의 셋째 형님인 문청공[文淸公, 협(浹)] 아들인 병태(秉泰, 1688~1733), 병항(秉恒, 1691~1732).

을 받은 지 육칠 일이 지나도록 살피지 못했는데 더운 장마에 시봉하기가 더욱 힘들지나 않으며 여러 사람의 건강이 한결같이 편안하느냐. 생각이 달려 그치지 않는다.

편지에 쓰기를 잘 노는 일은 실속이 없다고 하였는데 이제 와서 보니 그 말이 참으로 범연(泛然)[50]하지 않다. 민망하다고 말하는 자가 어찌 표와 책문과 시와 뜻을 지어 이번 과거에서 대첩(大捷)[51]을 도모하지 않느냐. 내년 과거 시험에 합격하면 관리로 바로 임용되니 마땅히 선비들은 기쁘게 여기고 열심히 갈고 둔함을 닦아 시험에 대비하여야 할 것이다.

너희들은 이미 구속된 바가 없고 또한 재물이나 기구도 부족함이 없으니, 오히려 능히 분발하고 힘써서 스스로 활을 쏘아 반드시 적중하는 경지에 이르도록 힘써야 할 것이다.

항상 걱정되는 것은 선비들이 한결같이 과거 시험에 골몰할 뿐 이 밖에 또한 다르게 높이 걸어갈 곳이 있음을 알지 못하니 진실로 족히 바랄 바는 못 되나 너희들도 이미 알지 못한다고 할 수는 없을 것이다.

진실로 뜻이 있다면 다만 마땅히 착심(着心)하여 날마다 쓰이는 사이에 닦고 생각해 넓히고 키우기를 기약해야 한다.

병태: 홍문관 부제학을 거쳐 지제교 겸 경연 참찬관 수찬에 올랐고, 예조 참의, 호조 참의 등을 지내다가 노론 계열로 탕평론을 배척한 사건으로 파직됨. 1730년 경상도 관찰사에 보직되었으나 거절하고 부임하지 않았고 이듬해 또 우부승지에 임명되었으나 역시 거절했는데 탕평책을 반대하는 뜻이라고 하여 왕의 노여움을 사서 합천군수로 좌천됨. 합천군수로 재직 시 한발로 식량난에 허덕이는 많은 기민을 구제하기도 하였으나 수토병(水土病)에 걸려 임지에서 세상을 떠남. 청백리에 녹선(錄選)되고 이조 판서에 추증됨. 시호는 문청(文淸).

50) **범연**(泛然): 차근차근한 맛이 없이 데면데면함.

51) **대첩**(大捷): 크게 이김. 급제.

또한 그사이에 늦추고 당기고 조이고 풀어주어 때에 맞도록 적용하는 뜻을 알지 못한다면, 그 이른바 높은 곳도 또한 반드시 얻을 수 없고 다만 성기고 넓은 산천과 풀밭으로 돌아갈 뿐이다. 그들이 농사일에 골몰하고 과거를 알지 못하는 자와 무엇이 다르겠느냐. 대개 이 과거의 길에 뜻을 끊고 가지 않으면 그만인데, 과거에 합격하지 못하면 일생을 허송하는 것이 분명하다고 하겠다.

하물며 어버이는 늙고 집은 가난해 하루가 급한 사람이 아니겠느냐. 돌아보건대 이 늙은 아저씨가 익히고 경력(經歷)한 바로는 지금까지 한 가지 책임도 놓거나 풀어 수습하지 못한 경지에 이른 것은 없다. 감동하고 뉘우침이 산같이 쌓였으나 비록 감히 사람을 향해 말하지는 못한다.

여러 조카를 위해 부득불 힘써 노력하게 하고자 이렇게 경계하는 것이다. 맏형님52)과 둘째 형님53)께서는 항상 나에게 자제들을 책임지라고 하시며 잘못되면 다 내 잘못이라고 하시니, 이것은 집안에서 비록 취미로 가르치는 일이기도 하나 반드시 해야만 할 바이기도 하다.

너희는 경계해 항상 스스로 다스려야 한다. 생각해보니 옛날 아저씨의 뜻과 가르침도 또한 이와 같았는데 사람의 노력이 멀고 사리에 어두워 말이 행실을 덮지 못하였다. 일상의 일에서 벗어나 괴이한 일을 시도하는 것은 나쁜 취미이다. 이는 더욱 너희 형제가 마땅히 가슴에 담아 생각하고 생각하라. 오늘 내가 바라는 바는 너희 형제가 다른 조카보다 급하므로 편지 쓰며 말 낭비를 줄이려 하니 모름지기 생각 또 생각하라.

---

52) **맏형님**: 오(澳, 1659~1720). 자는 첨(瞻伯). 영양군수, 부평부사를 지냈음.
53) **둘째 형님**: 택(澤, 1661~1720). 1699년 식년시 문과에 급제, 이조 정랑, 대사성, 대사헌, 경기도 관찰사, 평안도 관찰사, 이조 참판 등을 지냈음. 자광(光仲), 호는 운곡(雲谷).

24. 고성군수 심정로에게 보내는 글

■ **임진년**(1712) **오월**(午月)54)

단비가 줄줄 내리는데 엎드려 생각하오니 정후(政候)55)가 갑절이나 맑고 좋으십니까. 구구하게 우러러 위로합니다. 송구하오나 앞서 말한 금강족(金剛簇)을 끝내 아직도 얻지 못하였으니 지금까지 슬픕니다. 비 온 뒤 홀로 누웠다가 볼일을 보고자 일어났는데 편히 지내는 흥이 박하지 않기를 바랍니다. 견과(堅裹)56)를 빌려 보여주시니 어떠한지 보고 난 뒤 곧 마땅히 완전히 돌려드리겠습니다.

25. 순상 김치룡에게 보내는 글

■ **신묘 시월 초엿새**

총석정에서 비를 만나 갑자기 헤어진 뒤 지금까지 아직도 하관의 생각에는 잊히지 않고 있습니다. 엎드려 생각해보니 첫 추위라 감영으로 돌아가신 뒤 지휘하시는 신상이 평안하신지 구구하게 위로하고 사모함이 지극합니다.

하관은 그저께 겨우 임소로 돌아왔는데 아내의 병에 차도가 없어 갑

---

54) **오월**(午月): 천간(天干)이 오(午)인 달. 음력 오월.
55) **정후**(政候): 정치하는 사람의 건강 상태.
56) **견과**(堅裹): 단단한 껍데기에 싸인 나무 열매. 단단히 싸서 두고 아끼는 물건.

작스럽게 떠나 돌아가니 사정이 절박함을 이미 말로 할 수 없습니다.

몸의 병도 더 무거워졌는데 공무가 바야흐로 성하니 더욱 민망하고 근심스러울 뿐입니다.

군포(軍布)[57]는 일찍이 이미 뵙고 말씀을 드린 바와 같이 옛날에 거두지 못한 것을 이미 탕감하고 혹은 정봉(停捧)[58]하였습니다. 지금 민간의 형편이 비록 금년치도 거두어들이기가 어렵고 금년의 흉년이 작년보다 더 심하니 작년의 예에 따라 감봉해주신다면 민간에게 끼치는 은혜가 크다고 할 것입니다.

그러므로 감히 다시 번거롭게 주달(奏達)[59]하오나 두려워서 숨조차 쉴 수가 없습니다. 다만 엎드려 비는 것은 용서하고 살피셔서 계품(啓稟)[60]하시고 시행하시면 매우 천만다행으로 생각하겠습니다. 나머지는 다만 순사도(巡使道)[61]의 기력이 나라를 위하여 자중하시기를 빌면서 갖추지 못합니다.

26. 자평(子平)에게 보내다

늦가을에 성으로 들어와서 마침내 한번 만남을 잃어버렸네. 다만 편지만 받아 돌아가서 지금 펴 보니, 위로됨이 다하지 않네. 지극히 추운

---

57) **군포**(軍布): 군역(軍役)을 면제해주는 대가로 받던 삼베 옷감.

58) **정봉**(停捧): 흉년에 납세를 중지하던 일.

59) **주달**(奏達): 임금에게 아룀.

60) **계품**(啓稟): 신하가 글로 임금에게 아룀.

61) **순사도**(巡使道): 순사또의 원말. 관찰사를 높여 부르던 말.

데 사리의 기거가 맑고 좋은가. 우러러 생각하여 그치지 않네.

지난날 중제(重制)[62]를 만난 놀라움을 어찌 말로 하겠는가. 외삼촌께서 많은 나이에 어려움을 당했으니 어찌 지지할 수 있겠는가. 더욱 생각이 달리지 않을 수가 없네. 형님께서는 이미 호중(湖中)에 가셨다가 집으로 돌아오셨는가. 나는 행역(行役)에 상해서 본래 앓던 마비 증세가 갑자기 고통을 더하고 오랫동안 신음하느라 민망하고 가련할 뿐이네.

올 때에 화강(花江)에 이르게 되면 분국이 이미 피었을 터이지. 그대의 맏형과 심 사숙과 함께 마시던 그 기쁨을 참으로 이길 수가 없네. 얼마 전 바다 위에 눈과 달을 관상하고 화답하는 바가 이와 같이 늦어져 흠이 될 뿐이네. 어찌할까.

군보의 죽음이 오래되었으나 생각을 절로 감당하지 못하네. 그의 기골과 재주와 도량이 결코 침랑으로 그치지 않을 만큼 큰데 갑자기 이러한 곳에 이르니 사람의 일을 믿기 어려운 게 항상 이와 같을까. 나머지는 병으로 다 쓰지 못하네.

27. 신계형(辛季亨)에게 보내다

두 번째 통주에 와서 편안하게 이야기하고 헤어졌다고는 말하나 끝내 계획대로 되지 아니하여 슬픈 회포를 누르기 어렵다가 갑자기 손수 쓴 편지를 받고 살피건대 행가가 비로소 돌아갔다고 하니 더욱 한스럽구려. 내가 가는 걸음을 조금도 지체할 수 없어 한바탕 기쁜 모임을 만든 것뿐이네.

---

62) **중제(重制)**: 사촌, 고모, 고종사촌 등 대공친의 상사 때 아홉 달간 입던 복제.

행사는 그대로였으나 유관(遊觀)⁶³⁾이 매우 좋으니 부러움이 크게 그치지 않았소. 시축은 왜 보여주지 않는 것인가. 무릇 지은 시가 여러 편이라면 자신의 뜻에 맞게 선별하여 편집하기 어려운데 어찌 아직 그 일을 마치지 못한 줄 알겠는가. 아직 받아보지 못했으니 쌓인 탄식이 깊기만 하구려.

풍악으로 가는 길은 지금 마땅히 곧 떠나가는가. 보내온 편지가 밤 사이에 도착했는데 소제(少弟)는 비를 무릅쓰고 돌아와 피곤한 잠이 깨지 아니했고 집사람 또한 회보(回報)⁶⁴⁾가 급한 것을 알지 못하여 아침이 되어서야 비로소 글을 보았으니 아마도 행리가 떠나기 전에는 미치지 못할 것 같네. 한탄스럽구려.

앞의 시에는 백의의 소식이라고 말했는데 어찌 감히 잊겠는가. 요사이 왕래하며 반드시 서로 만나서 찾아 직접 보일 수 있으므로 봉투에 담지 못하였네. 지금 소춘 술 한 병과 화답하는 시를 적어 보내니 다행히 받아 보시는 게 어떠한가. 다만 화답한 시 위에 두 구절은 그때의 뜻이 생각났으나, 지금 갑자기 이어서 쓰려고 하니 하고자 하는 말을 다하지 못한 것 같아 더욱 한스럽네. 이 부(賦) 한 구절로 남은 뜻을 펴니 다행히 가는 말에 의지하여 화답하여 보내주겠는가. 나머지는 다하지 못하네.

28. 외종형(外從兄)을 위로하다

둘째 형님의 죽음을 통곡하고 또 통곡합니다. 무엇으로 비유할 수

---

63) 유관(遊觀): 두루 돌아다니며 구경함.
64) 회보(回報): 물음이나 요구에 답하여 보고함.

있겠습니까. 비록 한때 병환이 있어도 평일의 근력이 강건하셨고 춘추가 아직 높지 아니하여 염려하지 않았는데 갑자기 흉한 소식을 받으니 어찌 이러함을 뜻하였겠습니까. 형님의 연세가 예순도 되지 않았는데 끝내 백면(白面)으로 갑작스레 그칠 줄 알았겠습니까. 거듭 위하여 아프고 찢어질 뿐입니다.

서로 거리가 너무 멀어 영궤의 곁에서 한번 울 수 있는 인연조차 없으니 마땅히 곧 편지를 써서 형님께 올려 이 슬프고 아픈 것을 알렸어야 했으나 부음을 받는 날 마침 이웃 고을에 행사가 있어 조상할 말을 닦을 여가가 없었습니다. 봄 사이에 서울에 들어와 비로소 글 하나를 써서 계집종에게 주어 예조(禮曹)로 보내 곧 전달할 계획입니다.

금년 가을에는 집에 돌아오느라 아직 보내지 아니하였으니 그 가슴 찢어지는 탄식을 어찌 가히 말로 다 하겠습니까. 엎드려 생각하건대 첫 추위라 정리(靜履)[65]의 동지가 항상 같으신지 궁금합니다. 우러러 위로하고 또 아뢰니 끝이 없습니다. 멀리서 즐기는 아우는 절로 해읍(海邑)에 살면서부터 본래 마비 증세를 앓고 있었는데 증세가 배로 심해져 길이 신음하고 아픔에 시달리니 민망하고 간절함을 어찌합니까. 나머지는 인편에 전하고 바빠서 이만 갖추지 못합니다.

29. 신문백(愼文伯)을 위로하는 글

머리 조아려 아룁니다. 고모부님의 상사는 슬프고 슬프니 또한 다시

---

65) **정리**(靜履): 벼슬자리 없이 한가로이 지내는 사람의 건강.

무엇에 비유하겠습니까. 병환이 비록 여러 해를 끌기는 했으나 위급한 증세는 아니었기 때문에 항상 마음속으로 신명의 도움이 있어 약을 쓰지 않고도 나을 기쁨이 있으리라 믿었더니, 어찌 오늘날 흉한 소식이 갑자기 이를 줄 알았겠습니까. 거듭 위하여 통곡합니다.

엎드려 생각하건대 순수하고 지극한 효심으로 사모하고 부르짖다가 기절함을 어찌 감당할 수 있겠습니까. 세월이 흘러 갑자기 탈상할 때가 되었으니 애통함과 망극함을 어찌합니까. 인편에 애소(哀疏)[66]를 얻어 뵙고 살펴보니 다독 가운데 기력을 지탱하기 어렵다고 하니 슬픈 생각이 그치지 아니합니다.

모름지기 처음에 생각하시던 뜻을 되살려서 억지로 죽을 더 먹고 굽어 예제를 따르게 하십시오. 모는 한번 뵙고자 하는 소원을 역책(易簀)[67] 전에 이루지 못했습니다. 벼슬에 얽매어 먼 곳에 있었기에 상여 떠나는 것을 도울 정성마저 없었습니다. 돌이켜 생각해보니 평소에 슬픈 한이 가슴속에 맺혀 있습니다. 갖추지 못하고 삼가 아룁니다.

30. 보내다[與]

■ 신묘년 섣달 초열흘

곧 생각하니 설 추위가 오는데 행동거지가 맑고 왕성한가. 우러러 위로하는 말씀을 올리고 그사이에 알고 싶은 마음이 구구하네. 나는

---

66) **애소**(哀疏): 슬픈 글. 상중에 쓴 편지.
67) **역책**(易簀): 학덕이 높은 사람의 죽음이나 임종.

본래 앓던 마비 증세가 전에 비해 더욱 고통이 더하여 오래도록 신음하고 있으니 민망하고 가련한들 어찌하겠는가.

지난날 노형(老兄)이 상소에 올린 말이 둘째 형님을 너무 핍박하여 지나치게 심험(深險)[68]하다고 들었네. 사사로운 의리에서 감히 구교(舊交)[69]라고 자처하여 당돌하게 편지를 보내지 못했는데, 나의 둘째 형님이 그때 그 일로 절교하는 것은 아무래도 너무 지나치다고 생각하여 여러 차례 편지로 나를 가르치셨네.

마침내 그 편지가 그대가 사는 동네에까지 이르렀으나 다만 노형이 스스로 거절하였으니 그것을 잊지 못하여 감히 이와 같이 우러러 거듭 말하네. 부끄럽고 송구한 마음이 지극함을 말하고, 나머지는 아직 다 쓰지 못하네.

31. 변 형(卞兄)에게 보내는 글

■ 사월 초이틀

서울에 같이 있을 때도 소식이 오히려 드물었는데 하물며 동해가에 오니 서원(西原)[70]과의 거리는 천 리쯤 되는 것으로 여겨집니다. 보통 사이라 하더라도 소식을 늘 주고받거늘 다만 편지를 보내준 지 오래되었는데도 아직 우러러 답장하지 못했습니다. 잠시도 소식을 끊을 수

---

68) **심험**(深險): 매우 엉큼하고 불량하며 사나움.
69) **구교**(舊交): 오래전부터 사귄 교분. 전부터 교분이 있던 사람.
70) **서원**(西原): 충청북도 청주의 옛 이름.

없었는데 일이 이처럼 된 데에는 집사를 너무 믿었기 때문입니다.

대개 가는 길이 바쁘고 병이 깊고 쇠함에 골몰하니 스스로 머리 조아려 잘못을 말씀드릴 뿐 어찌 용서를 바라겠습니까. 스스로 사람의 일이 게으르고 둔함을 마음속에 되새길 뿐입니다.

지난달에 서울에 들어와 자제와 조카를 만나고 겸하여 직접 쓰신 편지를 받았으니 기쁜 나머지 부끄럽고 감동됨이 더욱 극에 이르렀습니다. 엎드려 생각하건대 요사이 날은 화창하고 따스한데 고요함 속에 건강과 동지와 신상이 맑고 복되신지 구구하게 위로를 드리고 사모합니다.

제(弟)는 본래 중풍과 마비 증세가 있었는데 바닷가 고을에 머문 뒤로 곱이나 더 무거워져 신음과 고초로 오래 지내다 보니 호남과 호서 두 곳 사이 소식이 아득하여 서로 막혀 심사(心事)가 진실로 어우러지지 않음이 있습니다. 곧 마땅히 관직을 풀고 가고 싶으나 오히려 용기와 결단이 나지 않으니 비로소 구복(口腹)이 사람의 마음을 매우 긴박하게 얽매는 것을 알았습니다. 어찌해야 하겠습니까.

부탁하신 대로 어산물은 두루 서울 밖의 친구들에게 나누어 주었으나 그분께 미치지 못한 것은 저의 탓일 뿐입니다. 다만 고을은 작고 길은 멀어 일찍이 두루 나누어 줄 수 없었고, 글로 문후하는 길마저 끊겼으니 허물과 죄가 이러한 데 이르렀습니다. 좋게 웃어버리시기 바랍니다.

이에 오른쪽에 기록한 것은 옛날 허물을 사죄한다는 뜻으로 대략 이와 같이 보내니 또한 거듭 죄스럽습니다. 부끄럽고 송구합니다. 고모님의 면례(緬禮)를 무사히 지내셨다고 하니 슬픔과 기쁨이 아울러 간절합니다. 나머지는 글로 써서 소동(小洞)[71] 편에 보내니 어느 날 안하(案

---

71) **소동**(小洞): 종의 이름.

下)72)에 전달될 지 알 수 없습니다. 엎드려 바라기는 절서(節序)73)를 대해 만 가지 좋은 일이 있으시기를 빕니다.

32. 이진검(李眞儉)74)에게 보내는 글

성에 들어갈 때 한 번도 보지 못하고 다만 편지만 받아 동쪽으로 돌아왔는데 지금까지 손에 쥐고 놓지를 못하네. 다만 돌아온 뒤 병이 괴롭고 심해 문을 닫고 앓은 지 여러 달 되었으나 그치지 않네. 그러므로 아직까지 감사의 답장을 쓰지 못했으니 슬프고 한탄스러움을 어찌 말로 할 수 있겠는가.

곧 생각해보니 이 지극한 추위를 당해 건강은 맑고 좋으며, 사역(史役)75)은 지금쯤 이미 다 되어가는가. 세월이란 멈출 수 없고 도망쳐서 숨는 것이 아니던가. 지난번 편지에 수염과 털이 희어간다고 하니 이것은 옛사람도 면할 수 없는 것이고 조사가 끝나 모두 명백히 밝혀져 후세에 더러운 평을 듣지 않는다면 무슨 상처가 있겠는가.

---

72) **안하**(案下): 편지에서 상대편의 이름 밑에 붙여 쓰는 말.

73) **절서**(節序): 절기의 차례.

74) **이진검**: 조선 후기 문신(1671~1727). 본관은 전주(全州), 자는 중약(仲約), 호는 각리(角里). 1721년(경종 1) 동부승지로 노론 이이명(李頤命)을 탄핵하다가 경상도 밀양(密陽)에 유배되었으나 이듬해 풀려나 평안도 관찰사에 임명됨. 이어 예조 판서가 되었으며, 신임사화에 가담해 소론으로 노론 축출에 앞장섬. 1725년(영조 1) 소론이 실각한 후 전라도 강진(康津)에 유배되어 그곳에서 죽음. 강직한 성품에 글씨를 잘 썼으며 원교체(圓嶠體)를 이룩한 광사(匡師)가 아들임.

75) **사역**(史役): 역사를 정리하고 교정하는 일.

내가 요사이 인로(仁老)[76]의 무리에게 둘러싸여 있음은 진실로 논할 바가 못 되나 여러 번 행역을 지난 뒤라 마비 증세가 점점 고통스럽고 겸하여 추위에 감기를 얻어 여러 달 동안 떠나지 않으니 완전히 음식을 폐해 온기가 날마다 줄어듦을 느끼니 민망함이 절실하네. 해와 달이 쉽게 지나가면 용서를 구할 수 있을까 하네.

소상(小祥)이 문득 지나가니 생각하건대 다만 슬픔이 복받칠 터인데 어찌 감당하겠는가. 돌이켜 옛날을 생각해보니 슬프고 쓰린 마음을 느끼지 않을 수 없네. 김제 관청의 소식은 전혀 듣지 못하였는가. 생각해보니 그대의 마음에는 이미 내가 없으니 슬프고 한스러움을 어찌 내가 감당하겠는가.

지난날을 돌이켜보니 불안하고 심란하여 실은 점을 쳐보고 일을 결정하느라 늦었으니 자못 한스럽네. 이런 일로 형도 나를 쓸모없는 사람으로 보는가. 아니면 인정 때문에 벗으로 여기는가. 이러한 경우를 해복(蟹腹)[77]과 같다고나 할까. 하하하하! 우습구려. 나머지는 인편에 맡기고 글로 다 펴지 못하네.

33. 병태(秉泰) 형제에게 보내는 글

올 때 너희들을 다시 보지 못하고 큰형님을 서울 근교 다리 위에서

---

76) **인로(仁老)**: 조선 후기 문신 이덕수(李德壽, 1673~1744)의 자. 본관은 전의(全義). 호는 벽계(蘗溪). 시호는 문정(文貞). 박세당(朴世堂), 김창흡의 문인. 이조 좌랑, 형조 판서 등을 지냈으며 문장이 출중하여 홍문관, 예문관의 관직에 여러 차례 오름.

77) **해복(蟹腹)**: 바로 가려 하나 뜻대로 안 되고, 게처럼 옆걸음 치는 것을 말함.

배별하고 나왔는데, 벌써 백십 리나 왔구나. 종남산을 돌아보니 망연하여 할 말을 잊어버렸다. 밤새 형님을 모시고 모두 다 편안하느냐.

나는 어제 도봉에서 자고 비온 뒤 폭포를 바라보니 배나 맑고 웅장하더구나. 꽃은 바로 난만할 때이나 지금은 조금만 피었으니 다소 걱정이 된다. 지난해 여러 벗을 보낼 때 다만 건이와 서원에 살던 한 소년이 휘파람 불고 읊으면서 돌아간 때를 너희들은 더욱 기억하고 있을 것이다. 오늘 밤에는 바로 양문(梁文) 역의 마을에서 잠을 자고 내일은 마땅히 화강에 이를 것이나 장사(長沙)의 소식이 더욱 묘연하니 읍읍(悒悒)[78]하지 않을 수가 없다. 큰 형님의 행차는 오늘 과연 낙촌에서 떠나신다고 하더냐. 생각해보니 노비 충이 오늘 저녁에 들어와서 전하는 것이다.

원중의 소년은 이현주[79]의 증손자로 이름은 중신(重信)이며, 나이는 열아홉인데 자못 글을 이해하고 지을 줄 아는 사이더냐. 나머지는 마침내 마을 사람으로 서울에 들어온 사람을 만나 등불 밑에서 이 글을 쓴다.

34. 조카 양(梁)에게 보내다

■ 신묘년 팔월 열이레

착한 아이의 죽음은 참혹하고 참혹한 일이거늘 다시 무슨 말을 할수 있겠느냐. 사람으로 하여 정신과 기운이 막히게 하는구나. 병증이

---

78) **읍읍**(悒悒): 마음이 불쾌하고 답답하여 편하지 않음.
79) **현주**(玄洲): 조선 중기 문신 이소한(李昭漢, 1588~1646)의 호. 본관은 연안.

가볍지 않으니 근심됨이 비록 깊었으나 젊은이의 병은 조리하여 안정을 얻으면 다스려질 것이니 이로부터 점점 차도가 있으리라 생각했는데 어찌 젊은 나이로 일찍 죽음이 이같이 갑작스러울 줄 알았겠느냐.

또한 그의 성품이 인후하고 글이 준매(俊邁)[80]하여 외가의 줄기가 거의 쇠하지 아니함을 기뻐했는데 지금 이 지경을 당하니 더욱 그를 위하여 아프고 애석함이 그치지 않는다. 생각해보니 다만 사랑이 더하여 슬프고 아픔은 하늘이 무너지고 가슴이 찢어질 듯하니 어찌 감당하여 참을 수 있겠는가.

가을의 서늘함이 점점 생기는 이때 살피지 못한 복리(服履)[81]는 안전한가. 슬픈 생각이 구구하구나. 지난 오월 편지에 답장이 왔을 때 곧 글을 써서 위로의 말을 전함이 마땅했으나 앓던 마비 증세가 더해지고 줄어들지 아니하여 여름부터 가을까지 오랫동안 자리에 누웠으니 모든 사람의 일을 거의 폐하고 물리치는 데 이르렀다. 그러므로 딱 잘라 결정하지 못했으니 겸한(歉恨)[82]이 어찌 끝나겠는가.

스물여섯 해 동안 제사 지낸 일에 근심이 없겠는가. 앞으로 계속 지낼 수가 있겠는가. 제수(祭需)는 고을의 힘이 매우 약해 모두 준비하지 못하고 지금은 약간의 어물을 보내니 도움이 되기 바란다. 부족한 탄식이 깊구나. 물건의 목록과 대조하면서 받아 보거라. 나머지는 글로써 말할 수 없으니 다 펴지 못한다.

---

80) **준매(俊邁)**: 재주와 지혜가 매우 뛰어남.
81) **복리(服履)**: 상복 입는 기간 중의 건강.
82) **겸한(歉恨)**: 마음에 차지 않는 한.

35. 심도순(沈道淳)에게 보내는 글

■ 신묘년 유월 엿새

일이 돌아가는 형편에 구애됨이 있어 우리 집 늙은 형님과 형이 같이 가는 것을 붙잡지 못하고 거의 재촉해서 보낸 것 같네. 슬픈 한이 다만 함께 가지 못해 가슴에 맺혀 있을 뿐이네. 바다와 산은 깨끗한 곳인데 땅 위에는 오히려 세상에 아주 작고 잡되고 쓸데없는 것이 서로 얽히니 벼슬하는 데 관계치 않는다면 어찌 구속을 받을까. 스스로 부끄럽고 부끄러울 뿐이네.

화강(花江)에서 관리가 떠났으니 스무엿샛날쯤이면 신안(新安)[83]과 창도(昌道)[84] 사이에서 반드시 서로 만날 것 같았는데 만나지 못했다니 참으로 괴이한 일이네. 살피지 못했는데 가는 길은 잘 보호하여 다른 심려될 일이 없었으며 돌아와서는 일원(一源)과 상대하여 또한 재미가 있었는가. 요사이 착한 그대들을 보내고 다만 어리석은 아들과 더불어 과제를 독송하네. 때로는 화승(華僧)을 시켜 옛날의 서첩을 다듬을 뿐이네.

이 밖에 어떤 말을 할까. 약방에서 좋은 처방이 있기를 늘 바라니 이 약밭을 보면 더욱 형님 생각을 그칠 수 없네. 이별할 때 절구와 다른 시는 점산(點刪)[85]한 것이 있었는데 문득 바빠서 하지 못하고 뒷날에

---

83) **신안**(新安): 평안북도 정주.
84) **창도**(昌道): 강원도 철원군의 한 읍.
85) **점산**(點刪): 글을 교정함. 잘된 것은 점으로 칭찬하고, 잘못된 것은 줄을 그어 삭제함.

편리를 기다리네. 마침 묘주(卯酒)[86]를 마시는 중이라 다하지 못하네.

36. 일원(一源)[87]에게 보내는 글

뜻밖의 편지를 받아 살펴보았다. 행하는 일이 잘되어간다고 하니 슬픈 생각이 조금은 위로가 되는구나. 여기는 여러 사람이 간 뒤 다만 푸른 산만 바라보고 있을 뿐이니 그 점을 어찌 말로써 다 하겠느냐.

보내준 글은 스무엿샛날 떠날 때 마침내 관리와 함께하여 인편을 못 만났다고 하니, 아홉째 형님과 사후의 행차가 편히 갔는지 알지 못해 답답하고 답답하구나.

아홉째 형님은 생각하건대 이미 그곳을 떠났으리라. 이에 각각에게 편지를 쓰지 못하니 만약에 머물러 있다면 이 편지를 갖다 바쳐 보시게 하여 이 마음을 위로할 수 있다면 다행스러움이 깊겠구나. 장승이 보여준 함경도 감영에 있는 인쇄한 책을 몇 권 보내주고자 하나 돌아온 뒤 보내기를 명할 계획이므로 아마도 늦을 것이다.

홍합을 키우는데 날마다 그것을 재촉해 캐서 비교한다. 항상 구름 끼고 흙비가 내려 보이지 않으므로 캘 수 없을 때가 있다고 한다. 어찌 하겠느냐. 이에 마른 것 석 되를 찾아 보내니 물에 담갔다가 삶아 먹으면 날것보다 맛이 좋지 않지만 삶아야 좋다 하니 탄식할 뿐이다.

---

86) **묘주**(卯酒): 아침에 마시는 술. 조주(朝酒).
87) **일원**(一源): 이병연(李秉淵)의 자.

37. 김사경(金士敬)[88]에게 보내는 글

지난가을 은암(隱巖)[89] 노형으로 인해 형이 궤극(几屐)[90]을 갖고 산에 들어감을 알았으나, 돌아올 날이 어느 때인지 자세히 알지 못해 뒤따라 들어가지 못한 것이 지금까지 한으로 남습니다. 그 뒤의 일을 아사(亞使)가 보내준 은혜로운 시축의 문장을 보았는데 아직까지도 책상머리에 두어 회포를 위로합니다. 엎드려 생각하니 맑고 온화한 동지가 아름답고 넉넉하신지요. 우러러 위로하는 마음에 그침이 없으며 구구한 생각을 떨치지 못합니다.

소제는 3년 동안 이 병으로 모름지기 바다와 산이 소중하나 또한 싫어짐을 깨달았습니다. 두 형님이 거처하는 곳이 아득하게 서로 막혀 생각하는 일이 참으로 어우러지지 않으니 어찌하겠습니까. 아직 다 쓰지 못합니다.

---

88) **사경**(士敬): 조선 시대 시인 김시보(金時保, 1658~1734)의 자. 호는 모주(茅洲). 본관은 안동. 김창협(金昌協)의 문인. 무주부사(茂朱府使), 고성군수(高城郡守) 등을 거쳐 도정(都正)에 오름. 많은 논밭과 토지를 지닌 거부였으며 풍류를 좋아하고, 진경시(眞景詩)에 뛰어났음.

89) **은암**(隱巖): 조선 후기 문신 이광적(李光迪, 1628~1717)의 호. 본관 성주(星州). 자 휘고(輝古). 시호 정헌(靖憲). 안변부사, 한성 판윤, 공조 판서 등을 지냄. 674년(현종 15) 예송(禮訟)으로 서인 김수흥(金壽興)이 축출될 때 두둔하다가 삭직되는 등 서인의 일원으로 남인과 대립함.

90) **궤극**(几屐): 안석(安席)과 신발. 여행에 필요한 물품.

38. 아사(亞使) 정동후(鄭東後)[91]에게 보내는 글

서울에 들어왔으나 끝내 한번 뵙는 기회를 잃었으니 오랫동안 구구한 슬픔과 두려움이 그치지 못합니다. 엎드려 생각하건대 영(營)으로 들어가신 뒤 동지와 신상이 맑고 적당하십니까. 봄이 순리에 따라 다해가며, 시절의 사물이 번창하고 온화하여 바다와 산에 광경이 날마다 다시 아름다우니 막리(幕裏)[92]에서 지으신 글의 흥에 지난가을 다하지 못한 흥을 담았다고 생각됩니다.

어찌하면 중향성과 삼포(三浦)[93] 사이에서 어떻게 그 뜻을 받들어 주선하겠습니까. 하관은 탄솔하여 돌아오는 길에 피곤으로 병을 더하여 긴 날 매각(梅閣)에서 혼혼하게 좋고 즐거운 일이 없으며 다만 때로 굶주린 백성을 위해 끌어대기가 촉박하고, 한 말, 한 되의 곡식조차 나눠주기 바쁘니 이 일이 스스로 가련한데 어찌합니까.

지난번 주신 금강산 시축은 여러 달 동안 펴서 외우니 더욱 맛이 있음을 느낍니다. 다만 아이들을 시키지 않고 옮기고 베껴 건연(巾衍)[94]의 보배로 삼고자 해 지금 비로소 돌려보내오니, 혹 그 지체함을 의심

---

91) **정동후(鄭東後)**: 조선 후기 문신(1659~1735). 본관은 동래(東萊). 자는 후경(厚卿), 호는 송애(松崖). 성리학에 조예가 깊고 덕행이 있어 45세 때 학행(學行)으로 천거를 받아 벼슬을 시작함. 1719년(숙종 45) 제주목사를 지내며 제주(濟州)에 풍운뇌우단(風雲雷雨壇)을 세움. 1724년 영조가 즉위한 뒤 부호군(副護軍)으로 있으면서 소론의 영수인 김일경(金一鏡)을 탄핵해 유배시킴. 이듬해(1725) 동부승지를 지냄.

92) **막리(幕裏)**: 장군이 집무하는 군영(軍營).

93) **삼포(三浦)**: 강원도 고성군 죽왕면에 있는 포구.

94) **건연(巾衍)**: 일상생활에 항상 옆에 두고 쓰는 책 따위의 물건.

하실까 숨조차 두렵습니다. 영에 머무시는 기간이 몇 달이 될지 알지 못하나 다시 산놀이를 하지 않으시겠습니까? 마침내 병들어 누워 대강 쓰고 미처 갖추지 못합니다.

39. 보내다[與]

지난가을에 읍에서 다행스럽게도 아담한 몸가짐을 뵙고 지난날의 소원을 이뤘었는데 총총(忽忽)하게 갑자기 이별하니 아직까지도 슬픔이 맺혀 있습니다. 곧 엎드려 생각하건대 맑고 온화하게 모시는 끝에 동지와 만상(萬狀)[95]이 편안하십니까. 우러러 위로하고 빌며 구구한 마음 맡길 곳이 없습니다.

제는 말미를 받아 서울에 들어온 지 여러 날 되어, 며칠 전 처음 관아로 돌아왔습니다. 돌아오는 도중에 감상(撼傷)으로 병이 더욱 괴로워져 민망하고 민망합니다. 지난가을 형이 시중호(侍中湖)에서 게를 부지런히 구했으나 얻지 못해 때를 반드시 기다려 찾아 보내 회귤(懷橘)[96]의 정성에 버금가려 했습니다.

때마침 서울 가는 인편이 있어 돌아온 즉시 얼음에 담그려 했는데 산물이 매우 귀해 끝내 뜻을 이루지 못했습니다. 형세는 비록 그러하나 저의 불민함이 매우 심합니다. 스스로 책망함이 언제 그치겠습니까.

---

95) **만상**(萬狀): 온갖 모양.
96) **회귤**(懷橘): 귤을 품음. 한(漢) 말 육적(陸積)이 여섯 살 때 원술(袁術)을 찾아갔는데 원술이 준 귤을 어머니에게 드리기 위해 몇 개를 가슴에 품었다가 원술에게 발각된 고사에서 유래.

봄이 왔는데 이 호수에 게가 가을보다 줄어들지 않아 약으로 서른 마리를 잡아 사람을 시켜 보내드리니 가히 한때 수수(漱滫)97)에 도움이 되신다면 저의 태만한 죄를 거듭 묻지 않으시렵니까. 부끄럽고 송구하여 나머지는 미처 다 펴지 못합니다.

40. 송영천(宋榮川)의 형제를 위로하는 글

■ 임진년 정월 닷새

모는 머리 조아려 두 번 절하고 말씀드립니다. 뜻하지 않은 흉변으로 선영감(先令監)98) 존장(尊丈)99)께서 갑자기 영화로운 봉양을 버리셨다는 부음을 받고, 놀람과 두려움을 그칠 수 없었습니다.

선인들의 치계(齒契)100)를 생각해보니 다만 존장님께서 세상에 계셨는데 길이 멀어 비록 자주 상하(床下)에 찾아가 문후하고 절을 올리지 못했으나, 구구하게 뵙고 의지하려는 정성은 일찍이 감히 쉴 때가 없었습니다. 지금 이 지경에 이르니 거듭 슬프고 아파서 오열할 뿐입니다.

엎드려 생각해보니 효도하신 마음이 순순(純純)하고 지극하시니 사모하고 호절(號絶)101)함을 어찌 감당하며 사시겠습니까. 세월이 빨리

---

97) **수수**(漱滫): 맛있는 음식으로 부모를 봉양하는 일.
98) **선영감**(先令監): 벼슬하다가 죽은 남의 아버지.
99) **존장**(尊丈): 지위가 자기보다 높은 사람.
100) **치계**(齒契): 나이가 비슷한 사람끼리 모은 계.
101) **호절**(號絶): 슬퍼 부르짖다 기절함.

흘러 장사도 이미 지나갔으니 애통이 어떠하며 망극함이 어떠하겠습니까. 살피지 못했으나 절로 다독에 걸리셨을 터인데 기력이 어떠하십니까. 엎드려 빌기를 억지로라도 나물밥을 더 드시고 굽어 예제에 따르시기를 바랍니다.

모(某)는 몸이 바다 고을에 매어 있어 늦게 흉한 소식을 받고 글로 위로를 드리는데도 또한 이처럼 더디었으니, 슬프고 부끄러움이 아울러 간절합니다. 삼가 글을 바칩니다.

41. 보내다[與]

올 때 보내준 시와 편지는 지금까지 바다와 산 사이에서 읊조리고 있으니, 고적함에 위로됨이 많습니다. 끝내 그 사람과 함께 놀지 못하고 첨상(瞻想)[102]함을 감당하지 못합니다. 곧 생각해보니 날이 더운데 형의 건강이 평상시보다 나은지 멀리서 위로함이 구구합니다.

저는 행역(行役)한 끝에 바닷바람에 상하여 마비 증세가 날마다 심해집니다. 지난날 금강산에 들어갔으나 병 때문에 흥이 없어 대강 보고 돌아왔습니다. 아마도 신선과 친분이 없는 것 같으니 절로 가련하고 가련합니다.

소요(所要)되는 약제는 이른바 땀을 내는 약입니다. 다만 고기 잡는 업을 가진 사람처럼 완전히 뜨고 말리는 방법을 알지 못합니다. 마침내 약을 찾는 사람을 잘 알아서 보낸 바 있기 때문에 다섯 가지를 나누어

---

102) **첨상**(瞻想): 바라보면서 생각함, 우러러보면서 생각함.

드리니 소략(疏略)[103]함이 심하여 탄식합니다. 나머지는 글로써 할 수 없는 말이므로 다만 만났을 때의 일을 기다리면서 진중하게 그칩니다.

42. 병정(秉鼎)에게 보낸 별지(別紙)[104]

관서정(觀鋤亭)을 새로 짓고 현판을 달고자 기문(記文)[105]을 글 잘하는 사람에게 청했으나 이루지 못하고 파하였다. 내 생각에는 새로 부임한 군수 종성(踵成)에게 부탁하고자 하여 새 군수에게 말을 한 뒤 바다로 나가서 앞에 있는 금강산을 바라보며 홀로 생각해보니 관서(觀鋤)라는 이름을 붙인 것에 사람들은 반드시 의아해할 것이다.

대개 시골에는 볼거리가 별로 없으나 시중대와 같은 명승지가 있다. 300년 사이에 감히 한 칸 정자도 짓지 못하였는데, 바다와 산의 좋은 이름을 취하지 않고 이것으로 정한 것은 그 명승을 숨겨 남의 이목에 띄지 않게 하고자 함이었다.

또한 앞에 들이 있는데 김매는 모양은 실로 한가롭고 넓고 그윽하며 은밀한 맛이 있으니, 백성을 위한 정치에는 또한 김매기보다 더 좋은 일이 없기 때문이다. 이러한 뜻으로 조용히 수령에게 기문(記文)을 청하라는 말은 지극히 옳고 지극히 옳다.

앞쪽에 '관서정'이라는 석 자를 크게 쓰고 장자(障子)[106] 위 작은 판

---

103) **소략**(疏略): 꼼꼼하지 못하고 간략함.
104) **별지**(別紙): 편지나 서류 따위에 따로 덧붙이는 종이.
105) **기문**(記文): 어떤 건물이나 사물을 신축하거나 중수한 내역을 기록하는 글.
106) **장자**(障子): 방과 방 사이, 또는 방과 마루 사이에 칸을 막아 끼우는 문.

에 '소봉합(巢鳳閤)'이라는 석 자로 이름 붙인 것은 옆에 오동나무 세 그루가 있기 때문이다. 누각 동쪽 창문 위의 작은 판에 '관덕함(觀德檻)'이라고 석 자를 쓴 것은 동쪽 기슭에 활터가 있기 때문이다.

관아 왼쪽과 오른쪽 앞과 뒤에는 한 조각의 바위와 돌도 없고, 관서정의 담 북쪽의 흙을 파헤치다가 큰 돌이 나왔는데 그 위에 수십 명이 앉을 만큼 크다. 또한 해구(海口)가 보이는데 장차 그곳에 소나무를 심고 꽃을 가꾸어 '사군암(使君巖)'이라고 새기고자 했으나 미처 하지 못했다. 말한 김에 하는 것이 또한 좋을 것 같고, 시중대에 또 다른 섬이 있어 푸른 길이 생겼으니 후세에 전할 만하다[임진년 가을 흡주(歙州)에 이 정자를 짓고 일이 있어 서울에 들어왔는데 마침내 직책이 바뀌어 서울에서 근무하라는 명을 받았으니 그것은 무릇 이노천(老泉)[107]이 흡주의 외직에 보임되었기 때문이다. 병정이 가솔을 거느리고 흡주로 갔으나 이노천이 말을 주어 조카 정을 뒤따라오게 하였으므로, 이 편지로 노천에게 갚고자 하는 바이다].

43. 흡곡군수 조유수(趙裕壽)[108]에게 보내는 글

우러러 생각함이 쌓인 가운데 뜻밖에 굽어 멀리 보내주신 편지를 잘

---

107) **노천(老泉)**: 이사눌(李思訥)의 호. 본관은 벽진(碧珍).
108) **조유수(趙裕壽)**: 조선 후기 문신(1663~1741). 자는 의중(毅仲). 호는 후계(後溪). 본관 풍양(豊壤). 1694년 천거로 희릉(禧陵) 참봉을 거쳐 옥천군수, 회양부사, 무주부사 등을 지냈음. 1732년(영조 8) 아들 적명(迪命)이 참판이 되자 통정대부에 올라 첨지중추부사가 되었고, 판결사에 이르렀음.

읽었습니다. 새해 정초에 정리가 다복하십니까. 기쁜 축하를 말로 다할 수 없습니다. 제는 한결같이 분주하고 골몰하여 머리가 점점 늙어가니 다만 스스로 근심스럽고 부끄러워할 뿐이나 어찌하겠습니까.

청하신 말은 예에 따라 마련해 보내겠으나 군대에서 쓰는 말은 병들고 상한 말뿐입니다. 과사법(科寺法)[109] 때문에 잃어버리면 뒷날 배로 속죄해야만 합니다. 이등의 녹봉으로 고을에 있으니 병들고 상하는 것은 무방하나 관원에게 돌아가는 해가 또한 적지 않으니 만약에 상납할 때는 반드시 차이가 나지 않도록 힘써 주선해 미봉(彌縫)[110]할 계획입니다.

수십 마리의 복어로는 결코 이등의 녹미를 보상할 수 없습니다. 이것은 다만 형의 재량과 처치에 달려 있을 뿐이니 하하하하 웃습니다. 그러나 지금 보내주신 복어로 오랜만에 고기를 먹어 배의 먼지를 씻을 만하니 감사해 마지않습니다.

참으로 시중대에서 형의 금석과 같은 은혜를 입어 크게 생색낼 만합니다. 그러나 제대(除對)의 한 가지 일은 논쟁을 면하기 어려우니 매우 한스럽고 한스럽습니다. 이것은 역량이 모자라서가 아니고 한가로운 곳에 말미를 얻어 게으름에 익숙해져 그렇게 된 것 같습니다. 아마도 소주(蘇州)[111]와 항주(杭州)[112]를 무너뜨려도 미목(眉目)[113]을 버리기가

---

109) **과사법(科寺法)**: 공무 집행을 하다가 사고로 부상당한 이에게 국가가 보상하도
   록 한 법.
110) **미봉(彌縫)**: 일의 빈 구석이나 잘못을 임시변통으로 이리저리 주선하여 꾸며댐.
111) **소주(蘇州)**: 중국 강소성에 있는 도시.
112) **항주(杭州)**: 중국 절강성에 있는 도시로 소주와 함께 아름다운 고장으로 알려
   져 있음.
113) **미목(眉目)**: 얼굴 또는 체면.

아까운 것과 같습니다.

다시 바라건대 마음을 머물러서 지나쳐 보지 마십시오. 듣기로는 수의[114]가 정치와 교화를 포상하고 칭찬하게 하여 좋아했다는 말을 들은 것 같으니, 시중대는 당연히 오래도록 형의 것이 될 것입니다. 그러하니 어찌 경시하겠습니까.

44. 조카 병정에게 부치는 글

오늘 입관하는 데 미비한 것을 모두 갖추어서 때맞게 치렀느냐. 나는 두 곳을 지나오느라 근력이 이미 다 빠지려고 해서 들어가지 못했으니 한탄스럽구나. 형님의 행차는 어제도 성에 들어오지 않았구나. 자못 결연(決然)[115]함을 느낀다.

보내주신 글 가운데 네가 과거에 참여하는 일은 헤아려서 하라는 가르침이 있었는데, 너에게도 똑같은 하교가 있었는지 알 수 없구나. 네가 이번 과거를 보지 못한 것은 다만 공부하다가 멈추고 그만두었기 때문인 듯하니 매우 애석하고 한탄스럽구나. 형님께서 갑자기 과거를 정지시키시니 그 결연함을 이미 말로써 하기 어려웠으나, 서로 더불어 힘쓰기를 기약한 것 같으니 오직 결정은 너에게 달려 있다.

또한 이러한 경지에 있는 마음을 어찌 설명할 수 있겠느냐. 만약 성복(成服)[116]을 지내고 나면 나도 들어가서 보라고 권할 뜻이 없지 않으

---

114) **수의**(繡衣): 수의사또. 암행어사.
115) **결연**(決然): 마음가짐이나 행동에 있어 태도가 움직일 수 없을 만큼 확고함.
116) **성복**(成服): 초상이나 처음으로 상복을 입음.

나, 아직 이렇게 주저하고 말하지 못하는 것은 다만 먼저 성복을 지내고 과거 시험장으로 가는 것을 재촉하기가 미안하기 때문이다. 이것은 비록 시복(緦服)[117]이라 할지라도 또한 그러하거늘 하물며 이것보다 중한 것임에랴.

그러나 요사이 학식이 있다는 사대부들도 비록 석 달 동안 상복을 입는 일을 거스르거나 내치는 것을 죄스럽다고 여기지 않으니, 무릇 어버이의 뜻을 거듭 어기면서도 부득불 허물을 범하겠는가. 거의 범절이 성할 때의 풍속을 따르는 편이 마땅하지 않겠는가.

나는 예절에 따라 시행을 한다면 더 바랄 것이 없고 네가 평소에 스스로 처리하듯이 이 일을 또한 알아서 처리하리라고 믿는다. 그러나 어찌 내 말을 깊이 헤아리기를 바라겠는가.

너는 오늘 어버이가 과거 공부를 그만두게 한 일이 장애가 될 수도 있다고 생각하고 있는데 나의 판단도 그러하다. 너의 확실한 뜻이 어떤지 알지 못하니 어찌해야 좋겠느냐. 어제 아들과 더불어 삼기(三器)[118]를 말하다가 너에 관한 얘기에 이르니 모두 말하기를 상중에 공부를 쉬는 것은 무방하다고 하니, 이 또한 풍속에서 오랫동안 전해왔다.

모름지기 자세히 생각해서 보이는 것이 옳을 것 같다. 지금 바야흐로 낙촌에서 글을 쓰는데, 벼슬하는 여러 숙질이 어떻게 처리하려는지 알려다오.

---

117) **시복**(緦服): 시공(緦功). 조선 시대 내외종 따위의 상사(喪事)에 석 달 동안 입던 복(服).

118) **삼기**(三器): 호령(號令), 부월(斧鉞), 녹상(祿賞). 나라를 다스리는 데 필요한 세 가지 권력.

45. 흡곡군수 조유수에게 답하다

■ **계사년**(1713) **양월**(陽月)[119]

고개와 바다가 푸르고 아득하여 어느 날이고 매죽헌 생각을 하지 않을 때가 없었는데 뜻밖에 편지가 와서 받아 보았습니다. 눈이 오는 추위에 건강이 좋고 승하다 하니 자못 위로가 됩니다. 지난날 달려갈 생각을 하였는데 학질 때문에 뜻만 있고 가지 못하였습니다.

강마을의 정취가 다행히 고상한 취미에 맞으시는지요. 그러나 진대에 올라가셨다는 말을 듣지 못하였는데 지으신 시가 풍성하니 놀라지 않을 수 없었습니다. 강마을 가는 길에 관리들을 만나 물어보셨습니까.

게는 본래 호수에서 얻기 어렵다고 하며 잡는 것을 전혀 보지 못했는데 일찍이 생각지도 못했는데 바로 대나무가 점점 무성해져 그렇다고 합니다. 다른 날 주원(廚院)[120]에서 급히 구하려 할 때 게가 없을까 매우 염려됩니다.

이 소식을 미리 알리는 것이 좋을 듯합니다. 게는 봉초(葑草)[121]가 잘 자라고 안 자라는 것과 무관하고, 횃불로 유인해서 잡는다고 합니다. 마구 잡아들이는 것을 엄금하여 관청에서 잡아 게장 담을 때를 대비하고자 하나 아마도 마구 잡는 것을 막지는 못할 것입니다. 갯벌에 종자를 남기는 것이 어떤 방해도 되지 않을 것입니다.

보내주신 담수에 사는 복어와 갯벌의 소금은 완전히 옛날의 맛과 같

---

119) **양월**(陽月): 음력 시월.
120) **주원**(廚院): 사옹원(司饔院). 조선 시대 음식에 관한 일을 맡아보던 관아.
121) **봉초**(葑草): 순무.

은데, 어찌 연못과 호수에 사는 종류와 이렇게 차이가 있는 것입니까. 감사함을 그치지 못합니다. 봉초를 제거하면서 대개 배를 타고 드나들 때 그 호수의 깊이와 봉초의 양을 살펴보니 호수의 깊이는 한두 길이었으며, 양은 거의 호수 한가득합니다.

1~2년 새로 거의 물에 가득 차게 자라나 마침내 물 밖으로 나올 것입니다. 이 호수가 만약 막힌다면 이곳은 학림(鶴林)[122]처럼 말라버릴 것입니다. 어찌 애석하지 않겠습니까.

이와 같이 굽어 물으심을 받고 우러러 이해를 논하며 그 나머지는 계획을 세우기 쉽지 않아 게를 얻을 수 없기에 다만 100근의 쇠를 대신 준비합니다. 그런 뒤 쌍날을 만들어 큰 낫 50~60개로 대 위에 자라난 소나무 큰 것을 베어 자루를 만들고 농한기를 이용해 관속을 다 불러내 두어 말의 쌀을 풀어 술과 밥을 지어 삼일 동안 공들여 베어버리면 뿌리가 거의 남지 않을 것이니, 어찌 홀로 관가에서 쓰는 게의 쓰임만을 생각하겠습니까.

촌민들의 이익에도 장차 보탬이 될 것입니다. 다행스럽게 실제와 거리가 멀고 성기다고 보지 마시고 한번 시험해보십시오. 제의 뜻을 이루지 못했으나 형이 반드시 묻고자 하므로 부득불 말하여 쓰게 하니 송구하고 두렵습니다.

나머지는 인편으로 전하고 바빠서 이만 씁니다. 삼가 올려 감사드립니다. 그 밖에 무무(貿貿)[123]한 일은 문자에 없으니 형 또한 반드시 근심할 것입니다. 수천 서당에 스승도 있고 제자도 있어 가르칠 수 있으나, 장동(長洞)에는 다른 데 비해 스승이 없어 장차 폐철(廢撤)[124]을 면

---

122) **학림(鶴林)**: 숲이 말라 흰빛으로 변해 마치 학이 모여 있는 것처럼 보임.
123) **무무(貿貿)**: 말과 행동이 서투르고 무식함.

치 못하겠다고 하니 매우 애석합니다.

만일 끝내 폐지된다면 차라리 주는 책과 양식 열 섬을 수천(繡川)으로 보내고, 그 자제 또한 수천에 보내 배우게 해야 합니다. 스승에게 열 섬 양식을 주는 것은 마땅하고 쓸데없이 버리는 것이 아닙니다. 다만 군수에게 꼭 필요한 내용이 아니지만 번거롭게 알릴 뿐입니다. 수천의 스승 이만형(李萬馨)[125]과 여러 생도에게 문안 조로 술을 보내줄 것을 또한 바랍니다.

46. 흡곡군수 조유수에게 보내다

엎드려 생각하건대 요사이 더위에 정리가 만복하십니까. 늦은 봄 받은 편지와 겸해 예전에 익히 먹던 호수에서 잡은 고기를 보내주시니 기쁘고 위로됨을 어떤 좋은 말로도 감사를 드릴 수 없어 두렵습니다.

들어보니 지팡이와 신발이 장차 금강산으로 들어간다고 하는데 저는 또한 송사가 첩첩이 쌓여 바쁘고, 인하여 중한 병과 독한 병으로 원기가 크게 빠져 수작하지 못한 지가 무릇 백 달 남짓입니다. 이에 공경하는 편지를 보내지 못하고 미적미적 지금까지 왔는데 인사치레가 자못 매우 불민합니다.

그러나 오고가는 사람이 반드시 소식을 전하였으리라 생각되니 아량을 베풀어 깊이 죄를 지었다 하지 않으신 것 같으니, 연민하신 것으로 생각됩니다. 요사이 병이 조금 나아져 날마다 형조로 나가 관장하

---

124) 폐철(廢撤): 폐하여 걷어치움
125) 이만형(李萬馨): 조선 후기의 위항시인. 자는 군욱(君郁). 본관은 평창.

면서 목구멍에 가시가 돋도록 다투는 완고한 백성을 봅니다.

매죽헌에 앉아 관리할 때는 다만 이 한두 향소(鄕所)[126)]에 서너 명의 공생(貢生)[127)]이 읍하고 뵙고 물러감에 날이 기웁니다. 고기 잡는 사람의 아내가 긴 나무바가지에 가자미를 담아 이고 와서 바치는 일뿐입니다. 그 밖에 다른 일은 없고 책을 보다가 곤하고 게을러지면, 하품하고 기지개 켜면서 일어나 서정(鋤亭)에 올라가 김매기 소리를 듣습니다.

혹은 남여를 타고 검은 일산을 펼친 뒤 조용히 걸어 나가 해문을 찾거나 소나무 사이 길을 걷고 해당화 모래를 밟으며 가마에서 내려 배를 타고 가는 대로 맡겨 복어를 잡고 치면서 술상을 도와 흥이 일면 시를 짓고 신선과 함께 즐겁게 노니니 어떻겠습니까. 다만 한스러운 것은 이 사내의 복이 적으니 어찌하겠습니까.

시중대의 소나무 베는 일은 제가 여가가 없습니다. 그리고 말씀하신 대는 진짜 시중대가 아닙니다. 그 대에 앉으면 반은 호수에 숨어 들어가니 대 밑의 해안은 자못 대와 접해 제일 좋은 명승이 아니므로 제가 호수를 방문했을 때는 항상 해안을 따라 배를 타고 시중대에 올라갑니다.

강곡 마을을 찾아 날이 저물도록 놀다가 저녁이 되어서야 배를 매어놓고 위대(僞臺)[128)]에서 잠시 배회하다가 문득 관아로 돌아옵니다. 그러나 지금은 이것도 여가를 내지 못하고 해안의 뱃줄을 풀어놓고 생각만으로 즐기는 것에 만족합니다. 위대에 올라 서쪽을 보니 관인들이 말하는 밤섬이 있는데 바리때[鉢盂]를 엎어놓은 모양으로, 그 위에 발을 드리운 것으로는 만족스럽지 않습니다.

---

126) **향소**(鄕所): 지방의 수령을 보좌하던 유향소.
127) **공생**(貢生): 교생(校生). 향교에서 오래 공부해 유생의 대우를 받던 상민(常民).
128) **위대**(僞臺): 사람들이 시중대라고 착각하고 있는 대.

그곳에 올라가 보니 초연하게 호해의 큰 용이 100척이나 높이 솟아 오르는 기상이 있고 화학대의 남쪽 기슭과 마주보는 모습으로 해안을 나눕니다. 그 기슭 좌우에 백보장(白步障)이 있어 길고 짧음이 고르니 위대에서 보이는 일곱 섬의 절경이 이곳에서 시작됩니다.

섬 오른쪽에 푸른 선의 길이 있는데 매우 묘절하며 서쪽 언덕에 감곡 마을이 있어 문득 하나의 도원이 되고 마을 동북쪽 기슭이 또한 명승입니다. 삼일포, 학포와 그 우열을 논한다면 사람들은 반드시 높은 두 곳은 명승이고 낮은 곳은 위대라고 할 것이나, 저는 각각 장단이 있다고 봅니다. 만약 놀러 다니는 사람의 발이 먼저 이곳에 오고 뒤에 저곳에 갔다면 반드시 그렇다고 다들 말하지는 않을 것입니다. 이 섬의 형체는 허리가 비틀려 묶인 것 같고 두 머리는 높고 넓어서 『여지승람』에서 말한 옛 칠보대(七寶臺)의 뜻과 합치됩니다.

또한 위대는 높이 솟아 있고 진대는 터가 완연하여 확실히 모양이 다릅니다. 다만 파도가 높아 관인들이 배를 끌고 곧은길로 가기에 힘들어 멀리 돌아가 보면 숨겨진 경치를 볼 수 있습니다. 한시중(韓侍中)[129] 이후에 그 진위를 분별한 사람이 없습니다.

아! 사물의 나타내고 드러냄이 참으로 때가 있어 수백 년 사이 태수는 몇 사람이며 놀러 온 자가 많으나 관리들이 이 경치에 관한 사실을 숨겨서 좋은 경관을 눈앞에 두고도 알지 못하니, 어찌 애석하지 않습니까. 관리들이 처음에는 속였지만 끝까지 관리가 태수와 관광객을 속이지는 못하였으니 또한 웃지 않을 수 있겠습니까.

지난날 심군평(沈君平)이 다만 위대에 올라가서 보고 삼포보다 낫다

---

129) **한시중(韓侍中)**: 고려 시대 문신 한언공(韓彦恭, 940~1004). 1001년(목종 4)에 문하시중에 올랐으며 시호는 정신(貞信).

고 했는데 보는 것은 비록 사람마다 다르나, 어찌 치우친 의혹이 이와 같겠습니까. 만약 그러하여 진대에 올라갔다면 그가 자랑하려고 몇 층이나 된다고 부풀렸겠습니까. 참으로 한번 웃을 만합니다.

이여사(汝思)[130]가 말하는데 이미 명성을 질리도록 들었으므로 여가가 나도 찾지 않는다고 합니다. 형 또한 아직도 진대가 있다는 사실조차 분명히 알지 못할 것입니다. 진대가 있어도 보지 못함을 형이 애석하게 여기는 바이나 여러 사람의 애석함은 이보다 더 심합니다. 형이 만약 위대의 소나무를 베어 옮기는 공으로 진대의 네 모서리마다 소나무를 심으면 사선굴(四仙窟)을 꽃단장하는 뜻에 응할 것입니다.

대 아래 몇 이랑의 밭이 있는데 약초와 꽃나무를 심고 조용히 관청의 힘이 여유가 있을 때를 보아 한 채의 그림과 같은 정자를 짓게 되면 어찌 영동(嶺東)에 하나의 큰 좋은 일이 되지 않겠습니까.

또한 호수 밑의 봉초는 소호의 봉초보다 지나쳐 물빛이 아주 맑지 못하고 고기잡이에 매우 불편하니 올봄에 반드시 베어 없애고자 했습니다. 일이 여의치 못하여 베지 못했으니 만약 형이 이 뜻을 이루어 조공제(趙公堤)[131]를 만든다면 아름답지 않겠습니까. 화학대의 마편곶은 바다로 들어가는 언덕입니다. 총석정을 굽어볼 수 있고 넓게 통함이 총석정보다 넓으니 과연 한번 올라보시겠습니까.

정자의 현판은 윤중화(尹仲和)[132]의 손을 빌리고자 하는데 그는 겨우

---

130) **여사**(汝思): 조선 시대 문신 이경헌(李景憲, 1585~1651)의 자. 본관은 덕수(德水), 호는 지전(芝田). 이조 판서에 추증됨.

131) **조공제**(趙公堤): 조공이 만든 둑.

132) **중화**(仲和): 조선 후기 명필 윤순(尹淳, 1680~1741)의 자. 본관 해평(海平). 호 백하(白下). 1713년 증광 문과에 급제해 부수찬을 지냈음. 그 후 이조 참판,

금강산에서 돌아온 뒤 만나지 못했고 이별할 때 또 만나자는 말이 때를 지났습니다. 생각해보니 형편이 여의치 않은 듯하여 아울러 뒷날을 기약하겠습니다. 별지로 일의 대략을 써서 아뢰니 모름지기 잘 헤아리시기 바랍니다.

물어오신 여러 가지 조건은 삼가 말씀드렸습니다. 새 영윤(令尹)[133]이 옛 영윤에게 정사를 묻는다는 것은 옛사람의 정치를 알린다는 충정에 비해 더함이 있고 겸하여 문자의 아름다운 덕이 있으니 지금 사람들이 어찌 쉽게 이에 미치겠습니까. 족히 고명(高明)[134]의 정치하는 규모를 볼 수 있습니다. 속 좁고 어리석으며 비루한 몸으로 어찌 우러러 대답함을 용인하겠습니까. 그러나 끝내 아니할 수가 없으니 저의 성의는 대략 이와 같아서 아래에 말씀드리고자 합니다.

청사를 바꾸는 일은 그곳에서 온 사람의 말을 들어본즉 일을 이미 시작했다고 하니 형께서 처리하는 일이 또한 제가 헤아린 속에서 나온 것이므로 기쁘고 즐거움을 어찌 말로 비유하겠습니까.

메밀의 일은 향품(鄕品)[135]의 무리가 한 일이므로 참으로 마음이 아픕니다. 이미 물러난 관원이 참섭할 바는 아니지만 당초에 문제가 봉곡(捧穀)에서부터 나왔으므로 각 관청에서는 없는 일이며 잔호(殘戶)[136]에 이르러도 세금을 받는 것이 더욱 차마 할 일이 못 되므로 전세(田稅)[137]에서 거둬들이는 것을 대동세의 돈과 곡식에 비해 이 푼을 감하

공조 판서, 예조 판서, 경기도 관찰사, 평안도 관찰사 등을 지냈으며 송나라 미남궁체(米南宮體)를 잘 쓰는 당대의 명필이었음.
133) 영윤(令尹): 조선 시대의 지방 수령을 가리키는 말.
134) 고명(高明): 식견이 높고 사물에 밝은 사람. 상대편을 높이는 말.
135) 향품(鄕品): 예전에 지방에 거주하고 있던 품관.
136) 잔호(殘戶): 조선 시대에 빈부에 따라 다섯 등급으로 나눈 민호 중 넷째 등급.

였으므로 관청에서 쓰는 잡비가 크게 줄었습니다.

계수(鷄首)[138]를 또 각 집에 부과하고 삼맥(三麥)[139]에서 받아들이는 세를 합하여 계산하더라도 사십여 석에 지나지 않으며, 결역(結役)[140]도 거의 반으로 줄였으나 오히려 밭이 많은 자는 줄인 세법을 싫어합니다. 사소한 부역까지 각 집에 부과하는 일은 만에 하나도 근거가 없으니 어찌해야 합니까.

올여름 수확한 보리는 또한 어찌 처리했습니까. 혹 집집마다 계수를 거둔다면 전에 없이 중복된 과세가 될 것입니다. 그 원망이 전관이나 후관에게 주어지는 것이 반드시 많을 것이나, 바라건대 계수를 전결로 대신 나중에 내게 하고 보리를 집집마다 거둬들이는 것이 어떻겠습니까.

인쇄하는 비용을 삼 값에서 보충하고 백성에게 그 뜻을 알게 한다면 인쇄 값을 씀과 무엇이 다르겠습니까. 제 생각에는 「대동법」이란 참으로 좋은 관리가 만들었으나, 법이 오래 지속되면 폐단이 생기는 이유는 참으로 그 형세 때문입니다. 그러나 이 폐단을 개혁하고 제거함은 오직 비추어 살핌에 있으니 절제하고 살핌이 어떠하겠습니까.

그런데도 폐지해야 하겠습니까. 백성들이 입을 맞추어 폐지되기를 원하니 제가 처음 갔을 때도 또한 그러했으나 즐거이 따르지 않았습니다. 말기에 가서는 폐지를 원하지 않았고, 중간에 감색(監色)[141]에게 맡겼으나 그 또한 백성입니다.

---

137) **전세**(田稅): 논밭에 부과되는 조세.
138) **계수**(鷄首): 키우는 닭의 수에 따라 세금을 물림.
139) **삼맥**(三麥): 밀, 보리, 수수.
140) **결역**(結役): 결세(結稅) 가운데 경저리, 영저리에게 주던 봉급.
141) **감색**(監色): 감관(監官)과 색사(色使).

금전 출입을 묻지 않으니 감색이 그 때문에 간계를 꾸몄으므로 처음 설립할 때보다 세 배를 받아들이니 도리어 받을 때마다 비용이 많이 들어 새로운 군수를 시켜 감색의 속임을 보이고자 할까 두렵습니다. 어찌 그것이 본뜻이겠습니까. 형이 관리와 감독을 하는 데 매우 힘쓰고 있다고 하는데, 파하기를 원하는 말이 오래가지 않아 잦아들 것입니다.

47. 홍중성(洪重聖)142)에게 보내는 글

■ **계사년**(1713) **시월 스무이레**

눈 오는 밤에 이불 밑에서 끌려나와 사단(詞壇)143)으로 가는데 순졸을 시켜 앞을 인도하니 깃발과 북이 거의 옛날 한나라 정승이 바짓가랑이 밑으로 기어나갈 때보다 낫고, 산음에 사는 말 잘하는 선비들도 그 광경을 능히 판단하지 못했네. 어찌 기이하고 훌륭한 일이 아니겠는가.

이것은 오래가지 못하고 잊어버렸는데 그대의 글이 오니 위로가 되기는 하나 한 번 와서 감사하지 않음이 참으로 가증스럽네. 이 일을 알리는 것은 경계함이 마땅하다는 뜻이네. 자평에게 부탁하여 다시 모

---

142) **홍중성**(洪重聖): 조선 문신(1668~1735). 본관은 풍산(豊山) 자는 군측(君則), 호는 운와(芸窩). 김창흡의 문인(門人). 예천군수, 단양군수, 강화 경력(經歷) 등을 지냈으며 시와 문장이 뛰어나 당시 시명(詩名)을 날렸던 조유수(趙裕壽), 이병연(李秉淵), 홍세태(洪世泰) 등과 한시(漢詩) 창작을 위한 동인들의 모임인 시사(詩社)를 만들었고 글씨도 잘 썼음.

143) **사단**(詞壇): 문인들 사회.

이기를 도모하게. 뜻이 없어 그런 것은 아니나 아마도 그대가 도망칠까 두렵네. 나머지는 다 펴지 못하네.

48. 중정(重鼎)에게 보내는 글

열한 번의 편지는 자못 위로가 되었는데 그 뒤 인편이 없어 회답하지 못했으니 괴롭구나. 큰 눈이 한 자가 넘게 와서 추위로 마음을 졸이니 슬프고 더욱 간절하다. 그러나 온돌에 처하면서 어린아이를 돌보고 자주 글을 읽고 지으니 어찌 즐겁지 않겠느냐.

내가 헤아려보건대 부복(副僕)[144]은 밖에서 여러 사람의 뜻으로 도움을 받아야 사람들의 시비를 벗어날 것 같다. 나아가 말을 기록할 때 한망(閑忙)[145]을 구별한다고 하니 이것은 다행스러운 일이다. 이 늙고 무너진 자가 지내온 이력으로 보아서 스스로 가련하구나. 이 몸이 점점 쇠하고 무너지니 어찌하면 좋을까.

49. 이대중(李大仲) 관제(觀濟)에게 보내는 글

동쪽으로 돌아오는 날 배별하지 못했으니 슬프고 우러름을 어찌 다하겠습니까. 지난날 흡주의 아전이 돌아올 때 매우 바빠 편지를 쓰지 못하고 대략 안후만 여쭈었는데 전해졌습니까. 서울에는 큰 눈이 여러

---

144) **부복(副僕)**: 사복시(司僕寺)의 관원.
145) **한망(閑忙)**: 한가로움과 바쁨을 아울러 이르는 말.

번 내렸으니 생각하건대 추령 동쪽에는 배나 더 쌓였으리라 생각합니다. 늙으신 어버이를 모시느라 편안하지 못한 몸의 처지가 어떻습니까. 생각이 달려서 깊습니다.

풍악으로 가는 길은 혹 절기가 늦어 가지 못했습니까. 속세의 신선은 산과는 맞지 않으니 아마도 다 찾지 못할까 두려우나 총석정과 시중대는 서로 아주 가까우니 이미 두루 구경하였습니까. 한스럽게 제가 일찍이 학림을 떠나와 형을 위해 기도할 수 없었습니다.

보고할 말이 어찌 끝이 있겠습니까. 얼마 전 예아(禮衙)에 갈 일이 있어 작은 여가를 얻어 집에 들렀으나, 날로 바빠져 더욱 한탄스럽고 맑은 복이 두텁지 못하니 어찌합니까. 나머지는 인편에 의지하여 썼는데 다만 저물녘에는 더욱 몸을 보중하시기를 바란다는 것입니다.

총석정 주인 최흥필(崔興弼)은 효자 아들로 또한 효도에 능해 바야흐로 부친상을 당해 무덤을 지키고 있으니 돌보아 구휼하면 크게 다행스러울 것입니다. 그 아비 경원(慶元)은 다만 효뿐만 아니라 그 풍치(風致)[146]를 의지해 총석정에 놀러 오던 사람의 흥을 크게 도왔으나 불행하게도 지금은 죽었으니 바라건대 전조(銓曹)[147]에 아뢰어 포상을 시행함이 어떻겠습니까.

50. 홍여화(洪汝和)에게 보내는 글

엎드려 들으니 고을의 근심이 드디어 그쳤다고 하니 기쁘고 다행함

---

146) **풍치**(風致): 격에 맞는 멋. 멋스러운 흥취.
147) **전조**(銓曹): 이조와 병조.

을 어찌 다 말로 하겠는가. 곧 더욱 나아가 건강이 회복됨을 우러러 위로하네. 진사(秦師)[148]를 오늘 불러왔는데 함께 귀댁에 나가 모든 그림을 펴 보이고자 했으나, 내가 바야흐로 감한(感寒)[149]이 들어 자리에 누워 뜻을 이루지 못했네.

앞에 약속한 네 족자(四簇)의 「도원도(桃源圖)」를 보여드리고 청완(淸玩)의 전질(全帙)과 요지연도(瑤池宴圖)와 모팔장(撲八丈)을 아울러 오늘 안으로 빌려서 보내주는 것이 어떠하겠는가. 다 보고 난 뒤에는 곧바로 모두 돌려줄 터이니 심려하지 말게. 이 밖에도 반드시 또한 보배스러운 구경거리가 있을 터이니 아끼지 않는다면 매우 다행스럽겠네.

옛사람들은 서화를 빌려주는 일은 어리석다고 하였고 후세에 와서 인색한 무리가 이 말에 집착함은 친분을 어김과 같다고 하여 천금의 보배도 일찍이 한번에 허락해주는 자도 있었는데, 하물며 한 조각 그림을 빌려주는 정도야 일이겠는가. 진실로 열 가지를 숨겨두고 홀로 창 밑에서 구경한다면 보배를 어찌 보배라고 할 수 있겠는가. 다시 모름지기 거듭 생각해보게나.

51. 보내다[與]

생식(省式)[150]하네. 해와 달이 쉽게 지나가 이미 대상(大祥)이 어느덧

---

148) **진사(秦師)**: 송나라 때 진담(秦潭)이 산수화를 잘 그린 것에서 전하여 그림을 잘 그리는 사람. 또는 그림을 감정하는 사람을 이름.
149) **감한(感寒)**: 추위로 인하여 생긴 병증.
150) **생식(省式)**: 생례(省禮). 예절을 생략하고 씀. 상중(喪中)의 사람에게 보낸 편지

지나갔으니, 생각하건대 다만 큰 아픔이 더욱 복받쳐올 것인데 어찌 감당하겠는가. 이별한 지 이미 여러 달이 되어 가을걷이도 끝났을 터이니 구구한 슬픈 생각을 어찌 그칠 수 있겠는가.

몸이 진실로 조금 한가하면 어찌 한번 달려가서 이 가슴속에 쌓인 울분을 펴고자 하지 않겠는가. 속의 근심이 병이 되어 밖을 흔드네. 사무에 구속되어 하루도 틈이 없네. 참으로 작은 겨를이라도 뜻대로 오고 가는 즐거움이 없으니 절로 가련함을 어찌하겠는가.

52. 보내다[興]

삼가 말씀드립니다. 한 번 미정(尾井)에서의 밤으로부터 문병한 후에 음성을 서로 듣지 못하니 구구한 생각이 언제 그치겠습니까. 다만 오래도록 소식을 접하지 못하니 병증이 깊어지지 않았다고 생각하여 작게나마 위로가 됩니다. 지금 인편에 위로하는 편지를 받으니 막혔던 세상의 소식을 들은 듯하고 괴로움이 끝내 깊어지지 않았다고 하니, 그 기쁨을 어찌 가히 헤아리겠습니까.

제는 요사이 다행스럽게도 형조에서 벗어나 과(科)151)를 따르니 탄솔하여 도무지 좋은 뜻이 없고 실인(室人)은 오랫동안 학질로 고생하여 번뇌가 깊으니 민망하고 가련함을 어찌하겠습니까. 간사(簡事)152)를 지으라며 보여주신 뜻은 매우 어려운 일은 아니나 말씀하신 윤(尹)이

의 첫머리에 썼던 말.
151) 과(科): 과거 보는 일을 관장함.
152) 간사(簡事): 사람을 선발하는 일.

란 사람은 우리들이 모두 면목을 모릅니다. 이 사람은 지난날에 사문(斯文)들에게 죄를 지었고 또한 우리 집과는 혐의가 있는데, 제 둘째 형님과 친숙하다는 말을 어디서 들었습니까.

오명중(吳明仲)이 마침 왔기에 서로 이야기하다가 한 번 웃고는 우활(迂闊)함을 슬퍼했습니다. 나머지는 많아서 서로 다할 수 없습니다만 바라건대 절차에 따라 슬픔을 순차(循次)[153]대로 변화시켜 먼 곳에서 바라는 저의 뜻에 부응해주십시오. 마침내 앉아 있다가 초초(草草)하게 우러러 감사를 드립니다. 다 갖추지 못하고 삼가 감사의 글을 씁니다.

53. 신경(申曔)[154]에게 화답하다

요사이 다정한 편지를 보내줘 위로가 깊네. 나는 공사로 골몰하여

---

153) **순차**(循次): 돌아오는 차례.

154) **신경**(申曔): 조선 중기 문신(1696~?). 본관은 평산. 자는 명윤(明允), 호는 직암(直菴). 1756년 호조 참의에 올라 외조부인 박세채(朴世采)의 문묘종사(文廟從祀)를 주장하여 벼슬에서 쫓겨났으나, 1763년 다시 찬선(贊善)에 올랐음.
박세채(朴世采): 조선 문신 성리학자(1631~1695). 본관 반남(潘南), 자 화숙(和叔), 호 현석(玄石) 남계(南溪), 시호 문순(文純). 김상헌의 문인. 주로 송시열(宋時烈), 송준길(宋浚吉) 등 서인과 학문적으로 교유함. 1683년 서인이 노론과 소론으로 분립되자 윤증(尹拯), 최석정(崔錫鼎), 남구만(南九萬)에 이어 소론의 영수가 되었으며, 1694년 갑술환국(甲戌換局)으로 소론이 정권을 잡자 좌의정에 오름. 소론의 힘으로 좌의정이 되었지만 이후에는 노론의 정치·학문적 입장을 지지함. 숙종 후반 산림학자를 대표하는 위치에 있으면서 붕당 간의 조정에 힘을 기울여 영조·정조대에 이르러 탕평책을 시행할 수 있는 중요한 기반을 제공함. 한주공의 매형인 박태정(朴泰正)의 아버지.

찾아가 사례할 곳이 없으니 지금껏 슬프고 두렵네. 이제 종을 시켜 안부를 전하니 부끄럽고 한탄스럽네. 알려준 선조 영당이 수동(壽洞)에 있는데 제사 지내는 예와 절차는 봄가을에 유사(有司)[155]와 종친이 돌려가며 하기로 했네. 제수는 종친들이 각각 쌀 한 말씩 내고 유사가 거둬 제물을 갖추어 차례보다 조금 더 풍족하게 그릇 수도 정해졌으며 제삿날도 봄가을 중월(仲月)[156] 중정(中丁)[157]에 하기로 했네.

　제사 지내는 절차는 여느 사람의 차례와 같으나 축문은 달리 쓰네. 제관은 쌀을 거둘 때 통문(通文)[158]을 내네. 와서 참례하는 여부를 통보 받아 하나같이 책에 적어두었다가 제삿날 기록을 내어 쌀을 많이 내고 적게 내는 사람을 참고해 참석한 사람 중 평소 부지런히 봉헌하는 사람으로 정할 뿐 이 밖에 다른 예절은 없네.

　현석(玄石) 노선생의 영당은 어디에 모셨고 누가 관리하기에 이처럼 빨리 이루었는가. 자세히 알지 못하니 모름지기 답답할 뿐이네. 나머지는 얼굴 대할 때를 기다려 다 펴지 못하네.

54. 어순서(魚舜瑞)[159]에게 부치는 글

　눈 속이라 그리운 마음이 더욱 감당할 수 없네. 다만 형이 부모를

---

155) **유사**(有司): 단체의 사무를 맡아보는 직무.
156) **중월**(仲月): 각 계절의 가운데 달. 음력 2·5·8·11월.
157) **중정**(中丁): 음력으로 그달의 중순에 드는 정일(丁日).
158) **통문**(通文): 여러 사람의 성명을 적어 차례로 돌려보는 문서.
159) **어순서**: 조선 문신 어유봉(魚有鳳, 1672~1744)의 자. 본관 함종(咸從). 호

모시는 사이 남모르게 쓴 글이 더욱 좋아졌는가. 우러러 위로하면서 정진하기를 바라네. 요사이 들으니 황수의(黃繡衣)[160]가 그대 호군(湖郡)[161]의 일을 서계(書啓)[162]에 올렸다고 하니 믿을 수가 없네.

그가 복명(復命)[163]한 뒤 그 초본을 가져다 보니 과연 잘한 일을 그대의 허물로 돌렸는데, 또한 마을 사람들의 괜한 험담을 짐작해서 말했다고 할 수밖에 없네. 놀라고 한스러움을 어찌 말로 다 하겠는가.

우리의 곤함이 이미 극에 달했고 부끄럽고 욕됨이 따라 일어나 거듭 나오니 슬프다고 한들 어찌하겠는가. 이미 다시 조사를 받을 근심은 없으니 이조(吏曹)에서 회계(回啓)[164]할 때 무엇이라고 하겠는가. 몸소 나가고자 함이 간절하나 날이 춥고 이처럼 감기로 고통이 심하여 먼저 글을 보내니 서로 만나 이야기할 때를 기다리고 다 펴지 못하네. 삼가 사례하는 글을 올리네.

55. 처음으로 황성징(聖澄)[165]에게 보내는 글

들으니 어순서가 형의 서계(書啓) 중에 들었다고 하니 의아함을 이길

기원(杞園). 경종의 장인 유구(有龜)의 형. 김창협의 문인으로 1722년(경종 2) 신임사화로 스승 김창협이 화를 입자 신원(伸冤)을 상소하였고, 1734년 호조참의, 이듬해 승지에 이어 찬선(贊善)을 지냄. 조선 후기의 거유(巨儒).

160) **수의**(繡衣): 암행어사가 입던 옷. 수를 놓은 옷.

161) **호군**(湖郡): 호서 지방의 고을. 이 글에서는 순서가 군수를 지낸 천안.

162) **서계**(書啓): 임금의 명령을 받은 벼슬아치가 만든 결과 보고서.

163) **복명**(復命): 명령을 받고 일을 처리한 사람이 결과를 보고함.

164) **회계**(回啓): 임금의 물음에 대하여 신하들이 심의하여 대답하던 일.

165) **성징**(聖澄): 조선 중기 문신 황구하(黃龜河, 1672~1728)의 자. 본관 창원(昌

수 없어 무슨 말을 해야 할지 알지 못하나 경중이 어떠한가. 서계의 초문(草文)[166]을 혹 보여줄 수 있다면 형의 원습(原濕)[167]의 경력을 보아 헤아리겠네.

56. 황성징에게 두 번째로 답하는 글

친구 어순서의 일은 생각하건대 반드시 들은 바를 직접 썼을 터이니 허물을 지우거나 문책할 뜻은 없네. 그러나 어순서의 단정하고 정성스럽고 자상한 성품을 가지고 이처럼 소루(疏漏)[168]하여 원한을 부르는 일이 생김은 참으로 뜻밖의 일이니 어찌 한스럽고 애석하지 않은가.

57. 흡곡의 수천서당 사장(師長)[169] 이만형에게 회답하는 글

바다와 산이 아득하여 소식이 끊기고 한 해가 다가니 보고 싶은 생

原). 충청좌도 어사로 나가 천안군수(天安郡守) 어유봉(魚有鳳)을 폄삭(貶削)하도록 주청함. 1717년 이조 정랑이 되고 승지, 대사간, 대사성을 지냄. 1721년 (경종 1) 신임사화 때 김창집(金昌集), 이건명(李健命), 이이명(李頤命), 조태채(趙泰采) 등 노론 4대신이 소론의 과격파 김일경(金一鏡)의 탄핵을 받고 유배될 때 파직됨. 1724년 영조가 즉위하여 노론이 집권하자 다시 대사성에 기용된 후 대사헌, 한성부 우윤, 호조 판서 등을 지냄.

166) **초문**(草文): 글을 짓기 위하여 그 내용을 대강 정리한 글.

167) **원습**(原濕): 상대의 뜻의 높고 낮음을 헤아리는 일.

168) **소루**(疏漏): 생각이나 행동 따위가 꼼꼼하지 않고 거칠음.

169) **사장**(師長): 스승과 어른을 아울러 이르는 말.

각이 날마다 깊어지네. 인편으로 다정한 편지를 받아 보니 옛 얼굴을 대함과 같거늘 하물며 설 추위에 옥을 연마하는 몸이 청승(淸勝)[170]하며 글 짓는 모임도 날마다 성대하여 서로 돕는 이익이 이로부터 헤아릴 수 없을 것이네. 그러므로 구구한 기쁨을 어찌 말로 다 하겠는가.

돌아보건대 이 요도(遼倒)[171]는 성진(城塵)[172]과 인연이 없어 여러 사람과 더불어 신선의 대와 수천 사이에 풍영(風詠)[173]하며 동쪽을 바라보고 정신을 달릴 뿐이네. 일찍이 서당의 계약서와 편액(扁額)[174]을 부탁받았는데 항상 앉아서 생각이 흔들려 부탁에 응하지 못하니 답답할 뿐이네.

그사이 해와 달이 이미 오래되었으니 학도 가운데 옛 학동들은 혹 머물기도 하고 떠나기도 했을 것이네. 새로 온 사람이 몇 있고 이름을 모두 알지 못하니 더디 보내게 되네. 모름지기 이번에 모이는 선비들의 이름을 하나하나 기억해 속편으로 보내주고 이름마다 그 밑에 자, 태어난 해, 성씨, 관, 사는 곳을 적어 보내주면 어떠하겠는가.

보내준 꿩과 방어는 모두 진귀한 물건으로 어떻게 찾아서 먼 곳에 인편으로 보냈는가. 정다움은 감사하나 불안함이 매우 크네. 다만 더욱 학업에 힘쓰고 부지런히 여러 아이를 가르쳐준다면 소망을 버리지 않는 것일세. 새해가 됨을 축하하며 나머지는 급히 쓰느라 다 펴지 못하네.

---

170) **청승**(淸勝): 맑고 건강함.
171) **요도**(遼倒): 거동이 완만한 모양. 노쇠한 모양. 이재(吏才)가 없는 모양.
172) **성진**(城塵): 속세에서 갈망하는 부귀영화.
173) **풍영**(風詠): 시가 따위를 읊음.
174) **편액**(扁額): 그림을 그리거나 글씨를 써서 방안이나 문 위에 걸어놓는 액자.

58. 수천(繡川)에 있는 여러 생도에게 회답하는 글

항상 그대들의 생각이 간절했는데 인편에 보내준 편지를 받아 보니 내용을 알 수 있었다. 신년 정초에 많은 선비가 먼 곳에서 와 문회(文會)[175]가 점점 성대하여 강마(講磨)[176]의 즐거움을 거의 말로 다 할 수 없다고 하니 사람으로 하여금 훨훨 날아 산과 바다를 건너가 경사(經史)[177]를 토론하고 싶은 뜻이 있으나 그럴 수 없는 형편이다.

만약 서당이 좁다면 더 지어야만 모든 사람을 수용할 수 있다. 물력(物力)[178]을 준비하기 어려워 생각만 달려갈 뿐이다. 요사이 나는 대강 옛 모습을 보존하고 있으니 그 밖에 무엇을 말하겠는가. 보내준 꿩의 맛은 먼 곳의 정을 느끼게 하니 이것을 어찌 서생의 힘으로 판비(辦備)[179]할 수 있겠는가. 지극히 불안하다. 관성(管城)[180] 세 가지를 찾아 보내고자 했으나 모아둔 것이 없어 두루 미치지 못하니, 매우 한탄스럽다.

59. 조카 병태에게 회답하는 글

상보(喪報)[181]를 받고 보니 사람으로 하여금 기절하게 한다. 비참함

---

175) **문회**(文會): 시문을 지어 서로 비평하는 문학 모임.
176) **강마**(講磨): 학문이나 기술을 강론하고 연마함.
177) **경사**(經史): 중국 고전인 경서(經書)와 사기(史記).
178) **물력**(物力): 온갖 물건의 재료와 노력.
179) **판비**(辦備): 변통하여 준비함.
180) **관성**(管城): 중국 관성에서 나오는 문방사우 중 세 가지. 벼루, 붓, 먹.
181) **상보**(喪報): 부고(訃告)

을 어찌 차마 말로 하겠는가. 어찌 차마 말로 하겠는가. 습렴(襲殮)[182]
을 순수한 길복(吉服)[183]으로 썼다고 하니 『의례문해(疑禮問解)』[184]에
이미 정론이 있으나 사람의 집에서는 행하기가 어려워 말이 같고 다름
이 있으니 이미 듣지 못했으나, 보통 때는 『문해』를 믿고 해야 할 것이
다. 퇴계(退溪)도 과연 길복과 흉복(凶服)[185]을 함께 쓰라는 말을 했으
나 아마도 후에는 사계(沙溪)[186]의 정론을 쓰는 것 같다.

---

182) **습렴**(襲殮): 죽은 사람의 몸을 씻긴 뒤 옷을 입히고 염포로 묶는 일.

183) **길복**(吉服): 신랑, 신부가 혼인 때 입는 옷.

184) 『**의례문해**(疑禮問解)』: 조선 중기 학자 문신인 김장생(金長生)이 쓴 예서(禮書).
   1646년 간행됨.

185) **흉복**(凶服): 상복(喪服).

186) **사계**(沙溪): 조선 중기의 정치가 예학(禮學) 사상가 김장생(1548~1631)의
   호. 자는 희원(希元). 본관 광산. 시호 문원(文元). 선조 때 서인(西人)의 중진인
   계휘(繼輝)의 아들. 효종 때의 예학 사상가인 집(集)의 아버지. 이이(李珥)와
   송익필(宋翼弼)의 문인. 일찍이 과거를 포기하고 학문에 정진하다가, 임진왜란
   중 정산(定山)현감으로 있으면서 피란 온 사대부들을 구휼함. 이후 선조 말과
   광해군 대에는 주로 지방관을 역임하여 단양, 남양(南陽), 양근(楊根), 안성,
   익산, 철원 등을 맡아 다스림. 인목대비 폐모(廢母) 논의가 일어나고 북인이
   득세하는 속에서 관직을 포기하고, 연산으로 낙향하여 10여 년간 은거하면서
   예학 연구와 후진 양성에 몰두함. 1623년(인조 1) 인조반정이 성공하자 반정의
   양 주역인 김류(金瑬)와 이귀(李貴)에 의해 산림처사(山林處士)로 추천되어 장령
   (掌令), 사업(司業) 등이 제수되었으나 병으로 사양함. 1630년 가의대부(嘉義大
   夫)로 임명되는 등 인조와 조정은 그의 출사를 간곡히 요청했으나, 향리에
   머물며 제자와의 강학에만 열중하면서 노년을 마쳤음. 그의 제자는 아들이자
   학문의 정통을 이은 김집(金集)과 송시열(宋時烈)을 비롯해서 송준길(宋浚吉),
   이유태(李惟泰) 등 후일 서인과 노론계의 대표적 인물들은 거의 망라되어 있음.

60. 조카 병태가 보낸 글

제가 오늘 새벽 문중의 사촌 아우 상을 당했으니 참혹하고 애통함을 어찌 말로 하겠습니까. 하늘 아래 어찌 이와 같은 참혹한 경우가 있습니까. 그가 바야흐로 상중에 있었으니 습렴하는 절차도 보통 사람과 다를 것입니다. 일찍이 『의례문해』를 보았으나 아득하고 기억하지 못하니 그 책을 상고(詳考)[187]하시고 또한 다른 집에서도 행하는 바가 있는지 들은 대로 하교해주실 것을 엎드려 바랍니다.

61. 진사 이명구(李命龜)에게 보내는 글

■ 을미년(1715) 삼월 초아흐레

그대 큰형님의 상사가 애통해 통곡하네. 다시 무슨 말을 하겠는가. 병증이 절로 근원이 있어 우려한 바가 참으로 심상하지 않았으나 관청에 나와 보니 신색(神色)[188]이 좋고 행역 또한 더 상하지 않았다고 알렸기 때문에 뜻으로는 산골짜기에서 한가롭게 보양하며 날을 보내 점점 회복돼 평상처럼 되리라고 기뻐했는데 어찌 눈 깜짝할 사이 뜻밖의 흉한 소식을 들을 줄 알았겠는가.

오래 살고 일찍 죽는 이치는 무너진 지 이미 오래되었으나 큰형님의 준걸하고 위대함이 특별히 뛰어났는데 필경 이렇게 되고 나니 아프고

---

187) **상고**(詳考): 꼼꼼하게 따져 검토하고 참고함.
188) **신색**(神色): 상대편의 안색을 높여 이르는 말.

애석함을 어찌 이기겠는가. 이미 또한 우리 두 집의 정의가 어찌 보통 이척(姨戚)[189] 간이라고 논하겠는가. 외족들이 날마다 쇠퇴해가고 서울에서 서로 만나는 사람이 다만 그대의 맏형과 그대뿐이었는데, 지금 그 맏형을 잃어버렸다니. 옛날을 생각하니 더욱 기막히고 목이 멤을 느끼지 못하네. 다만 고로(孤露)[190]한 나머지 서로 의지함이 새의 두 날개 같았는데 갑자기 한쪽이 부러지니 형제를 생각하는 슬픔을 어찌 참을 수 있겠는가. 봄날이 아직도 음한한데 살피지 못하는 먼 길에 상여를 끌고 돌아오느라 기거에 상함은 없는가. 장지는 이미 정했다고 들었으니 날짜도 받아 정했으리라 생각하네.

갖가지 슬픔이 말로 표현할 수 없으나 나도 지난달 보름 즈음부터 갑자기 감기로 오른쪽 골절이 아프지 않은 곳이 없어 거의 반신불수의 지경에 이르렀네. 그럭저럭 한 달 만에 백 가지로 치료하여 지금은 조금 머리는 들었으나 아직도 완전히 낫지 않았으니 요사이 근심스럽고 고통스러운 모양을 어찌 말로 다 하겠는가.

이처럼 글로 위로하는 것이 또한 더딘 것은 다만 이 마음에 슬픔과 부끄러움이 크기 때문이네. 그대가 이 모양을 알지 못한다면 의아함이 적지 아니할 것이네. 다행히 상례에 구애되지 말고 곧 답장을 주어 장사 지내고 돌아올 날을 알려옴이 어떠하겠는가.

병든 뒤의 근력이라 장지에 나가지 못하니 사람의 일이 더욱 한스럽네. 무사히 돌아오기를 기다리며 이처럼 속에 있는 말을 전하네. 병든 혼을 수습하거든 잠시나마 위로하는 정을 부쳐주게. 어찌 말로 다 위로할 수 있겠는가. 다만 잘 다스려 별 탈 없이 큰일을 잘 치르기 바라네.

---

189) **이척**(姨戚): 혼인으로 친척이 된 집안.
190) **고로**(孤露): 어릴 때 부모를 잃고 외로이 자라남.

권19

서書

書

1. 윤지대(尹志大) 덕보(德甫)에게 회답하는 글

■ 갑오년(1714) 삼월

고인의 생각이 멀리 이곳까지 미쳤으니 얼마나 다행인가. 멀리서 정든 편지와 등나무 얼레빗 한 봉지를 같이 누항까지 보내주시니, 펴 보고 위로되는 마음 감사하여 절함을 어찌 말로 하겠습니까.

지난번에 온 이씨 족친(族親)의 글은 무슨 말인지 기억할 수 없으나, 만약 이번 일로 인해 이렇게 물으시고 보내주신다면 글로는 깊이 감사를 드리지 못할 것입니다.

또한 형은 오래도록 남쪽 길 넉넉한 고을의 군수로 있으면서 홀로 죽력고(竹瀝膏)[1]를 마시고 제(弟) 같은 사람으로 하여금 친구라고 남은 죽력고를 맛보게 하니, 이 어찌 좋은 뜻이 아니겠습니까. 생각해보니

---

1) **죽력고(竹瀝膏)**: 죽력을 섞어 만든 소주. 아이들이 중풍으로 말을 못할 때 쓰는 구급약.

마땅히 주린 백성과 더불어 날이 다하도록 시름하고 근심한 끝에 이를 보고 크게 웃으십시오. 형을 향하는 제의 마음이 더욱 무겁습니다.

제가 갑자기 봉래산(蓬萊山)에 가서 형방(刑房)[2]에 관한 일과 말을 관리하는 일에 골몰하여 수염과 머리털이 다 희어지려 하고 뜻이 예전 같지 않으니, 다른 날 서로 만나게 되면 마땅히 서로 가련하게 여길 것입니다. 어찌합니까.

알지는 못하지만, 형의 근력과 뜻과 기운은 갈수록 더 줄어들지 않으십니까. 봄날이 점점 따뜻해지고 꽃이 난만하니, 다만 바라는 것은 때마다 진중하게 보호하시어 멀리서 생각하는 마음에 부응하시기 바랍니다. 바빠 쓰느라 아직 다하지 못하고, 삼가 사례의 글을 올립니다.

2. 둘째 형님께 올리는 글

관인을 시켜 내려주신 회답의 글을 엎드려 받았습니다. 엎드려 살피건대 눈 온 뒤 기후가 만안(萬安)[3]하시다니 기쁘고 기쁩니다. 어제 낙촌으로 가시는 행차는 무사히 이르렀습니까. 날씨가 갑자기 추워지고 눈이 그치지 않으니, 모든 일에 심려가 달리는 지극함을 이길 수 없습니다.

요사이 병든 근심이 한결같아 나갈 수 없으니 더욱 슬프고 한스럽습니다. 장삿날에도 제(弟)는 또한 무심하게 지나쳐버렸습니다. 하교를 받고서야 비로소 깨달았으니 불민함이 심합니다. 묻지 않아도 가히 안

---

2) **형방(刑房)**: 조선 시대에 지방 관아에 속한 육방 가운데 형전(刑典)의 일을 맡아보던 부서.
3) **만안(萬安)**: 신상이 아주 평안함.

다는 두 글자를 잘못 써서 곧 편지를 보내 물어보니, 과연 그때에 그에게 학질이 있었는데 의원을 불러 약을 쓸 때 잘못 쓴 두 글자를 한 글자로 메웠다고 합니다. 택일(擇日)하는 가운데 글을 고쳐왔습니다.

천금(天衾)[4]은 남색 비단을 썼고 초엿샛날 하교하실 때 아우는 잘못한 일을 잡아두고 소식을 기다려서 처리하였으나, 조변(趙弁)이 와서 또한 이런 뜻으로 말함으로 덮어두고 보내지 않았습니다. 하교가 이와 같으시니 엎드려 지은 죄를 탄식합니다.

땅 속 일은 헤아릴 수 없었는데 만약 만부득이 개관(改棺)[5]하여 천판(天板)[6]을 열어 본다면 지극히 죄송한 일입니다. 그러나 사람의 무덤에 물과 불의 변을 당함이 한둘이 아닙니다. 불에 깊이 상하지 않았고 물이 널을 뒤집지 않았으면 혹 시신을 싼 베를 바꾸고 칠을 고치거나 잠깐 파서 땅을 낮추어 물이 빠지게 한 뒤 숯으로 그 틈을 메우고 칠을 고치면 감히 가뿐하고 쉽게 관을 열지 못합니다.

하물며 이러한 근심이 없는데 어찌 천판을 열어볼 수 있겠습니까. 비록 백 년이라는 오랜 세월을 지냈더라도 천판이 만약 낡았거나 썩을 염려가 없다면 관을 고치지 못할 것인데 지금은 20여 년밖에 안 되었으니, 함축(陷縮)[7]을 염려하여 관을 열어본다면 어찌 크게 죄송한 일이 아니겠습니까.

비록 그 관을 상여로 옮길 때 자칫 흔들려 함축될 것을 염려한다면 더욱 죄송할 것입니다. 관 속에 염습한 여러 기구가 20년 오랜 세월이

---

4) **천금**(天衾): 송장을 관에 넣고 덮는 이불.
5) **개관**(改棺): 무덤을 옮길 때 관을 새로 마련함.
6) **천판**(天板): 관의 뚜껑이 되는 널.
7) **함축**(陷縮): 송장의 형체가 흐트러짐.

지났어도 결단코 모두 소진되지는 않았을 것이니, 비록 점점 썩고 사라져가더라도 모두 붙여 떨어지지 않게 하고 편안하게 천천히 봉행을 한다면 흔들릴 근심은 없으리라 생각됩니다. 아우의 뜻은 결단코 열어 볼 수 없다는 것이니 무엇 때문에 이와 같이 지나친 생각과 가볍고 쉬운 행동을 하시겠습니까.

예의 뜻으로 말하더라도 옛날의 개장(改葬)[8]하는 일은 만만 어려운 처지를 당해 나온 것이므로 선현들께서는 세속 사람들이 물과 불의 말에 미혹되어 까닭 없이 이장하는 것은 그 뜻이 잘못된 일이라서 지극하게 말렸습니다. 다만 체백(體魄)[9]을 놀라게 하고 동하게 하는 것이 죄송한 일이거늘 하물며 관을 열고 바꾸는 일을 소홀히 할 수 있겠습니까.

요망한 지사가 관 속에 어려움이 있다고 말하니 한번 열어 보고 싶은 것이 당연한 일이겠으나 열어본들 장차 어찌할 수 있겠습니까. 혹자들은 지사와 같이 어려운 바가 있다고 하나 참으로 흉한 땅을 버리고 좋은 땅으로 옮긴다면 마땅히 옛날을 회복하는 이치가 있을 것입니다. 그러므로 반드시 열어 보지 않음이 옳을 것입니다. 아우는 항상 이 말을 반론이라고 합니다.

지금 이유 없이 천판을 열어 보는 것은 참으로 만만 뜻밖의 일입니다. 요사이 혹 관을 열고 솜을 채운 집이 있다고 하는 데 더욱 죄송한 것은 만약 함축한 곳이 적다면 무방하겠으나 제구(諸具)가 다 사라졌다면 다만 위만 메울 수 있고 아래쪽은 메울 수 없으니 이 어찌 민망하지 않겠습니까. 이뿐만 아니라 갖가지 난처한 일이 한두 가지에 그치지 않으니 엎드려 바라건대 여러 번 헤아리셔서 가벼이 행동하시지 않음

---

8) **개장**(改葬): 다시 장사 지냄.
9) **체백**(體魄): 죽은 지 오래된 송장. 또는 땅 속에 묻은 송장.

이 어떠하겠습니까.

혹시 열어본다고 하면 채울 넓이가 얼마인지 아직 헤아릴 수 없으므로 목화 열 근 남짓을 사 보냅니다. 만약 개관할 일이 있으면 들어가는 관의 재목은 김계양(金啓陽)의 집에 자못 좋은 재목이 있다고 들었으니 그것을 쓰는 게 어떠하겠습니까. 비단이나 다른 여러 가지 물건은 이미 조변을 시켜 마음에 두고 찾아서 기다리라고 했습니다.

3. 이사진(李士珍)10)에게 보내다

■ **병신년**(1716) **이월 이십칠일**

거듭 대간의 탄핵을 받았으니 마음이 크게 동요되지는 않았더라도 조금은 놀랐을 터인데 어떠한가. 오래전부터 나가 만나고자 했으나 이 때는 고헌(高軒)11)께서 반드시 안정되지 않았을 것이네. 그러므로 방문이 어렵지 않을까 생각하여 문득 이처럼 뜻과 다름을 더욱 탄식하는 바이네. 다만 평일에 서로 아끼던 편지 보기를 구름 지나 보내 듯했으

---

10) **사진**(士珍): 조선 문신 이진유(李眞儒, 1669~1730)의 자. 본관은 전주(全州). 호는 북곡(北谷). 검열, 교리, 수찬, 정언, 부제학, 이조 판서, 좌부빈객 등을 지냄. 1722년 사간으로서 세제(世弟: 영조)의 대리청정(代理聽政)을 주장한 노론의 4대신을 탄핵하여 제거했으며, 이어 형조 판서 김일경(金一鏡) 등과 함께 신임사화를 일으켜 노론을 숙청하는 데 앞장섬. 영조 즉위 후 노론이 득세하자 극변(極邊)에 안치(安置)되었다가 압송(押送)되어 문초를 받던 중 옥사함. 글씨에 뛰어났음.

11) **고헌**(高軒): 남을 높여 이르는 말.

니 끝내 이 길에서 선봉(先鋒)이 되었구려. 이 어찌 좋은 일이겠는가.
구구한 말은 다만 스스로 우민할 뿐이니 어찌할까. 다 펴지 못하네.

4. 신명윤(申明允: 申曤)에게 보내다

■ 이월 스무엿새

보내준 예설은 처음에는 다만 고증(考證)하려고 했을 뿐이므로 오늘
아침까지 완전히 보고 돌려주려고 했는데 머리와 끝을 살펴보니 반드
시 모름지기 편지를 두루 다 본 뒤에야 가히 고증을 하는 데 장애가
없을 것 같네. 이래서 부득불 여러 날 머물러두니 용서하고 이해하기
를 바라네.
[예설은 현석(玄石) 선생이 예를 논한 편지로 장령(掌令)12)인 사천(沙川)
에 사는 김간(金幹)13)이 모아 분류한 것이다. 고증은 곧 현석 선생이 지
은 사우(師友) 고증으로 예설(禮說)14)의 사복문(師服門)에 들어 있다.]

---

12) **장령**(掌令): 감찰장령. 조선 시대에 사헌부에 속한 정4품 벼슬.
13) **김간**(金幹): 조선 중기 문신(1646~1732). 자는 직경(直卿). 호는 후재(厚齋).
   시호는 문경(文卿). 본관 청풍. 박세채, 송시열의 문인. 예학에 조예가 깊었으며,
   이에 각 문집에 흩어져 있는 선인들의 예설(禮說)을 뽑아, 12편의 『동유예설(東儒
   禮說)』을 편찬·간행함. 1720년 호조 참의에 올랐다가, 대사헌을 거쳐 우참찬(右
   參贊)에 이르렀음.
14) **예설**(禮說): 예절에 관한 학설.

5. 신명윤에게 보내다

■ 같은 날

겨우 편지를 보내 받지 못했을 텐데 먼저 준 편지를 밤에 받아 살펴보니 한결같이 족히 위로가 되네. 어제 받은 글이 갑작스러우나 글에 보인 뜻은 내용이 모두 갖추어져 있었네. 앞글에서 아직 머무는 이유를 설명했는데 이 또한 전설(傳泄)[15]될까 불안한가.

가져다주길 청한 것은 다만 정론을 받아 보고 미견(迷見)[16]을 넓히고자 할 뿐이네. 어찌 쓸데없이 전파해서 세간에 파랑(波浪)을 더하게 하겠는가. 누열(陋劣)[17]이 고명으로부터 믿음을 얻지 못하고 이처럼 거듭 경계를 받으니 두렵고 부끄러움이 어찌 깊지 않겠는가. 다 펴지 못하네.

6. 신명윤에게 보내다

■ 삼월 초이틀

예설을 고민하느라 병이 나서 여러 날 다른 곳에서 돌아오지 못하였더니 위와 아래에서 부지런히 나를 찾아 자못 더 머물 수 없네. 삼가 이렇게 예설을 돌려보내니 다행히 받아 보면 어떠한가. 어제 학소(學

---

15) **전설**(傳泄): 비밀이 잘못 누설되어 전파됨.
16) **미견**(迷見): 사리에 어두운 생각이나 견해.
17) **누열**(陋劣): 천하고 더러움.

疏)[18])를 보니 이 글을 인용함이 적지 않네. 이는 세도에 다행스러운 일이기는 하나 혹 혜서(惠署)[19])에서 모은 것으로 논변할 때 고친 바가 있네. 시끄러운 단서를 만들 우려가 있으니 도리어 아직은 내놓지 않음이 무사할 것 같지 않겠는가. 그러나 일은 지나갔으니 어찌 모름지기 말할 수 있을까. 뒷일이 매우 염려될 뿐이네. 다 펴지 못하네.

7. 김성득(金聖得)에게 회답하다

해가 지나도록 소식이 서로 끊겨 남쪽을 바라보고 일찍이 슬퍼하지 않음이 없었네. 생각하던 곳에서 편지가 오니 기쁨을 가히 알 수 있네. 또한 글자 획이 옛날보다 나아진 것을 보니 고통이 나았다는 것을 알 수 있어 더욱 기쁘고 기쁘네.

제(弟)는 고해를 벗어나 한가한 경지를 얻었으니 자못 다행스러운 일이기는 하나 겨울부터 봄까지 두세 가지 병이 생겨 근심과 번뇌 때문에 팔자가 편치 못하네. 한가한들 무엇에 쓰겠는가.

수운(水運)[20])에서 이원(梨園)[21])으로 옮긴 것은 본래 부자상(富者相)이 아니기 때문이네. 소를 부리고 말을 부리는 것이 남에게 있으니 나와 무슨 관계가 있겠는가. 한 번 웃을 뿐이네.

---

18) **학소**(學疏): 학문에 관한 상소문.
19) **혜서**(惠署): 혜민서(惠民署). 가난한 백성들을 무료로 치료하는 일을 맡아보던 관아.
20) **수운**(水運): 전감사(典鑑司). 강과 바다의 운항을 담당함.
21) **이원**(梨園): 장악원(掌樂院). 음악에 관한 일을 맡아보던 관아.

상감의 안후는 한결같이 나아가고 물러감에 또한 우민이 가중되어 끝이 없네. 시사는 화색(火色)22)이 날마다 치성하여 장차 어떤 지경에 이를지 알 수 없네. 하직하고 돌아갈 계획이었으나 계획대로 되기는 참으로 어려울 듯하네. 서울에 들어온들 무슨 좋은 일이 있겠는가. 반드시 이 계책을 써야만 하는가. 얼굴을 못 보고 이 지경에 이르니 편지를 쓰느라 도도(忉忉)23)함을 면치 못하네. 다만 어버이 모시고 백성을 다스리는 것을 더욱 아름답게 하기를 바라네. 다 펴지 못하네.

8. 유자공(俞子恭)에게 답하다

작게 나온 영화첩(令華帖)24)을 보내주어 경탄하네. 살피건대 모시고 배우는 몸이 건강하다고 항상 위로함이 어떠하겠는가. 보여준 금공(琴工)25)을 먼저 허락한 곳이 있어 며칠 후에 이첩을 가지고 불러 쓰는 것이 어떠하겠는가.

다만 두려운 것은 거문고를 고침이 먼저 마음을 고치는 것보다 못하고 또한 두려운 것은 거문고 재목을 쉽게 얻지 못함이네. 혹 얻더라도 거문고를 잘 타기 쉽지 않으며 잘 탄다고 하더라도 그 잘 탐을 알아주는 자 또한 적을 것이네. 평생 배우고자 했으나 얻지 못하고 이 말을 해서 한번 웃기를 돕네. 다른 것은 아직 다하지 못하네.

---

22) **화색**(火色): 정치 싸움의 조짐.
23) **도도**(忉忉): 근심하는 모습.
24) **영화첩**(令華帖): 꽃, 식물을 그린 화첩.
25) **금공**(琴工): 거문고 등 악기를 고치는 장인(匠人).

9. 진휼청(賑恤廳)26) 당상(堂上)27)에게 올리는 글

    상감의 체후에 요사이 다시 더해진 증후가 있다고 하니 밖에서 근심스러움을 어찌 말로 표현할 수 있겠습니까. 해가 저물어가는 눈 오는 추위에 어려움을 겪으신 태체후(台體候)28)께서 동지가 만상하신지 구구한 위로와 사모함으로 아랫사람의 정성을 다하지 못합니다.

    시생(侍生)29)은 백성을 살리는 데 계책이 없고 병으로 고통스러워 다만 돌아감을 빨리 판단하지 못함이 한이 될 뿐입니다. 어찌하면 좋겠습니까. 지난날 품계(稟啓)30)한 삼남(三南)31)의 돈과 쌀의 일은 끝에 가서 전부 소실되었으니 비단 앞으로 진휼할 일이 망연할 뿐 아니라 쌀을 거두어 옮겨 들이는 일도 읍민에게 신용을 잃었습니다. 백성이 가끔 쌀을 싣고 서울로 들어가 돈과 바꾸려고 기다릴 즈음에 이러한 낭패를 당해 원망이 군수에게로 돌아왔으니 우습고 민망합니다.

    첫겨울에 저희 읍에서 환상미(還上米)32)를 청하여 얻었는데 곡식의 값은 수결(手決)33)에 의하여 근근이 빌려 준비해서 바칠 계획입니다.

---

26) **진휼청**(賑恤廳): 조선 시대 때 흉년에 백성을 구제하기 위하여 설치한 관아.

27) **당상**(堂上): 조선 시대에 둔 정3품 상(上) 이상의 품계에 해당하는 벼슬을 통틀어 이르는 말.

28) **태체후**(台體候): 정2품 이상 관원의 안부.

29) **시생**(侍生): 어른을 모시는 사람. 문어(文語)에서 자기를 낮추어 이르는 말.

30) **품계**(稟啓): 임금님께 품고(稟告)하기 위하여 올리는 계문(啓文).

31) **삼남**(三南): 충청도, 전라도, 경상도.

32) **환상미**(還上米): 춘궁기와 추궁기에 정부가 곡식을 백성에게 빌려주었다가 가을에 이식을 붙여 거두는 환곡.

33) **수결**(手決): 자기의 성명이나 직함 아래 도장 대신 자필로 글자를 쓰던 일.

이 일은 진실로 심려할 바가 못 되지만 만에 하나라도 어그러진다면 진휼의 시행은 고사하고 장차 백성을 대할 면목조차 없어지니 미리 하념(下念)³⁴)을 더하여 말씀드린 일이 크게 잘못됨이 없도록 해주실 것을 엎드려 바랍니다.

10. 진휼청 당상에게 올리는 글

지난날 찾아뵙고자 했으나 바쁘고 분주하여 조용함을 얻지 못해 지금에 이르렀으니 엎드려 슬퍼합니다. 생각해보니 추위가 극심한데 체후의 동지가 평안하십니까. 아랫사람의 정성으로 구구하게 위로함을 다하지 못합니다. 시생이 지극히 문후하려 하나 병으로 하지 못하거나 항상 합하(閤下)³⁵)께서 바쁘시어 감히 정성과 같이 찾아뵙지 못하니 두려움과 슬픔이 그윽합니다.

나아가서 아뢸 말씀은 곧 보고 드린 글에 회답하신 말씀을 엎드려 뵙고 전날에 하교하신 150이라는 숫자도 또한 허제(許題)³⁶)를 얻지 못했으니, 어찌 감정이 없겠습니까. 대개 준비해온 물건은 백성이 다 아는 바로, 만약에 하나하나 돌려주지 않는다면 결국에는 지극히 불편함이 생길 것입니다.

지금 시장에 가서 사려면 생각의 반절도 못할 것입니다. 또한 얻은

---

34) **하념**(下念): 윗사람이 아랫사람을 염려하여 줌.
35) **합하**(閤下): 정1품 벼슬아치를 높여 이르는 말.
36) **허제**(許題): 해당 관아에서 백성이 제출한 소장(訴狀)이나 원서에 대하여 판결, 명령 따위의 제사(題辭)로써 허가하던 일.

바를 돌려주거나 옮겨주어서 그 물건 값으로 치르는 돈에 보충한다면 나머지는 구휼하는 자료가 될 터이지만 가죽과 잡물이 하나도 없으니 장차 어떤 모양을 이루겠습니까.

우러러 고념(顧念)37)하시는 두터운 은혜를 믿고 이렇게 친히 왔는데 끝내 낭패로 돌아간다면 애쓰심을 엎드려 생각할 때 또한 반드시 민망할 것입니다. 이렇기 때문에 부득불 범함을 무릅쓰고 번거롭고 외람되이 다시 높은 분에게 구하는 바이니 엎드려 바라건대 특별히 공제(共濟)38)하는 뜻을 베푸시어 삼사백으로 허가하여 보내시면 어떠하시겠습니까. 다만 앞의 가르치심을 저버리지 않고 저의 소원도 이루어져 장차 한 고을의 백성이 고루 구제의 큰 은혜를 입도록 하시기 바랍니다.

사세가 촉박해서 중복하여 아룀을 면치 못하니 더욱 황송함을 이기지 못합니다. 다 갖추지 못합니다.

11. 진휼청 당상에게 올리는 글

상감께서 동가(動駕)39)하신 이후로 병증이 줄어들고 수라를 갑자기 잘 드시고 목욕을 하신 뒤로 다리의 아픔이 현저히 차도를 보이신다고 하니, 조정이나 백성의 기쁨을 어찌 말로 형용할 수 있겠습니까. 다만 안환(眼患)40)이 아직 덜하시지 아니하다고 하니 구구하고 비는 마음

---

37) **고념**(顧念): 남의 사정이나 일을 돌보아줌.
38) **공제**(共濟): 힘을 합하여 서로 도움.
39) **동가**(動駕): 임금이 탄 수레가 대궐 밖으로 나감.
40) **안환**(眼患): 남의 눈병을 높여 이르는 말.

더욱 여기 있습니다.

엎드려 생각하건대 늦은 봄에 대감의 기후(氣候)가 좋으십니까. 충분하고 넉넉함을 구구하게 우러러 위로함에 아랫사람의 정성을 다하지 못합니다. 시생은 병세가 자못 괴로우나 곧 사직하지 못함은 주린 백성이 뜰에 가득하여 구제하고 생활하게 할 계책이 없기 때문입니다. 다만 사정이 민망하고 가련할 뿐이니 그 백성의 해가 어떠하겠습니까. 참으로 근심스럽고 부끄러움이 마음에서 교차함을 이기지 못합니다.

별지로 아뢰는 말씀은 진실로 만만 가지에 목마르고 민망한 데서 나온 것이니 굽어 살펴 이 모양을 이해하시고 특별히 아뢰는 바에 부응하심을 엎드려 바랍니다. 일이 절급(切急)한 데 매였고, 의리는 마땅히 공제해야 하므로 부득불 어려움을 무릅쓰고 높은 분에게 아뢰오니 도리어 간절하고 송구스러움이 아울러 죽을 듯합니다.

다만 용서를 특별히 베풀어주십시오. 빨리 성에 들어가 몸으로 사정을 아뢰고자 하나, 여러 날이 지나도록 말을 타고 갈 수 없어 더욱 답답한 탄식을 합니다. 다시 비오니 가깝지 않은 외읍의 예로 대하지 아니하시고 물리치지 않으심을 천만다행으로 생각합니다. 다 갖추지 못합니다.

올해 외읍에서 청한 진곡이 많고 분주하게 일을 보고하는 자들이 줄을 이으니 지루함을 느끼지 못하거늘 하물며 상관이 하는 말에 어찌 날마다 따를 수 있겠습니까. 모(某)는 부지런히 노력함이 매우 많으나 실제 얻는 바는 아주 적으니 어리석고 못남이 심하다고 하겠습니다.

그러나 상사께 유감을 두지 않을 수 없음은 지난가을에 본부에서 청한 삼남의 전대미(錢代米)[41]가 묘당의 분부로 몰수된 것인데 그 끝에는 다 유

---

41) **전대미**(錢代米): 정부에서 백성에게 꿔주는 곡식.

력한 자가 있어 빼앗아갔다는 것입니다. 다만 서울 창고에서 이 마을로 이전된 것은 팔기를 허락했으나 그 값이 다른 곳에 비해 매우 높아 낭패로 돌아감을 면할 수 없었습니다. 그 뒤에 콩 200섬을 청하여 팔라는 승낙을 받았으나 또 어긋나는 저버림을 보았습니다.

이로 인해 점점 이익이 없는 말을 다만 상사(上司)가 듣기 싫어하는 자료로 삼을까. 두려우므로 반드시 다시는 입을 열지 않으려고 했습니다. 과연 시일이 지났습니다. 오늘날 진제(賑濟)[42]하는 수를 보니 모두 심히 줄어서 한 식구가 하루 받는 것이 쌀 세 홉에 불과합니다.

이것으로 연명하는 것은 실제로 바랄 수 없는 일입니다. 하물며 비와 물이 두루 흡족해 곡식을 파종할 때가 눈앞에 왔는데 일할 양식과 종자를 만들어낼 길이 없고, 작년에 콩 수확이 더욱 줄어 밭갈이 소를 키울 힘조차 없습니다. 다만 약간의 짚을 먹여서 몰고 꾸짖으며 밭을 갈아 가끔 제 힘으로 쟁기를 끌지 못하고 진흙에 넘어져 죽는 소가 있음을 보고 받으니, 걱정스럽고 슬픕니다.

앞에 말씀하신 종자 콩에 관한 일에는 어찌 답을 드려야겠습니까. 백성의 일이 마디마디 목마르듯 민망하니, 부득이 글을 갖춰 애걸합니다. 엎드려 바라건대 특별히 민망하고 측은하신 생각을 드려 쌀 200섬과 콩 300섬을 주시어 가벼운 값으로 팔거나 혹은 이전해주실 것을 허락해, 숨이 달린 목마른 소망을 들어주시면 천만다행으로 여기겠습니다.

12. 진휼 당상에게 두 번째 올리는 글

상감의 체후가 요사이 또 별증이 있어서 정반[43]을 다시 설치했다고

---

42) **진제(賑濟)**: 진휼. 흉년을 당하여 가난한 백성을 도와줌.

하니 밖에 있어서 피어나는 근심을 형용하여 말할 수 없습니다. 한 해가 저물어 이미 다하고 눈 오는 추위가 문득 긴박한 이때에 엎드려 생각하건대 태체후(台體候)의 동지가 평안하십니까. 구구한 위로와 사모를 아랫사람의 정성으로 다하지 못합니다.

시생은 겨우 관직의 자리를 보호할 뿐 백성을 살릴 계책이 없고 병세가 또한 심각하니 다만 빨리 해결하고 돌아감을 판단할 수 없음이 한탄스럽습니다. 어찌해야 합니까. 영문(營門)에서 조달해온 어영청(御營廳)44)의 쌀을 얻어서 본 고을에 진휼하는 정사의 자료로 삼기는 하였으나 요사이 대감께서 군포를 빨리 납부하라고 하교를 내리시니 이를 마련하기 매우 어렵습니다.

이 고을에 금위(禁衛)45)에서 보호하는 쌀은 한계가 있는데 너무 자주 가져가서 어영청에 납입하라고 하니, 본영은 어찌해야 할지 알지 못합니다. 비단 사세가 문득 좋아지기는 했으나 지금의 민간의 사정은 상납을 급히 준비하려고 하나 그 형편이 매우 어렵습니다.

만약 어영청으로부터 수납을 허락받으면 이 고을에서 서서히 바치고, 진휼을 돕는 계책으로 쓰겠습니다. 엎드려 바라건대 하교하심이 어떠합니까. 비록 편리에 어려운 점이 있기는 하나 이에 의거하여 궁한 백성이 수납하는 폐단을 제거해주신다면 공과 사가 모두 이로울 것이므로 감히 이처럼 번잡하게 고합니다.

---

43) **정반**(廷班): 조정 관원의 자리.
44) **어영청**(御營廳): 조선 시대에 둔 삼군문 또는 오군영의 하나.
45) **금위**(禁衛): 금군(禁軍). 고려·조선 시대에 궁중을 지키고 임금을 호위, 경비하던 친위병.

13. 수어사(守禦使)[46] 민 판서에게 진곡(賑穀)[47]을 청하는 글

속오(束伍)[48]가 바친 쌀을 더 주는 일은 이미 모두 보고서 가운데 기록했으나 고을 백성의 굶주린 근심이 대부분 한결같아서 가을과 겨울을 나는 것이 바닷가에서만 황급한 일은 아닙니다. 그러나 이전하는 것은 또한 매우 폐단이 될 것이므로 일찍이 주선하지 않을 수 없습니다.

오늘에 이르러 백성이 아침과 저녁 끼니를 보전하기 어려운 형태가 있고 농사일도 거의 그만두었으니 몰골이 매우 처참합니다. 작년에 받아들인 환곡이 3분의 2도 되지 않는데 올해 받은 것이 세 배나 많으니 보리가 나기 전에 구제할 방법이 속수무책이라 백성의 사정이 민망함을 이미 말할 수조차 없습니다. 태수의 정사도 우활(迂闊)하다고 하겠습니다.

들으니 순영에서부터 바야흐로 청해 환곡을 얻어서 남한으로 이전한다고 합니다. 아직 알 수는 없으나 이 고을에 주기로 계획한 것이 얼마나 됩니까. 듣는 바로는 다른 고을에도 주는 곡식이 수백 섬 남짓하다고 하니 그것을 호별로 나누면 겨우 한 말쯤 될 것입니다.

오가며 소비하는 양곡을 제하면 남는 것이 얼마나 되겠습니까. 엎드려 700~800섬을 속오에 의지하여 나눠 지급해주시고, 예에 따라 소모

---

46) **수어사**(守禦使): 조선 시대에 남한산성을 수호하기 위해 둔 수어청(守禦廳)의 으뜸 벼슬.

47) **진곡**(賑穀): 나라에서 저축하여 두고 흉년에 굶주린 백성을 구하는 데 쓰던 곡식.

48) **속오**(束伍): 1592년(선조 25) 임진왜란이 일어날 무렵 편성한 군대. 역이나 벼슬이 없는 양인과 천민으로 편성해 평상시에는 군포를 내게 하고 일이 있을 때나 훈련 시 소집함.

된 부분을 제함이 어떠하십니까. 남한에서 이전된 것은 본래 받기를 바라지 않으나, 지금은 비록 폐가 이보다 심하니 오히려 받지 않는다면 민가의 절박함을 알 수 있을 것입니다.

관청에서 묵은 것을 고치고 새로운 바를 택함은 방해될 바가 없고 속오가 받아올 때 백성들이 함께 받는다면 참으로 고르게 지급하는 바른 선정이 될 것입니다. 다시 엎드려 밟을 범연(泛然)하게 보지 마시고 구조(求糶)49)를 곡진(曲軫)50)히 여기시어 백성의 정에 특별히 부응해주실 것을 청하는 바이며, 들어주신다면 매우 다행으로 여기겠습니다.

14. 수촌(睡村)51) 이상국(李相國)께 올리는 글

봄에 만나뵙고 나서 반년이나 지났는데 바빠서 아직까지 나아가 문후를 드리지 못했으니 다만 간절히 사모하는 정성을 보냅니다. 뜻하지 않게 보내주신 글을 받으니 놀랍고 감동함을 그칠 수 없습니다.

엎드려 살피건대 몸속에 허물이 있다고 하시니 구구하게 생각이 달려가서 그치지 않습니다. 상감의 옥체에 여러 증세가 요사이는 자못 줄었다고 말하니 조금은 다행스러운 일이기는 하나 온천으로 행차하

---

49) **구조**(求糶): 환곡을 구함.

50) **곡진**(曲軫): 아주 정성스러움.

51) **수촌**(睡村): 조선 중기 문신 이여(李畬, 1645~1718)의 호. 본관은 덕수. 이식(李植)의 손자로 청요직(淸要職)을 두루 역임함. 송시열(宋時烈)의 문하생으로 노론의 학통을 이음. 1694년 인현왕후(仁顯王后, 1667~1701)가 복위할 때 형조 참판으로 발탁되었고 대사성, 대제학, 이조 판서 등을 역임함. 1703년 좌의정, 1710년 영의정에 올랐음. 시호는 문경(文敬).

심을 끝내 멈추지 못하셨으니, 중간과 밖의 근심과 염려가 마땅히 어떠하십니까.

경보(京報)52)에서 때로 듣기는 하지만 원로대신들의 우려하는 말이 아직도 상감의 뜻을 돌리지 못하였으니 무엇을 신뢰할 수 있겠습니까. 엎드려 탄식하는 바입니다. 문후를 어긴 일이 가볍지 않은 죄인데 남기(南畿)53)에 나가 있느라 겨를이 없어 마음만 상하였습니다.

궐례(闕禮)54)가 미안하니 다른 고을로 옮겨줄 것을 행재소(行在所)55)에 상소를 올려 허락을 받으셨습니까. 이미 하문(下問)을 받았으므로 감히 이같이 어리석은 생각을 드리니 엎드려 숨조차 쉬기 두렵습니다.

소인은 서울에 왕래하느라 바람과 추위에 거듭 감기가 들어 신음이 깊어지던 중에 상감의 행차를 만나니, 여러 가지 일을 감히 논하지 못하여 차질을 빚었습니다.

사람을 차출하는 책임을 다하기 위하여 며칠 안에 마땅히 사천에 있는 병참 기지로 나가야 하는데 병세가 이와 같으니 일이 어긋날 듯합니다. 공사가 모두 어긋나서 민망하니 어찌하면 좋겠습니까. 작은 종이[小紙]로 하교하신 대로 저의 형님께서 어가를 따라가서 반드시 처리를 할 것이며 마땅히 가르치는 뜻에 따라 전포(傳布)56)할 것입니다. 예를 다 갖추지 못하고 이만 줄입니다.

---

52) **경보**(京報): 조정에서 발행하는 관보(官報).
53) **남기**(南畿): 서울의 남쪽 지방.
54) **궐례**(闕禮): 결례(缺禮). 예의를 갖추지 못함.
55) **행재소**(行在所): 임금이 멀리 거둥할 때 임시로 머무는 곳.
56) **전포**(傳布): 전파(傳播). 전하여 널리 퍼짐.

15. 수촌 이상국께 올리는 글

엎드려 대감께서 내려주신 답서를 받으니 위로가 됩니다. 요사이 엎드려 살피건대 절선(節宣)[57]이 평안하지 못하시다고 하니 놀람이 또한 깊습니다. 어느덧 해가 갑니다. 엎드려 생각하건대 신정을 맞아 편안하고 복되셨다고 하니 구구하게 축하를 달려 아랫사람의 정성을 다하지 못합니다.

소인은 여러 형을 보니 송추로부터 서울에 들어온 지 여러 날이 되었으나 추위에 감기가 들어 신음하느라 곧 관청으로 들어가지 못하여 공사 간 모두 민망합니다. 근래에 상감의 여러 증세가 더하신 듯하고 눈병이 또한 도져 고통이 되풀이된다 하시니 깊은 근심이 배나 더하여 끝이 없습니다.

영택상(令宅相)[58]의 자(字)를 지어달라는 말씀은 어찌 이 누열(陋劣)한 사람이 감당할 수 있겠습니까. 부끄럽고 두려움을 이기지 못합니다. 만약 까닭 없이 다만 달려가서 감히 명을 받들지 못한 죄와 겸하여 더불어 성한 예절을 보지 못한 죄를 사과드려야 함이 마땅하나, 마침 죽은 형의 기일과 상치(相值)[59]되어 또한 뜻과 같지 못하니 엎드려 한탄할 뿐입니다. 나머지는 관아로 돌아간 뒤 즉시 나아가 뵙겠습니다. 다 갖추지 못합니다.

---

57) **절선**(節宣): 철 따라 몸을 조섭함.
58) **영택상**(令宅相): 남의 외손자.
59) **상치**(相值): 두 가지 일이 공교롭게 마주침.

16. 이생(李生) 문백(文伯)에게 보내는 글

향시(鄕試)[60]에서 높은 점수로 합격함을 어찌 말로 다 하겠는가. 재현의 재주로 10년 동안 공부하여 처음으로 이 방(榜)을 얻고 바로 그 자리에 앉아 노력하지 않는다면 족히 축하할 바는 못 되네. 그러나 춘당(春堂)[61]과 자당 두 분에게 효도함을 축하하네. 곧 생각하건대 돌아가서 부모님을 모시며 건강히 지내는지 생각을 달리고 생각을 달리네.

나는 겨우 관수(官守)[62]를 보전하니 다른 것은 무엇을 말하겠는가. 집의 아이가 떨어진 것을 보니 탄식이 되나 두 조카가 크게 울려주어서 족히 그 탄식을 막아주었네. 또한 무엇을 탄식하겠는가. 다만 빨리 남이 한 시간 공부하면 나는 백 시간 공부하는 공을 더하여 기필코 회위(會圍)[63]에 합격하여 두 분이 밤낮으로 바라는 것에 부응하기를 바라네. 다 펴지 못하네.

17. 수촌 이상국께 올리는 글

관아에 이르러 엎드려 보내주신 글을 받아 책상 위에 놓으니 황송하고 감사함을 어찌 말씀드리겠습니까. 곧 마땅히 답장을 올려서 체후의 기거(起居)를 여쭤야 할 것이나 중간에서 더위와 부딪혀 병세가 중해지

---

60) **향시(鄕試)**: 각 도급 관아에서 그 도 안의 응시자에게 보이는 초시(初試).
61) **춘당(春堂)**: 남의 아버지를 높여 부르는 말.
62) **관수(官守)**: 관리로서의 직책.
63) **회위(會圍)**: 전국의 과거 응시자들이 모여 한꺼번에 치르는 과거.

는 바람에 정성과 같지 못하였습니다. 그러던 차에 아전이 와서 하문하시는 글을 전하니 더욱 송구하고 지극한 죄스러움을 이길 수 없습니다. 엎드려 살피지 못한 며칠 동안 조양(調養)[64]하시는 기체가 어떠하십니까. 엎드려 사모함을 달릴 뿐입니다.

소인은 서울 집에 체류한 지 한 달여 만에 비로소 직장으로 돌아왔습니다. 그러나 숙환인 어지럼증과 팔 아픈 증세가 장마와 습기에 적상(積傷)[65]이 되어 예니레 전부터 고통이 갑절이나 중합니다. 아침부터 오후까지 술 취한 듯 바보 같아서 정신을 잃고 쓰러진 채 보내니 공사(公私)에 민망하고 촉박함이 어떠하겠습니까.

얼마 전 성상께서 내리신 처분은 아주 작은 일을 살핀 데서 나온 것으로 편리에 따라 포섭하려는 뜻입니다. 을유년[66]에 상감께서 선위(禪位)[67]를 준비하라는 하교 때문에 여러 신하들이 올린 상소가 답지하였고 낭묘(廊廟)[68]가 공허하게 되었으니, 참으로 그 까닭을 알 수 없습니다. 칠실(漆室)[69]의 근심 또한 감당할 수 없습니다. 며칠 전부터 머리와 눈이 조금 맑아짐을 깨달아 처음으로 자리에서 일어났는데 헤아리건대 마땅히 나아가서 늦게 찾아뵌 죄를 사과드려야 될 것이나 아직은 먼저 안후를 여쭙니다.

---

64) **조양**(調養): 음식, 동작, 거처 등을 몸에 맞게 하여 쇠약해진 몸을 회복되게 함.
65) **적상**(積傷): 오랜 근심으로 마음이 몹시 아픔.
66) **을유년**(乙酉年): 1705년 10월 숙종이 하교를 내려 선위를 명하였다가 11월에 번복한 사건.
67) **선위**(禪位): 양위(讓位). 임금의 자리를 물려줌.
68) **낭묘**(廊廟): 나라의 정치를 하는 궁전. 묘당.
69) **칠실**(漆室): 중국 노나라 때 칠실에 사는 여자가 나라를 근심하고 삶을 비관하여 목을 매어 자살한 데서 전하여 우국충정을 뜻함.

18. 이치화(李稚和)에게 보내는 글

생각하니 이미 안가(安嘉)[70]의 경계를 지났을 것 같네. 이별할 때의 생각이 종이를 임해 더욱 암연함을 느끼네. 돌아올 때 이별할 때의 말을 읊으면서 소식을 전할 인편을 쉽게 얻을 수 없었는데 이석보(李碩甫)가 간다고 하니 옥하관(玉河館)에서 열어 보게. 다만 힘써 밥을 잘 먹고 버드나무가 필 때 만나기를 바라네. 다하지 못하네.

19. 이석보(李碩甫)에게 보내는 글

지난날 다른 자리에서 만났을 때 자못 의의(依依)[71]했었는데 다른 곳으로 떠날 날이 점점 가까워오니 이별할 정을 미리 느끼겠네. 그리하여 허전하네. 제(弟)는 병이 조금은 나아 바야흐로 남한을 향해 가서 봉납하고자 하니 행색이 매우 바쁘네. 멀리 나가 이별 인사를 못하니 더욱 한탄스럽네.

앞서 말한 들기름은 겨우 서 되를 구해 보내니 부끄럽고 한스럽네. 칠언 절구 한 수와 소춘(燒春)[72] 세 선(鐥)[73]과 대수(大脩)[74] 스무 마리를 첨가하여 보내네. 혹 기름을 보상하는 데 적지 않은가 하하 웃네. 떠나기

---

70) **안가(安嘉)**: 평안북도 안주(安州)와 가산(嘉山).

71) **의의(依依)**: 헤어지기가 서운함.

72) **소춘(燒春)**: 명주(名酒)의 이름.

73) **선(鐥)**: 술, 기름 따위를 담는 작은 접시 모양의 쇠그릇.

74) **대수(大脩)**: 대구. 물고기의 한 종류.

에 임해서 바쁘게 쓰네. 다만 나라를 위하고 몸을 위해 천만 번 행동을 삼가고 이 글을 한번 본 뒤에 치화(稚和)에게 전해주기를 바라네.

20. 이대래(李大來)를 위로하는 글

형식을 없애고 말하네. 화국(華國) 형의 죽음을 통곡하고 통곡하는데 다시 어떤 말을 하겠는가. 평일의 병세가 비록 심하기는 했네. 그러나 정신이 연화(煙火)[75]에 물들지 않고 벼슬할 마음이 비록 박하기는 했으나 인망이 스스로 준수하다고 했는데, 어찌 화국이 갑자기 이같이 쉽게 갔는가. 거듭 위하여 기운이 줄고 목이 막힐 뿐이네.

그러나 구구한 친지 사이로 슬퍼하고 애석해함은 진실로 상정일 뿐이네. 화국은 바야흐로 시끄러운 홍진을 벗어나 거만하게 백운(白雲)의 마을에 누워 우리를 혜계(醯鷄)[76]와 같이 굽어볼 뿐이네. 그러면 족히 산 사람에게 위로가 되겠는가. 나는 곧 부음을 받지 못하여 한마디 말도 보내지 못했네. 그가 돌아갈 때 성안에 들어가 자못 바빠서 영궤(靈几)에 일곡(一哭)도 못해 옛날을 돌이키니 슬픔이 더욱 깊이 맺히네.

엎드려 생각해보니 눈이 오는 추위에 형의 건강은 좋아졌는지 궁금하네. 형제간의 정을 생각해서 오래도록 더욱 감당하기가 어렵고 슬픔을 감당하지 못할 것이네. 제(弟)는 병상이 가볍지 않아 체직(遞職)[77]을

---

75) **연화**(煙火): 인가에서 불을 때어 나는 연기. 사람이 사는 기척 또는 인가. 속세를 말함.
76) **해계**(醯鷄): 초간장, 된장, 술 따위에 잘 덤벼드는 벌레.
77) **체직**(遞職): 체임(遞任). 직책을 바꾸는 일.

하고자 하나 얻지 못하였으니 다만 스스로 연민할 뿐이네. 나머지는 성에 들어갈 때를 기다려 나아가서 펴고자 하네.

21. 판서 정호(鄭澔)[78]에게 답하는 글

한결같이 바빠서 오래도록 동정(動靜)의 문후를 드리지 못하여 죄스럽고 슬픕니다. 지난날 보내주신 편지를 엎드려 받고는 구구한 위로가 되어 기쁩니다. 거의 말로는 할 수 없는 처지입니다. 제가 집에서 체직을 원했으나 이미 늦어진 일로 근심이 되어 서로 독촉하게 되었습니다. 그러나 아직도 위에서 답장이 없어 엎드려 생각해보니 아량을 내리셔서 죄가 되지 않도록 용서하신 듯하여 스스로 책망함이 깊습니다.

중동(仲冬)[79]이 시작되어 눈이 내리고 추위가 갑자기 몰아치는데, 엎드려 생각하니 대감께서는 고요한 속에 기후가 신상(神相)하시며 만복하십니까.

다만 관직이 바뀌지 않으리라 생각하고 조정의 명령에 따라 부지런히 일합니다. 갈수록 거취를 정하기가 더욱 두렵고 자못 생각을 지나치게 쓰는 데 이릅니다. 하교하신 송강(松江)[80] 선생 신도비의 시작을 도

---

78) **정호(鄭澔)**: 조선 문신(1648~1736). 본관 연일(延日). 자 중순(仲淳). 호 장암(丈巖). 시호 문경(文敬). 1702년 동부승지, 대사성을 거쳐 1704년 함경도 관찰사를 지냄. 도승지 부제학을 거쳐 1718년 이조 판서가 됨. 1721년(경종 1) 신임사화(辛壬士禍)로 강진(康津)에 유배되었다가 1725년(영조 1) 풀려나와 우의정이 되고, 사화로 사사된 노론 4대신의 신원을 상소했으며, 좌의정을 거쳐 영의정이 됨. 일생을 노론의 선봉으로 활약했고, 글씨와 시문(詩文)에 뛰어났음.
79) **중동(仲冬)**: 한겨울. 음력 11월을 이르는 말.

모하고 돌을 갈아 새기는 일은 참으로 사림의 행운입니다. 하물며 통가
(通家)81)의 후생(後生)으로 기쁨이 더욱 마땅히 어떠하다 하겠습니까.

  역사를 돕는 자금은 힘을 다해 대감의 뜻에 부응하고자 하나 굶주린
백성을 먹인 나머지 새 봉급이 오지 않아 비로소 소박하고 요약된 단
자의 목록을 닦아서 보냅니다. 실로 구조하라는 부지런한 뜻을 저버리
게 되어 정성이 매우 부끄럽습니다. 엎드려 탄식하고 또 탄식합니다.
비문은 과연 우암(尤庵)82) 노선생의 글입니까. 다 새긴 뒤에 인쇄한 책

---

80) **송강**(松江): 조선 중기 문신이며 시인인 정철(鄭澈, 1536~1593)의 호. 자는
     계함(季涵). 가사 문학의 대가로 「관동별곡」, 「사미인곡」 등의 가사와 시조를
     남겼음.
81) **통가**(通家): 대대로 사귀어온 집안.
82) **우암**(尤庵): 조선 문신 겸 학자, 노론의 영수 송시열(宋時烈, 1607~1689)의
     호. 본관 은진(恩津). 자 영보(英甫). 시호 문정(文正). 1658년(효종 9) 이조 판서로
     효종과 함께 북벌 계획을 추진하였으나 이듬해 효종이 죽자 그 계획은 중지됨.
     1671년 우의정이 되고 이듬해 좌의정이 됨. 1680년 경신대출척(庚申大黜陟)으로
     남인이 실각하게 되자 중추부(中樞府) 영사(領事)로 기용되었다가 1683년 벼슬
     에서 물러나 봉조하가 됨. 정계에서 은퇴하고 청주 화양동에서 은거 생활을
     하던 중 1689년 왕세자가 책봉되자 이를 시기상조라 하여 반대하는 상소를
     했다가 제주에 안치되고 이어 국문(鞫問)을 받기 위해 서울로 오는 도중 정읍(井
     邑)에서 사사(賜死)됨. 1694년 갑술옥사(甲戌獄事) 뒤에 신원됨. 주자학(朱子學)
     의 대가로서 이이(李珥)의 학통을 계승하여 기호학파(畿湖學派)의 주류를 이루
     었으며 예론(禮論)에도 밝았음. 성격이 과격하여 정적(政敵)이 많았으나 그의
     문하에서 많은 인재가 배출되었으며 글씨에도 일가를 이룸.
     갑술옥사(甲戌獄事): 1694년(숙종 20) 폐비(廢妃) 민씨(閔氏) 복위운동을 반대하
     던 남인이 화를 입어 실권(失權)하고 소론과 노론이 재집권하게 된 사건. 처음에
     숙종은 장 씨를 총애하여 희빈(禧嬪)을 삼았으며 나중에는 왕비로까지 책봉했으
     나, 장 씨가 차차 방자한 행동을 취하자 그를 싫어하고 민씨를 폐한 일을 뉘우치

한 권을 혹 나눠주시면 집안의 보배가 될 것이며, 깊이 우러르는 바가 될 것입니다.

시생은 궤궤녹록(憒憒碌碌)[83]하고 병이 괴로워 부앙(俯仰)[84]조차 어려우니 듣는 사람에게 근심되고 부끄럽습니다. 어찌합니까. 저의 둘째 형님은 뜻밖에 은혜로운 발탁을 입었으니 황공하고 감사함이 이미 지극하고 벼슬이 높고 책임이 중하니 근심과 두려움이 또한 깊습니다.

힘쓰고 잘하라는 가르침을 삼가 즉시 전하였으니 그것으로 은혜로울 뿐입니다. 나머지는 양복(陽復)[85]이 멀지 않으니 간절히 바라건대 더욱 정양을 더하셔서 공사의 바람에 부응하시기를 바랍니다. 아직은 다 갖추지 못합니다.

22. 유척기(俞拓基)[86]를 위로하는 글

두 번 절하고 말씀드립니다. 선존장께서 돌아가신 것은 천만 꿈 밖

게 됨. 그리하여 숙종은 송시열을 사사하는 데 앞장섰던 민암(閔黯)을 사사하고, 일당인 권대운(權大運), 목내선(睦來善), 김덕원(金德遠)을 유배했으며, 동시에 폐비 민씨를 지지했던 소론의 남구만(南九萬), 박세채 등을 조정의 요직에 등용함. 한편 왕비가 된 장 씨를 희빈으로 강등시켰고, 민 씨를 지지하는 상소를 2번이나 올렸다가 사사된 송시열을 비롯하여 김수항(金壽恒) 등에게는 작위를 내림.

83) **궤궤녹록**(憒憒碌碌): 일처리가 분명하지 못하고 평범함.
84) **부앙**(俯仰): 아래를 굽어보고 위를 우러러봄.
85) **양복**(陽復): 동지(冬至).
86) **유척기**(俞拓基): 조선 문신(1691~1767). 본관 기계(杞溪). 자 전보(展甫). 호

에서나 나올 일이었기에 통곡하고 통곡할 뿐 다시 무슨 말을 하겠습니까. 오래 살고 일찍 죽는 이치는 무너진 지 이미 오래되었는데 어찌 오늘에 와서 선존장께서 갑자기 영화로운 보양을 버리시니 망망한 하늘의 뜻을 참으로 헤아리기 어렵습니다.

여러 해 동안 멀리 이별한 끝에 가까운 고을에 와서 비록 나아가 절하며 받들지는 못하였으나 구구한 기쁨이 스스로 그치지 않았습니다. 그런데 얼마 되지 않아 갑자기 부음을 받으니 사람의 일에 기약의 어려움이 또한 이와 같습니까. 거듭 위하여 슬피 우느라 가슴이 막힙니다.

엎드려 생각하건대 순수하고 지극한 효심으로 사모하여 부르짖다가 목숨이 끊어질듯 함을 어찌 감당하여 지낼 수 있겠습니까. 별을 이고 분곡(奔哭)[87]하였으나 끝내 얼굴 뵐 기회를 잃었으니 정리(情理)[88]로 더욱 가슴이 찢어질 것입니다. 세월이 흘러 어느덧 장사 기한이 임박하니 슬픔을 어찌하며 망극함을 어찌합니까. 살피지 못한 때 다독에 걸리신 기력이 어떠합니까. 엎드려 바라기는 억지로라도 죽을 더 드시고 굽어 예제를 따르십시오.

모(某)는 봄부터 갑자기 소갈증을 얻어 증세가 십분 위독하니 여러 달 동안 인귀(人鬼) 관두(關頭)[89]에 있었습니다. 그러나 지난달에 조금 차도가 있어 의약을 구하기 위해 성안으로 들어왔는데 영궤를 이미 남

지수재(知守齋). 시호 문익(文翼). 경종 때 왕세제(王世弟) 책봉 주청사의 서장관으로 청나라에 다녀왔음. 이때 신임사화를 일으켜 집권한 소론들로부터 탄핵을 받고 홍원현(洪原縣)에 유배되었음. 1725년(영조 1) 노론의 집권으로 대사간으로 등용되어 호조 판서, 우의정을 역임하고, 영의정에 올랐음.

87) **분곡**(奔哭): 밖에 나가 있던 자식들이 달려가서 상(喪)에 참여함.
88) **정리**(情理): 인정과 도리.
89) **관두**(關頭): 가장 중요한 지경.

문 밖으로 모셨다고 합니다. 어찌 한번 나아가 슬픔을 씻을 마음이 없겠습니까. 부르짖음에 상한 마음으로 장차 나아가고자 하나 끝내 실행하지 못하였으니, 다만 대원에 나아가 서로 통곡하며 빈소가 있는 곳을 바라볼 뿐이었습니다.

돌아와서 본래 있던 병이 배나 도지고 겸하여 치질까지 크게 생기니 고통이 스무날 동안 있어 위로의 편지 한 장 드리고자 했으나 점점 날이 멀어졌습니다. 돌이켜 지난날을 생각해보니 부끄럽고 한스러움을 어찌 다하며 어찌 이 한 장의 편지로 슬픔을 다 표하지 못함을 알릴 수 있겠습니까.

저는 선존장의 상에서부터 장사까지 아직 한 번의 곡과 한 번의 물음도 없었으니 이 또한 인사의 변고입니다. 이렇게 글을 지어 대신 보내나 전물(奠物)을 갖추어 바치려는 뜻이 간절합니다. 그러나 끝내 자력으로 보내드리지 못하고 만사(輓詞)의 폭에 삼가 이를 써서 바치며 중병의 끝이라 또한 정을 다하지 못함이 더욱 한으로 남습니다. 삼가 글을 바치고 아직 다 갖추지 못합니다.

23. 교하(交河) 현감 황서하(黃瑞河)를 위로하는 글

형식을 제하고 말하네. 여문(汝文)의 죽음을 통곡하고 통곡할 뿐 무슨 말을 하겠는가. 병증의 뿌리가 이미 고질이 되었는데 벗들은 근심을 숨기고 있었네. 그러면서 늘 말하기를 하늘의 도란 반드시 여문이 성운(聖運)[90]에 이어 죽어서 덕문(德門)[91]에 참화를 더하지 않으리라 했네.

하물며 여문의 재주와 바탕과 정신을 볼 때 병 하나로 말미가 되어 쉽게 요절하지 않으리라 했네. 어찌 우제(憂制)[92]를 맞추지 못하고 끝내 이기지 못하는 계율을 범하리라고 생각했겠는가. 하늘과 사람이 모두 믿을 수 없음은 이와 같은 것이니 통곡하고 통곡할 뿐 또 무슨 말을 하겠는가.

엎드려 생각하니 형제 잃은 슬픔을 어찌 감당하고 이겨내겠는가. 장차 무슨 말을 가지고 우러러 정위(庭闈)93)를 위로하겠는가. 생각해보니 슬픔으로 가슴이 찢어질 것 같네. 무더위가 심한데 엎드려 살피지 못했네. 대감의 기체는 어떠하시며 그대의 건강은 어떠한가. 갖가지 생각이 그치지 않네.

해와 달이 쉽게 가서 어느덧 두 번이나 달이 바뀌었는데 장사는 이미 지나갔는가. 나는 이상한 병이 몸에 생겨 반년 동안 몹시 괴롭던 끝에 갑자기 심해져 사람과 귀신의 마을을 출입한 지 사십여 일이나 되었네. 오늘에 와서 처음 머리를 들기는 했으나 진원(眞元)이 크게 빠져 완전한 회복이 쉽지 않네. 여문과 같이 가지 않음이 다행이라고 할 수 있네. 병증이 이와 같아 여문이 땅에 들어가기 전에 끝내 한번 곡하지 못하고 보냈네. 첫봄에 잠시 만난 것이 문득 영원한 이별이 되었다니. 부앙(俯仰)94) 간이 저승이라 눈물을 어찌 그치겠는가. 편지로 그대를 위로함도 또한 이와 같이 더디었으니 슬픔이 점점 깊어지네.

나머지는 다만 깊이 스스로 너그럽게 눌러서 어머니를 위로해드리게. 삼가 글을 올리네.

---

90) **성운**(聖運): 황서하의 형.
91) **덕문**(德門): 덕망이 높은 집안.
92) **우제**(憂制): 친상(親喪)이 났을 때 치러야 하는 예절의 제도.
93) **정위**(庭闈): 남의 어머니를 높여 이르는 말.
94) **부앙**(俯仰): 아래를 굽어보고 위를 우러러봄.

24. 참판 이희조에게 보내는 글

　늦더위가 더욱 심한데 엎드려 생각해보니 고요히 안양(安養)[95]하시는 기리(氣履)[96]의 동지(動止)는 어떠하십니까? 우러러 위로하며 또한 생각함이 끝이 없습니다. 저는 수년 동안 몸이 항상 밖에 있어서 공사에 바쁘고 사사로운 근심과 일에 바빠서 찾아뵙고 절을 올리는 일이 막혔습니다. 또한 문후를 여쭙고자 글 올리는 일을 빠뜨렸습니다. 그러므로 항상 스스로 인사의 처리를 잘하지 못함을 부끄러워합니다.

　엎드려 생각해보니 지난날 사람의 말로 오욕됨이 망극하여 원통한 마음이 오래도록 풀리지 않습니다. 그러나 일에 어찌 유무를 따지겠습니까. 요사이 조정의 명령이 날로 높아지니 거취를 예측하기 어려우나 구구하여 능히 생각하지 않을 수 없습니다. 다만 특별한 은혜를 입어 끝내 저버리지 못하며 사사로운 의리도 또한 굳게 지킬 수 없습니다.

　하물며 여러 선비가 소환을 청했다는 말을 들으니 바야흐로 매우 두렵습니다. 본래 행동이란 자유를 얻지 못하므로 옛 성인의 포과(匏瓜)[97]의 계율을 생각하지 않을 수 없습니다. 어찌해야 합니까. 행장의 큰 절차는 지식이 적고 앎이 천루한 사람으로서는 감히 알 수 없는 것이지만 지내는 동안 망론이 있기 때문에 도리어 숨쉬기조차 두렵습니다.

　저는 갑자기 이상한 병을 얻어 반년이나 병에 잠겨 있어 원기가 날이 갈수록 사그라져 마른 뼈만 남았습니다. 그래서 다시 일어나 완전한 사람이 될 기약을 쉽게 할 수 없습니다. 병증이 이와 같으나 백성들

---

95) **안양**(安養): 마음을 편안히 하고 몸을 쉬게 함.

96) **기리**(氣履): 원기와 건강.

97) **포과**(匏瓜): 박. 박 덩굴처럼 얽매여 이러지도 저러지도 못하는 것을 비유함.

의 근심이 눈에 가득하여 직무를 버리지 못하니 다만 스스로 연민할 따름입니다. 어찌해야 합니까.

지난날 바친 책자는 이미 정원(政院)[98]에 내렸으므로 서울 밖에서 구하나 등사된 책이 드물어 답답함이 매우 심합니다. 평소에 매우 소우하여 이런 일을 표략(剽掠)[99]하였고 보고 들어도 처음과 끝이 자세하지 못했으므로, 보고 싶은 마음이 다른 사람의 배가 되니 다행스럽게 원본을 잠시 하사하여 보이심이 어떠합니까. 받들어 본 뒤에 마땅히 바로 완전하게 돌려드릴 것입니다. 나머지는 베개에 엎드려 신음하느라 하나하나 아뢰지 못합니다. 다만 엎드려 다시 만나뵐 때까지 자중하시기를 빕니다.

25. 수찬(修撰)[100] 김동필(金東弼)[101]을 위로하는 글

아뢰네. 곧 그쪽 인편을 통해 갑자기 자명(子明) 형의 부고를 받으니 이것이 과연 참말인가 거짓인가. 지난날 보내준 글 가운데 병들었다고

---

98) **정원**(政院): 행정부.
99) **표략**(剽掠): 남을 협박하여 빼앗음.
100) **수찬**(修撰): 조선 시대에 홍문관에 둔 정6품 벼슬.
101) **김동필**(金東弼): 조선 문신(1678~1737). 본관은 상산(商山). 자는 자직(子直), 호는 낙건정(樂健亭). 시호는 충혜(忠惠). 1704년(숙종 30) 춘당대문과에 을과로 급제, 시강원보덕(侍講院輔德)을 지냄. 그 후 대사간 우승지가 되고, 한성부 판윤에 올라 영조의 탕평책에 협조했음. 1728년 이인좌(李麟佐)의 난 때 남한순무겸동로경략사(南漢巡撫兼東路經略使)로 출전하여 공을 세우고, 이조·병조·호조 판서, 좌참찬 등의 요직을 지냈음.

는 하였지만 우연히 감기가 들었다고 하여 깊이 생각하지 않았네. 어찌 자명 형의 어질고 효성스럽고 사랑스럽고 좋은 성품과 밝고 투철하며 넉넉하고 민첩한 재주를 가지고 이루지 못한 채 장수하지 못할 줄 알았을까.

갑자기 이처럼 영영 가버린다는 말인가. 목숨의 길고 짧은 이치가 무너지고 죽음과 삶이 꿈 같으니, 한 소리 길게 통곡하면서 마음과 기운이 끊어지고자 하네. 연초에 한 번 다녀가신 뒤로 문득 영원한 이별이 되었으니, 돌아보건대 지난날 따라다니며 지나치게 즐겼기 때문인가. 거듭 눈물이 흐르고 가슴이 막히네.

엎드려 생각하니 우애가 깊은 탓으로 애통과 침통을 어찌 감당하여 이길 수 있겠는가. 봄날에 바람이 많은데 살피지 못하였으나 상중에 몸은 건강한가. 엎드려 깊이 스스로 관억(寬抑)[102]하여 위로가 되길 구구히 비네. 나는 병으로 관사에 머물고 바로 나가서 곡을 하지 못하니 슬픔에 더욱 깊게 얽매이네. 삼가 글을 바치네.

26. 남계재(南溪齋)[103] 사람들의 편지에 답하다

엎드려 모든 존시(尊侍)[104]들의 은혜롭고 고마운 편지를 받았습니다. 살피건대 봄날의 화창함에 여러분의 기거가 맑고 왕성하십니까. 우러러 위로합니다. 남계 노선생의 영당에 지난겨울 지알(祗謁)[105]하니 옛

---

102) **관억(寬抑)**: 격한 감정이나 분노를 너그럽게 억제함.
103) **남계재(南溪齋)**: 박세채 영당을 모신 사당.
104) **존시(尊侍)**: 나이가 많은 어른이나 나이가 적은 아랫사람.

날 당우(堂宇)106)는 이미 터조차 없어 스스로 머뭇거려지고 슬퍼짐을 감당하지 못하였습니다.

꿇어앉아 영당의 족자를 펴보니 먼지가 쌓이고 더럽혀져 마음이 몹시 어둡고 슬펐습니다. 불가불 고쳐야 할 뜻이 있어 서울의 한두 사우들에게 말을 해보았습니다. 이제 독(櫝)107)을 만든다는 가르침을 받으니 참으로 다행스럽고 다행스럽습니다. 다만 그 당의 제도가 매우 낮아 영각을 배치하는 데 끝내 간략할 수밖에 없으니 뜻을 말한다면 당의 기둥부터 고쳐 조금 높이 한 뒤에 독(櫝)을 만들어 예의 모양을 갖춤과 같지 못합니다.

만약 이로 인해 재물과 힘을 더 모은다고 해도 많이 들지 않고 당을 이룰 것입니다. 여러분의 뜻은 어떠하신지 알지 못합니다. 어찌 이 물건에 정성을 다하지 않을 수 있겠습니까. 참으로 넉넉히 보내드리고자 하나 본래 길가의 작은 고을이라 도적(盜賊)의 폭행을 두 번 당했습니다. 또한 빈궁도감(嬪宮都監)108)의 책임을 감당해야 하며 대신들의 예장(禮獎)에 응해야 합니다. 모든 물건이 가난하여 보내드린 물건이 조금밖에 되지 않아 매우 부끄럽고 한스러움을 이기지 못합니다. 관서의 방백(方伯)109)들이 만약 이 보고를 듣는다면 반드시 넉넉히 도울 것입니다. 아무쪼록 아울러 당의 기둥을 고칠 것을 거듭 바라오며 나머지는 갖추지 못합니다.

---

105) **지알**(祇謁): 공경하여 배알함.
106) **당우**(堂宇): 정당(正堂)과 옥우(屋宇). 큰 집과 작은 집을 아울러 이르는 말.
107) **독**(櫝): 신주를 모셔놓는 궤.
108) **빈궁도감**(嬪宮都監): 세자빈(世子嬪)을 맞이하기 위한 조정의 기구.
109) **방백**(方伯): 관찰사.

27. 영상 김창집(金昌集)[110]에게 올리는 글

지난날 사람들의 말이 망극하였으니 집을 우러러볼 수밖에 다시 무엇을 아뢰겠습니까. 상감의 뜻에 거슬려 적석(赤舃)[111]으로 들로 내쳐졌으니 낭묘가 텅 비고 기상이 참담합니다. 그리하여 구구한 어두운 근심은 다만 합하의 사사로운 의리의 불편함에만 있지는 않습니다.

엎드려 생각해보니 사직은 반드시 허락을 받지 못할 일인데 하물며 지금 성상께서는 병환이 배나 더해졌다고 하십니다. 아마도 고수를 하더라도 반드시 물러난다는 뜻을 얻지는 못할 것입니다. 어찌하시겠습니까. 가뭄과 더위가 이같이 심한데 엎드려 살피지 못했습니다만 잠시 기거하는 곳에서 체후의 동지가 또한 어떠하십니까. 갖가지 사모함과 생각이 아랫사람의 정성에 맞지 않습니다.

소인은 지난겨울 병참의 역사에서 중상을 입어 갑자기 이상한 병을 얻어서 의약으로 다섯 달을 다스렸으나 아직도 완전히 회복하지 못하였습니다. 여러 번 사직 상소를 올렸으나 파하고 가라는 허락을 받지 못했으니 공사 간의 민박(憫迫)[112]함을 말로 다 할 수 없습니다. 이리하여 달려가 뵈올 계책이 없어 지금 글로 비로소 문후를 대신하니 천

---

110) **김창집**(金昌集): 조선 문신(1648~1722). 자는 여성(汝成). 호는 몽와(夢窩). 본관 안동. 시호 충헌(忠獻). 영의정 수항(壽恒)의 아들. 1689년 기사환국 때 부친이 관련되어 사사되자 산중으로 들어가 은거했음. 1694년 갑술옥사가 일어나자 아버지 수항 형제의 관직이 복구되고, 그를 병조 참의 등에 임명하였으나 거듭 사양함. 뒤에 호조·이조·형조의 판서를 두루 거쳐 1717년 영의정에 오름. 신임사화(辛壬士禍)가 일어나자 거제도로 유배되었다가 다음해 사사됨.
111) **적석**(赤舃): 임금이 정복(正服)을 입을 때 신던 가죽신.
112) **민박**(憫迫): 걱정이 아주 절박함.

만 죄송합니다. 엎드려 균후(勻候)[113]하시고 때에 따라 만복하시기를
빌면서 갖추지 못합니다.

28. 민원례(閔元禮) 정모(廷模)에게 보내는 글

해와 달이 쉽게 가서 대상(大祥)과 담사(禫祀)[114]가 이미 지나가고 엎
드려 생각하건대 유모(孺慕)[115]가 더욱 짙어졌을 터이니 슬픔을 그치
지 못합니다. 몸으로 나아가서 조문을 감이 예의이기는 하나 밖에 있
음으로 해서 능히 정성을 이루지 못하고, 한번 위로하는 글도 또한 바
쁘게 써서 벽에 꽂아두었습니다.

그러나 지금까지 잊었다가 조카가 깨우쳐주는 바람에 깨달았으니
사람의 일에 아득하고 어둡고 바쁘고 착오됨이 마땅히 군자의 도에 죄
가 된다고 생각했습니다. 부끄럽고 두려움이 극에 달했는데 다시 무엇
을 가지고 우러러 말씀드리겠습니까.

지금 병세가 위중하여 성에 들어가기 쉽지 않으므로 감히 편지 한
장으로 먼저 가시나무 지는 것을 대신합니다. 다만 바라는 것은 깊은
아량으로 치죄하지 마시고 물리쳐 주십시오. 나머지는 두려움이 심하
여 다른 말을 할 겨를이 없으니 엎드려 생각하건대 용서를 구하면서
삼가 후장(候狀)[116]을 올립니다.

---

113) **균후(勻候)**: 온몸이 고루 편안함.
114) **담사(禫祀)**: 대상을 치른 뒤 두 달째 하순의 정일(丁日)이나 해일(亥日)에 지내
   는 제사.
115) **유모(孺慕)**: 돌아가신 부모를 그리워 함.

29. 민성원(閔聖源)을 조상하는 글

형식을 없애고 말하네. 누가 오늘 사로(師魯)가 죽었다고 말하는가. 하늘의 이치와 사람의 일을 믿지 못함이 이와 같으니 통곡하고 통곡할 뿐 다시 무슨 말을 할 수 있겠는가. 기제(豈弟)[117]의 자질과 옥설 같은 지조로 지금 어디로 가고 있는가. 어디서 찾아올 것인가.

이는 사우들이 모두 함께 탄식하고 아끼는 바인데 하물며 두터운 친분으로 인한 아픔과 두려움이 어찌 끝나겠는가. 종이 와서 병이 있다고 아뢰기에 다만 예삿말로 들어 넘겼더니 어찌 이 소식이 영결(永訣)의 말이 될 줄 알았으랴. 옹용한 담소와 임리한 술자리가 삼삼하게 눈에 선하나 다시 만날 기약이 없구나. 마음이 떨리고 기운이 달려 다만 스스로 오열할 뿐이네.

생각해보니 그대는 고로하고 점점 영혼의 슬픔을 만나더니 필경에는 형제인 사로를 잃는 아픔을 당했으니 어찌 차마 감당하겠는가. 그대의 정계를 생각해보니 내 몸을 베는 것 같네. 우물쭈물하는 사이에 세월이 바뀌어 상여로 장사 지내는 날이 이미 지났는가.

나는 서울에서 온 뒤에 소갈 외에도 두세 가지 괴이한 병이 더하여 지붕을 쳐다보고 드러누워 움직이기조차 힘드네. 오래도록 아파 몸부림을 친 지 사십여 일이 지나고서야 처음으로 머리를 들고 일어났네.

그러나 아직도 병이 깊어 끝내 일곡(一哭)으로 사로의 영결을 보내지 못하고 또한 편지 한 장으로 그대에게 조문하지 못했으니 그대가 어찌 알고서 죄로 삼지 않겠는가. 베개에 엎드려 눈물을 씻으면서 천고의

---

116) **후장**(候狀): 안부를 여쭙는 글.
117) **기제**(豈弟): 외모와 심성이 온화 단정함.

한을 맺을 뿐이네. 다만 깊이 스스로 관억(寬抑)하여 구구한 생각에 부응해주기를 바라네. 삼가 편지를 받드네.

30. 경소(敬所)에게 보내는 글

　형식을 생략하네. 지난날 조지(朝紙)[118]를 받아 보고, 어대(魚臺)의 복제로 처음 영질부(令姪婦)[119]의 상고를 알았네. 놀랍고 슬픈 것을 어찌 말로 다 하겠는가. 그때 나는 병이 위급하여 조문하고 위로할 여가가 없었네. 일전에 집의 조카가 영백질(令伯姪)[120]의 부음을 알려줘 듣고 통곡하다가 기절하였네. 위태로워 생각할 수조차 없네.

　여기(癘氣)[121]가 나쁘나 하늘이 어찌 차마 자정(子貞)의 맏아들을 죽게 했을까. 두각이 드러나면서부터 문장이 화려하고 날마다 높아져 죽지 않으리라고 거의 생각했는데 나와 자정을 버리고 갑자기 떠나갔구나.

　어둡고 어두운 저 푸른 하늘이여! 어찌 이와 같은 일을 하셨습니까. 내 생각이 이와 같은데 자네는 어떠하겠는가. 더위가 가장 혹독한 때 상을 당하니 건강이 괜찮은가. 다만 모름지기 아픔을 스스로 다스리며 세월을 보내기를 구구하게 위로하네. 병명이 의심스러워 빨리 처리할 수 없었으나 그 뒤에 전염이 되지 않았다면 장사를 지내야 하는데 언

---

118) **조지**(朝紙): 조보(朝報). 승정원 재결 사항을 기록하고 서사(書寫)하여 반포하던 관보.
119) **영질부**(令姪婦): 남의 조카며느리를 높여 부르는 말.
120) **영백질**(令伯姪): 맏조카님.
121) **여기**(癘氣): 못된 돌림병을 일으키는 기운.

제로 정하였는가. 갖가지 슬픈 생각이 그치지 않네.

나는 병이 고황(膏肓)[122]에 들었는데 약석(藥石)의 효험이 없네. 사십여 일을 귀신이 사는 곳에 들어 거의 돌아오지 못할 것 같더니 하늘의 다행함을 힘입어 이제 겨우 머리를 들었으나 위태롭고 두려움이 막심하네. 자네가 나를 돕는 것이 아마도 잘못된 것 같으니 스스로 연민한들 어찌하겠는가. 이번 편에 위장(慰狀)[123]과 부조(扶助)를 보내니 다행히 둘째 조카와 넷째 형님에게 전해주면 어떻겠는가. 나머지는 바삐 쓰느라 다 펴지 못하네.

31. 한명진(韓鳴震)에게 보내는 글

3년이라는 세월이 말처럼 달려 담사도 벌써 지났구려. 엎드려 생각해 보니 하늘이 무너지는 아픔이 어찌 끝이 있겠는가. 위하여 슬픈 생각을 그치지 못하네. 상을 당한 처음에 여우(廬寓)[124]로 찾아가지 못했고 곧 영연(靈筵)[125]으로 달려가지도 못했네.

고을의 일에 매달려 바쁘고 병들어 얼마 후 한 장의 편지로 우러러 위로하기는 했으나 세월이 흐름을 잊고 갑자기 오늘이 되었네. 사람의 일에 바빠 갑작스럽게 미혹되고 어그러짐을 어찌 말로 충분히 설명할

---

122) **고황**(膏肓): 심장과 횡격막 사이.
123) **위장**(慰狀): 위로하고 문안하는 편지.
124) **여우**(廬寓): 여막(廬幕). 궤연(几筵) 옆이나 무덤 가까이에 지어놓고 상제가 거처하는 초막.
125) **영연**(靈筵): 궤연. 죽은 사람의 영궤와 그에 따른 모든 것을 차려놓는 곳.

수 있겠는가. 속가의 예에 제한된 날짜 안에 문상을 하지 않으면 마침내 서로 절교를 한다고 하는데 이는 상례를 중히 여겨 나온 말로 구구함도 이미 그 잘못을 깨달아 감히 스스로 편치 못하네.

　또한 능히 스스로 막지도 못하고 병든 모양으로 바야흐로 자리에 누워 몸소 가서 사죄하기 쉽지 않으므로 감히 편지 한 통을 보내어 가시나무를 짊어지는 형벌을 대신하고자 하네. 그러나 아마도 예를 좋아하는 군자들에게는 중한 죄를 얻을 것 같네. 두렵고 부끄러운 나머지 급히 자책하느라고 가슴에 있는 다른 말을 다하지 못하니 모두 살펴보기 바라네.

32. 어순서(魚舜瑞)에게 답하는 글

　오랜만에 편지를 받아 보고 다시 살필 수 있었네. 건강이 가승(佳勝)[126]하다고 하니 맑은 얼굴을 대한 듯 기쁨을 어찌 말로 다 할 수 있겠는가. 나의 병은 가을이 되었는데도 조금도 나아지지 않으니, 말하자면 쇠한 모양이란 참으로 적확한 말이며 다만 서로 불쌍히 여길 뿐이네. 어찌하면 좋겠는가.

　그대의 직책인 대간은 꼭 바뀌어야 하며 끝내 나아가지 않으려는가. 지난번 망령되이 얽히고설킨 일에 대하여 지동(芝洞)에게 물었으나 대답해 온 뜻이 매우 매매(洗洗)[127]하니 제현(諸賢)[128]들로 하여금 진실로 다 이와 같다면 세상일이 장차 어떻게 되겠는가. 사람으로 하여 근심

---

126) **가승(佳勝)**: 좋은 경치. 이 글에서는 건강이 아주 좋은 상태를 뜻함.
127) **매매(洗洗)**: 창피를 줄 정도로 거절하는 태도가 쌀쌀맞음.
128) **제현(諸賢)**: 제언(諸彦). 여러 점잖은 분들.

하고 민망하게 할 뿐이네.

보내준 육미(六味)129)의 재료는 내가 복용하는 것과 재료가 대체로 같네. 이곳에서 생산되는 것이 없어 늘 계속 복용하기 어려울까 근심하네. 다만 이 두 가지 재료는 남아 있으므로 올려 보내네. 나머지는 의원에게 물어보도록 하게. 오래지 않아 성에 들어가면 많은 이야기를 나누겠지. 다하지 못하네.

33. 여주(驪州)목사 조대년(趙大年)에게 답하는 글

어제 두 번 서신이 와서 무릇 지금까지 백 통이나 되는데 자세히 보내주어 위로하니 다행스러움을 말로 다 하겠는가. 신기(神氣)가 아직 불편하여 곧 감사의 글을 쓰지 못하니 생각하건대 의심스럽고 답답할 것일세. 밤이 돌아오는데 정후는 한결같이 평안하고 좋은가.

거애(擧哀)130)의 한 가지 절차는 외관(外官)131)들은 이미 참여할 수 없고 성복하는 날 거애하려고 하는데 어떠할지 알지 못하겠네. 궐 안에서 성복(成服)하는 날이 이미 지났을 터이지. 부음을 받는 날로부터 계산해보면 13일째라 마땅히 성복날이 되었을 터인데 아직 성복이 없었다면 거애도 의거를 할 곳이 없네. 하물며 감영이나 관문 같은 곳에

---

129) **육미(六味)**: 육미지황원(六味地黃元). 숙지황, 산약, 산수유 등 여섯 가지 약재로 만든 환약. 신수(腎水)의 부족을 다스림.

130) **거애(擧哀)**: 발상(發喪). 상례에서 죽은 사람의 혼을 부르고 나서 상제가 머리를 풀고 슬피 울어 초상난 것을 알림.

131) **외관(外官)**: 지방의 관직이나 관원.

서도 거론할 일이 없는 것인가. 조석으로 곡하는 일은 마땅히 사일(四日)에 성복하는 예에 하는 것으로 국한되어 있네.

들어보니 서울에 있는 백관(百官)[132]들도 또한 이런 행위가 없었고, 성복의 의절(儀節)도 없다고 하네. 나홀로 정하고 조석으로 곡을 하기는 더욱 어려울 것이네. 어찌하면 좋겠는가. 이 또한 나만의 생각일 뿐이니 상량(商量)[133]하여 시행하게. 부사(府使)[134] 이하는 말을 하지 못하니, 위로의 편지는 영문에 탐문해보면 알 수 있네. 나머지는 다 펴지 못하네.

34. 서평보(平甫)[135] 형제를 조상하는 글

■ 기해년(1719)

나라가 불행하여 선대야[136]께서 갑자기 관사를 버리셨다는 부음을 받고 놀람과 슬픔을 그칠 수 없었네. 어떤 병환으로 이런 지경에 이르렀는지 알 수 없네. 며칠 전 이달 열엿샛날 친필로 내려주신 글을 받았는데 말뜻이 자세하고 자획이 예전과 같아 받들어 두세 번 읽으며 기

---

132) **백관**(百官): 모든 벼슬아치.
133) **상량**(商量): 헤아려서 잘 생각함.
134) **부사**(府使): 조선 시대에 둔 대도호부사와 도호부사를 통틀어 이르던 말.
135) **평보**(平甫): 조선 중기 문신 서명균(徐明均, 1680~1745)의 자. 호는 소고(嘯皐), 재간(在澗), 보졸재(保拙齋). 본관은 달성(達城). 시호는 문익(文翼). 1710년(숙종 36) 증광(增廣) 문과에 급제, 사관(史官)이 되었으며 1721년(경종 1) 이조 참의 등을 역임했음. 영조 8년(1732)에 우의정과 좌의정을 지냈으며 청백하고 근검한 재상으로 유명했음. 글씨를 잘 썼음.
136) **선대야**(先大爺): 돌아가신 남의 아버지를 높여 부르는 말.

뿜과 사모함이 더욱 간절하였네. 열흘이 안 돼 흉한 소식이 갑자기 이르니 이 어찌된 일인가.

비록 범인이라 해도 놀람과 아픔이 없을 수 없는데 하물며 어리석은 나는 오랫동안 지우(知遇)[137]의 정의를 두텁게 입은 자 아닌가. 거듭 공과 사를 위하여 눈물을 줄줄 흘리는 것을 깨닫지 못하겠네. 엎드려 생각하건대 지순한 효심으로 사모하고 울부짖다가 기절함을 어찌 감당하겠는가.

잠깐 사이에 상복이 이미 이루어졌으니 슬픔과 아픔과 망극함이 어떠하겠는가. 살피지 못한 사이에 스스로 다독에 걸린 기력은 어떠한가. 다만 억지로라도 죽을 마시고 굽어 예절을 따르길 바라네. 나는 병에 걸려 관차에 있기 때문에 즉시 달려가 위로 드리지 못하니 근심스러운 생각이 더욱 깊어지네. 절하며 글을 바치네.

35. 이 좨주(祭酒)[138]에게 답하는 글

■ 기해년 이월 그믐날

엎드려 생각하니 봄날이 난만한데 도체(道體)[139]를 고요히 닦는 기쁨이 있으십니까. 말씀을 우러러보고 늘 사모하여 구구한 정성이 그치지 아니합니다. 지난가을 내려주신 편지를 엎드려 받으니 말뜻이 정중

---

137) **지우(知遇):** 남이 자신의 인격이나 재능을 알고 잘 대우함.

138) **좨주(祭酒):** 조선 시대에 성균관에 속한 정3품 벼슬.

139) **도체(道體):** 도(道)를 닦는 몸. 한문 투의 편지에서 상대를 높여 이르는 말.

하고 은근하며 정성스러우시니, 오래 막힌 끝에 덕음(德音)을 얻어 기쁘고 다행스러울 따름입니다.

오래 지나지 않아 또 황공스럽게 내려주신 손수 쓰신 편지와 겸하여 은혜로이 보여주신 송문정공(宋文正公)의 문초(文抄) 두 책을 받으니 실로 잊지 않은 지극하신 뜻에서 나온 것으로 압니다. 하물며 말씀하신 좋은 이견(異見)에 한두 가지를 듣고자 말씀하심에서 더욱 군자가 아랫사람에게 묻기를 부끄럽게 여기지 않는 큰 덕을 볼 수 있었습니다.

이 어리석고 완고하며 누천한 사람이 돌아보건대 이견이 있어 더불어 논하실 수 있겠습니까. 그러나 받아서 되풀이해 읽어보니 모든 일의 왜곡과 반절(反折)[140]이 명백하게 눈에 드러납니다. 참으로 도를 보호하는 지극한 정성이 아니라면 어찌 능히 이와 같겠습니까. 대개 이 일은 서로 다툰 지 거의 40년이나 되어 서로 간의 글과 편지가 섞여 상감에게 전달되었습니다. 그래서 옳고 그름이 여러 번 바뀌고 다툼과 송사가 끊이지 않았습니다.

지난날 이공(李供)이 뒤숭숭하고 현란한 일에 관계됨이 그 끝이 없었으니, 동궁(東宮)[141]께서 어찌 더욱 자세히 그 본말(本末)을 아시겠습니까. 이 책자를 어전에 올려 통쾌한 비답(批答)[142]을 얻었으니 어찌 이 사문의 영광이 아니겠습니까.

우암(尤庵) 선생은 이산(尼山)[143]을 믿었다가 의심하였다가 전혀 상반된 판단을 할 수밖에 없었다고 판단됩니다. 당시에 여러 사람이 우

---

140) **반절**(反折): 경련이 일어 몸이 뒤로 꺾이듯 젖혀지는 증상.

141) **동궁**(東宮): 황태자나 왕세자.

142) **비답**(批答): 임금이 상주문의 말미에 적는 가부의 대답.

143) **이산**(尼山): 공자를 달리 이르는 말.

암 선생의 높은 명예에 가려 그것을 알지 못했습니다. 이렇듯 사람은 참으로 알기 어렵습니다.

하물며 후생같이 지식이 성숙하지 못하고 몽매하여 근원조차 막힌 자는 더 말하겠습니까. 구구한 생각으로 젊은 날에 우암이 일찍이 저들을 너그럽게 용서하지 못함을 항상 크게 잘못됐다고 했었는데, 기사년 이후로 저들의 본뜻을 점점 알게 되었습니다.

한 해 전에 미촌(美村)[144]의 연보(年譜)를 보니 다른 글을 보지 않아도 이전에 크게 잘못됐다고 한 생각이 망령되고 지나침을 알았습니다. 지금도 이 책자를 받아서 머리부터 끝까지 보니 분명해져서 더욱 평생에 다행입니다. 이로 인하여 굽어 물으신 부지런한 말씀에 대해 평생 동안 가지고 있던 생각을 이같이 드러내어 밝힙니다. 살피지는 못했습니다만 밝게 보시는 거울로 어떻다고 여기십니까. 두렵고 두렵습니다.

이 책자는 빌린 지 오래되었고 먼저 시끄러운 사건이 있어서 공무에 급함을 따라 사람에게 등사(謄寫)를 시켰으나 아직 끝내지 못했습니다. 병세가 괴로워 교열을 쉽게 하지 못했으므로 연초에 급히 돌려달라는 편지를 받고도 아직 돌려드리지 못했습니다.

아울러 사례도 못 드렸으니 비록 넓은 아량을 가지셨으나 어찌 죄로 삼지 않겠습니까. 이제 비로소 사람을 시켜서 돌려드립니다. 겸하여 스스로의 잘못을 진심으로 아룁니다. 엎드려 용서를 비니 살펴주시면 매우 다행스럽겠습니다.

잠시 정목(政目)[145]을 보니 헌장(憲長)[146]으로 새로 임명되셨던데, 지

---

144) **미촌**(美村): 조선 중기의 학자 윤선거(尹宣擧, 1610~1669)의 호. 자는 길보(吉甫). 유계(兪棨)와 공편한 『가례원류(家禮源流)』가 그가 죽은 뒤 노소 당쟁의 불씨가 되었음.

난날 다소 보여주신 진실과 겸손한 성의에서 나온 것으로 상감의 은혜와 대우가 날마다 융성하시니 제 분수와 의리에 항상 어렵습니다. 우물쭈물하는 사이에 거취를 알 수 없으니 장차 어찌해야 합니까. 생각을 달림이 만만(萬萬)[147]합니다.

저는 이미 체직(遞職)으로 돌아왔으나 일에 낭패가 많고 묵은 병이 다시 도져서 날마다 신음과 고통을 일삼습니다. 민망하고 가련함을 어찌하겠습니까. 화중의 형제는 백동의 장사가 지난 뒤에 그대로 머물러 공부를 한다고 하니 서로 볼 수 없는 슬픔을 말로 하겠습니까. 나머지는 병을 무릅쓰고 대강 쓰고 아직 갖추지 못합니다.

36. 김성기(金聖期) 형제를 조상하다

■ 삼월 열아흐레

나라가 불행하여 선존장 대감께서 갑자기 관사를 버리시니 부음을 받고 아파 기절했는데, 다시 무슨 말을 하겠는가. 시운(時運)에 관계된 일로, 사람의 힘으로는 어쩔 수 없는 일이니 어찌 뜻하였겠는가. 선대감께서 지금 여기서 그치시니 사람으로 하여금 살 뜻을 다하고자 하네.

한 달 전에 겨우 내려주신 글을 엎드려 받았는데, 흉한 소식을 또 받았네. 역책(易簀)하시기 며칠 전 손수 쓰신 편지와 겸하여 남계께서 예

---

145) **정목**(政目): 조선 시대에 벼슬아치의 임명과 해임을 적은 문서.
146) **헌장**(憲長): 대사헌(大司憲). 사헌부의 으뜸 벼슬.
147) **만만**(萬萬): 느낌의 정도가 헤아릴 수 없을 만큼 큼.

설(禮說)을 보내주셨는데 세상을 슬퍼하는 뜻과 함께 힘씀과 경계함이 지극히 정녕(丁寧)[148]스럽고 지극히 정성스러워 족히 사람을 감동시킨 바가 있었네. 필력과 정신이 다른 날과 다름없음을 여기에서도 가히 우러러 징험할 수 있었네. 그것이 남기신 한 끝이 되었네.

이 사람이 돌아보건대 크게 가르침을 받았으나 우러러 실천하는 데 미치지 못하고 문득 천고의 영결을 이루었으니 편지를 안고 울음을 삼킨 지가 여러 날 되었으나 여전히 정을 어쩔 수 없네. 엎드려 생각하건대 여러 상자(喪子)[149]님의 지극한 효심으로 사모해 호곡하다 기절함을 어찌 감당하겠는가. 또한 들으니 맏형님께서 겨우 오셨다가 얼굴만 보고 이 경지를 만났으니 우러러 생각하건대 인정상 슬픔이 더욱 간절하네.

눈 깜짝할 사이에 성복이 이미 지났으니 애통함을 어찌하며 망극함을 어찌하는가. 살피지 못하였으나 절로 다독에 걸렸을 터인데 기력이 어떠한가. 억지로라도 밥과 죽을 더 먹고 굽어 예를 마치기를 엎드려 비네. 나는 병으로 관차(官次)에 누워 즉시 달려가 영연(靈筵)에 곡을 하지 못하니 더욱 오열하며 삼가 글을 바치네.

37. 우상(右相)[회동정승(灰洞政丞)]에게 답하는 글

■ 기해년 칠월 십이일

한 달 전 보내주신 답서를 엎드려 받으니 위로가 됩니다. 지금 무더

---

148) **정녕**(丁寧): 충고하거나 알리는 태도가 매우 간곡하며 여러 번 되풀이함.
149) **상자**(喪子): 상주(喪主).

위가 잠깐 물러났는데 엎드려 살피지 못했습니다. 대감의 기체와 동지가 어떠하신지 구구히 우러러 사모함이 아랫사람의 정성으로 끝이 없습니다. 상감의 체후 제절(諸節)[150]이 요사이 조금 차도가 있으시어 대기하는 의원들이 즉시 물러났다고 하니 기쁘고 다행스러움을 무어라 말씀드릴 수 없습니다.

저는 소갈증이 더위를 끼고 더욱 무거워져 생사의 관문을 출입한 지 무릇 한 달이 넘었습니다. 지금 와서야 조금 그쳤으나 진원이 삭아버리고 형신(形神)[151]이 바뀌고 빠져 완전히 소생하기 쉽지 않으니, 공사 간에 간절하고 민망합니다. 어찌하면 좋겠습니까. 대장(臺帳)[152]에 기록된 전결(田結)[153]을 등사한 일을 삼가 책자로 기록하였습니다. 외람되이 별폭(別幅)[154]과 같이 부쳐드리니 다만 살펴보시기를 바랍니다. 또한 황송하고 두려움이 지극함을 감당하지 못합니다.

이천부(利川府)[155]의 호적과 전결을 합계한 책자

정유년(1717) 기준으로 장부에 기록된 총호수(總戶數)는 4859호이며, 인구는 2만 3150구(口) 중 남자 1만 919구, 여자 1만 2231구임.

남자 중 조정 관리와 생원, 진사 출신을 제외하고 사부(士夫)[156]라는

---

150) 제절(諸節): 윗사람의 기거와 동작을 높여 이르는 말.
151) 형신(形神): 육체와 정신.
152) 대장(臺帳): 일정한 양식으로 기록한 장부.
153) 전결(田結): 논밭에 물리는 세금.
154) 별폭(別幅): 폭을 이루고 있는 물건에 덧댄 다른 쪽지나 조각.
155) 이천부(利川府): 오늘날의 경기도 이천.
156) 사부(士夫): 사(士)와 대부(大夫). 문무양반(文武兩班)을 일반 평민층과 구별하여 이르는 말.

호칭을 가진 자와 잡기를 가진 자와 일 없이 노는 자의 합이 2793명임.

이른바 사부라고 불리는 자는 통덕랑(通德郎)[157], 장사랑(將仕郎)[158], 유학(幼學)[159], 충의위(忠義衛)[160]임. 그중 상한(常漢)[161]으로 불리는 자가 흔히 있음.

잡기라든가 한가로이 노는 자는 어모장군(禦侮將軍)[162], 병절교위(秉節校尉)[163], 전력교위(展力校尉)[164], 납속관(納粟官)[165] 등 동반직(東班職)[166]과 가자(加資)[167]를 받은 사람, 장관, 구임관(久任官)[168], 통업(通業)[169], 유업(儒業)[170], 무교생(武校生)[171], 원생(院生)[172]의 무리임.

---

157) **통덕랑**(通德郎): 정5품 문관의 품계.

158) **장사랑**(將仕郎): 종9품 문관의 품계.

159) **유학**(幼學): 벼슬이 없는 유생(儒生).

160) **충의위**(忠義衛): 충좌위에 속한 군대. 공신(功臣)의 자손으로서 승중(承重)된 사람으로 조직.

161) **상한**(常漢): 상놈. 신분이 낮은 남자를 이르던 말.

162) **어모장군**(禦侮將軍): 정3품 무관의 품계.

163) **병절교위**(秉節校尉): 종6품 무관의 품계.

164) **전력교위**(展力校尉): 종9품 무관의 품계.

165) **납속관**(納粟官): 나라의 재정난 타개와 구호 사업 등을 위해 곡물을 나라에 바치게 하고 그 대가로 벼슬을 주거나 면역(免役) 또는 면천(免賤)을 관리하던 관료.

166) **동반직**(東班職): 문반(文班). 궁중 조회 때 문관은 동쪽에 무관은 서쪽에 벌려 선 데서 나옴.

167) **가자**(加資): 관원들의 임기가 찼거나 근무 성적이 좋은 경우 품계를 올려주던 일. 왕의 즉위나 왕자의 탄생과 같은 나라의 경사가 있을 경우에 주로 행했음.

168) **구임관**(久任官): 퇴직한 관리.

169) **통업**(通業): 일정한 직업 없이 여러 가지 일을 그때그때 찾아서 하는 사람.

170) **유업**(儒業): 유가(儒家)의 학업.

171) **무교생**(武校生): 장교 후보생.

그중에는 이제 막 군역에 들어와 이러한 명호를 모칭하는 자 또한 많았고, 불구자 30~40명 또한 그 가운데 있음. 관속(官屬)[173]과 다른 관청에 신역(身役)[174]하는 자는 이 수에 포함되지 아니함.

사노(私奴)[175] 4876명이며 그중 속오(束伍)와 노아병(奴牙兵)[176]과 감영기수(監營旗手)[177]와 1년에 네 되의 쌀을 내는 자도 또한 이에 포함됨. 공천(公賤)[178]이 117명이고 양민(良民)[179]으로서 노역에 응하는 자가 2854명이며 그중 원군(元軍)[180]으로서 신포(身布)[181]를 바치지 않는 자는 220명이며, 한 필을 바치는 자가 71명이며, 두 필(疋)[182]을 바치는 자는 1465명. 나무 3001필, 수어별파진(守禦別破陣)[183]이 524명이고[장년은 쌀이 열 말이고, 노약자는 쌀이 다섯 말을 바쳐야 함], 아명(牙名)[184]이 374명임

---

172) **원생**(院生): 서원(書院)에 딸린 유생.

173) **관속**(官屬): 지방 관아의 아전과 하인.

174) **신역**(身役): 나라에서 성인 장정에게 부과하던 군역과 부역.

175) **사노**(私奴): 권문세가에서 사적(私的)으로 부리던 노비.

176) **노아병**(奴牙兵): 포로로 잡혀 와서 장군의 막사에서 심부름하는 병졸.

177) **감영기수**(監營旗手): 관찰사가 직무를 보던 관아에서 기를 들고 신호하는 일을 맡은 사람.

178) **공천**(公賤): 죄를 지어 종이 되거나 속공(屬公) 되어 관아에 속하게 된 종.

179) **양민**(良民): 양인(良人). 양반과 천민의 중간 신분으로 천역(賤役)에 종사하지 않던 백성.

180) **원군**(元軍): 정규군(正規軍).

181) **신포**(身布): 양인이 신역 대신 바치던 무명이나 베. 공노비가 신공(身貢) 대신에 바치던 베.

182) **필**(疋): 피륙을 세는 단위.

183) **수어별파진**(守禦別破陣): 군사 대오 편성의 하나. 화기(火器)를 다루며 무관 잡직으로 편성됨.

184) **아명**(牙名): 아문(牙門)인 장군의 막하에서 심부름하는 연락병.

[양인과 장년은 쌀 열 말, 노약자는 쌀 서 말을 바쳐야 함].

둔아병(屯牙兵)[185]은 125명이고[종의 장년은 쌀 너 말이고, 노약은 쌀 한 말 다섯 되임], 군수보(軍需保)[186]는 50명임. 이른바 양민으로 노역에 응할 자는 기병, 보병, 금위 호보(戶保)[187], 어영(御營) 호보, 포보(砲保)[188], 군향보(軍餉保)[189], 여정(餘丁)[190], 전설사(典設司)[191], 제원보(諸員保)[192], 사복(司僕)[193], 제원보 악공(樂工)[194], 악생보(樂生保)[195], 군기시(軍器寺)[196], 별파진(別破陣)[197], 금군(禁軍), 보직(褓直)[198], 호련대보(扈輦隊保), 내관(內官)[199]보, 상의원(尙衣院)[200], 장인(匠人)보, 자문감(紫門監)[201], 목수(木手)보, 궁인(弓人)[202]보.

---

185) **둔아병**(屯牙兵): 군 주둔지를 수비하는 군졸.

186) **군수보**(軍需保): 군수 물품을 수비하는 군졸.

187) **호보**(戶保): 보인(保人). 군복무를 하지 않던 병역 의무자. 정군(正軍) 한 명에 2~4명씩 배당하여 실제로 복무하는 대신 베, 무명 등을 바쳤음.

188) **포보**(砲保): 훈련도감을 운영하기 위하여 정한 군보(軍保). 세 사람이 1보(保)가 되어 한 사람은 군무(軍務)에 종사하고 두 사람은 베나 쌀을 바쳤음.

189) **군향보**(軍餉保): 군 취사병과 그를 돕는 보인.

190) **여정**(餘丁): 보충대의 강서(講書) 시험에서 낙방한 사람.

191) **전설사**(典設司): 병조에 속하여 장막(帳幕) 치는 일을 맡아보던 관아.

192) **제원보**(諸員保): 보충병을 조달하는 기관.

193) **사복**(司僕): 궁중의 가마나 말을 관리하던 관아.

194) **악공**(樂工): 궁정의 음악 연주를 맡아하던 사람.

195) **악생보**(樂生保): 악생의 봉족(奉足)이 바치던 베. 악생에게 급료로 주었음

196) **군기시**(軍器寺): 병기, 기치, 융장, 집물 따위의 제조를 맡아보던 관아.

197) **별파진**(別破陣): 군기시에 속한 벼슬.

198) **보직**(褓直): 보의 관리 및 유지를 맡은 사람.

199) **내관**(內官): 내시(內侍).

200) **상의원**(尙衣院): 임금의 의복과 궁내의 일용품, 보물 등을 관리하던 관아.

교서관(校書館)[203], 창준(唱準)[204], 이조(吏曹) 유조(留曹)[205], 서리(書吏)[206]보, 내취(內吹)[207]보, 관상감(觀象監)[208], 생도(生徒), 중추부(中樞府)[209], 녹사(錄事)[210], 역보(驛保)[211], 수부(水夫)[212], 수호군(守護軍)[213], 충순찬(忠順贊)[214], 장익위(壯翊衛)[215], 족위(族衛)[216], 별파진아병(別破陣牙兵)[217] 등의 종류임.

---

201) **자문감**(紫門監): 선공감에 속하여 궁중의 건축, 수리, 토목공사를 맡아보던 관아.

202) **궁인**(弓人): 조궁장(造弓匠). 활 만드는 사람.

203) **교서관**(校書館): 경서(經書)의 인쇄, 교정, 향축(香祝), 인전(印篆) 등을 맡은 관아.

204) **창준**(唱準): 교서관에 속하여 책을 만들던 잡직.

205) **유조**(留曹): 특별한 사안 때문에 지방 관아에 파견한 이조(吏曹)의 관리.

206) **서리**(書吏): 문서의 기록과 관리를 맡은 중앙 관아의 하급 벼슬아치.

207) **내취**(內吹): 겸내취(兼內吹). 선전 관아에 속한 악대. 임금의 앞에서 군악을 연주하고, 임금이 궁성 밖 나들이할 때나 정전(正殿)으로 들어갈 때 시위(侍衛)를 했음.

208) **관상감**(觀象監): 예조에 속해 천문, 지리, 역수(曆數), 기후, 관측, 각루(刻漏) 등을 맡아보던 관아.

209) **중추부**(中樞府): 현직(現職) 없는 당상관들을 대우하기 위해 설치한 관아.

210) **녹사**(錄事): 의정부나 중추원에 속한 상급 구실아치. 기록을 담당하거나 문서, 전곡(錢穀) 등을 관장함.

211) **역보**(驛保): 역졸(驛卒)과 보인(保人).

212) **수부**(水夫): 조졸(漕卒). 조선(漕船)의 선원.

213) **수호군**(守護軍): 궁성, 별궁 등을 수호하는 군졸.

214) **충순찬**(忠順贊): 문무과 출신인 생원, 진사, 유음자제(有蔭子弟)들로 구성한 기관.

215) **장익위**(壯翊衛): 공신의 자손으로 구성한 기관을 호위하는 군졸.

216) **족위**(族衛): 왕족 및 특수한 공족(公族)을 호위하는 군졸.

217) **별파진아병**(別破陣牙兵): 별파진 소속으로 대장을 수행하던 병사.

원장에 기록된 전답은 모두 3042결(結)[218] 56보(步)[219] 3속(束)[220]임. 그 가운데 병신년(1716)에 전혀 과세하지 않은 전답은 263결 34보 2속임. 이른바 전혀 과세하지 않은 전답은 공해(公廨)[221], 사찰좌(寺刹坐)[222], 타관 둔교위(屯敎位)[223], 관아록공수위(官衙錄公須位)[224], 역마위(驛馬位), 공수위(公須位), 수참위(水站位)의 전답과 훈련둔, 수어둔의 전답과 수호군(守護軍) 복호(卜戶)(때에 따라 가감할 수 있음)의 종류임.

옛날 묵은 전답 603결 7속, 오늘날의 묵은 전답 421결 60보 7속, 각 궁의 면세 전답 218결 85보 8속, 실상납 전답은 1535결 74보 9속, 산허리의 화전이 55보임.

정유년에 일체 과세하지 않은 전답은 264결 84보 2속, 옛 묵은 전답은 439결 98보 5속, 오늘날 묵은 전답은 219결 94보 7속, 각 궁의 면세전답은 218결 85보 8속으로 실상납 전답은 1898결 93보 1속, 산허리의 화전이 65보임.

무술년(1718)에 일체 과세하지 않은 전답은 264결 84보 2속, 옛 묵은 전답 501결 21보 1속, 오늘날 묵은 전답 356결 34보 2속, 각 궁의 면세전답 219결 4보 6속, 실상납 전답 1701결 12보 2속, 산허리의 화전 55보임.

---

218) **결(結)**: 세금을 계산할 때 사용했던 논밭 넓이의 단위.

219) **보(步)**: 땅 넓이의 단위.

220) **속(束)**: 곡식 한 다발이 나올 만큼의 논밭.

221) **공해(公廨)**: 관아 소유의 건물.

222) **사찰좌(寺刹坐)**: 절의 부지.

223) **둔교위(屯敎位)**: 군사훈련장.

224) **관아록공수위(官衙錄公須位)**: 관청의 부지.

별폭(別幅)

본 읍의 대장에 등재된 전결을 등사해 보고하는 일은 이미 근래의 도본(圖本)[225]을 따라 작성하라는 지시를 받았으나 병세가 괴롭고 중하여 오늘에야 비로소 등사하여 올립니다. 죄송스러움이 지극함을 이기지 못합니다.

정신과 생각이 어둡고 어긋나서 또한 자세히 비교해서 헤아리지 못하고 대강 말을 하니 호수와 인구수는 군포의 수를 충당하는 데 만족하나, 호(戶)에는 대·중·소의 다름이 있습니다. 인구는 따로 노인, 장년, 어린이의 구분이 있으니 제가 비록 잘 알지 못하나 짐작하여 구분하심이 과연 어떠하십니까. 그러한 뒤라야 그 수를 적용할 수 있습니다.

호구(戶口)는 비록 군포의 반을 감해주었으나 떠난 사람이 오히려 많고 전결이 부족하니 조금 풍년이 들면 실지의 결로 계산하여 한 결에 한 필을 내게 하여, 다만 군포에 3분의 2를 충당할 뿐입니다. 수어청 소속인 1000여 명의 쌀 공급은 이 수에 포함되지 아니하고 지난날의 생각과 헤아림으로는 크게 서로 다릅니다.

다른 고을은 꼭 다 그렇지는 않으나 이 고을의 경우와 다른 고을을 비교하면 조금은 다를 것입니다. 알지 못합니다만 김태(金台)[226]의 책자에는 어떻게 구획을 하셨는지 궁금함이 간절하지만 엎드려 생각해보니 구구한 작은 관리로서 어찌 감히 묘당의 큰 이론에 참섭(參涉)할 수 있겠습니까. 그러나 저희 고을 형편을 하문하셨으니 생각하는 바 있어 감히 이같이 부쳐드립니다.

대개 또한 특별히 돌봐주신 무거운 은혜를 우러러 능히 숨길 수가

---

225) **도본**(圖本): 도면(圖面).
226) **김태**(金台): 김씨 성을 가진 대감.

없습니다. 엎드려 생각하건대 그 어리석음을 용서하시고 살펴주십시오. 무릇 「호포법(戶布法)」227)이란 크게 공정하고 지극히 바르게 해야 하는데 이미 선배들의 정론(定論)이 있으니 누가 감히 이의를 달겠습니까. 그러나 여러 조정을 지내면서 아직도 실천하지 못함은 반드시 까닭이 있기 때문입니다.

수성(守成)228)의 세상에는 개창(開創)229) 때와는 달라 연혁(沿革)의 도리도 때에 맞아야 합니다. 나라의 기강이 예와 같지 않고 민심이 이미 편히 성취하니 그사이 비록 누적된 폐단과 많은 잘못이 있더라도 반드시 자세히 연구하여, 병의 근원을 좋은 방법으로 다스려서 너그럽게 어루만져야 합니다.

글을 베풀고 약(藥)이라는 깊은 계율을 설한 뒤에 가서야 흔들림 없이 쉽게 따를 것입니다. 오늘날 호포에는 거실(巨室)과 공족이 편리하다고 하나 이는 크게 그런 것도 아닙니다. 법이 진실로 폐단이 없다면 어찌 거실과 공족을 불편하고 어렵게 하겠습니까.

『주례(周禮)』230)에 말하기를 백성으로서 직분과 일이 없는 자는 부가(夫家)의 정포를 내야 한다고 합니다. 이러한 사례로 본다면 거실과 공족이 부가의 정포를 낼 의향이 없는 것 같으나, 가령 통행을 시킨다

---

227) 「호포법(戶布法)」: 고려·조선 시대에 집집마다 봄과 가을에 무명이나 모시 따위로 내던 세금.

228) 수성(守成): 조상들이 이뤄놓은 일을 이어서 지킴.

229) 개창(開創): 새로 시작하거나 세움.

230) 『주례(周禮)』: 중국의 경서(經書). 『의례』, 『예기』와 함께 삼례(三禮)라 하며 13경의 하나. 천지, 춘하추동을 본떠서 6관(官)의 관제(官制)를 만들고 천명(天命)의 구현자인 왕의 국가 통일에 의한 이상, 국가 행정 조직의 세목 규정을 상세히 설명했음.

면 저 어둡고 어리석고 망령된 자들이 처음에는 비록 불편하다고 하겠으나 법을 갖추어 공포한 뒤에는 어찌 감히 일에 장애가 된다고 하여 나라를 원망하는 이치가 있겠습니까.

다만 저 일 없이 노는 부류는 그 지위로 말하자면 겨우 상한의 이름을 면했을 뿐인데, 그들의 항산(恒産)[231]을 말하자면 담석(儋石)[232]의 자본도 없어 동쪽에 가서 꾸고 서쪽에 가서 빌리며 추위에 울고 굶주림을 부르짖습니다. 자취는 양반에 가까워서 군적에서 빠짐을 영화와 즐거움으로 삼아 조금은 생기가 나는 것 같은데 지금에 와서 하루아침에 그들을 몰아 아울러 군포를 징수하기를 군병과 다름이 없이 한다면 이 무리들은 어찌 그 「균역법(均役法)」[233]의 큰 뜻을 알아서 원망하고 거스르지 않겠습니까.

생각해보니 우리나라는 어짊과 두터움으로 나라를 세우셨고 더욱 명분을 중하게 여겼는데, 지금 점점 흉년이 들어 인심이 파탕(波蕩)[234]하고 도적의 근심은 팔도가 다 그러합니다. 이러한 무리들은 높은 갓을 쓰고 넓은 띠를 둘러서 견제하고 유지하지만, 난민은 되지 않으면서 다만 그 유사(儒士)의 이름만을 잃지 않습니다.

지금 폐단을 없애고자 다시 양역(良役)[235]을 시켜 이 무리에게 원한

---

231) **항산**(恒産): 생활할 수 있는 일정한 재산이나 생업.
232) **담석**(儋石): 한두 섬의 곡식이라는 뜻으로, 얼마 되지 않는 곡식을 이르는 말.
233) **균역법**(均役法): 조선 영조 26년(1750)에 백성의 세금 부담을 줄이기 위하여 만든 납세 제도. 종래의 군포를 두 필에서 한 필로 줄이고, 부족한 액수는 어업세, 염세, 선박세, 결작 따위를 징수하여 보충함.
234) **파탕**(波蕩): 물결같이 움직임.
235) **양역**(良役): 16세부터 60세까지의 양인 장정에게 부과하던 공역(公役). 노역에 종사하는 요역(徭役)과 군사적인 목적의 군역(軍役)이 있었음.

을 더하게 한다면 그 세력이 토붕와해(土崩瓦解)[236]하는 지경에 이르지 않을지 어찌 알겠습니까. 이것은 하나의 적을 없애지 못하고 다른 적을 또 만드는 꼴이니 어찌 크게 두려움이 더하지 않겠습니까. 호포가 이와 같다면 구전(口錢)[237]을 시행하는 데 따르는 어려움도 이미 이동이 없을 것입니다.

일 없는 이들에게 군포를 홀로 받음도 너욱 논할 수 없는데 어떤 이가 말하기를 구전의 법은 반드시 관청에서 계구(計口)[238]할 필요가 없고 다만 마을의 책임자가 그 마을에서 나오는 군포의 수에 따라 인구와 비례하여 분징(分徵)[239]함이 좋다고 합니다. 저희와 같은 바닷가 고을은 어산물의 나눔도 어부들에게 맡기면 일이 매우 간편하게 되어 어산물을 잘 바칠 수 있다고 하니, 이 또한 더욱 생각하고 헤아릴 일이 아니겠습니까.

어촌 집의 역사는 본래 균일하기 어려워 지금 군포를 수납할 때 태수의 위령(威令)[240]으로 이름에 따라 매를 치고 닦달을 해도, 해가 지나도록 다 받아내지 못하였습니다. 하물며 자그마한 한 마을의 책임자가 어떠한 위풍을 가지고 스스로 사람 숫자를 계산해 일제히 군포를 징수할 수 있겠습니까. 이렇게 되면 반드시 먼저 자중지란이 있을 것이니 결코 시행할 수 없음을 알아야 합니다. 진한 시대 이후로 「구전법」이 시작되었습니다만 폭렴(暴斂)[241]의 이름을 면하지 못했습니다.

---

236) **토붕와해**(土崩瓦解): 흙이 무너지고 기와가 깨진다는 뜻. 어떤 조직이나 사물이 손을 쓸 수 없을 정도로 무너져버림.
237) **구전**(口錢): 인구에 따라 세금을 거둠.
238) **계구**(計口): 인구 조사.
239) **분징**(分徵): 여러 사람에게 나누어 거두어들임.
240) **위령**(威令): 위엄 있는 명령.

다만 인구를 계산하여 돈을 징수하는 것도 호포의 명색에 비유하면 아름답지 못할 뿐입니다.

결포(結布)242)의 법은 승마(乘馬)의 제도에 가장 가까우나 지금 그 상납하는 시초(柴草)243)를 줄였습니다. 꿩, 닭과 같은 잡종에 한 필의 군포를 내게 하고 전결의 잡종지에서 납입할 세를 집집마다 나눠 내게 한다면 호수(戶數)가 전결보다 많으므로 관에서 결분으로 받은 봉급에 비교하면 이로움도 해됨도 없습니다. 밭에 대한 하나의 군포는 잡종지에서 거둬들이는 세보다 가볍고, 호수마다 잡종지에 부과되는 분량은 한 군포보다 가볍습니다.

이는 옛 뜻에 거스르지 않고 민정을 동요하지 않게 할 것입니다. 전결의 수를 군포에 비교하면 태반이 부족하니 크게 심려됩니다. 무릇 양역의 폐단은 한나라의 고질이 되었으니, 한번 크게 바꾸는 거조(擧措)244)가 없을 수 없습니다. 그러나 양역이 비록 우리나라의 옛 법에는 없다고 하나 『주례』의 부가의 정(征)245)과 맹자의 역역(力役)246)의 정과 당나라의 수용(收傭)247) 법규를 본떠 시행하였습니다. 또한 우리나라는 판적(版籍)248)이 바르지 못해 장부에 빠진 것이 많아 모칭(冒

---

241) **폭렴**(暴斂): 마구잡이로 거두어들임.
242) **결포**(結布): 논밭 1결에 대해 삼베나 무명 2필을 받던 세법. 양역변통책이었으나 실시는 못함.
243) **시초**(柴草): 땔나무로 쓰는 풀.
244) **거조**(擧措): 어떤 일을 꾸미거나 처리하기 위한 조치.
245) **정**(征): 상가의 세금을 거두는 일.
246) **역역**(力役): 힘으로 하는 역사(役事).
247) **수용**(收傭): 고용살이에게 세금 걷는 일.
248) **판적**(版籍): 책.

稱)249)이 전체의 10분의 3이나 4가 됩니다. 참으로 바르게 조사한다면 좋은 사내들이 부족해 물고(物故)250) 같은 일을 당하지 않아도 될 것입니다.

그해 안에 시키는 것에 따라 대신 충당한다면 어찌 백골의 징포가 있겠습니까. 도망한 무리를 이웃과 친척이 대신 납부하게 한다면 간간이 민망하고 측은하고 슬픈 사람들이 생깁니다.

요사이 와서 인심이 교묘하고 간사하여 조금 가산이 있어도 군역에 편입되면 가까이 피해 살면서, 마을 책임자에게 뇌물을 주고 일족에게 신포를 체납하도록 가르치고 유혹합니다.

관청에서는 10년의 기한이 넘으면 자연히 군적에서 제적되는 일이 가끔 있는 일입니다. 일의 통악(痛惡)251)이 이보다 심한 것이 없으니 이는 마땅히 수령이 십분 자세히 처리하여 도망가고 죽어서 줄어든 수를 곧 채우지 못하므로, 그 해가 이웃과 일가에 미쳐 민원이 날마다 불어나고 있습니다.

지금 와서 그 폐단을 바로잡지 못하고 「호포법」과 「구전법」을 행하면 도망이 날마다 심해져 장부와 호적이 해마다 더욱 어지러워질 것입니다. 수령이 사정(査正)하지252) 못한다면 장차 어찌 처리하겠습니까.

아마도 분요(紛擾)253)와 원망이 여기서 그치지 않을 것입니다(마을에서 정한 법을 거스르고 도망가는 것이 가장 긴요한 일로, 다른 고을에는 이

---

249) **모칭**(冒稱): 이름을 거짓으로 꾸며댐.
250) **물고**(物故): 죄 지은 사람이 죽음.
251) **통악**(痛惡): 매우 나쁨.
252) **사정**(査正): 조사하여 그릇된 것을 바로잡음.
253) **분요**(紛擾): 시끄럽고 어지러움.

런 행동을 하는 자가 드무니 마땅히 신칙(申飭)[254]하여 거행해야 합니다).

어리석은 저의 망령된 뜻으로 간절히 말하자면 양역의 시행은 오래되었습니다. 비록 원성이 있기는 하나 이미 고정되었기 때문에 아직은 옛날에 의거하여 시행하고, 양역의 무리로 인하여 먼저 희망이 생기지 않도록 수령들에게 신칙하고 도망 다니고 사고를 치는 무리를 정밀하게 조사하여 양역을 보충하는 행정을 다할 것입니다. 먼저 한 해에 납부할 호포는 얼마이며 호포를 기다리는 자는 얼마이며, 군액의 잡용(雜冗)[255]을 조사할 것입니다. 또한 여러 관사의 쓸데없는 비용을 감손하여 흉년 든 해에 나라의 직권에 의해 감소된 수입과 비교하여 몇 해 동안의 지출과 용도를 계정한 뒤 결포의 법을 시행할 것이며, 신포(身布)를 반으로 줄인다면 민원을 거의 잠재울 수 있습니다.

더불어 나라의 비용을 넉넉하게 할 방법이 될 것 같은데 어떻게 생각하십니까몇 해 전부터 흉년을 만나 군포의 감손이 혹은 반절도 되고 혹은 3분의 1도 되고, 혹은 전부 탕감되기도 하였습니다. 오히려 그것을 추이(推移)하여 기조(騎曹)[256] 군색(軍色)[257]의 포를 수년 안에 쓸 양을 지급할 수 있었는데, 모두 서리배가 도적질한 바가 되었습니다. 그리하여 창고 안이 텅 비었고, 낭관이 돌리고자 하면 백 가지 계책을 써서 파면시킨다는 말을 국가의 지시로 만들었습니다. 군포가 남는 것을 알 수 있으나 어찌 이러한 무리가 배불리 먹는 데 맡길 수 있으며, 나라 백성의 쌓인 원한과 깊은 성냄을 살 수 있겠습니까. 이것은 불가불 한 번 교정

---

254) **신칙**(申飭): 단단히 타일러서 경계함.
255) **잡용**(雜冗): 잡비(雜費).
256) **기조**(騎曹): 병조(兵曹). 조선 시대에 군사와 역(驛)에 관한 일을 맡아보던 관아.
257) **군색**(軍色): 관아에서 쓰이던 잡비.

하여 감포의 도움이 되게 할 것이며 각 고을에 색리(色吏)²⁵⁸)들이 진성장(陳省狀)²⁵⁹)을 위에서부터 내려오는 동안 중간에 없애는 일은 아마도 사리에는 맞지 않습니다. 고을 색리들이 처음 본관(本官)에게 진성장을 받고는 돌아와서 관원에게 고하기를 "어느 곳에 두고 어떻게 처리할 것입니까. 수령이 비록 혼미하나 이미 진성장을 주었는데, 어찌 끝내 제자리로 돌아감을 알지 못하고 버려두겠습니까"라고 하였습니다. 이것은 색리들이 진성장만을 부친 데 불과합니다. 경리(京吏)²⁶⁰)들이 봉상(捧上)²⁶¹)품을 기록하는 데 문서가 번잡하여 성첩(成貼)²⁶²)을 내려 보냈으나 호포는 먼저 창고에 들어갔으므로 오랜 뒤에 거짓으로 고했음을 알게 되고, 관원은 받은 물건이 없다고 말하니 참으로 절통한 일입니다. 제가 동쪽 고을에 있을 때 기조에서 해마다 미수된 물품을 보내라고 독촉해서 받아간 일이 있고, 매년 해당되는 관리들을 찾아내서 받아들인 기록과 진성장을 대조하면 분명하게 나타납니다. 한 필도 거두지 않은 바가 없기 때문에 이런 뜻으로 보고하면 다시 독촉한 일이 없었으니, 그 뒤에 기조(騎曹)에서 어떻게 처리했는지 알 수 없습니다. 이 일로 경리들이 쓴 간계를 볼 수 있습니다. 이 또한 부득불 한번 바로잡아야 할 일이며 오래된 것은 비록 하나하나 추징할 수 없지만, 이 뒤에는 마땅히 정식으로 삼아 잃어버리지 말도록 도모해야 할 것입니다.]

또한 생각해보니 법을 만든 길은 인심이 믿고 복종하는 것을 우선으

---

258) **색리**(色吏): 감영이나 군아에서 곡물을 출납·간수하는 일을 맡은 구실아치.
259) **진성장**(陳省狀): 지방 관아에서 중앙 관아에 올리는 각종 보고서.
260) **경리**(京吏): 서울 관아의 아전.
261) **봉상**(捧上): 봉납(捧納). 물품 따위를 바침.
262) **성첩**(成貼): 송장(送狀).

로 삼아야 하는데 가만히 요사이 국가에서 하는 일을 보면 어린아이의 장난과 같은 구석이 있어 백성들이 모두 비웃고 믿지 않습니다. 비록 성을 쌓는 한 가지만 보더라도 도성을 지킨다는 계책은 참으로 근본을 아는 논리여서 처음에는 도성의 백성이 기쁘고 즐거워하지 않은 이가 없었습니다.

그러나 각 군문에서 수만 석의 재물을 더 거두어서 소비합니다. 그런 뒤에 겨우 이뤄놓은 것은 숭례문의 몇 칸의 성첩뿐입니다. 지금 몇만 석을 초모 사이에 버려두고 일찍이 한 첩도 손상된 것을 보수할 뜻이 없으니 이것이 한 가지 의심되는 일입니다.

[요사이 병폐가 이와 같으므로 사람들이 "항상 성에 돌을 쌓는다고 하면서 쓸데없이 도성에서 재물을 더 거둔다"라고 말합니다. 후장과 오릉(五陵) 근처와 북한산성을 축조할 때 산맥을 훼손하고 나무를 다 베니 병폐가 이런 데서 많이 생깁니다. 이러한 말은 참으로 유묘(幽眇)[263]하고 또한 원기가 융결(融結)[264]하여 이미 만년의 기본이 되니, 어찌 이렇듯 파괴하고 진작(振斫)[265]하는 사소한 까닭으로 백성을 괴롭히겠습니까. 그러나 범인들도 집과 묘와 산의 착상(斲傷)을 늘 꺼려서 삼가 보호하고 가꾸거늘 하물며 국가는 어떻겠습니까?

사람들이 하는 말이 다른 말이 아닙니다. 마땅히 십분 근신하여 처리해야 할 것입니다. 쓰다 남은 돌은 풀 사이에 버렸고, 어떤 이가 말하기를 인가의 뜰과 초석의 자료로도 쓰인다고 합니다. 그 말이 진실이라면 더욱 지극히 한심한 일이니 마땅히 각 군에 명령하여 하나하나 성 가까

---

263) **유묘**(幽眇): 아득히 멂.
264) **융결**(融結): 굳게 맺어짐.
265) **진작**(振斫): 움직여서 파헤침.

운 데로 주위와 손상이 있을 때마다 보충하게 하고 한결같이 전날에 계획대로 시행하여 백성들의 인심을 풀게 하소서.

나무는 산의 모발입니다. 나무가 말라죽으면 자연히 산이 무너지고 내가 마르는 변고가 생기는데, 도성 안에 도랑이 모두 막혀 물이 넘쳐 다리가 무너지는 일이 이 때문입니다. 삼각산과 네 곳의 산은 마땅히 특별히 명령을 내려 벌목을 금지시키고 내를 소통시키고 교량을 보수하게 하십시오.]

북한산의 축성은 이해의 여하를 막론하고 이미 천험(天險)²⁶⁶⁾의 땅으로 성이 이미 완전합니다. 일이 이리 완수되었다면 다른 날에 마땅히 주관하고 준비하고 지키는 하나의 장신(將臣)을 두고 사무는 경리청(經理廳)²⁶⁷⁾에 보고하여 수직(守直)하게 해야 할 것입니다. 다만 한 장관에게 맡긴다면 멀리 떨어진 한성 안의 백방에서 모여든 무리들이 이미 살아갈 방도가 없어 도둑질하고 겁탈을 일삼을 뿐이니 이를 장차 어디에 쓰겠습니까. 인심이 여기에서 또한 한 번 의심할 것입니다.

탕춘대(蕩春臺)의 건축은 실로 도성을 지키는 제일 계책으로 이미 담을 쌓았고 다지는 일이 겨우 시작되면 따라서 반대하는 것 때문에 큰 역사가 흔들려서 도중에 중지가 되니, 노신들의 충성스러운 마음과 나라를 위하는 계책이 허탕이 됩니다. 다만 국체가 손상될 뿐 아니라 작은 벽과 담장의 곳곳이 흐트러지고 방치되어 무너진 형상과 같으니 이러한 일은 이웃 나라에 알릴 수 없는 일입니다. 불행히 요사이 인심은 이런 일에 또 한 번 의심합니다[경리청을 파하고 세 사람의 대장에게

---

266) **천험**(天險): 땅의 형세가 천연적으로 험함.
267) **경리청**(經理廳): 조선 숙종 38년(1712)에 북한산성 안에 비축한 군량미를 썩지 않게 보관하고 산성을 관리하기 위해 둔 관아.

복속시켜서 빨리 탕춘대를 완수하라는 의견이 참으로 적확하니, 이 일을 조속히 단행하여 백성들의 의심을 끊음이 마땅합니다].

국가에서 하는 조치가 이와 같다면 비록 지금 좋은 법과 아름다운 제도가 있다고 한들 그 누가 진실로 믿겠습니까. 천하에 기이한 계책이 없이 일을 이룬 자가 있는데 기이한 계책이란 합하(閤下)께서 먼저 말부터 하지 말고 실상이 있게 하라고 말씀하셨습니다. 이 말씀으로 족히 큰 군자의 일을 도모하는 지혜를 볼 수 있습니다. 바삐 서두르거나 독촉하지 않고 반드시 성공하리라 기대하겠습니다. 엎드려 바라건대 더욱 난만하신 생각을 더하셔서 반드시 성공을 믿으시고 폐단을 없앤 뒤 명령을 내리시며, 성을 쌓지 않는 것이 천만다행이겠습니다.

저는 가르치심 아래 여러 가지 일이 잘되도록 힘을 쓰고 황공스럽게도 대우를 받고 은혜를 입은 세월이 오래되었습니다. 깊이 합하의 나라를 위하는 충간(忠懇)[268]과 일처리의 신밀(愼密)[269]함을 우러러보고 있습니다. 이번에 새로 재상이 되셔서 사방에서 눈을 씻고 바라볼 것이니 날마다 심려가 됩니다. 혹 일호(一毫)라도 착오가 생겨 밝은 덕에 손상이 될까 두려움으로 진부한 말씀이나마 드릴 바를 알지 못합니다.

스스로 웃은 끝에 황송함이 또한 깊습니다. 성을 쌓는 일 한 가지는 다만 비유를 인용할 뿐이고 지난날 의논을 드린 바에 따라 질문하시기 때문에 다시 아우르지 못하고 대략 뜻을 아뢰었으니 더욱 소망함이 심합니다. 보신 뒤에 곧 찢어버리기를 명하시고 비록 신하의 무리라도 알지 못하게 하시기를 엎드려 바랍니다.

---

268) **충간**(忠懇): 충심으로 간청함.
269) **신밀**(愼密): 신중하고 빈틈이 없음.

권20

서書

書

1. 신생(申生) 광언(光彦)에게 답한 글

■ 광언은 신복초(申複初)의 아들이다. 신축년(1721) 유월 열아흐레

어제 박마(欂馬)[1]를 타고 찾아왔으니 참으로 보통 예가 아니었네. 또한 귀문(貴門)[2]과의 인연이 깊다고 믿었으나 귀문의 재앙이 심하여 초상을 마치고 돌아온 뒤에야 연락을 받았네. 조문을 하지 못하고 시일이 늦어지니, 두려움과 부끄러움이 밤이 다 지나가도록 그치지 않았네. 얼굴을 보고 이야기를 하였으나 억울함과 슬픔이 아직도 뚜렷이 남아 있네.

선대에서 쓰신 글 세 권을 등불 아래 눈을 씻고 하나하나 살펴보았네. 그 처음부터 끝까지 되풀이하여 읽어보니 대략 선대인께서 보통 때에도 지식과 실천이 깊고 돈독하였음을 엿볼 수 있었네. 자잘한 기쁨과 다행함을 일일이 다 말할 수가 없네. 더욱이 나중에 쓴 문자는

---

1) **박마**(欂馬): 널을 실어 나르는 다듬지 아니한 말.
2) **귀문**(貴門): 편지글에서 상대편의 집안을 높여 이르는 말.

더욱 사람으로 하여금 무릎을 치며 공경하는 마음을 일게 했는데 모든 것이 끝났구려. 지금 와서 처음 종이와 글씨를 보며 옛날을 생각하니 이생에서는 다시 그분의 인기척을 들을 수 없는데 절현(絶絃)[3]을 잃은 아픔을 더욱 어찌 끊을 수 있겠는가.

거듭 간곡한 부탁을 어기고 삼가 이와 같이 돌려보내지만 나중에 다시 빌려서 자주 읽어볼 수 있기를 바라네. 오늘 과연 되돌아 올 수 있겠는가. 곤하게 자다 늦게 일어나서 되돌려 보내주는 때를 어겨 아마도 기다리기 어려웠을 터이니 두려워서 탄식을 하네. 행장(行狀)[4]과 지문과 『남유록』 두 책과 아울러 먹 한 자루, 붓 두 자루를 함께 보내니 혹 베껴 옮기는 데 조금쯤 도움이 될 수 있겠는가. 이만 줄이네.

2. 지촌(芝村)에게 화답하는 소지(小紙)

별지의 하교는 자세함과 정성스러움이 지극하여 감탄을 그칠 수 없습니다. 다만 말씀드린 가운데 현석 선생께서 미윤(美尹)[5] 선생을 높이는 일이 지극하였기 때문에 번번이 우암 선생에게 너그럽게 용서하라고 자세히 말하여 청한 내용이 있습니다. 저는 여기에서 부득불 현석 선생을 위하여 변명을 하지 않을 수 없습니다.

대개 현석 선생이 미윤 선생을 존경하는 마음의 깊고 얕음에 관하여

---

3) **절현**(絶絃): 자기를 알아주는 사람과의 사별. 춘추시대 백아와 종자기의 고사에서 유래함.
4) **행장**(行狀): 죽은 사람이 평생 살아온 일을 적은 글.
5) **미윤**(美尹): 윤선거(尹宣擧).

일찍이 몸소 듣지는 못했습니다. 하지만 현석 선생이 미윤 선생의 행장 끝에 "모(某)가 불민하여 늦게 가서 비로소 곁에서 모시게 되었으니 스승님께서 돌아가신 뒤에 덕을 보고 의로움을 사모하는 일이 얕거나 드물지 않을 것입니다"라고 썼음을 보았습니다. 돌아보건대 거처하시는 곳이 외지고 누추하여 오히려 강복(講服)⁶⁾을 하는 맨 끝자리라도 참여할 여지가 없었으니 스승님의 언행과 도덕과 지식의 넓고 큰 바를 다 알 수가 없었습니다.

이로 인하여 삼가 그 아들인 윤증(尹拯)⁷⁾이 편집한 연보와 사실에 관

---

6) **강복(講服)**: 상례(喪禮)의 복제(服制)에 관한 강의.

7) **윤증(尹拯)**: 조선 중기 학자(1629~1714). 본관은 파평. 자는 자인(子仁). 호는 명재(明齋). 시호 문성(文成). 대사헌, 이조 판서, 우의정의 임명을 받았으나 일체 사양하고 실직에 나아간 일이 없음. 송시열과 회니시비(懷尼是非)를 벌이며 소론의 영수로 대립을 벌였음.

   회니시비: 송시열이 살던 곳이 회덕(懷德)이고, 윤증이 살던 곳이 이성(尼城) 이어서 그 첫 자를 따라 붙인 이름. 두 사람의 감정적 대립이 일어난 것은 윤증의 아버지인 윤선거의 묘갈명(墓碣銘)을 송시열이 정성을 들이지 않고 작성한 사건에서 비롯됨. 1669년(현종 10) 윤선거가 죽은 뒤 윤증은 박세채가 지은 윤선거의 행장과 여러 자료를 가지고 송시열에게 묘갈명을 지어주기를 부탁했으나, 송시열은 박세채가 그 덕을 행장에서 모두 나타냈으므로 특별히 할 말이 없다 하여 윤선거의 행적만 간단히 정리했음. 그러나 윤증은 미진하다고 여겨 4, 5년간 묘갈명을 수정하고 개찬(改竄)하기를 청했으나, 송시열은 골자는 내버려둔 채 자구만 몇 군데 손질할 뿐 끝내 윤증의 부탁을 들어주지 않음. 송시열이 윤선거의 묘갈명을 탐탁하지 않은 자세로 지은 이유는 윤선거의 과거 행적과 주자학에 대한 사상적 태도를 문제 삼았기 때문인데, 송시열은 1637년(인조 15) 병자호란 당시 강화도를 수비하다가 성이 함락될 때 탈출해 살아남은 윤선거에 대해 대의명분을 저버렸다고 비판했음. 송시열과 윤선거 간의 이러한 감정 대립은 윤선거의 사후 묘갈명 작성을 계기로 윤증과 송시열의 감정대립으로 이어짐. 이후 송시열은 윤증과의

한 대략을 모아서 복원하였습니다. 현석 선생은 "사사로이 생각해 보니 논의에 부친 연원이 깊고 절개와 의리가 떳떳하게 모두 갖춰져 있어 당세의 이름 있는 학자의 이론은 후세에 전할 만한 군자가 덕행을 인정하도록 해야 할 것입니다"라고 말씀하셨습니다.

이를 본다면 우암 선생이 홀로 묘지명을 잘못 썼다고 하셨으나 행장에 대해서는 성내지 않으셨다니 참으로 이해가 되지 않습니다. 그 아들 윤증이 바야흐로 그 아버지가 매우 어질고 지혜로운 사람이라고 행장에 쓴 것은 덕행을 기준으로 보면 동떨어진 일입니다. 실상을 알지 못하고 아들이 지은 행장만 보고 알려진다면 부끄럽지 않겠습니다.

또한 현석 선생이 미촌(美村)을 제사한 글을 대강 본다면 지극히 훌륭해 보입니다. 그러나 자세히 그 한편을 풀어보면 큰 뜻은 파산(坡山)[8] 윤씨의 유파를 대략 기록하고 미촌이 그 대의를 이어간다고 인정한 내용뿐입니다. 그러므로 현석 선생이 미촌을 너무 지나치게 숭상하였다는 말씀은 아마도 현 옹의 본뜻을 자세히 아시지 못한 데서 나온 것 같습니다. 어찌 생각하십니까. 어찌 생각하십니까.

3. 참의 후재(厚齋) 김간(金幹) 직경(直卿)에게 보내는 글

■ 신축년 칠월 초하루

지난날 성남에서 뵙고 이야기한 뒤 연통이 막혀 마음으로만 우러른

관계를 끊고 적대시했으며 이를 계기로 송시열을 주축으로 한 노론과 윤증을 중심으로 한 소론이 형성되어 노소 대립이 본격적으로 일어남.
8) 파산(坡山): 오늘날의 경기도 파주시 파평면.

지 여러 해가 지났습니다. 바쁘고 급박하여 하고 싶은 말을 하지 못하고 지금에 이르렀으니 지극히 사모하는 마음이 가슴속에 쌓이고 맺혀 있습니다.

더위가 더욱 심한 요사이 엎드려 생각하오니 고요한 속에 건강이 어떠하신지 구구하게 향하는 위로의 마음을 금할 수 없습니다. 낮은 정성뿐인 저는 고질이 떠나지 아니하고 더욱 매우 바빠져서 다만 스스로 걱정하고 연민할 따름이니 어찌해야 합니까. 어찌해야 합니까.

남계 선생의 문집을 출간하는 일은 조정의 명령이 이미 내려졌으나 이곳의 물력으로는 변통하여 준비하기 어려워 우선 깨끗하게 사본해 두고 아직은 뒤에 달리 쓰고자 생각하고 있습니다. 다만 이계장(李季章)[9]의 말을 들어보니 문집 가운데 붉은 점을 찍은 것이 55권이고 푸른 점을 찍은 것이 20권이며 점이 없는 것이 20권이요 속집이 10권이나 된다고 합니다. 이번에는 마땅히 붉은 점이 찍힌 것부터 먼저 출간해야 하는데 대개 물력이 아주 많이 필요해지므로 대충대충 출간할 계획이라고 합니다.

알지 못합니다만 영감의 뜻도 또한 이와 같으십니까. 제 생각으로는 비록 자세한 것은 아니지만 선생께서 평소에 지으신 분량이 엄청나게 많아 푸른 점이 찍힌 것과 찍히지 않은 것만 출간하려 해도 너무 많을 것이니, 이것은 조정의 명을 빌려 간행해 널리 펴낼 수 있을 것입니다.

그런데 속집은 신미년(1691)부터 을해년(1695)까지 내용을 적었으므

---

9) **계장**(季章): 조선 중기 문신 이인엽(李寅燁, 1656~1710)의 자. 본관은 경주. 호는 회와(晦窩). 숙종이 인현왕후마저 폐하려 하자 오두인(吳斗寅) 등의 재야 서인 인사들과 함께 이에 반대하는 상소를 올림. 이조 판서, 홍문관 대제학 등을 지냄.

로 만약에 아울러 간행하지 아니하면 문집의 모양이 처음과 끝이 갖추어지지 않는 꼴이 되므로 아마도 아울러 간행하지 않을 수 없을 것입니다. 어찌해야 합니까. 어찌해야 합니까.

지금 서울에서는 논의가 해괴하여 혹자는 펴내는 분량이 많으니 적으니 말하며 서로 의혹을 낸다는 논의가 반드시 이미 상감에게 들어갔을 것입니다. 사람들의 말이란 곧 사라질 것이니 진실로 족히 염려될 것은 없지만 인간 세상의 일의 변천은 끝이 없으니 알 길이 없습니다.

이것이 좋은 기회라면 반백의 권질(卷帙)을 어느 때를 기다려 출간을 하겠습니까. 저의 얕은 생각이 미치는 곳을 참의께 숨길 수 없어 감히 이와 같이 여쭈오니 바라옵건대 잘 헤아리시어 교정을 보게끔 하시기 바랍니다. 문하 여러 사람의 뜻이 저와 같은 이가 있으리라 생각하여 이 논의를 받들어서 권합니다. 아직 다 갖추지 못합니다.

4. 참의 후재 김간에게 보내는 글

■ 신축년 칠월 초열흘

처음에 한 번 올린 글을 남문 밖에서 부쳤습니다. 그것을 과연 받아 보셨습니까. 좋은 비가 더위를 씻는 이때에 건강이 평상시보다 나으십니까. 구구하여 정신이 달려감을 감당하지 못합니다.

아뢸 말씀은 저와 사귄 지 오래된 벗 신명정(申命鼎)10)은 오늘날의

---

10) **신명정**(申命鼎): 조선의 학자(1650~1698). 본관은 평산. 자는 백응(伯凝). 호는 은파(隱坡). 농암(聾巖) 김중화(金仲和)의 문인. 성품이 지극히 효성스러웠고 배

처사 무리 가운데 한 사람이라고 할 수 있습니다. 그는 효성과 우애가 두텁고 아는 바가 지극히 뛰어나며 문장에 나타난 말이 그윽하고 품위가 있으니 참으로 오늘날에는 쉽게 얻을 수 있는 사람이 아닙니다.

불행하게도 그 뜻을 펴지 못하고 일찍이 죽었는데 그의 아들 광언(光彦)이 그 아비의 문장과 행실이 아주 없어질까 두려워하여, 그의 실행을 기록하고 그의 시문을 편집하였습니다. 그리고 당세의 덕이 높은 자에게 글을 얻어 언행록과 묘표(墓表)11)와 묘지(墓誌)12)를 구비한 뒤 반드시 집사(執事)13)의 글을 얻어서 갈명(碣銘)을 삼고자 하니, 그 정성이 깊다고 할 수 있으며 그 뜻 또한 부지런하다고 할 만합니다.

광언이 또한 일찍이 한 번 문장가를 찾아가 매우 정답고 친절한 글을 받고자 하였으나, 감히 스스로 청하지 못하고 저에게 한 말씀을 드리도록 청하여 나아가 뵙겠다고 하였습니다. 제 말이 어찌 경중을 헤아리는 데 참고가 되겠습니까만, 돌이켜 그가 쓴 시문이나 여러 사람이 쓴 글을 한번 보시는 일에 지나치게 박하지 않으신다면 족히 그에 대해 알아보신 뒤 명문(銘文)14)을 쓰신다고 해도 부끄러움이 없을 것

운 것이 있으면 그대로 따라서 조금도 어긋나지 않았으며 가난하여 자주 굶게 되는 것을 매우 한스럽게 여김. 평소에 경사 공부에 대하여 깊이 닿은 곳이 있으면 반드시 자제들을 불러 일러줌. 시집이 있음.

11) **묘표**(墓表): 표석(表石). 무덤 앞에 세우는 푯돌. 죽은 사람의 이름, 생년월일, 행적, 묘주 등을 새김.

12) **묘지**(墓誌): 죽은 사람의 이름, 신분, 행적 등을 기록한 글. 사기 판이나 돌에 새겨 무덤 옆에 묻거나 관이나 호(壺)에 직접 새기기도 함.

13) **집사**(執事): 존귀한 사람을 높여 이르는 말. 벼슬이나 직급이 중간 정도인 사람을 높여 이르는 말.

14) **명문**(銘文): 금석(金石)이나 기명(器皿) 등에 새겨놓은 글.

입니다. 엎드려 원하옵건대 금옥과 같은 글로 남의 자식의 지극한 소원에 달리 부응하신다면 천만다행으로 삼겠습니다.

5. 김성득(金聖得)[15] 중례(仲禮)에게 보내는 글

비록 세상에 못할 일이 없다고들 말하지만 어찌 오늘과 같은 일이 있을 수 있습니까. 예조 판서를 쫓아내면 그만이지 그의 형은 무슨 잘못이 있습니까. 화로 인한 병이 더욱 깊어져 사람의 몸에 좁쌀 같은 것이 돋고자 하니 어찌해야 합니까. 어찌해야 합니까.

엎드려 생각해보니 어머님의 건강이 좋지 아니하신데 이러한 경우를 당하셨으니 장차 어떤 말로 위로를 드릴 수 있겠습니까. 여러 형님들이 절하고 하직하는 모습을 생각해보면 눈물이 흘러 옷깃 젖는지조차 느끼지 못합니다. 마음으로는 달려가서 손을 마주잡고 이별하고 싶지만 협곡을 다녀온 뒤 또 무덤에 가느라 몸이 상하여 정신과 기운이 모두 빠져버렸고, 감기에 기침까지 겹쳐서 몸이 무겁습니다.

능히 힘을 내어 일어나서 바라보지 못하고 다만 그대만을 홀로 배소(配所)로 보내니 슬픕니다. 나의 형제들도 더욱 살피지 못하는 때라 또

---

15) **성득**(聖得): 조선 문신 김희로(金希魯, 1673~1753)의 자. 본관은 청풍(淸風). 아버지는 우의정 구(構). 경종이 병이 잦고 후사(後嗣)가 없다고 하여 뒷날의 영조인 왕세제(王世弟)의 대리청정을 주장하였는데, 1721년(경종 1) 신임사 화 때 형 재로(在魯)와 함께 파직되어 평안도 위원(渭原)에 유배됨. 그러나 1724년 영조가 즉위하자 풀려났으며, 노론이 득세하면서 공조 참판, 호조 참판, 동지중추부사 등을 역임했음.

한 어려운 일입니다. 남쪽 고을로 귀양지가 정해진다면 거리에서라도 만나 이별할 형편이 될 수도 있겠으나 이러한 기회마저 잃어버렸으니, 어찌 여러 형님들이 가는 이 길을 저는 송별조차 할 수 없습니까. 한탄스럽습니다. 다만 바라건대 서로 맡은 명령에 따라 조심하여 몸을 보호하고 힘써 음식을 잘 먹어 어머님의 마음을 위로하고 겸하여 친척이나 벗들이 바라는 바에 부응하십시오. 하고 싶은 말은 많으나 마음속으로 아시리라 믿고 다 쓰지 못합니다.

6. 곽계량(郭季良)에게 보내는 글

■ 계묘년(1723) 삼월 스무엿새에 곽 진사는 해남의 금갑도로 정배(定配)[16]되었다

그사이 오랫동안 소식 없던 일은 말할 여가가 없네. 맏아들인 진사가[진사의 이름은 진위(鎭緯)이다. 그때 김범갑(金范甲) 등이 우암의 묘를 출향(黜享)[17]하여 도봉(道峰)[18]과 함께 제사 지내라는 등 시끄럽게 욕을 하며 무례를 범하였는데 곽 진사가 수백 명을 인솔하고 소를 올려서 통렬하게 그들을 배척하다가 외딴섬에 안치된 일이 있다.] 마치 뜨거운 불꽃 속을 무릅쓰고 뚫고 나아가 큰일을 판별하여 얻은 바와 같으니 오늘 유학을 받드는 무리 가운데 아직 죽지 않고 산 사람이 있는 것인가. 궁벽한 골짜기에

---

16) **정배**(定配): 죄인을 지방이나 섬으로 보내 일정 기간 동안 감시를 받으며 생활하게 함.

17) **출향**(黜享): 종묘나 문묘에 배향한 위패를 걷어치우는 일.

18) **도봉**(道峰): 조선 중기 문신 송세정(宋世貞)의 호. 본관은 여산.

살고 있는 병든 사람도 힘을 내어 일어나지 않을 수 없는 일이네.

요사이 들으니 섬으로 정배되는 벌을 받았다는데 이는 참으로 이미 생각하던 일이기는 하나 부모를 떠나 멀리 갈 정황을 생각하면 슬프고 암담하여 거의 말로 형용할 수 없게 하네. 그러나 그 어버이의 가슴속에는 반드시 이미 사사롭다는 '사(私)' 한 글자를 버렸을 것이므로, 비로소 구구하게 사랑의 정을 누르고 그 아들 역시 어버이의 곁에서 모시는 것을 효도로 삼지 아니하고 흔연히 갔을 것이니, 세속의 상정으로는 족히 말할 수 없을 것이네. 어느 섬으로 결정되었으며 행장과 노자는 또한 어떻게 준비하였는가. 곧 달려가서 위로해야 하겠으나 갑자기 옆구리에 통증을 얻어서 증세가 매우 위중하고 괴로워 능히 뜻과 같지 못하니 참으로 슬피 탄식하고 슬피 탄식하네. 가력에 여유가 없어 이자 100냥을 간신히 준비하여 보내니 며칠간 행량(行糧)[19]에는 보탬이 되겠는가. 부끄러운 탄식을 그치지 못하네. 나머지는 마음을 너그럽게 하고 이별하여 보내기를 바라며 아직 다하지 못하네.

7. 병정에게 회답하는 글

'진노(嗔怒)'[20]라는 두 글자는 진실로 평생 동안 고질이다. 어찌 조섭에 방해가 됨을 알지 못하고 공부가 주밀하지 아니해서 때때로 근심과 번민이 폭발하는 것을 느끼지 못하는가. 전에 상을 뒤엎어 국그릇을 뒤집어 보인 일은 반드시 해야만 했던 일이 아니었음을 배우지 않아도

---

19) **행량**(行糧): 병사들이 출정할 때 그 진영에 지급하는 양식.
20) **진노**(嗔怒): 성을 내며 노여워 함.

알 수 있다.

지난날 흡현(歙縣)에 있을 때 방백을 통천관(通川舘)²¹⁾에서 마중하였을 때에도 비슷한 일이 있었다. 그 고을 군수와 나란히 앉아 차를 대접하여 마시고 있는데 흡현의 통인(通引)²²⁾ 조명(趙命)이란 자가 다담상(茶啖床)²³⁾을 조복(朝服)²⁴⁾ 위에 뒤엎어버린 일이 있었다.

자리에 가득 앉아 있던 상위와 하위의 사람들이 놀라 일어나지 않은 이가 없었으나, 나는 뜻이 없이 한 일이라고 말하고 다만 시켜서 닦아내게 하였고 책임을 묻지 않았다. 이 일과 그대가 국그릇을 뒤집은 일은 비슷하지만 결과는 이처럼 달라졌을 뿐이다.

나는 백성을 대할 때 말을 급히 하거나 얼굴빛이 변하는 일이 일찍이 없었고, 집 안에서 가끔 사납게 성을 내기는 하지만 집안사람들이 하는 일에 철저히 책임지기를 바라는 뜻에서이지 밖의 사람들에게 다 알리고자 그러했겠느냐. 반생 동안을 고치고 다듬어도 아직 다 없애지 못했으니 다만 본래 모자라 정해진 힘이 한계에 다다른 모양이다. 어찌할 수 있겠느냐. 어찌하겠느냐.

동변(童便)²⁵⁾이 제일 좋다는 방법은 참으로 우스울 뿐이다. 이것은 혈기가 왕성하여 일어난 화를 치료하는 것이니, 어찌 족히 움직이는 마음과 성질을 참게 하는 기구가 될 것인가. 민간에 전해오는 근거 없는 처방은 마음 밖에 버려두어야 할 것이다.

---

21) **통천관**(通川舘): 흡주에 있는 빈객(賓客) 접대소.
22) **통인**(通引): 조선 시대에 경기·영동 지역에서 수령의 잔심부름을 하던 구실아치.
23) **다담상**(茶啖床): 손님을 대접하기 위하여 음식을 차린 상.
24) **조복**(朝服): 관원이 조정에 나아가 하례할 때 입던 예복. 붉은 비단으로 만듦.
25) **동변**(童便): 열두 살 이하 사내아이의 오줌. 두통, 학질, 번갈(煩渴), 해수(咳嗽) 등에 쓰임.

8. 두 번째 답하는 글

이른바 한때 일부러 한 일이라고 말은 하였으나 반드시 그렇지 않을 수도 있다. 대개 국그릇과 떡 접시를 뒤집은 것은 모두 갑작스럽게 일어난 일로 미리 계획하였던 일이 아니고 사람이 화가 났을 때에 벌어진 일이므로, 일부러 한 일이라고 보는 것은 옳지 않다.

전해온 말처럼 바둑을 그 자리에서 그대로 두었다면 이것은 분명히 억지로 한 일이므로 더욱 남을 다스리려는 처사라고 할 수는 없다. 작은 풀인 창양(昌陽)[26]은 또한 혈기를 보태는 데 그칠 뿐이다. 이것이 어찌 마음을 다스리는 기구가 될 수 있다는 말이냐.

9. 사함(士咸) 강계부(姜啓溥)에게 보내는 글

오늘 그대와 그 일행이 떠났을 것이네. 아직도 두려운 것은 땀구멍에 바람이 들어 어지럼증이 또 일어났기에 감히 나아가서 작별하지 못한 일이네. 어찌 병이 이러한데 이를 것을 헤아렸겠는가. 생각해보니 가는 길이 암암하여 신혼(神魂)이 함께 감을 깨닫지 못하겠네.

그러나 사나이로서 죽지 않고 살아 있으면 앞으로 모여 서로 다시 볼 터인데 하필 구구하게 이별하는 태도를 지어야만 하는가. 전별하는 말은 비단 쓰지 않은 지 오래될 뿐 아니라 또한 병이 들어 있어 갑자기 시상을 두드려 일으킬 수가 없었네.

---

26) **창양(昌陽)**: 당삽주 뿌리를 한방에서 이르는 말. 소화 불량, 설사, 수종(水腫) 등에 쓰임.

비록 억지로 짓고자 애쓰나 참말로 좋은 말이 없고 그 일을 흔쾌히 말하고자 하나 담장이 사이에 가로막혀 사람의 허물을 더할까 두렵네. 그 이별의 뜻을 펴고자 하여 지은 시에서 "술을 갖추어 강가로 가서 손님을 이별하여 보낸다"라고 한 말은 지나치지 않네.

사함이 지닌 높은 안목으로는 진부하다고 하여 족히 볼 것이 못된다고 할 것이네. 그러므로 아직 보내지 못하니 만약 좋은 말을 얻게 되면 뒤쫓아 올리더라도 또 무슨 방해가 되겠는가. 그러나 길에서 자주 쉬고 힘써 밥을 많이 먹어 건강을 보전하고 그곳에 가서 문을 닫고 책이나 볼 것이며, 절대로 남들과 수작하거나 놀아서는 안 되네.

이것이 자신을 보호하고 앞으로 나아갈 길을 닦는 것이며 세상을 놀라게 하는 틀에서 벗어나는 방도이기도 하네. 애오라지 이러한 말을 그대에게 보내니 그대는 모름지기 힘써주기 바라네.

어제 낮에 윤이성(尹伊聖)이 와서 그대에게 보내는 시를 외우는 것을 들어보니 시어가 참으로 좋아 이 벗의 늙은 시봉(詩鋒)27)으로는 참으로 감당할 수가 없었네. 새벽녘 베개 위에서 그 운에 화답하고자 했으나 운은 강하고 기력은 약하여 그만두고 말았으니, 한스럽고 한스럽네.

들으니 오늘밤은 오분암(吾墳菴)에서 잔다고 하는데 내 조카 병정과 함께 훌쩍 날아가서 그대와 같이 이야기하며 보내지 못하여 한스럽네.

나머지는 어찌 말로 다 할 수 있겠는가. 다만 묵묵히 내 마음을 비추리라고 믿네. 계묘년(1723) 단오 이튿날.

---

27) **시봉**(詩鋒): 시상(詩想). 시를 짓기 위한 관찰이 창끝처럼 날카롭다는 뜻.

10. 신경소(愼敬所)가 김제로 귀양 갈 때 보낸 글

■ 임인년(1722) 유월 스무아흐레

이별한 회포는 다시 말하지 않도록 하세. 도중에 또 뜻밖의 상을 당하여 어제까지 머무르다가 늦어졌다고 하는데 오늘은 아침 일찍 떠날 수 있겠는가. 끝내 다시 나아가서 이별하고자 하였으나 여러 날 동안 노동을 하느라 현기증과 피곤이 또 심할 뿐만 아니라, 비록 다시 얼굴을 대한다고 하더라도 오히려 더 시무룩해질 뿐이므로 결행을 하지 못하였네.

다만 바라는 것은 서둘러 길을 나서서 천천히 갈 것이며 도중에 사람들이 엿듣고 꾸짖는 일을 피하기 바라며, 삼가 더위를 피하라는 나의 기대에 부응해주었으면 하는 바일세.

그대의 이번 걸음에 우리들이 끝내 한마디 말도 없음은 대체로 죄를 받을까 봐 그런 것인가. 이 또한 세상이 변한 까닭인가. 새벽녘 베개에서 가만히 생각해보니 행색이 슬퍼 흐르는 눈물을 감당하지 못하겠네.

이에 한 절구를 지어서 뒤따라 보내니 말 위에서 펴 본다면 다행스럽겠네. 시는 다음과 같네.

別席無詩只打棋	이별하는 자리에 시 없이 다만 바둑판만 두들겼는데
窮途此意亦堪悲	궁색한 길에 이런 뜻으로 또한 슬픔 감당하네
且看局上乘除理	또한 바둑판 위에 승제의 이치를 보아 안다면
莫訝人間有合離	인간에게 만남과 이별 있음을 의심치 말게나

대개 그그저께 있었던 일을 지어서 위로했을 뿐이네. 또한 생각해보니

옛사람들이 바둑에 대해 지은 시에 참으로 좋은 말이 많았는데 만약 강함을 믿게 되면 쉽게 잃는다는 것도 알게 되겠지. 분수를 지킨다는 것은 진실로 어렵네. 침입하려는 자는 더욱 남을 엿보는 이치를 오늘날에도 또한 족히 세습(世襲)에서 볼 수 있네. 내 몸을 단속하며 아울러 그대에게도 이 글을 주니 모름지기 마땅히 조용하게 스스로 깨달아야 하네.

가는 길에서 과음을 경계하고 귀양지에 이르러서도 손님을 끊고 만나지 않는 것이 또한 분수를 지키는 일단이 되리니 다시 모름지기 노력하게. 정보(正甫)가 만약 있었다면 어찌 경계하는 말을 한 편 지어서 그대가 가는 길을 도와주지 아니했겠는가. 거듭 슬프고 아파할 뿐이네. 나머지는 급히 쓰느라 아직 다 펴지 못하고 삼가 마치네.

11. 이재대(載大)[28]에게 보내는 글

■ 계묘년 팔월 초엿새

한 번 병들어 뜰 밖에 나가지 못하고 지루하게 지낸 지 이미 여섯 달이 되었네. 만나 이야기할 형편이 아니니 아픈 마음으로 슬피 바라볼 뿐이네. 엎드려 생각하건대 올가을에 한가로운 몸은 깨끗하고 좋으며 장차 숨어 조용히 지낼 계획이라고 들은 듯한데 과연 그리할 터인가. 넓고 큰 뜻으로 산에 들어가서 책이나 보며 성품을 기른다면 어찌

---

28) **재대**(載大): 조선 문인화가 이하곤(李夏坤, 1677~1724)의 자. 호는 담헌(澹軒). 본관 경주. 1708년 진사에 급제하였으나 벼슬에는 별로 뜻이 없어 고향 진천으로 내려가 학문과 서화에만 힘썼음

즐겁지 아니하겠는가. 그러나 우리들은 이미 나이가 많아서 쇠하였고 마음이 또한 게을러졌으니 지난날에 화양에서 글을 함께 읽자고 한 약속은 능히 꺾이지 아니하였다고 할 수 있겠는가.

자정(子貞)이 황천 아래서 문장을 가다듬는 지가 이미 26년이나 되었지. 때로 생각이 나서 슬픔을 이길 수 없다네. 나와 같은 사람은 병들고 뭉그러졌으니 비록 살아 있다고 한들 무엇에 쓰겠는가. 다만 족하(足下)[29]께서 노년에 문장가가 되어주기를 바랄 뿐이네. 병으로 나아가서 작별하지 못하니 민망스러움을 금할 길이 없네. 대략 이 글로 대신하니 거듭 모든 것을 조용히 스스로 깨닫기를 바라면서 다 쓰지 못하네.

성장(聖章)이 앓는 병은 어떠한 증세라고 말하던가. 말을 해도 믿지 아니하는 것이 이치에 마땅할 것 같네. 또한 젊었을 때 한 주책없는 행동으로 인해 헤아려 말을 해도 믿지 않을 것이므로 감히 우러러 다만 용서와 이해를 바라지도 못하네.

12. 몽와(夢窩) 김상국(金相國)에게 올리는 글

■ 임인년 정월 열사흗날 당지에서 올림

바람 불고 눈 내리는 가운데 전별한 상황은 자나 깨나 아직도 참담합니다. 곧 금부의 군졸이 가지고 온 소식에 따라 그사이 일을 엎드려 살폈는데, 행가가 무사히 귀양지[30]에 닿았다고 하니 제 마음에 조금쯤

---

29) **족하**(足下): 같은 또래의 상대편을 높여 이르는 말.
30) **귀양지**: 몽와 김창집(金昌集)이 신임사화(辛壬士禍) 때 유배된 거제도.

위로가 됩니다. 그리고 도중에 말에서 떨어지셨다는 보고를 저희 집 종아이에게 전해 듣고는 놀람이 지극하여 이기지 못하였습니다.

당초 입으신 상처가 어떠하신지 알 수 없습니다만 이러한 증세는 처음에는 잘 느끼지 못하고 오랜 뒤에 발작하는 수가 있습니다. 쉬시면서 며칠 지나신 뒤에 다른 증세가 나타나지는 않으셨습니까. 가볍고 무거움을 가리지 마시고 더욱 예방에 힘쓰셔야 합니다.

봄날의 추위가 아직도 살을 에는데 조섭하시는 심신이 어떠하신지 걱정이 그치지 않고 달려갑니다. 지금 형편은 말할 것이 못 됩니다. 반역의 변고가 또 궁궐에서 일어났으나 자비롭게 가르치고 타일러서 죄인을 잡아내는 데 그치기는 하여 다행스러우나 마음속 깊이 놀랐습니다.

또한 궁궐 안으로 들어간 나이 어린 한 환관이 자비로운 하교에 따라 잘못을 자백하였지만 두 종이 스스로 목을 매 죽어서 임금에게 불충한 죄를 끝내 밝히지 못하였으니, 통한을 어찌 다 말할 수 있겠습니까. 갖가지 해괴한 기미는 다 말할 수가 없습니다.

합계(合啓)[31]에 나온 내용도 지극히 흉악하고 참혹하여 요사이 다시

신임사화: 1721~1722년 왕통 문제와 관련하여 소론이 노론을 숙청한 사건. 노론은 경종 즉위 뒤 1년 만에 연잉군(延礽君: 뒤의 영조)을 세제(世弟)로 책봉하는 일을 주도하고, 세제의 대리청정을 강행하려 했음. 소론 측은 노론의 대리청정 주장을 경종에 대한 불충(不忠)으로 탄핵하여 정국을 주도하였고, 결국에는 소론 정권을 구성하는 데 성공햄(辛丑獄事). 신임사화는 이러한 와중에서 목호룡(睦虎龍)의 고변(告變) 사건, 즉 노론이 숙종 말년부터 경종을 제거할 음모를 꾸며왔다는 고변을 계기로 일어났음. 고변으로 인해 8개월간에 걸쳐 국문이 진행되었고, 그 결과 김창집, 이이명(李頤命), 이건명(李健命), 조태채(趙泰采) 등 노론 4대신을 비롯한 노론의 대다수 인물이 화를 입었음.

31) **합계**(合啓): 조선 시대에 사간원, 사헌부, 홍문관이 연명하여 계사를 올리던 일.

합문부복(閤門俯伏)³²⁾을 하려는 논의가 있었습니다. 그러나 옥당(玉堂)³³⁾
이 아직 응하지 않았기 때문에 능히 발의하지 못한다고 합니다. 참으로
이들은 하지 못하는 일이 없습니다. 그러나 하늘 위에 해가 있는데 어찌
이들이 국가를 무너뜨리도록 맡겨두시겠습니까. 다만 이러한 사실을
믿으시고 스스로 너그럽게 생각하심이 어떠하겠습니까. 어떠하겠습니
까. 엊그저께 상감께서 김일경(金一鏡)³⁴⁾을 불러 대면하셨습니다.

그의 부모를 추증하자는 논의를 최석항(崔錫恒)³⁵⁾, 한배하(韓配夏)³⁶⁾,

---

32) **합문부복(閤門俯伏)**: 궁궐 앞에서 엎드려 죄를 비는 일.
33) **옥당(玉堂)**: 홍문관의 부제학, 교리, 부교리, 수찬, 부수찬 등을 통틀어 이른 말.
34) **김일경(金一鏡)**: 조선 중기 문신(1662~1724). 본관 광산(光山). 자는 인감(人鑑).
    호는 아계. 1721년 이조 참판으로서 조태구(趙泰耉) 등과 함께 세제 대리청정을
    취소하게 하고 김창집 등 4대신을 위리안치(圍籬安置)하게 했으며, 소론 정권을
    수립하여 노론 탄압에 앞장섬. 1722년 대사헌을 거쳐 형조 판서가 되고, 그해
    노론 목호룡을 매수하여 경종의 시해와 이이명의 추대 음모에 가담했다고 스스로
    고변(告變)하게 함. 결국 일대 옥사(獄事)가 일어나 유배 중이던 노론 4대신을
    모두 사사되고, 노론 수백 명이 살해·추방됨. 그 뒤 우참찬(右參贊)이 되었으나,
    1724년 영조가 즉위하자 노론의 재집권으로 유배됨. 청주 유생인 송재후(宋載厚)의
    상소를 발단으로 신임사화가 무고로 조작된 것이라는 노론의 집중적인 탄핵을
    받고 투옥된 뒤 친국(親鞫)을 받았으나, 공모자를 밝히지 않고 참형됨.
35) **최석항(崔錫恒)**: 조선 중기 문신(1654~1724). 본관은 전주. 자는 여구(汝久),
    호는 손와(損窩). 형조·이조·병조 판서를 지내고 1721년 좌참찬 때는 소론으로서
    신임사화 때 노론을 실각케 하고 우의정에 올랐음. 1724년 의정이 되었는데,
    재직 중에 죽었음. 1725년(영조 1) 신임사화의 주모자라 하여 관작을 추탈당함.
36) **한배하(韓配夏)**: 조선 중기 문신(1650~1722). 본관은 청주. 자는 하경(夏卿), 호는
    지곡(芝谷). 1722년(경종 2) 공조 판서를 역임했음. 1725년(영조 1) 충훈부 당상으로
    재직 시 화원 진병해(秦丙奚)에게 목호룡의 초상을 그리도록 강요했다는 혐의를
    받고 관작을 추탈당했다가, 죽은 뒤에 있었던 사실로 판명되어 추복(追復)됨.

박필몽(朴弼夢)37)이 먼저 말하였는데 천리와 인정에 합치된다는 말을 계속 힘써 강조하여 그칠 줄 모르고 있습니다. 바야흐로 사당을 짓고 이름을 짓기에 바빠 여러 대신이 아직은 이 일을 모르고 있으나, 이 일이 끝에 가서 어떻게 처리될지는 알 수가 없습니다.

저는 몸의 병이 더욱 중한데 관직 이름도 아직 벗어나지 못하고 있으니 민망한 모양을 어디에 비유하겠습니까. 울주에 관한 소식은 편안하다고 합니다. 세월이 띠는 빛이 갑자기 바뀌어 산천이 아득하니 사모하는 마음을 자못 보내기가 어렵습니다. 다만 심신이 모두 때마다 편안하시기를 엎드려 빌면서 예를 다 갖추지 못합니다.

13. 김명중(金明仲) 형제에게 보내는 글

형식을 빼고 말하겠네. 돌아가는 상황이 날마다 점점 놀라워지니 참으로 말할 수 없네. 세 아들이 같은 때 죽음을 당한 것은 더욱 혹독한 재앙이니 다시 무슨 말을 하겠느냐만, 다만 오래도록 아들 유(兪)가 살아남았으니 다행이라 할 수 있네.

소보(小報)38)를 보니 경연 중에 주상께서 의계(依啓)39)를 한다는 말

---

37) **박필몽**(朴弼夢): 조선 중기 문신(1668~1728). 본관은 반남. 자는 양경(良卿). 부제학, 이조 참판을 거쳐, 대사헌을 지냄. 1721년 김일경, 이명의(李明誼), 이진유(李眞儒) 등과 함께 연명으로 상소하여 신임사화를 유발함. 1724년 영조가 즉위하자 전라도 무장(茂長)에 유배됨. 1728년 김일경의 잔당 이인좌(李麟佐)가 난을 일으키자 가담하려다가 반역 수괴로 몰려 참살됨.

38) **소보**(小報): 승정원에서 그날 처리된 일을 간추려 각 벼슬아치에게 알리던 문서.

39) **의계**(依啓): 상계(上啓)한 뜻을 따름.

씀을 갑자기 내리셨다고 하여 놀란 마음이 갑절이 되니 누르기가 어려웠네. 곧 달려가서 작별하고자 했으나, 지난달 초에 매우 중한 병을 얻어 문을 닫고 출입하지 못한 지 30일이 되었으나 아직까지 쾌차하지 못하였네. 글을 올려 체직을 구하고 움츠리고 엎드려 날을 보내고 있어 뜻과 같이하지 못하니 더욱 슬퍼 마음만 쓰일 뿐이네.

정해진 귀양지 또한 아주 이상하고 흉악하니 또한 심려가 되네. 다만 바라는 것은 경계에 힘쓰고 잘 보전하여 내가 가진 구구히 걱정스러운 생각을 떨치게 해주게. 여러 자식을 떠나보내는 마음을 헤아려보니 종이를 대하여 또한 눈물이 흐름을 참을 수가 없네.

14. 조카 항(恒)에게 부치다

■ 동전(東田)에 있을 때

너를 보내고 눈에 아른거리는 생각은 밤이 지나도록 끊이지 아니하였다. 심부름 갔던 우리 집종 강(江)이 돌아왔는데 아직 그곳은 춥지 않다고 쓴 편지를 받아 보니, 가서 위로하고 다시 만나본 듯하구나. 그러나 추운 날씨가 풀리지 아니하고 오랫동안 온돌에서 따뜻하게 지낸 뒤라 어찌 그곳에서 잘 지낼 수 있을지 이것이 거듭 염려스럽다.

내가 갈 때는 먼저 땔나무할 사람을 보낼 터이니 또한 아직은 원통하고 민망한 마음을 고정하여라. 호담에 어제 가서 보니 순상(順祥)의 무리가 다 밭을 갈아놓았다. 그러나 진흙에 막혀버렸으니 지난날 기수주화(琪樹珠花)[40]처럼 영예롭던 경지가 바뀌었음을 문득 보고 몹시 놀라 정신이 아찔하였다.

또한 물고기 하나 살아남아 있지 않으니 어찌 이다지도 처참하겠냐만, 고기 한 바구니를 얻어 와서 지져 먹으니 그 맛이 매우 훌륭하였다. 다만 음식을 잘 먹는 네가 함께 못해 가장 한스러웠다. 붕어 다섯 마리를 골라 보내니 맛은 볼 수 있겠구나. 나머지는 일일이 쓰지 못한다.

15. 낭관(郎官)[41] 김달행(金達行)[42]에게 부치는 글

언남(彦男)이 돌아와서 대상과 담사 사이에 건강하고 안온함을 알았으니 위로됨을 말로 할 수가 없다. 다만 편지가 없으니 무슨 까닭인지 슬픔이 간절하고 괴이함이 더욱 지극하구나. 모든 일에는 반드시 먼저 의리를 살펴본 다음 민간에 떠도는 말과 일이 되어가는 형세를 참작하여 이치에 따라 처리해야 한다.

다만 한때의 달고 쓴맛에 따라 가볍게 기뻐하거나 슬퍼하지 말기를 간절히 바라고 간절히 바란다. 대체로 헤아려 생각하건대 장부의 신세란 비록 화액과 곤궁 속에 있더라도 오직 이치를 보아가며 참되이 지키는 바를 바꾸어서는 안 되는 것이다. 조급하고 불안하더라도 다시 이 말을 소홀히 여기지 말기 바란다.

내가 그대를 사랑하므로 그대에게 바라는 바는 내가 낳은 자식에게

---

40) **기수주화**(琪樹珠花): 옥과 같이 아름다운 나무와 꽃.

41) **낭관**(郎官): 조선 시대 육조(六曹)의 5, 6품관인 정랑(正郎). 좌랑(佐郎)의 통칭.

42) **김달행**(金達行): 한주공의 사위. 김창집의 손자이며, 영안부원군 김조순의 조부. 김조순은 정조 때 여러 관직을 역임하였으며, 순조 2년에 딸이 순조의 비로 책봉되면서, 안동 김씨 세도 정치의 기틀이 마련됨. 또 정조의 신임이 두터웠으며, 정조가 작고하자 어린 순조를 도와 국구로서 30년간이나 보필했음.

원하는 것과 같다. 또한 그대의 밝은 지혜로 반드시 내 말이 섭섭하지 않으리라 믿기에 이에 감히 이렇게 부탁하고 또 부탁하니 양해하고 양해하라. 합계가 그칠 줄 모르고 상감님으로부터 비답이 이와 같이 내려졌으니 또한 어찌해야 하는지 알지 못하겠구나.

금성목사 오명중은 당뇨가 생긴 뒤에 설사를 만나 오늘까지 스무엿새가 되었으나 끝내 일어나지 못했으니, 참혹하고 아프구나. 참혹하고 아프구나. 홍생(洪生) 감보(鑑輔)⁴³⁾는 지난달에 또 내간상(內艱喪)⁴⁴⁾을 당했으니 생각해보면 석교(石郊)⁴⁵⁾의 심사가 더욱 참혹할 것이다.

16. 신생(申生) 광언에게 답한 별지

■ 내간상이나 외간상(外艱喪)⁴⁶⁾을 당했을 때 시행하는 예절에 대한 의문과 해답

묘표는 누구나 할 수 있다는 말은 옳으나 비명을 삼품(三品)⁴⁷⁾ 이상

---

43) 홍감보(洪鑑輔): 한주공의 사위인 홍봉한(洪鳳漢)의 숙부로 경주부윤을 지냄.
    홍봉한(洪鳳漢): 조선 후기 문신으로 사도세자의 장인(1713~1778). 본관 풍산(豊山), 자는 익여(翼汝), 호 익익재(翼翼齋), 시호 익정(翼靖). 딸이 혜경궁 홍씨. 1755년 평안도 관찰사, 좌참찬에 이어 우의정, 좌의정을 거쳐 영의정에 올랐음. 영조를 도와 국고를 충실히 하고 백성의 부담을 절감토록 했음. 1771년 벽파의 책동으로 세손(世孫, 정조)을 해하려 할 때 이를 막다가 삭직(削職), 청주에 부처(付處)되었으나, 홍국영(洪國榮)의 수습으로 시파(時派)가 승리해 풀려나온 뒤 봉조하가 됨.
44) 내간상(內艱喪): 어머니 또는 승중(承重)으로서 당하는 할머니의 상사(喪事).
45) 석교(石郊): 홍감보의 자.
46) 외간상(外艱喪): 아버지의 상사(喪事). 또는 아버지가 없을 때의 할아버지 상사.
47) 삼품(三品): 문무관 품계의 셋째. 정(正)과 종(從)의 구별이 있음.

의 관리만이 세울 수 있다는 것은 잘못된 것임. 비명을 지은 뒤 증직(贈職)[48]이 있으면 마땅히 덧붙여 써야 함. 비록 과장에 출입하는 사람이 스스로 애써 바쁘게 다녔으나 벼슬을 얻지 못했더라도 자기의 뜻을 구하지 않았다고 할 수 없음. 비록 사우들이 슬퍼하고 안타까워하고 스스로 거사니 처사니 불러 그 이름이 통일되지 않았으나 묘표에 처사라고 쓰는 것은 아마도 무방할 것임.

그 효행에 대해 왕께 정표(旌表)[49]를 내려달라는 명을 청하는 글을 올리는데 자손의 집에서 직접 일을 주선하는 바는 참으로 꺼려야 할 바임. 그러나 만약 자손이 사람들을 몰고 다니며 글을 올려 성사시키는 일은 그대의 말과 같이 참으로 말할 바가 못 됨.

하지만 마을에서 이미 그 효행을 칭찬해 태수에게 보고하였고 태수는 방백에게 보고하였으며 방백은 조정에 보고하였는데, 그사이에 혹 자세히 알지 못해 의심을 사서 시행이 되지 않는 일이 있었다면 또한 자손에게 통한이 됨. 이러한 까닭에 자손들이 사람을 써서 그 속사정을 잘 알지 못하고 방해하는 사람들에게 알렸다고 어찌 한 가지 예로 허물할 수 있겠는가. 그러나 구차하게 분주히 다녀서는 안 됨.

왕이 아닌 자가 사사로이 시호(諡號)[50]를 붙이는 일은 옛사람들이 좋은 뜻으로 했던 일이지만 시행되지 않은 지 이미 오래된 바임. 대개 사사로이 시호를 붙이는 길이 한 번 열리게 되면 지금처럼 사욕이 성한 세상에 함부로 높여 부르는 일이 넘쳐나 세상에서 헐뜯어 평을 할

---

48) **증직(贈職)**: 죽은 뒤에 품계와 벼슬을 추증하던 일. 종2품 벼슬아치의 3부친·조부·증조부나 충신, 효자, 학행(學行)이 높은 사람에게 내려주었음.
49) **정표(旌表)**: 착한 행실을 세상에 드러내어 널리 알림.
50) **시호(諡號)**: 제왕이나 재상 유현들이 죽은 뒤 그들의 공덕을 칭송해 붙인 이름.

까 염려되기 때문임.

만약 모재(慕齋)[51] 선생 같은 분이 아니고 ○○○와 ○○○와 같은 사람이라면 누가 감히 뜻에 따라 단정을 하고 능히 사람들의 믿음을 받을 수 있겠는가. 절의와 효행에 맞지 않는다면 마땅히 『모재집(慕齋集)』[52]에 있는 『소학(小學)』[53]의 효자(孝字) 위에 '더할 가(加)'를 쓴 이유를 잘 헤아려야 할 것임.

17. 신로(莘老) 김상이(金相履)[54]에게 보내는 글

■ 계묘년 팔월 상순

아침에 작별할 때 드리운 어두운 마음을 어찌 능히 그칠 수 있었겠는가. 다만 벽 위에 쓴 두 글자가 깨끗한 얼굴을 대한 것과 같으니 위로가 되네. 생각해보니 그대는 서울에서부터 귀골상(貴骨相)이 지닌 도시와의 인연을 아마도 다하지 못한 것 같네. 어찌 오래도록 산새, 들사슴과 더불어 서로 벗이 되어 지내겠는가. 이것을 가지고 묵묵히 궤장과 신발이 돌아오기 바랄 뿐이네.

그러나 그대가 참으로 치악산의 드높은 고개와 섬강(蟾江)[55]이 지닌

---

51) **모재(慕齋)**: 조선 전기 문신 김안국(金安國, 1478~1543)의 호. 자는 국경(國卿). 예조 판서, 대제학 등을 지냈으며 박학하고 문장에 능한 성리학자.

52) **『모재집(慕齋集)』**: 김안국의 문집.

53) **『소학(小學)』**: 중국 송나라 유자징(劉子澄)이 주희의 가르침으로 지은 초학자들의 수양서. 1187년에 완성함.

54) **상이(相履)**: 조선 영조 때 학자(?~1748). 호는 섬곡(蟾曲), 자는 신로, 본관은 연안.

맑은 정기를 받아 문을 닫고 굳게 앉아 마음을 맑히고 욕심을 버리며, 미처 읽지 못한 책을 읽고 알지 못했던 이치를 모두 깨달아 가볍게 저자거리를 다니지 않는다면 오늘 내가 하는 말은 절로 경망한 말이 될 것이네. 그렇다면 사우들이 다행스럽게 여길 것이니 또한 어떠하겠는가. 다만 그대가 과연 어느 길을 갈지 궁금하네. 그러나 그대가 품은 맑은 생각으로 옛것을 좋아하고 속된 경지를 버린다면 또한 어찌 감히 이 말을 할 수 있겠는가.

전별하는 말은 재대(載大)가 먼저 좋은 말을 차지하였고 참으로 다시 졸한 말을 아끼려 거듭 은근한 부탁을 저버릴 수 없어 이에 감히 아첨을 하고자 하니 어찌 능히 대방가(大方家)56)의 웃음을 면할 수 있겠는가.

셋째 구는 재대에 관한 내용이고 그 아래 두 연구는 또한 재대의 함연(頷聯)57)에 대해 간절히 느낀 바가 있어 썼네. 지난해 석실(石室)에서 우러러 절을 올렸을 때에는 부지런히 글을 읽는 소리가 석실에 넘쳤네. 내가 뜰을 거닐다가 공경하여 우암이 지은 비문을 읽은 일이 있지. 이리하여 연구 한 편을 읊었네.

滿院樹陰淸几席　　서원에 가득한 나무 그늘 궤석을 맑게 하고
出雲秋日照碑銘　　구름 속에서 나온 가을 해는 묘비명을 비추네

시를 농암(農巖)58)에게 외워드리니 농암은 운치가 깃들었음을 인정

---

55) **섬강**(蟾江): 강원도 횡성군에서 시작해 원주시를 지나 한강으로 흘러가는 강.
56) **대방가**(大方家): 문장이나 학술이 뛰어난 사람.
57) **함연**(頷聯): 오언, 칠언 율시의 앞의 연구로서, 제3, 제4의 두 구를 이름.
58) **농암**(農巖): 조선 중기 학자 문신 김창협(金昌協, 1651~1708)의 호. 자는 중화(仲

하고, '수(樹)'를 '오(午)'로 고치라고 하셨네. 지금 생각해보아도 마치 어제 일과 같네. 지금 서원은 화변을 겪은 뒤로 사림의 무리가 다 흩어져버렸으니, 농암께서 하시는 말씀을 어디에서 다시 듣겠는가. 농암 선생 생각에 슬프고 아플 뿐이네.

여강은 나의 선조께서 노니시던 곳이라 청심루(清心樓)에 선조께서 지으신 시가 걸려 있고 신륵사(神勒寺)59)에는 선조께서 쓰신 글이 있네. 지금 그대가 차례로 본다면 반드시 예와 지금 생각에 마음이 슬퍼져 상함이 많을 것일세. 다행히 곧 화답하여 부쳐주어서 나와 생각을 함께하기를 바라네.

나는 다만 타고 갈 말이 없을 뿐만 아니라 바야흐로 몸을 조리하러 선묘가 있는 마을로 가려고 하네. 몸이 좋지 않아 전별을 하지 못하고 멀리서 배가 떠나는 것만 바라보다 거듭 망연할 뿐이네. 그러나 오직 바라는 것은 바닷바람과 파도를 조심하여 건너기를 바라네. 다 펴지 못하네. 재대가 쓴 끝 구절에 다음과 같이 썼네.

| 石室祠前山送客 | 석실의 사당 앞에는 산이 손님을 보내고 |
| 清心樓外月隨君 | 청심루 밖에는 달이 그대를 따르네 |

和). 숙종 8년(1682)에 문과에 급제하고 대사성을 지냈으나 아버지 김수항이 기사환국 때 사사되자 벼슬을 버리고 은거하며 성리학 연구에 몰두했음. 1694년 갑술옥사가 일어나자 아버지의 죄가 풀리고 호조 참의에 임명되었으나 관직을 받지 않았으며, 그 후에도 대제학, 예조 판서, 돈령부 지사 등 여러 차례 관직이 제수되었으나 모두 사양했음. 당대의 문장가이며 서예에도 능했음.
59) **신륵사**(神勒寺): 경기도 여주 북미면 봉미산에 있는 절.

18. 병정에게 답하는 글

지난번 편지에 말한 노인의 모양이란 정말 옳고 옳은 말이다. 요사이 서울에 여러 아이는 스스로 세상을 비관하면서 바둑과 장기와 음주를 소일로 삼고, 전혀 자기가 해야 할 사업을 알지 못하니 참으로 우습구나. 또한 민망하기도 하구나.

지난날 육구몽(陸龜蒙)[60]이 말한 세 분의 성인이 몸에 때가 끼고 야위며 엉덩이가 짓무르도록 오래 앉아 공부를 열심히 한 것은 다만 한 몸의 영화만을 위한 것이 아니다. 이때부터 '정일(精一)'이라는 마음을 다스리는 법을 서로 주고받았으니 어찌 한갓 밭이랑에서 일하는 농부가 가진 괴로움과 같으며 그것을 말로 세상에 밝히는 사람도 어찌 우연이겠느냐.

대대로 글을 읽는 업은 깊고 얕음을 잘 모르겠지만 아마도 십분 절실하고 긴요할 것이다. 모름지기 사서(四書) 가운데 한 가지를 먼저 자세히 읽는 일이 급한 듯한데 네 뜻이 어떠한지는 알지 못하겠구나. 농사는 단지 홀로 취미와 재미로 하는 일이 아니다. 농사를 짓지 않으면 살아갈 수가 없고 제사를 지낼 수가 없으니 마땅히 힘써야 한다. 또한 우리의 학문에도 방해가 되지 아니할 것이다. 이것이 바로 사마온공(司馬溫公)[61]과 허노재(許魯齋)[62]의 뜻이기도 하다.

---

60) **육구몽(陸龜蒙)**: 중국 당나라의 시인(?~881). 자는 노망(魯望). 호는 보리(甫里) 선생(先生). 화려하고 기교적인 작품을 보였으며 시부(詩賦)에 능했음.

61) **사마온공(司馬溫公)**: 사마광(司馬光). 중국 북송 때의 학자, 정치가(1019~1086). 자는 군실(君實). 호는 우부(迂夫), 우수(迂叟). 저서에 『자치통감』 등이 있음.

62) **허노재(許魯齋)**: 허형(許衡). 중국 송·원 때의 문신 학자. 집현전, 태학사 등을

그러나 선비가 농사를 지을 때는 반드시 선후와 경중을 가려서 모두 마음속에 두고 병행하여 마음이 머무르는 곳이 있어야 나그네가 주인으로 바뀌는 일을 면할 수 있을 것이다. 다만 구몽도 또한 이러한 뜻을 알고 말한 것인지 알 수 없구나. 귀뚜라미가 울면 게으른 지어미가 놀란다고 하는 것은 옛말이다. 어느덧 가을이 되어 놀랐으나 이런 세상일을 참아내면서 살아가는 것이 노인다운 모습이다.

19. 이생(李生) 문백(文伯)에게 보내는 글

빗속에 작별하고 간 뒤 다시는 즐겁게 만날 수 없어 어찌 그와 같이 흥이 없는가 생각해보니 또 병이 더한 것 같아 민망하고 슬프네. 요사이 아이들이 모두 공부를 그만두고 가버렸네. 가을이 다 가고 있는데 바람과 창 아래서 책을 펴 보지만 비가 쓸쓸하니 매우 적적할 뿐이네.

이러한 때 좋은 말을 들어보고자 한들 어찌 쉽게 얻을 수 있겠나. 이 두 작품은 무료한 가운데 지어 보내니 시축 끝에 써두고 뒷날 지식에 도움이 된다면 다행으로 여기겠네. 또한 산의 남쪽에 사는 여러 군자들이 학생들을 찾아서 데려오라는 말을 듣고 감사할 것이네. 다만 그 명령은 혼자 내린 것이 아니네.

춘부장 같은 분은 늙어 책임질 일이 없어 무관하겠지만, 자네처럼 그릇이 큰 사람은 바쁠 터이니 나를 어리석다고 하지 않겠는가. 서당은 황폐하여 술 마시고 도박하는 곳이 되었네. 글방에 학생이 없어 한가로워지니 단단한 결심으로 대처하지 않는다면 위에서 보고 더 무엇

지내며 교육에 힘씀.

을 바라겠는가. 슬픈 생각을 능히 가라앉힐 수 없네. 애오라지 스승에 대한 공경심만이 게으른 풍속을 두드려 일으키지 않을 것이네. 붓이 뭉그러져 삼가 줄이네.

20. 이문백에게 보내는 소지

고의(古意)의 서(滋) 자(字) 운에 다만 삼서(三滋)를 물의 이름이라고 주를 달았는데 혹 물가라는 뜻이 아닌가 하는 의심이 가기도 하였네. 다시 삼서의 주를 깊이 헤아려보니 또한 좌씨(左氏)의 장서(漳滋)[63]에 삽서(箑滋) 말을 인용하고는 있으나 더 자세히 밝힐 바는 없었네.

또한 상부인(湘夫人)[64]이 말한 "저녁에 서쪽 물가를 건너다", 강엄(江淹)[65]이 말한 "비친 달에 바닷가에서 놀다"를 주부자(朱夫子)와 장장주(張長洲)는 모두 '물가나 바닷가'로 풀이하였으니, 취옹(翠翁)[66]이 어찌 일찍이 이 뜻을 유념하지 아니하였겠나.

---

63) **장서(漳滋):** 산서성에서 발원하여 하남성, 하북성을 거쳐 운하로 흘러들어 가는 장수의 물가.
64) **상부인(湘夫人):** 상수의 부인. 중국 고대 순임금이 창오에서 죽었을 때 그 비인 아황과 여영이 상수에 빠져죽어 신이 되었다고 함.
65) **강엄(江淹):** 중국 남북조시대의 문신이며 문인(444~505). 송, 남제, 양의 세 왕조를 섬기는 동안 양에서 금자광록대부(金紫光祿大夫)를 지냈음. 문학을 즐기고 유(儒), 불(佛), 도(道)에 통달함.
66) **취옹(翠翁):** 조선 중기 위항시인 장경중(張敬重)의 호. 자는 중숙(仲肅). 본관은 단양. **위항문학(委巷文學):** 조선 선조 때부터 싹트기 시작한 중인, 서얼, 서리 출신의 하급 관리와 평민들에 의하여 이루어진 문학.

자못 처음부터 그것을 가벼이 여겨 의심하였으니 두렵네. 그러니 종이 중간 지점에 "논서(論懿)"라는 글자를 지워버리는 것이 어떠하겠는가. 대개 삼서 또한 물의 흐름으로 이름이 붙은 것 같네. 또한 감히 오직 내가 생각하는 바를 확신하지 못하니 모름지기 다시 헤아려보기 바라네.

21. 여오에게 부치는 글

네가 칠월 초여드렛날에 부친 글을 열엿샛날에 받아 보니 편지가 오는 도중에 어려움이 많았음을 알았다. 그 뒤 소동(小洞)에 사는 윤생(尹生)이 김제로 귀양 간 신경소(愼敬所)에게 다녀와서 전한 말에 따르면 지난 소식은 소문으로 들은 것이고 정확한 내용은 아니라고 한다.

아침저녁으로 보고 생각할 때 최영(崔寧)과 더불어 이 회포를 말했을 뿐이고 노비 삼산(三山)이 전해주는 소식 또한 갑자기 끊어져 더욱 흉한 듯하다. 지난달 열아흐렛날에 성주서(成注書)가 직접 전한 승상의 편지를 펴 보니 사람을 직접 대한 듯해 위로됨을 말로 다 할 수가 없었다.

또한 살피건대 어머님의 행차를 받들어 간 뒤에 온갖 일이 편안하다고 하니 기쁨을 또한 어디에 비기겠느냐. 앞에 나온 글에 따르면 물맛이 좋지 아니하다고 하였다. 이번 글에는 그런 말이 없으니 대개 원성(元城)[67]에서 자첨(子瞻)이 장독(瘴毒)[68]에 걸렸다가 우물을 고쳐 병을

---

67) **원성**(元城)에서 자첨(子瞻): 송나라 시인 소자첨이 왕안석이 만든 신법에 반대하다가 원성으로 쫓겨 갔는데 장독에 걸렸다가 우물을 고쳐 쓰고 나서 완치했다는 고사에서 전함.

68) **장독**(瘴毒): 축축하고 더운 땅에서 생기는 독한 기운.

고쳤는데, 이와 반대로 나는 오히려 장독에 걸렸나 보다.

이러한 일은 홀로 건강하게 지낸다는 기쁨만이 아니다. 요사이 봄과 여름에 큰 병을 앓고 나서 갈증이 비록 더하지는 않으나 원기가 작고 약해져서 점점 힘이 줄어드니 스스로 가련하지만 어찌하겠느냐. 여러 곳이 모두 대체로 편안하기는 하나 누님 댁과 조카 병태네 집에도 굶주림이 날마다 심해도 구제할 계책이 없고 병으로 근심할 뿐이다.

귀양살이하며 잘 챙겨 먹기 어려운 것은 으레 있지만, 윤생이 머물고 있는 집주인의 마음씨가 나쁘지 않아 잘 지낸다고 무호거사(蕪湖居士)가 말하였다. 그러나 성군(成君)이 전한 바에 따르면 윤생이 잘 지내지 못한다고 하니 비로소 무호거사가 전한 말이 잘못되었음을 알았다.

서울 집에서는 고깔이 팔리지 않는다니 앞으로 살아갈 계획이 어찌 되겠느냐. 서울에서 살아가기가 슬플 뿐만 아니라 진실로 살아갈 의욕이 없고 형편에 어려움이 많다. 아직까지 이렇게 주저앉아 있는데 작년과 올해 사이에 여종 둘이 죽고 종 셋이 달아났으며, 말 네 마리가 폐사하여 비록 낙촌을 오갈 때도 모두 남의 힘을 빌려야 하니, 이 또한 운액과 관계되는 것인가. 아니면 한 번 웃고 말아야 하는가.

하물며 기중(箕重)[69]과 성흠(聖欽)이 차례로 고향으로 내려가고 지금은 조카 병태 형제와 쓸쓸하게 이야기하고 있으니 세밑에 드는 심정을 스스로 헤아리기 어렵다. 실은 한번 떠나서 강호 사이를 두루 돌아다

---

69) 이기중(李箕重): 조선 후기 문신(1697~1761). 본관은 한산(韓山). 자는 자유(子由). 이희조(李喜朝)에게 배웠음. 1717년(숙종 43) 생원진사시에 모두 합격하여 성균관에 들어갔음. 장녕전(長寧殿) 참봉으로 시작하여 형조 좌랑, 공조 정랑 등을 역임하였고 외직으로는 단양, 인천의 수령을 지냈음. 군자감정에 이어 담양 부사로 재직 중 세상을 떠났음. 한주공의 백부인 귀천공(歸川公)의 증손.

니고 싶다. 승상과 더불어 축융대(祝融臺)에 올라가서 한번 유람하고자 하나 이 또한 슬픔에 막혀서 할 수가 없다. 서로 만나기가 참으로 쉽지 아니하고 서신 또한 이와 같이 통하기 어려우니, 사람의 일이란 모름지기 탄식만 나온다.

장문중(張文仲)의 죽음은 처참하다. 그의 형이 때마침 일 때문에 여산에 가는 길에 승상을 방문하고 매우 기뻐서 나에게 글을 부쳤다고 했으나 또한 어느 날 전하여 이를지 알지 못하겠다. 사세가 갈수록 더욱 위험하고 두렵고 떠도는 소문과 낭설이 그 끝이 없으므로 정치에 대해서는 귀먹은 벙어리가 되어 절대로 다른 사람과 수작하지 마라. 편안하게 모시는 일 외에 다만 이것을 바랄 뿐이다.

『월파만록(月坡謾錄)』[70]과 「순외(順外)」편(이 책은 돌아가신 큰아버님께서 생전에 쓰신 원고이다)에 같은 글이 어디 있는지를 생각해보았느냐. 지금 승상께서 한가하시어 바깥에서 들리는 시끄러움과 관계없이 지내시는 이때 정리하고 책을 나눠 다른 날 간행할 준비를 한다면 작은 일이 아닐 것이다.

요사이 기중의 말을 들어보면 지촌 선생께서 항상 백부님의 사적을 가

---

70) 『월파만록(月坡謾錄)』: 한주공의 백부인 귀천공 이정기(李廷夔)의 저서.
이정기(李廷夔): 조선 중기 문신(1612~1671). 자 일경(一卿). 호 귀천(歸川). 1648년 정시(庭試) 문과에 장원해 사간원 정언(正言), 성균관 전적(典籍)을 지냄. 1656년(효종 7) 수찬으로 있을 때 민회빈(愍懷嬪) 강씨(姜氏)의 누명을 벗기려고 상소하다가 죽은 황해도 관찰사 김홍욱(金弘郁)을 신원해줌. 그 뒤 승지, 예조 참의, 대사성을 거쳐 현종 초 대사간, 이조 참의를 역임했음. 1664년(현종 5) 경기도 관찰사가 되었으나 모함을 받고 사직함. 1666년 한성부 좌윤 겸 우부빈객(右副賓客)이 되고 1669년 이조 참판이 됨. 1671년 대기근 때 한성부 좌윤으로 진휼청의 제조(提調)가 되어 기민(饑民)을 구제함. 저서로 『월파만록』, 순외편 등이 있음.

지고 저희들에게 말하기를 "당시 여러 사람이 쓴 글과 행동과 덕망이 너희 할아버지에게 미치지 못하였으나, 죽은 뒤에는 모두 세상에 생전의 행적을 떠벌리어 널리 알렸다. 그러나 공께서는 묘비에 새기는 글이나 유고(遺稿)를 다 거두어 정리하지 못하였으니 어찌 너희들이 태만한 죄가 아니겠느냐"라고 하시었다. 이백(李伯)의 말씀 또한 이와 같았으니 우리들이 어찌 부끄럽지 않겠느냐. 다행하게 여기고 흘려듣지 마라.

22. 김봉년(金逢年)에게 보내는 글

■ 계묘년 십이월 스무엿새

봄 사이에 있었던 일은 다시 드러내어 말하고 싶지 아니하네. 다만 한집안에서 네 사람이나 같은 날 귀양을 가는 일[一家四人同日竄逐]은 예나 지금에도 듣기 어려운 일이네. 하물며 얽매인 몸으로 여기저기로 보내지고 그대는 홀로 외딴 변방으로 던져졌으니, 어찌 사람으로서 이치에 마땅한 일이라 할 수 있겠는가. 지금 생각해보아도 슬퍼 창자가 끊어지는 듯하네.

세월은 빨리 흘러 대상과 담사(禫祀)를 지낼 날짜가 다시 돌아와서 차례대로 지났네. 생각할수록 그대의 심정이 어찌 감당하고 참을 수 있었겠는가. 구구히 슬픈 생각을 말로는 비유할 수가 없네. 그러나 옛사람들이 환난에 대처하는 방법을 익히 들어서 알고 있겠지. 다만 마땅히 이치에 맡겨 책임을 다하고 목숨을 보전하는 것이 자식으로서 효도를 마치는 일이며 친지들이 기대하고 바라는 바이네.

오래전부터 글을 보내 위로하고자 하였지만 병이 더욱 위중하였고 모든 인사를 폐지하였기 때문에 소식을 전할 수 없었네. 근래에 상황은 갈수록 몹시 두려워지니 예사로운 글이라도 손에서 낼 수 없어 1년이나 지나도록 늦어졌네. 한 해가 이미 다하여 돌이켜 생각해보니 지난날의 정을 스스로 그치지 못하여 애오라지 이렇게 초초하게 글을 부쳐 위로하니 오히려 양해와 이해를 바랄 뿐이네. 나머지 글을 어찌 능히 다하겠는가. 위에 말한 여덟 글자[一家四人同日竄逐]를 예사로 지나쳐 보지 말고 실제로 힘쓰기를 바랄 뿐이네.

23. 여오에게 부치는 글

■ 계묘년 동지 다음 날

어제 글은 등불을 불러내고 눈곱을 씻으며 써서 보내긴 하였으나, 하고자 하던 말을 다하지 못하였다. 베개 위에서 고요히 생각해보니 어른을 모시고 고개를 넘는 행색이 눈에 아른거려 어찌 잠을 잘 수 있겠느냐.

이렇듯 생각해보니 지태(芝台)께서는 일흔의 높은 연세로 영암(靈巖)에서부터 철산(鐵山)까지 거의 수천 리나 되는 길을 추위를 무릅쓰고 북으로 가셨는데 어찌 몸을 보전해 지탱을 하실 수 있겠느냐. 만약 자신을 위로하려 한다면 참으로 연평(延平)[71]이 "이전에 나보다 더 심한 괴로움을 겪은 이와 비교하면 위로가 된다"라고 한 말이 다시 생각난다.

다행스럽게 여기고 혹 근심하고 걱정하지 마라. 어른을 받들어 모시

---

71) **연평**(延平): 이동(李侗). 중국 송나라의 학자. 주희(朱熹)의 스승. 나종언(羅從彦)에게 수학하고 정호(程顥)·정이(程頤) 사상의 정수를 주희에게 전수함.

고 편안히 가기를 지극히 바라고 지극히 바랄 뿐이다. 또한 그곳에서 함안(咸安)72)이 사흘 길을 가는 거리에 지나지 아니한다고 하고, 수토 (水土)와 생활이 부여(扶餘)73)에 견주어 낫다고 하는 말을 들으니 이것 이 더욱 다행스럽다. 스스로 잘 돌보라는 말을 저버리지 마라. 나머지 생각은 아른거릴 뿐이다. 듣자 하니 서리가 아침에 떠난다고 하여 이 와 같이 앞 편지에 연이어 또 쓴다.

24. 신성보(成甫)74)에게 답하는 글

■ 계묘년 십이월 스무여드레

한 해가 지나도록 편지가 오가지 못하여 그리움이 쌓이던 끝에 은혜 로운 글을 받아 보니 구구하게 쏟아지는 기쁨을 받들어 보네. 그러나 살펴보는 글 가운데 자네 맏며느리가 죽었다는 사실을 대하고는 놀라 움과 슬픔을 그치지 못하겠네.

엎드려 생각해보니 자네가 맏며느리에 대해 높고 깊은 자애심을 가졌 었는데 슬픔과 아픔을 어찌 감당하겠는가. 소식을 들은 뒤 한 달이 지났 는데 추위에 일을 겪느라 상중의 건강은 어떠하며 장례와 삼우(三虞)

---

72) **함안**(咸安): 오늘날 경상남도 함안.
73) **부여**(扶餘): 충청남도 남서부에 있는 고을 이름.
74) **성보**(成甫): 조선 문신 신성하(申聖夏)의 자. 본관 평산(平山). 호 화암(和庵). 1704년(숙종 30) 참봉이 되고 이어 현감 연안부사(延安府使)를 역임했음. 돈령 부 도정에 이르러 평운군(平雲君)에 봉해졌으며 문장에 뛰어났음.

이미 지나갔는가. 달려가는 마음이 얕지 아니하네.

　나는 병으로 항상 괴로움이 뭉쳐 외딴 촌구석에 칩거하고 있으니 별다른 방도가 있겠는가. 해는 저물어가고 마음은 절로 편하지 않을 뿐이네. 그러나 소임에 끌려 다니느라 고향으로 돌아갈 결정을 하지 못하고 있어 울적하고 답답할 뿐이네. 그대는 숨어 살고자 하는 일은 계획은 좋으나 오히려 세상으로부터 비방을 면치 못하고 사람들이 끌끌혀만 차게 할 것이네. 어찌 벼슬을 그만둘 수 있겠는가.

　또 들으니 계급이 올라갔다고 하는데 머릿속이 더욱 혼란스럽겠네. 그러나 이왕 지나간 일이고 앞으로 올 일에 마땅히 책임을 다해야 하는데 어찌 자포자기를 하려고 하는가. 할 말이 많으나 만나지 않고는 다 할 수 없어 글에 임하여 더욱 슬픔을 이기지 못하네.

25. 일원에게 부친 글(계묘년 섣달 스무여드레. 잊고 기록하지 못함)

26. 병정에게 부치는 글

　■ 계묘년 제석 이틀 전

　지난번 글은 보았느냐. 오늘 걸음을 능히 할 수 있겠느냐. 마음이 쓰이고 마음이 쓰이는구나. 내가 항상 따라다니면서 살펴보지 못하는 것이 서운하여 탄식을 한다. 또한 생각해보니 묘제는 봄과 여름에는 항상 오후에 지냈고, 한가을에는 항상 저녁 먹은 뒤에 지냈으므로 사람들에게 늘 죄송하였다.

이번에는 반드시 상의하여 변통하고자 하다가 나는 가지 못하고 네가 꼭 온다는 것도 알 수 없었으므로 두 조카에게 말로 일러서 보냈다. 반드시 이번에는 내가 말한 대로 실천한다면 옳을 것이다.

해가 저문 뒤에는 제사를 관리하는 관원의 근력과 정신이 피로하고 산만하여 거의 제를 지내지 못할 것 같으니 어찌 한심하지 아니하겠느냐. 일찍이 앞에 모신 윗분 제사는 반드시 밥 먹을 때가 지나 행하기 때문에 동쪽 언덕에 있는 두 분의 행사는 자연히 더욱 늦어지게 되고 집 모퉁이에 있는 묘에 제사를 먼저 지내기 때문에 큰 산소의 제사는 항상 마지막에 지내게 된다.

단오와 추석 두 명절 때마다 제사를 지낼 때는 더욱 극히 죄송하였다. 근래에는 제기가 자못 여유가 있어서 위의 네 분 묘소는 해가 돋을 때 예를 갖추어 행하고 동쪽 언덕에 있는 묘소에 지내는 제사는 모름지기 늦게 지내지 말고 윗분을 제사 지낸 뒤 반드시 병행하여 지내도록 하라. 곧이어 큰 산소에 제사 지낸 뒤 집 모퉁이와 앞산에 모신 두 분을 동시에 나누어 제사 지내도록 하라.

두 형수의 묘소는 함께 지내거나 나누어 지내거나 이어서 지내더라도 제사를 일찍 마칠 수가 있으니 어찌 전처럼 늦어지는 폐단이 있겠느냐. 집 모퉁이와 앞산 두 분 묘소를 나누어 동시에 지내고 두 형수의 묘소는 나누어 지내거나 연이어 지내더라도 네 번뿐이니 저녁밥을 먹기 전에 마칠 수 있을 것이다.

어찌 전처럼 늦어지는 잘못이 있겠느냐. 집 모퉁이 제사는 새벽 일찍 지내도 다른 산이기 때문에 무관하고, 또한 윗분의 제사를 일찍 지내는 데 도움이 될 것이다.

요새는 동쪽 언덕 제사 지낸 뒤 제물을 갖춰 가지고 가기 때문에 더욱 늦어지는 까닭이 된다. 이러한 것은 아직 논하지 말자. 한곳에 제물을 갖춰 먼저 제사를 지내면 아랫사람이 매우 불안하니 새해에는 규정을 새로 정해 시작하는데, 앞에서 한 말과 같이하면 도움이 있을 것이다.

제관이 구비되지 아니하여 제사를 지내기 어려우면 조금 늦추어 행사하면 되고 제관의 많고 적음에는 관계되지 아니할 것이다. 너는 제사의 온갖 일을 스스로 확실하게 처리했다고 말하지만, 이렇듯 소홀할 때는 나는 매우 깊이 탄식하고 깊이 탄식한다. 모름지기 격식을 엄하게 세워 영구히 시행할 수 있는 바탕을 만드는 것이 어떠하겠느냐.

참봉 댁에서 제기를 구비하지 못했거든 편의에 따라 비치해주는 것이 좋을 것 같구나. 태중(台重)75)이는 어제 과연 돌아왔느냐. 지태께서 가는 길에는 종과 말이 없어서 왕래와 서신이 모두 없으니 사람의 일을 탄식할 수밖에 없구나. 나뭇짐을 고대할 뿐이다.

27. 기중(箕重)에게 부친 글

■ 갑진년(1724) 정월 초사흘

떠나간 뒤에 종은 돌아왔으나 편지가 없으니 어찌 슬프지 아니하겠

---

75) **이태중**(李台重): 조선 후기 문신(1694~1756). 본관 한산. 자 자삼(子三), 호 삼산(三山). 이희조의 문인. 시호 문경(文敬). 1730년(영조 6) 정시문과에 병과로 급제했음. 1735년 지평(持平)이 되어 신임사화 때 화를 입은 노론 4대신의 신원을 흑산도에 위리안치 했고, 이듬해 영암(靈巖)에 이배됨. 1740년 다시 지평으로 기용되었을 때 이광좌(李光佐)를 탄핵하다가 갑산(甲山)에 유배됨. 이듬해 풀려나와 황해도 관찰사, 예조 참판, 호조 판서 겸 예문관 제학을 지냈으며 청백리에 녹선(錄選)됨. 이기중(李箕重)의 형.

느냐. 지금 뜻하지 않게 손수 쓴 편지를 받아 보았다. 추위를 무릅쓰고 간 끝에 시봉(侍奉)이 평안하며 좋고 정초에 아롱 옷을 입고 부모 앞에 재롱을 떠는 것이 더욱 복되다고 하니 칭찬하고 또 칭찬한다.

종이 어제 낙촌으로 떠났으니 내일 저녁이면 들어갈 것 같다. 내 편지는 보았느냐. 다시 생각해보니 처음에는 만나서 상의하는 것이 급할 것 같아 빨리 오기를 기다렸는데 볼일이 있다면 빨리 올 필요는 없고 다만 잘 헤아려서 하도록 해라. 다만 한스러운 것은 삼행(三行)76)이 송파로부터 돌아오는 것뿐이다. 여오의 편지를 오늘 낮에 받아 보았는데 내행(內行)77)을 무사히 받들고 갔다고 하면서 저도 온몸이 조금씩 오그라드는 증세가 있다고 하니 심려되고 또 심려된다.

어제 연서역(延曙驛)78)이 있는 마을에 가서 지촌을 뵈오니 근력과 말씀이 가실 때보다 줄지 않고 좋아지셨으니 매우 기쁜 일이기는 하나, 술을 전처럼 많이 마시지 못하시니 어찌 손상되었다고 말하지 않겠느냐. 여러 번 정성스럽게 권했지만 마시지 못하신다고 말씀을 하시는데 어찌 다시 권하겠느냐. 또한 나를 위하여 적으나마 함께 마셔주시니 그 뜻마저 슬프구나.

나는 슬픔 끝에 뒷말을 마치지 못하고 취해 일어났으니 참으로 좋은 일이나 나에게는 목마름 증세가 더하였구나. 다만 잠시 동안에도 이러하거늘 먼 길을 가시는 데 어려움이 심하실 듯해 앞길이 매우 염려가

---

76) **삼행**(三行): 신랑이 세 번째로 처가에 인사하러 감.
77) **내행**(內行): 부녀자가 여행길에 오름. 또는 그 부녀자.
78) **연서역**(延曙驛): 조선 시대 서울을 왕래하는 공무여행자에게 말[馬]과 숙식을 제공하던 역 터. 은평구 대조동에 조선 시대 공무로 여행하는 사람에게 마필과 숙식을 제공하던 연서역이 있었음.

되는구나. 나머지는 등불 아래 쓰느라 이만 줄인다. 다만 문을 걸어 잠그고 이 글을 볼 것이며 절대로 바깥사람과 상종하지 말고 말을 삼가라. '신언어(愼言語: 말을 삼가라)'라는 세 글자를 써서 좌우에 두도록 하라.

28. 홍자유(洪子由)에게 보내는 글

■ 계묘년 정월 어느 날

서울이든 시골에 있을 때든 병 때문에 근심하였고 고부랑길을 돌고 돌아 좁은 마을로 돌아오다 보니 자네 큰형님의 소상이 지나간 지 이미 넉 달이나 알지 못하였네. 또 해가 바뀌어도 서로 문안하지 못하였으니 요즘의 인사는 자못 난리 때보다 더 심한 것 같네. 다시 무슨 말을 하겠는가. 밤중에 일어나 앉으면 마음이 찢어져 눈물만 흐를 뿐이네.

살피지 못한 봄추위에 자당께서는 건강을 무엇으로 유지하시며 자네는 또한 어떻게 세월을 보내고 있는가. 너무 슬픈 생각이 나서 말로는 다할 수 없네. 자네 조카는 건강하게 잘 자라고 병이나 없는가. 일찍이 기지 못하는 어린것을 보았는데 이미 눈썹과 눈이 반짝거리는 것을 보니 참으로 그 아버지의 그 아들이었네.

오늘날 자네와 친지들은 다만 이 아이의 장성을 바라겠지. 또 진박(震剝)[79]에 위태로움이 심하다는 말에 움츠러들어 귀엽다고 제멋대로만 두지 말게. 모름지기 서서히 잘 타이르고 이끌어서 글을 알게 하여

---

79) **진박**(震剝): 『주역』에 나오는 진괘와 박괘. 진은 벼락으로 쳐부수고, 박은 칼로 깎아냄을 뜻함.

대대로 이어온 학업을 중간에서 끊어지게 하지 말아야 할 것이네.

말이 이 지경에 이른 것은 더욱 자네 큰형님 생각에 마음과 뼈가 함께 끊어짐을 느끼기 때문이네. 자네가 이 글을 보게 되면 또 통곡하겠지. 나는 소갈 외에 지난봄부터 기가 막히는 병을 더 얻어 여러 번 위독하였네. 겨우 살아나서 놀랄 만큼 빈 껍질만 남아 있을 뿐이네. 또한 어찌하겠는가. 나머지는 종이를 대하자 가슴이 막혀오니 생각을 어찌 능히 다 말할 수 있겠는가. 다만 바라는 것은 힘써 몸을 보호하라는 것뿐이네. 아직 다 쓰지 못하네.

29. 홍회중(洪晦仲)에게 보내는 글

■ 계묘년 정월 열나흘

이미 재를 넘었으리라 생각되네. 날씨가 더욱 추운데 살피지 못하였네. 행리는 어떠한가. 말은 다리를 절고 종은 피곤할 텐데 쓰러지지는 않았는가. 담에 기대 바라보니 그대 가는 모습이 눈에 아른거리는 듯하네.

운로(雲路)80)가 올린 소를 영윤(令胤)81)이 베껴서 가져왔는데 두서없는 글이니 말할 바가 못 되네. 더욱 놀라운 일은 동춘당(同春堂)82)이 우

---

80) **운로**(雲路): 조선 중기 문신 남구만(南九萬, 1629~1711)의 자. 본관은 의령. 호는 약천(藥泉), 미재(美齋). 영의정을 지냈으며 송시열의 훈척 비호를 공격하는 소장파를 주도하여 소론의 영수로 지목됨.
81) **영윤**(令胤): 윗사람의 아들을 높여 이르는 말.
82) **동춘당**(同春堂): 조선 중기 문신 송준길(宋浚吉, 1606~1672). 본관은 은진.

암을 지나치게 음해했는데 이러한 내용이 거론되지 않은 곳이 없었으나 상감께서 비답을 내리지 않은 것이네. 이에 동춘당의 문하생들이 차마 그 모습을 볼 수가 없어 상소를 여러 번 올렸으나 받아들이지 않았을 뿐 아니라 말없이 물리치시고 아예 읽지 않으셨다고 하네. 이것이 혹 하나의 방편이겠는가. 개탄하지 아니할 수가 없네.

전별할 때 주었어야 할 글은 바쁘고 떨려 생각이 나지 아니하다가 동문에서 떠나는 날 눈을 보고 처음 몇 시구를 얻어 인편을 물어보니 영윤 일행도 이미 떠난 뒤였으므로 미처 보내지 못하였네. 지금 들으니 온쉬(穩倅)83)군수가 내일 떠난다고 하기에 비로소 이와 같이 부쳐 보내니 또 어느 날 자네에게 이를지 알지 못하겠네.

30. 상주목사 조정이(定而)84)에게 답하는 글

■ 계묘년 정월 어느 날

예의범절에 어긋나게 뵌 지 3년이나 지났습니다. 내려주신 글을 받

자는 명보(明甫). 노론의 거두였음.
83) **온쉬**(穩倅): 함경북도 온성군.
84) **정이**(定而): 조선 중기 문신 조정만(趙正萬, 1656∼1739)의 자. 본관은 임천(林川). 호는 오재(寤齋). 송시열, 송준길의 문인. 시호 효정(孝貞). 1681년(숙종 7) 성균관 유생(儒生)이 되고, 이듬해 유생을 이끌고 소두(疏頭)로서 윤증이 송시열을 배반한 사실을 비난하는 상소를 올림. 1694년(숙종 20) 갑술옥사로 서인이 집권하자 의금부 도사가 되고, 1722년(경종 2) 신임사화 때 벽동(碧潼)에 유배됨. 1725년(영조 1) 풀려나와 호조 참판이 되고, 1735년 돈령부 지사를 거쳐 한성부판윤과 공조·형조 판서를 역임, 중추부 지사에 이름. 경사백가(經史百家)에 정통했으며,

은 지도 이미 한 해가 지났으니 깊이 사모하는 마음은 모름지기 서로를 번거롭게 하지 않으려는 것이었습니다. 요사이 상감의 은혜를 입어 자리를 옮기셨다고 하니 구구히 마음에 위로가 되셨겠습니다.

벽제에서 영월이 몇 리나 줄어들었다고 지난날 하교하신 호산압수(胡山鴨水)[85]를 그리워하는 마음과 무염탈속(無鹽脫粟)[86]의 난감함이 과연 예전보다 나으신지 알 수 없습니다. 뜻하건대 혹 추위를 무릅쓰고 옮겨오는 것이 도리어 수고롭고 새로 만나는 곳이 마음에 들지 않으신다면 근심을 면할 수 없을 것입니다. 갖가지 일어나는 생각이 어찌 저절로 멎을 수 있겠습니까.

저는 숙환인 소갈증 외에 가슴이 막히는 증세가 더하여 때때로 죽었다가 겨우 살아나서 다만 하나의 뼈와 가죽만 남아 있는 몸뿐이니 다른 무엇을 더 바라겠습니까. 지촌께서 귀양 가시는 길에서 돌아가신 일은 알고 또 압니다. 칠십 되신 노옹을 그 추위 속에 그곳으로 가게 한 일은 참으로 그 사람을 죽게 하려고 한 것입니다.

역마을에서 만나 술을 마시며 수작한 때는 모습과 말이 변함없이 줄지 아니하셨기에 매우 기뻐했습니다. 혹 말없이 돕는 이가 있는가 하였는데 스무날 사이에 갑자기 이러한 보고가 왔으니 누가 사림의 모습의 변화가 이렇게 극도에 이르렀다고 말하겠습니까.

밤중까지 잠을 못자고 다만 눈물만 흘립니다. 또한 생각해보니 집사께서 바로 가까이 계시어 위로가 되었는데 도리어 이 지경이 되었으니 더욱 아무런 생각이 나지 않는 것이 당연합니다. 이 인간 세상을 돌아

시문과 서예에 뛰어났음. 김창협, 김창흡 등과 친교가 깊었음.
85) **호산압수**(胡山鴨水): 만주의 장백산(長白山)과 압록강 국경 지대의 산수.
86) **무염탈속**(無鹽脫粟): 소금도 없는 거친 조밥.

보니 쓸쓸하고 슬프고 모든 일에 마음이 놀라서 참으로 죽은 사람들을 따라가 놀고자 하나 또한 그 길마저도 얻을 수가 없습니다.

집사께서 제 큰형님과 둘째 형님이 부러워 탄식하신다는 말을 받드니 더욱 감격하여 눈물이 옷깃에 떨어지는지조차 느끼지 못합니다. 그러나 옛사람들은 환난을 당하여 처신하는 방법을 스스로 마련했으니 더욱 자신에게 애정을 더하여 난패(蘭佩)[87]의 아름다운 꽃을 손상시키지 말라는 말이 저의 소원이기도 합니다. 요사이 『우암집(尤庵集)』[88]을 보니 북방으로 귀양 가고 남방으로 옮겨지는 것은 사람으로 감당하기 어려우나 편안하게 처신하셨습니다.

두 번이나 바다를 건너는 위험 속에서 높은 연세에도 불구하고 말과 기운이 엄정하고 쾌활하고 정신의 강건함과 깨끗함은 아마 서산(西山)[89]이나 원성(元城)[90]도 미치지 못할 것입니다.

글을 받아 읽은 뒤 진실로 사람의 정신을 고무하고 기쁘게 하는 마음이 일어나게 하여 거의 재난과 액화 때문에 흩어져 살아야 하는 참혹함을 잊게 하였습니다. 이것이 어찌 후생들이 바라고 사모하면서 가슴에 담아둘 일이 아니겠습니까. 사랑이 깊은 까닭에 애오라지 이렇게 받들어 올립니다. 집사께서는 어떻게 생각하십니까.

요사이 편지를 잘 쓰지 않는 것은 뜻이 게을러서가 아니라 두렵고

---

87) 난패(蘭佩): 몸에 지니고 다니는 향주머니.
88) 『우암집(尤庵集)』: 조선 숙종 43년(1717)에 교서관에서 간행한 송시열 유고집.
89) 서산(西山): 송나라 문신 진덕수(眞德秀)의 호. 주희를 이어받아 이기(理氣)이원론을 주장함.
90) 원성(元城): 중국 송나라 문신 유안세(劉安世). 사마광(司馬光)의 제자. 간의대부(諫議大夫)로 직간(直諫)을 잘해 전상호(殿上虎)라는 별명을 얻음. 강직한 성품 때문에 평생 벽지로 전전하며 귀양살이를 함.

꺼려 과감히 쓰지 못함입니다. 해가 이미 바뀌는 때에 공경하는 생각이 더욱 간절합니다. 잠시 이 글을 드리며 아직 다하지 못합니다.

조카와 아들 임(王)만을 겨우 보냅니다. 각각 서로 흩어져 있어 자못 모여서 단합할 즐거움이 없는 것이 더욱 슬픕니다. 여오는 함양으로 귀양살이가 옮겨져서 다행히 큰 근심은 없으나, 어른을 받드는 모양이 또한 매우 민망하고 측은합니다. 이 글은 부안에 있을 때 지은 것으로 달포 전에 처음 왔기 때문에 부쳐 올립니다.

31. 김백춘(伯春)[91]에게 보내는 글

요사이 인사가 문득 난리 속 같아서 모름지기 말을 할 수가 없네. 소상이 지나고 이미 해가 바뀌었으나 서로 문상을 가지 못한 것은 묘사를 지내러 가서 석교를 만나 안부를 묻고 그간의 정을 약간이라도 펼 생각이었기 때문이네. 그러나 병 때문에 만남이 뜻과 같이 되지 아니하였는데 세월이 차츰 흐르는 사이에 해가 이미 두 번이나 바뀌었네.

비록 때마다 편지로 안부를 묻고자 했으나 붓만 잡으면 문득 먼저 목이 메어 여러 번 시작만 하다가 그치고 말았네. 그때 일을 생각하면 다만 눈물이 나올 뿐이네. 살피지 못한 이때 자위의 환후가 다시 더해가

---

91) **백춘**(伯春): 조선 문신 학자 김원행(金元行, 1702~1772)의 자. 본관 안동. 호 미호(渼湖), 운루(雲樓). 시호 문경(文敬). 1722년(경종 2) 종조부 창집(昌集)이 노론 4대신의 한 사람으로 사사되고 온 집안이 귀양 가게 되자 어머니의 배소(配所)에 따라가 있으면서 맹자(孟子), 이이(李珥), 송시열의 저서를 탐독했음. 1725년(영조 1) 조부와 아버지가 신원(伸冤)되었으나 과거를 포기하고 고향에서 학문에만 열중함.

는 근심은 없으신가. 슬픔에 젖어 있는 그대의 기력은 또한 어떠한가.

뼈 속을 파고드는 슬픈 생각이 어찌 끝이 있겠는가. 오늘 내가 바라는 것은 여러 상주가 생명을 잘 보전하여 효도를 다하는 것뿐이니 스스로 중하게 여기기를 엎드려 바라네. 시절이 이러한 때에 슬픔을 참고 어려운 일을 다스려나가게.

나는 요사이 병든 껍질만 살아남아 추위가 살을 에는 듯한 고통 속에서 지내네. 바다 위의 소식을 들으며 겨우겨우 죽지 못하고 살아가는 신세가 되어, 세상 모든 일이 슬프고 애달프니 감당하기 어렵네. 그러나 이것이 세상일이니 또한 어찌하겠는가. 어찌할 수 있겠는가.

마침 종 언(彦)이를 돌아가는 길에 만나서 이와 같이 쓰네. 아직 다하지 못하고 삼가 마치네.

32. 신경소(愼敬所)에게 보내는 글

■ 갑진년(1714) 이월 초나흘 밤에

이별한 뒤 해가 지나니 사라지지 않는 걱정이 작별하던 날과 같을 뿐이네. 요사이 그대가 지던 짐을 넘겨받아 죽은 사람들을 상대하고 노인들과 이야기하는 것이 싫지만은 않았네. 한 노인과 이야기를 해봤는데, 대개 그 사람의 안목이 밝고 성품이 맑고 깨끗하여 그대의 맏형님과 매우 비슷하였네.

슬픔이 사무친 나머지 공경하고 사랑하는 마음이 절로 생겨 서로 떠나고 싶지 아니하였네. 다만 그가 지닌 지식을 물으니 겸손하여 쏟아 놓지 아니하였네. 글을 부지런히 배우지 아니하고도 글을 잘 쓰는 것이 두 분 대인과 같을 수 있는지 알 수는 없었네. 탄탄하고 완전하게 채워진 글이 자못 앞에 본 글보다 나아졌으니 또한 기쁘네.

조가(趙家) 놈의 옥사에 그대의 놀란 마음이 마땅히 어떠하였는가. 다행스러운 것은 끝내 무사하여 놀람이 도리어 기쁨이 되었음이네. 우리 집 자제들은 아직도 그 사건에 얽매어 있으니 어찌 그 모양이며 어찌하여 그런 때를 만났는가. 참으로 말하고 싶지 아니하네.

영월이라는 고을의 물과 땅의 좋고 나쁨과 풍속의 두텁고 얇음과 강과 산의 아름답고 비루함과 사람의 문명하고 야비함은 남쪽 고을에 비교하면 과연 어떠한가. 차라리 언덕의 지초나 물가의 난초는 다니면서 읊는 자료가 되고, 신초(申椒)와 균계(菌桂)는 구슬에 꿰고 다닐 수 있지만 남쪽 고을에서 난초를 캔다는 말을 믿는가. 그러나 그대는 과연 굴자(屈子)[92]와 같은 뜻으로 다만 강산과 밭이랑 사이에서 초목의 꽃이나 열매를 줍고자 할 뿐인가.

그윽한 근심 가운데 뜻을 부칠 곳이 없어 매일 밤마다 「이소경(離騷經)」[93]을 외우면서 천 년 전에 홀로 깨달은 아름다운 속뜻을 상상해보네. 만년에 와서 옛사람이 "울적한 마음을 「이소경」 한 번 외우고 좋은 술 한 잔 마시며 푼다"라는 말을 믿을 수 있었네.

다만 그대도 고요하게 「이소경」 한 권을 대하게 되면 모든 백 가지의 외부 유혹을 끊어버릴 수 있을 듯하네. 이 마음을 흐리고 더러운 중에 매미 껍질 벗어버리듯 하고 맑고 깨끗한 세계에 떠다니며 놀 수 있다면, 비록 더러운 흙과 진흙 속에 처했다고 하더라도 장차 그 여러 가지 향기와 꽃이 만발하니 몸이 살찌고 무르녹음을 이기지 못할 것이네.

---

92) **굴자**(屈子): 굴원(屈原).
93) 「**이소경**(離騷經)」: 굴원이 지은 서정적 장편 서사시.

저 산천, 바람, 흙의 빼어난 빛, 아름다운 나무의 꽃과 그 꽃에서 나오는 기이하고 특별한 향기가 어찌 나와 함께하겠는가. 제대로 선도하지 못한 가르침은 속담에서 말하는 "나는 노래하고 너는 부른다"라는 말에 가깝지 아니하겠는가. 하하하. 끝내 한 번 하하하 웃는 웃음으로 돌아갈 뿐이네. 물론 여기에서 얻고 저기에서는 잃게 되겠지만 말일세.

돌아보니 우리들이 젊을 때 세상에서 가장 잘난 체하며 뽐내던 자만이 옳았다면, 오늘날 먼지 속에서 골골 살아가는 일이 맞는가. 경소(敬所)나 계통(季通)도 반드시 맞다고 여기지 않을 것이네. 비록 다른 사람을 시켜서 보게 하더라도 참으로 가엽게 여기는 사람도 있을 것이나 비웃는 사람이 더 많을 것이네.

지난날 이성(伊聖)에게 화답한 시 한 수가 빼어나지 않으니 이성이 조롱하기를 "아직도 소년이 학교에 다닐 때와 같아 세속의 습관을 일으키게 한다"라고 하였네. 이 일로 서로 평생 노력하였네. 친구의 본색을 알지 못하고 이와 같이 비웃었는데 이 밖에 또 무슨 말을 하겠나. 이재대가 고향으로 돌아와 지난해 자네 맏형님과 더불어 글을 읽기로 약속을 한 뒤 지키지 못한 일이 슬프고 애석해 탄식하는 글을 썼네.

나와 같은 사람이 비록 죽지 못하고 먹고사는 일에 얽매어 스무 해 동안 바삐 돌아다녔으나, 새로 하게 된 일 때문에 과거 보는 곳에서 병들고 근력이 시들도록 문서에만 빠져 일하였네. 지금은 그 정신을 불러 거두고자 밤새워 등촉을 밝히고 있네. 눈으로 책을 보지만 정신은 아득히 잠에 빠지고 아침에 하던 일을 저녁에는 잊으니 무슨 까닭이겠는가.

옛날에 현옹[스승 박세채]께서 항상 그대에게 가르치시기를 글 짓고 쓰는 것을 좋은 일이라 하시고, 부처와 노자는 높은 이치를 가졌다고 하시었네. 나에게 늙었다고 말씀을 하셨는데 조금도 마음에 담지 아니하고 열심히 노력을 하라는 말씀이시니 알 때가 있겠지라고 생각하였네.

오늘 와서 다시 생각해보니 어디에서 이러한 훈계를 들을 수 있으며, 다시 어느 때 찾아뵐 수 있겠는가. 그때 노력을 권하시던 일을 가벼이 넘긴 일을 천 번 부끄러워하고 만 번 후회하여도 죄를 갚을 길이 없으니 어찌하면 좋겠는가. 어찌 자네가 지닌 아름다운 기질과 고상한 의리와 취향을 못난 무리와 비교할 수 있겠는가.

나이가 나보다 여섯 살이 적은데 여섯 해라는 세월은 결코 짧지 않네. 진실로 이때 몸서리치도록 옛 허물을 뉘우치고 새로 익히는데 힘써 한 가지 뜻으로 일하고 길을 바로 닦아 공명을 위해 힘쓰게. 부귀영화와 교만하고 인색한 습관과 술을 마시며 글을 짓고 노래하며 호색함을 다 물리쳐 마음속에서 멀리한다면 덕을 실행하고 신뢰받는 군자가 될 수 있을 것이네.

나아가서는 임금을 도와 백성에게 혜택을 주는 대인이 될 수 있을 것이네. 이른바 일생을 판단하는 큰 사업이 될 것이며 백세에 큰 이름을 전하는 일인데 어찌 다섯 달의 공명이 그대 마음에 차지 않다고 하여 친구들이 인도를 잘못한 탓으로 돌리겠는가. 양충의(忠義)[94]가 늦은 나이에 책을 열심히 읽자 세상 사람들이 그를 놀렸네. 그러나 양충의가 책을 읽지 않았더라면 그와 같은 이름난 일을 이루지 못했을 것이니 어찌 자네가 나이 탓으로 책 읽기를 두려워하겠는가. 또한 자양서(紫陽書)[95]를 읽고 죽을 때까지 그 법을 연구하였네.

아! 오늘날 주자학이 한 가지 큰 방편이니 또한 어떤 말을 할 수 있

---

94) **충의**(忠義): 조선 중기 문신 양연(梁淵, ?~1542)의 애칭. 본관은 남원. 자는 거원(巨源). 호는 설옹(雪翁). 마흔 살에 처음 글을 읽기 시작하여 판중추부사에 이르렀음.

95) **자양서**(紫陽書): 주희의 글.

겠는가. 나는 자네가 사람 마음이 한 곳으로 치우침을 뼈아프게 슬퍼하여 정대한 사문으로 달려 나가고 밖으로는 쇠로한 몸을 의탁하며 안으로는 참된 공부를 더욱 부지런히 하여, 또한 말이 행동보다 앞서는 것을 경계한다는 말에 깊이 동의하네. 또한 헛된 명성에 힘쓰지 아니하고 끝내 성취하려는 생각을 기뻐하네. 이에 앞길에 대한 확신을 가지고 정진한다면 늦게 가서 공을 세울 터이니, 늙은 나도 그 공훈을 잘 알 수 있을 것이네.

다만 당송팔대가 가운데 두보가 쓴 『두릉집』을 무시하고 엄하게 익히지 않는다면, 아마 다시 지름길을 가려는 생각에 흔들려 바른길을 빼앗길 터이니 힘쓰기 바라네. 지나간 것은 이미 끝났으니 오늘 구구히 다시 말한다면 잘 인도하는 바라고 할 수 없을 것이네. 나아가서 임금을 돕는 일은 거의 백 년에 한 번 황하 물이 맑아지기를 기다리는 일과 같으니 조급해하지 말게. 지금 조급해져서 지레 포기하고 게을리하는가. 그렇지 않으면 안 될 일이라 믿고 우물쭈물하면서 결단하지 못하는가. 그렇다면 극히 좋은 웃음거리일세.

또 생각해보니 이때에 귀양살이 법은 말을 조심하고 찾아오는 사람을 막는 것이 가장 요긴한 공부일세. 바라건대 자네는 마음을 오롯이 해 글을 읽고 '마두견(磨兜堅)[96]' 이 세 글자를 써서 좌우명을 삼는다면 매우 다행, 다행일 것일세. 허다한 군소리는 그대를 부지런하게 하려는 뜻에서 나온 것이니 어찌 속인과 더불어 말하겠는가. 보는 즉시 태워 남들의 웃음거리가 되지 않도록 하게. 돌아간다는 영윤의 말을 듣고 등불 아래서 바쁘게 쓰네. 양해하여 보기를 바라며 다 쓰지 못하네.

---

96) **마두견**(磨兜堅): 갈고 닦고 굳히는 일.

33. 이영보(李永甫)에게 부치는 글

■ 갑진년 동짓달

하늘이 무너지는 아픔을 다시 무슨 말로 비유하겠는가. 요사이 친구들의 소식을 서로 듣기가 참으로 어려워 막연하게 단절되니, 지금 무슨 달 며칠인지 다만 가물가물하여 탄식하며 혀를 찰 뿐이네.

그대가 등에 종기를 앓는다는 말을 듣고 곧 편지를 써서 저곡(苧谷)으로 보냈는데 못 받았는가. 그 뒤 답장을 준 것 같은데 혹 도중에 사라져버린 것이 아닌가. 요사이 살피지 못하는 겨울 동안 날이 따뜻하였는데 귀양살이하는 동안 건강이 조금 좋아졌는가. 달려가는 생각이 물과 같이 넘치네.

근래에 생각해보니 묘소 아래에서 살면 조용하여 공부가 잘될 것 같았으나 날이 갈수록 기력이 쇠하고 병이 더욱 잦아 스스로 너무 가련할 뿐이네. 어찌하면 좋겠는가. 어찌하면 좋겠는가.

서로 어긋나 떠난 지 오래되나 만날 기약이 없고, 편지만이 서로를 위로할 한 가지 방법이네. 다만 움츠리고 엎드려 즐거움이 없을 뿐만 아니라 병으로 점점 게을러지고 습관이 되어 종이를 펴고 붓 잡는 것이 어렵게 느껴져 편지를 못 쓰고 지나갔으니 매우 개탄할 일이네.

권 대감께서 세상을 버리셨으니 병들고 초췌한 몸이 오래될수록 더욱 깊어졌을 터인데, 우러러 생각하는 그대의 마음으로 또한 어찌 감당하겠는가. 또 명중(明仲)이가 죽었다니 이 대체 무슨 말인가. 병의 뿌리가 비록 중했다고는 하나 이와 같이 빨리 사자가 되다니 참으로 꿈에나 있을 법한 일이 아닌가. 슬프고 애석하여 몸의 반을 베어낸 듯하네. 생각하건대 그대의 슬픔과 아픔도 나와 같을 것이네. 나는 한나절

동안 길에 있으면서 그와 서로 보고자 하였으나 오히려 가서 이별조차 못하였으니 한을 더하였네.

홍사준(洪士駿)이 지닌 얼음같이 맑은 마음과 학처럼 고상한 얼굴로도 내일 처형을 당한다고 하니, 지금부터 마을에 갈 곳이 없어졌네. 장차 이 슬픔을 어찌 감당하겠는가. 상전이 창해로 바뀌는 변화가 있은 뒤 인물의 마르고 초췌함이 또한 이와 같으니 이 어떠한 액운이란 말인가. 신성여(申聖與), 남여일(南汝一), 유중강(兪仲强) 등 여러 사람도 또한 아까운 사람들 아닌가. 다만 눈물이 줄줄 흘러내림을 감당해야 할 뿐이니 어찌하면 좋겠는가.

자네 서울 집에 편지를 써서 저곡으로 부쳤는데 받아보았는지 잘 모르겠네. 받거든 곧 보고 바로 회답을 부쳐주면 이 회포에 조금은 위로가 될 것 같네. 앞서 보내는 글에 회답이 없어 기다리고 또 기다리고 있네. 양기가 회복될 날이 머지않았으니 다만 천만 번 스스로를 사랑해 자신의 영위(榮衛)[97]를 손상시키지 말기 바라며 다 쓰지 못하네.

지내는 곳이 편안하고 조용해 다른 일에 끌려 다니지 않았다면 날마다 힘써 공부하였을 터이니, 얼마나 향상되었는지 모르겠네. 다행히 보내준 편지에 쓴 은혜로운 말은 게으르고 폐인이 된 내게 용기를 북돋아주었으니, 고맙네. 지난 그믐밤에 천둥 번개가 치고 비바람이 불었는데 근래에 없던 일이라 매우 거북할 뿐이네. 그 산골 속도 그러했는가.

이른 새벽 비망기(備忘記)[98]가 내려졌는데 여덟 가지 일로 자책하였고, 백성들이 하는 살림살이와 당에서 일어나는 앙화(殃禍)를 말하고

---

97) **영위**(榮衛): 내부에서 순환하는 영혈(營血)과 밖에서 순환하는 위기(衛氣)를 아울러 이르는 말.
98) **비망기**(備忘記): 임금이 명령을 적어서 승지에게 전하던 문서.

다시 말하였네. 말의 뜻이 정성스럽고 정이 있어 족히 하늘의 마음을 감동시켜 천재지변을 사라지게 할 것 같으니 조금은 다행스럽네. 그러나 옆에 선비 한 사람이 없으니 어찌하면 좋겠는가. 경소(敬所)의 병이 달이 차도록 매우 위중하다고 하니 매우 심려되는 바이네.

34. 병태에게 부치는 글

어제는 말을 끌고 가느라 바빠서 글을 쓰지 못하여 자못 가슴을 졸였다. 종들이 글을 받아왔는데 글에 담긴 뜻이 매우 정겨우니 위로가 되어 마음이 풀린 뒤에도 또 기억이 가물가물하다. 오십 리를 떠나 있는데도 이와 같거늘 1년 동안 고개 넘어 바닷가에 있는 사람은 어찌 감당할 수 있겠느냐. 우리들이 가진 마음이 남들보다 매우 약한 탓이니 마땅히 스스로 강해져야 한다.

요사이는 날마다 어제처럼 고요함을 견딜 수 없었다. 어제 장아동(藏鵝洞)에 가서 농사일을 보고 돌아오는 길에 호담(壺潭) 남쪽에 있는 버드나무 아래에서 쉬고 있노라니 석양이 못 속에 비치고 정자 마을 집 못의 동북쪽 대나무 꽃이 일제히 유리 같은 맑은 물속에 그림자를 거꾸로 세워보였다.

무릇 모든 물체의 모양이 참모습보다 배나 길고 커 보였다. 정자 지붕의 기와 골이 마치 아름다운 봉황과 공작이 날아 움직이는 것 같았고 새로 이은 띳집은 노란 대자리를 깔아놓은 듯하였으며, 고운 대나무와 가는 풀은 문득 푸른빛의 장막인 듯하였다.

복숭아, 자두, 버찌, 살구는 모두 산호 무더기처럼 보였다. 그 가운데도 더욱 기이한 것은 배꽃과 두견화였는데 흡사 붉고 하얀 두 빛깔

옥을 깎아 층층이 쌓아놓은 듯 모습이 아주 찬란하게 넓은 하늘을 비추고 있었다. 지난날 총석정에서 본 것은 특히 추하고 검으면서 한 길이 넘는 괴석이었으니, 어찌 이에 비교할 수 있겠느냐.

또한 전나무와 느릅나무 등 그 높이를 거의 측량할 수가 없는 두 나무가 있는데 그 사이를 백은으로 바른 듯 깊고 깊은 곳에 검은 파문이 잠깐 움직이면 신기한 용이 꿈틀거리고 허리를 폈다 굽혔다 하며 하늘 속을 훨훨 날아다니는 듯 보였다.

그 땅의 기이한 형태를 말로 다 할 수가 없었는데 어찌 특별한 못 위의 모습뿐이겠느냐. 비록 요지현포(瑤池玄圃)[99] 봉래산 낭원(閬苑)[100] 인들 족히 비유할 수가 없을 것이다. 이것을 만약 그림으로 그린다면 더욱 논할 수조차 없을 것이다.

최생(崔生)을 불러 꽃 밑에서 바둑을 두었는데 바둑알이 모자라면 꽃 잎을 따서 대신하였다. 아이들 몇 명을 시켜 낚시를 드리우게 하고 앉았더니 참봉이 흰머리와 푸른 낯으로 호연건(浩然巾)[101]을 쓰고 정자로 부터 지팡이를 짚고 천천히 꽃 속으로 걸어 나오니, 이 또한 하나의 기이한 광경이 되었다. 그때에 못 속을 보면 비록 물속의 신선이라 말하더라도 지나치지 않았다.

바야흐로 조카 수(受)도 설함을 그치지 못하였는데 수가 말하기를 일찍이 뜻을 두고 본 적이 없다고 하였다. 너희들이 비록 사흘 동안 머물렀지만 아마도 헛되게 지나쳐 보았을 터이다. 사람과 말이 있으니

---

99) **요지현포**(瑤池玄圃): 중국 곤륜산에 신선이 산다는 곳.

100) **낭원**(閬苑): 낭풍요지(閬風瑤地). 신선이 산다는 곳.

101) **호연건**(浩然巾): 당나라 시인 맹호연이 처음 만들어 쓴 두건. 유건(儒巾)과 조금 다름.

비록 일이 많다고 하더라도 또한 와서 보는 것이 좋을 것이다. 꽃이 지기 전에 다시 와서 한번 보는 것이 괜찮을 듯하다. 하지만 어찌 쉬운 일이겠느냐. 그러나 홀로 가서 보는 일이 흥겨웠기 때문에 남에게 자랑하고 싶지 않았다.

글을 써서 봉하여 보내니 수(須)와 항(恒)에게 보이고 건(健)이도 함께 보면 어떠하겠느냐. 다만 두려운 것은 미처 눈으로 못 본 일을 제멋대로 써서 한번 미소를 짓게 하려고 하였는지 알 수 없는 것이다. 한 번 또 못 본 한을 씻고자 하나 여전히 한탄스럽구나. 나머지는 바빠서 다 하지 못한다.

초파일 하루 전에 글을 쓰는데 이렇게 글이 길어지니 노비 강(江)이 떠나기를 엄청 재촉하고 그 얼굴에 굶주린 빛이 불쌍하므로 어쩔 수 없이 쌀 한 되를 주어 기다리게 하고 글을 마칠 수 있었다. 건아와 사랑하는 아우에게는 각각 글을 쓰지 못하였으니 더욱 매우 우스운 일이다.

35. 문백(文伯)에게 화답하는 글

어제 모임이 이루어지지 아니함은 어찌 다만 두 사람이 스스로 게으름을 익힌 이유뿐이겠는가. 우리가 보기에 지계의 꽃과 새를 가지고는 그 옛날 일찍이 위후(魏侯)[102]가 새 우인(虞人)[103]에게 한 대접만 못하겠지. 밤을 지새우면서까지 부끄럽고 슬퍼 시 한 수로 사죄하고자 했는데 좋은 글을 먼저 받으니 말하자면 두 사람의 뜻이 서로 같다는 말일세.

---

102) **위후**(魏侯): 중국 전국시대 위(魏)나라의 혜왕.
103) **우인**(虞人): 경험이 많고 능숙한 사냥꾼.

다만 뒷날의 기약을 열나흘날로 정했다고 봤는데 아마도 이 글은 그저께 쓴 것 같고 머리글을 보면 어제 쓴 것 같네. 그저께 쓴 것이 아니라면 열나흘날은 바로 열여드렛날을 잘못 쓴 게 아닌가. 아마 정신이 잠깐 없어서겠지. 옛사람이 편지를 쓸 때 반드시 연월일을 쓰는 것은 이러한 것을 보아도 깨달을 수 있는 것이지.

비록 짧은 편지라도 '즉(即)' 자를 쓰지 아니함이 예(例)에 맞는 것 같네. 또한 등불을 밝혀놓고 두 가지 시와 새로 지은 시를 전에 지은 시와 비교해보니 모두 좋은 글이었네. 하여 참으로 깊이 경탄하며 바라보기만 하고 다 연구하지 못하였네.

36. 택부(擇夫) 임선(任選)의 형제에게 보내는 글

■ 갑진년 윤사월 초아흐레

덕휴(德休)에 관한 흉한 소식이 갑자기 오니 이 무슨 일이며 이 무슨 이치인가. 명(命)이 길고 짧음과 화복은 본시 기약할 수 없지만 어찌 덕휴의 재주와 높은 행실과 굳센 기질이 끝내 세상을 위해 쓰이지 못한 채 감기로 일어나지 못하고, 나이 마흔이 못 되어 이리 갔단 말인가. 통곡하고 또 통곡을 해보아도 할 말이 없네.

우러러 생각하니 우애가 두터운 자네가 무너지는 아픔을 어떻게 감당하였으며, 또한 장차 무슨 말로 우러러 어머님을 위로할 수 있겠는가. 지난 무인년 나의 셋째 형님께서 돌아가시자 예법에 따라서 뜻대로 실행하지 못하였네. 처음 형님이 돌아가셨을 때에 살고자 하는 생각이 없고 마음이 매우 아파 눈물을 흘리고 있었네.

어머님을 받들어 위로하고자 하나 좋은 방법이 없어 슬픔과 고통을 안고 어쩔 줄 몰랐던 때는 지금 떠올려보아도 정신이 아득하네. 그대 형제들이 지금 처한 상황과 행동거지의 어려움이 그때의 나와 비슷하므로 거듭 오열하고 가슴이 막혀 사람과 같지도 아니하네.

곧 살피지 못한 더운 날에 자후께서는 어떠하시며 여러분의 건강은 또한 어떠하신가. 다만 자신에게 관대하고 또한 인자하게 위로하기를 깊이 바라네. 묘는 어디에 쓰기로 하였으며 이미 좋은 날도 가렸는가. 나는 추암(楸菴)에 와 있으나 병세가 고통스럽고 중하여 성에 들어가기가 쉽지 않으니 만나서 위로하기는 당분간 어려울 것 같아 기약할 수가 없네. 편지지를 대하니 더욱 간절하게 슬픔에 얽매이네.

37. 평보(平甫) 서명균(徐命均)에게 보내는 글

■ 갑진년 유월 열하루

어제 높은 분의 수레가 산골짜기에 왕림하시어 오랫동안 쌓인 회포를 풀 수 있었으니 참으로 요사이에 있는 일이 아니므로, 감동과 위로가 날이 갈수록 더욱 깊어지네. 다만 병이 심해 달려가서 감사한 마음을 보이지 못하는 것이 슬프고 두렵네.

찌는 듯한 더위를 감당하기 어려운데 덕(德)을 펴시는 높은 분께 부탁할 것은 없으나, 다만 『근사록(近思錄)』104) 한 장을 써 보내네. 얼마

---

104) 『근사록(近思錄)』: 중국 송나라 때 주자와 그 제자인 여조겸이 함께 편찬한 책.

전부터 손과 팔이 불편하여 예사로운 서찰조차 뜻과 같이 쓸 수 없으니 하물며 해서체는 어떠하겠는가. 꾸짖으며 자못 긴급하다고 하니 감히 사양하지 못하고 억지로 붓을 놀렸네.

그러나 손이 떨리고 힘이 없어 자못 절름발이의 걸음처럼 심하게 위로 옆으로 뛰고 찢어져서 모양을 이루지 못할 뿐만 아니라 하얀 종이를 더럽혔으니 참으로 부끄럽네. 또한 정신이 어두워 잘못 써서 한 폭을 찢어버렸으니 더욱 송구하고 송구하네.

더구나 지난 계유년(1693)에 여오와 더불어 이 책을 산사에서 읽은 뒤로 포기한 지 30여 년이네. 이것을 찾아 베껴달라는 부탁은 희미하게나마 엄한 스승님의 가르침을 다시 받은 듯하니 승상께서 크게 베풀어주신 바와 같네. 또한 생각하건대 쓴 글 가운데 제일 · 제이 문(文)은 더욱 절실한 마음공부에 관한 내용이네.

평일에는 가슴에 담아두지 못하여 이리 거칠고 서투르니 다만 영감 같이 한창나이의 몸으로 세상의 길을 맡은 사람이 십분 받들어 실행한다면 거의 교화에 도움이 될 것 같네. 잘 알지 못하지만 어떠할지. 나머지는 더위에 곤란을 겪다가 어스름에 이렇게 쓰네.

(쓸 글의 제일·제이 문은 곧 『근사록』 1권의 26조와 27조이네)

또 말할 것은 옛사람이 시에 쓴 한 글자가 천금이 나간다는 말이 있는데 졸필은 비교할 수도 없네. 새빨갛게 열이 오르고 머리를 숙여 땀을 씻으면서 깨끗하게 200여 자를 쓰노라니 그 노고는 졸렬한 글로는 일천 금으로 보상하기에도 모자라나 역부(役夫) 여러 사람이 꾸짖음을 면할 수 있다면 어찌 두 가지를 다 얻은 것이 아니겠는가. 웃어보세. 웃어보세(전에 반계의 살림집과 정자가 비로 무너졌는데 평보가 경기 감영에서 역부를 뽑아 보낸 일이 있으므로 그렇게 말한 것임).

권21

서書

書

1. 여오에게 답하는 글

■ 갑진년 유월 열이틀

병춘(秉春)이 사월 보름날 순노(順奴)를 시켜 보낸 편지를 사월 스무하루에 받아 곧 펴 보았다. 이월에 받은 뒤로는 첫 편지이니 위로와 기쁨을 말로 할 수가 없다. 순노가 말없이 간 윤달 스무날부터 오늘까지 이미 50여 일이 지났으나, 오가는 소식이 모두 끊겨 반년 동안 다만 세 번의 편지를 받았을 뿐이니 더욱 서로 멀리 있음을 느낀다.

마음을 어찌 글로 모두 쓰겠느냐마는 이번에 받은 글은 참으로 정다운 말이었다. 생각이 지극하여 펴 볼 때 조금 이해하고는 뒤에 다시 생각이 나서 가슴에 맺히니 어찌해야 하느냐.

올해에는 비가 정해년(1707)에 비해 더욱 심하다. 도계(道啓)[1]로 보

---

1) **도계**(道啓): 관찰사가 올리는 장계.

아서는 영남 땅도 또한 그렇다고 하는구나. 넉 달 동안이나 찌는 듯이 더웠다고 하는데 어떻게 지내느냐. 형수님께서는 연세가 점점 높아가시기는 해도 정신과 근력이 보통 사람보다 좋으시므로 일찍이 근력은 걱정이 안 된다. 알 수는 없으나 다른 증세의 병환으로 불편하시지는 않으냐. 엎드려서 오만 가지 생각을 다하게 되는구나.

지촌 대감께서는 마비와 담으로 일어난 설사 등 증세가 있으신데 요사이는 어떠하시냐. 그곳에 산 지 이미 1년이 지났는데 풍토의 좋고 나쁨은 어떠하냐. 대감의 연세가 또한 쇠약해지는 나이시니 보양할 방법이 없구나. 영남 땅에 또한 의원이 많으니 모름지기 약의 처방을 알맞게 해 후회하는 일이 없도록 해라.

요사이는 계상(溪上)에 있으면서 자못 샘을 파는 데 재미를 얻어 잘 지내고 있다. 얼마 전 할아버님 기제사를 지내러 서울에 들어갔었는데 다만 조용히 한가롭게 지낼 시간을 잃었다.

노비 단(單)이만 그대로 두고 갔더니 작은 채는 비로 무너져 아들 건(健)이가 거처할 곳이 없더구나. 이것은 이미 눈앞에 벌어진 급한 일이고 계상의 경작지와 호중에 있는 몇 이랑의 밭도 모두 수해를 입었다. 앞으로 살아갈 계책이 망연하여 근심하고 탄식하던 나머지 도리어 웃음이 나오더구나.

조카 병정의 숨통이 다만 둑 한 곳에 매여 있는데 태반이 내로 변해 버렸으니 더욱 민망스럽다. 조카 병태가 창관(倉官)[2]의 추천을 받은 일로 희망이 생긴 것은 좋은 일이기는 하나 문관의 직책과는 달라 또한 그의 형세가 백척간두(百尺竿頭)[3]라 할 수 있으니 지금은 뭐라 판단할

---

2) **창관**(倉官): 조선 시대에 광흥창 군자감에 둔 낭관(郎官)을 통틀어 이르던 말.
3) **백척간두**(百尺竿頭): 백 자 높이의 장대 위에 올라섬. 몹시 어렵고 위태로운

수 없는 일이다.

그는 이미 그 직책을 받아 나가기로 결심한 것 같고, 나 또한 막을 수가 없었다. 그러나 임명이 된 뒤 하룻밤 입직하였다가 갑자기 열흘 만에 직책을 잃었다는구나. 이렇게 슬프게 얻어먹은 밥이 쌀과 먼지[米塵] 사이를 따라다니니 어찌 괴롭지 아니하겠느냐. 출근해서 갑자기 그런 비방을 받았다고 하니 한탄스럽구나.

보내준 시는 다 좋았다. 마침 이성(伊聖)이 와서 보고 함께 읊기를 그치지 않았다. 또한 세흥(世興)이라는 자가 갑자기 인편이 있다고 알려주었으므로 편지를 써 이렇게 부치기는 하나 어느 날 받아볼 지 알 길이 없다. 장맛비가 아직 개지 않았으니 다만 낯빛의 근심과 몸의 병이 모두 평상으로 회복되기를 바라면서 마음속에 담긴 말을 다 쓰지 못한다.

2. 신백증(申伯曾)을 위로하는 글

■ 유월 스무이틀

사뢰네. 성여(聖與) 씨의 상고를 어찌 꿈엔들 생각했겠나. 거듭 통곡하네. 시대와 운명이 비록 어긋나기는 했으나 성여 씨의 재주와 넉넉한 마음씀씀이, 기량, 점잖은 도량을 펴보지도 못하지 않았는가.

겨우 동파(東坡)[4]가 황강(黃岡)으로 귀양 가던 나이에 이르렀는데, 갑자기 고복하여 고개[嶺嶠] 밖의 사람이 되었으니 이것은 사람의 시기

지경을 이름.
4) 동파(東坡): 소식(蘇軾)의 호. 황강 동쪽 둑에 집을 지은 데에서 연유함.

때문인가. 아니면 하늘이 버리신 것인가. 공(公)을 그리며 사사로이 답답하고 슬퍼서 말을 할 수가 없네.

엎드려 생각해보니 돈독한 우애로 인하여 가슴이 무너지는 슬픔을 어찌 감당할 수 있겠나. 들으니 이미 공이 시신을 모시고 고향으로 돌아가서 깊고 깊은 흙 속에 묻고 돌아왔다고 하니 모든 일이 이미 끝이 났는데 어찌하면 좋겠는가.

그러나 가만히 생각해보니 성여의 뜻에는 반드시 고고하게 산속에 숨어사느니, 차라리 허공을 날아다니면서 바람과 먼지에 오염되지 않고 스스로 쾌활한 것이 맞았을 것이네. 그렇다면 우리가 그를 생각하며 웃을 일인데 또 무슨 한이 있겠는가. 다만 바라는 것은 깊이 스스로에게 너그럽게 대하고 슬픔을 눌러 구구한 뜻에 부응하길 바라네.

나는 병으로 외딴 촌구석에 엎드려 지내면서 문 밖을 못 나가, 궤연에 나가 곡 한 번 하며 공의 손을 마주잡고 슬픈 정을 펼 수가 없었네. 지난날을 생각해보면서 울음을 삼킬 뿐 예를 다 펴지 못하네.

성여 씨가 병들기 전에 종이배를 타는 꿈을 꾸었다는 말을 들은 것 같은데 과연 믿을 수 있는 말인가. 꿈이 기이하나 나아가서 자세함을 듣지 못하였으니 슬프고 답답함이 심하네.

3. 조카 병정에게 답한 글

■ 칠월 초하루

며칠 사이에 두통과 설사는 모두 이미 멎었느냐. 지척에서 목욕하면서 즐기려던 흥이 도리어 한강에서 목욕하는 꼴이 되었으니 우습기도 하고 심려도 된다. 요사이 식량이 또 끊어진 지 오래되어 온갖 일이 점점 매우 어려워지는 때다. 이 어려움을 벗어나고자 하여 분한(分限)5) 을 잊고 심부름을 하는 천한 일조차 쉽게 하겠다고 하니 진실로 눈앞에 이르지 아니한 경계와 살림이라고 하여 어찌 가볍고 한가롭게 지나칠 수가 있겠느냐.

언곡(堰曲)의 밭은 비록 복사(覆沙)6)가 되었지만 종 애(愛)의 말을 들어보니 깊은 곳이 메워져서 내년에는 논을 만들기가 매우 편리해졌다고 하는구나. 금년에 새로 모래땅에 농사를 짓기 적합한 곡식이 있어 추수가 작년보다 줄지 않을 것 같다고 하니 네가 할 수 있는 분수 안의 헤아림으로 작년의 추수량을 표준으로 삼고 더는 정력을 낭비하지 마라. 작년에 비해 줄지 않는다면 더 마음 쓸 필요가 없이 편안하게 해를 마칠 것 같구나. 이 고비가 지나가면 절로 식량을 준비하는 데 큰 복의 경사가 될 것이다. 어찌 좋지 아니하랴.

또한 모름지기 생각해보니 아산(牙山)으로 애(愛)를 보내기로 하였다는데 지난번에 도망간 종을 잡아올 수 있을지 알 수 없구나. 막선(莫先)이도 간 지가 오래되었고 금천(衿川)이도 돌아오지 않았다고 전하니, 무슨 까닭인지 알지 못하겠구나. 이 또한 노복궁(奴僕宮)7)이 좋지 못한 까닭이니 어찌할 수가 없구나.

그의 아내 또한 좀스럽지 않으니 모름지기 좋은 말로 잘 타일러라.

---

5) **분한**(分限): 신분의 높낮이와 위아래의 한계.
6) **복사**(覆沙): 모래가 물에 밀려 논밭 따위에 덮여 쌓임. 또는 그 모래.
7) **노복궁**(奴僕宮): 점술에서 쓰는 12궁의 하나. 종의 많고 적음, 좋고 나쁨을 점치는 별자리.

종들이 편안하기를 지극히 바란다. 도망간 것으로 의심된다고 말했지만 확실하지 않으니, 가벼운 말로 쉽게 처리하지 말고 신중하게 처리하기 바란다. 보름 뒤에 한번 왔다가 가는 것이 좋을 것 같다. 나머지는 다 쓰지 못한다.

4. 유인백(俞仁伯)[8]을 위로하는 글

뜻하지 아니한 흉변으로 자네의 둘째 형님 진사 어른께서 갑자기 세상을 떠났다는 부음을 받고 꿈만 같고, 놀라움과 아픔이 참말 같지 아니하네. 항상 "숙범(叔範)이 쓴 문장과 재주가 참으로 같은 무리 가운데 뛰어났고, 그 강직함과 용감한 기운은 쇠퇴해가는 풍속을 깨우쳐 세상을 도울 수 있으리라고 믿었다"라고 말했는데, 지금 이와 같이 영원히 사우들의 기대를 버렸는가.

사람에게는 아직도 백 가지 소원이 있건만, 하물며 동기간의 정으로 어찌 감당하고 참을 수 있을까. 생각하건대 행상이 타향으로 가니 여러 사람이 더욱 슬퍼서 오열할 터인데 살필 수는 없으나 어느 때 반장(返葬)[9]을 할 것이며 어느 곳에서 반곡(反哭)[10]할 것인가.

---

8) **인백**(仁伯): 조선 문신 유광기(俞廣基, 1674~1757)의 자. 본관은 기계(杞溪). 호는 괴헌(槐軒). 1719년(숙종 45) 현릉 참봉에 제수되었고 지중추부사를 지냄.

9) **반장**(返葬): 객지에서 죽은 사람을 그가 살던 곳이나 그의 고향으로 옮겨 장사 지냄.

10) **반곡**(反哭): 장지에서 집에 돌아와 신주(神主)와 혼백상자를 영좌(靈座)에 모시고 곡함.

장마와 더위가 계속되는 이때 상중에 계신 여러분은 모두 건강하신가. 다만 바라는 것은 마음을 너그러이 하여 구구한 마음에 부응하기 바라네. 나는 성에 들어온 지 여러 날이 지났으나 병이 심해 문을 닫은 데다, 말은 죽고 종은 병들어 한 걸음도 움직이지 못하므로 감히 이렇게 글로 위로하네. 근심이 더욱 간절해 삼가 글을 올리네.

5. 병정에게 답하는 글

세봉(世奉)이 와서 답서를 보여 살펴보니 모시는 어르신과 아랫사람들이 무사하나, 덕(德)이 어미는 오래 누워 있다고 하는데 어떤 증세냐. 근심스럽고 근심스럽구나. 또 식량이 끊어졌다니 참으로 염려되고 민망하구나.

그러나 지난번 편지에는 대개 곤궁에 처하면 하지 못할 일이 없다고 했는데 그렇다고 하여 그 말대로 남의 심부름꾼이 된다면 절로 몸이 망가지니, 이미 말한 대로 힘쓰고 살펴 처리하고 분수에 맞도록 서로 노력하자고 명백하게 일렀다.

쉽게 읽어 넘기고는 이제 와서 잘못된 가르침이라고 하며 하필 글을 생업으로 삼아야 하느냐 물으니 참으로 어떻게 보아 넘겨야 할지 모르겠구나. 또한 글 뜻을 보니 분한이라는 말을 이해하지 못한 듯하니 한탄스럽구나. 나머지는 하나하나 다 말하지 못한다.

6. 판서 민진원(閔鎭遠)[11]을 위로하는 글

■ 유월 스무날

뜻하지 아니한 흉변으로 동생이신 김화부군(金化府君)이 갑자기 세상을 떠났다는 부음을 받고 놀라움과 슬픔을 그칠 수가 없었습니다. 엎드려 생각하건대 천 리 먼 곳에서 부음을 들으니 동기간의 슬픔을 무엇으로 참고 감당하시겠습니까.

하물며 엎드려 생각하기로는 부부인(府夫人)[12] 슬하에는 앞으로 채색 옷을 입고 모실 사람이 없으니 누가 장차 좌우에서 돌보고 우러러 이치를 깨닫게 하여 조금이나마 슬프고 병든 마음을 위로하겠습니까. 멀리서 태감(台監)[13]의 가슴속을 생각하니 거듭 목이 메일 뿐입니다.

금년 장마는 일찍이 드문 일로 남쪽 지방에 장습(瘴濕)[14]이 반드시 배나 될 것이니 감당하기 어려울 것입니다. 살피지 못한 이때에 건강은 어떠하시오며 어떻게 심려를 삭히시는지 구구함을 이길 길이 없습니다.

지난날 삼사(三司)에서 하신 말씀은 참으로 뜻밖입니다. 시행을 하게

---

11) **민진원**(閔鎭遠): 조선 문신(1664~1736). 본관은 여흥. 자는 성유(聖猷). 호는 단암(丹巖) 세심(洗心). 시호는 문충(文忠). 아버지는 여양부원군(驪陽府院君) 민유중(閔維重). 숙종의 계비 인현왕후의 오빠이자 우참찬 민진후(閔鎭厚)의 동생. 1694년 갑술옥사 후에 등용됨. 벼슬은 좌의정에 이르렀고, 노론의 영수로서 활약했으며 문장과 글씨에 능함. 영조 묘정(廟庭)에 배향됨.
12) **부부인**(府夫人): 왕비의 친정어머니나 대군의 아내에게 주던 작호(爵號). 정1품.
13) **태감**(台監): 편지에서 대감(大監)을 이르는 말.
14) **장습**(瘴濕): 축축하고 더운 땅에서 생기는 독한 기운.

된다면 오히려 효도로 다스려 덕화에 도움이 될 것이었으나, 결과는 끝내 좋은 말이 막혔으니 어찌합니까. 저는 선산 아래 숨어 지내며 병세가 점점 위독해 다시는 온전한 사람이 될 가망이 없으니 다만 스스로 민망히 여기고 가엾게 여길 뿐입니다. 달려가서 위로드릴 여유가 없어 애오라지 이 글로 대신하려고 종이를 대하니 서글픈 바람이 더욱 간절하여 슬픔이 큽니다. 남김없이 모두 다 갖추지 못합니다.

7. 조카 병정에게 답하는 글

봉선(奉先)이 와서 답장을 보니 우환이 그쳤음을 알아 큰 위로가 된다. 병정이 심부름을 한다는 말은 공자가 밝힌 뜻과는 서로 매우 다르다. 부귀는 억지로 구할 수 없고 만약 억지로 얻었다고 하더라도 어찌 선비에게 도움이 되겠느냐.

말 그대로 너는 구할 수 있다면 구할 마음이 있다는 뜻이냐. 『논어』에 이르기를 일을 억지로 도모하지 말라고 하였다. 오늘 네가 한 말과 사실이 다르니 어쩔 수 없이 한 모양이겠지. 모름지기 다시 헤아려보도록 하라.

8. 송성장(宋聖章)에게 보내는 글

■ 갑진년 칠월 초이틀

근래에 인사가 비록 매우 드물기는 하였으나 한 나라 안에서 두 해가 지나도록 오랫동안 글자 하나, 말 하나가 통하지 않았으니 참으로 가련한 일이라 다만 답답할 뿐입니다. 지난해의 슬픈 답장을 얻어 보고 나서 지금까지 펴 보고는 슬픔과 위로가 아울러 교차합니다.

그 뒤 어느덧 한 번의 추위와 더위가 지나갔고 선대감의 소상도 이미 지났으니 우러러 다만 아픔이 더할 터인데 다시 어찌 참고 계십니까. 올여름 장맛비가 거의 초나라 장마처럼 길어 하늘이 샌다고 이른 말과 같으니, 잘 모르겠습니다만 사돈께서는 정해진 제사 절차를 마치시고 기력을 잘 보전하여 상함이나 없으신지 갖가지 생각이 달려가서 그칠 때가 없습니다.

저는 선산 아래로 와서 지낸 뒤로 한가로움과 고요함을 즐길 수 있으나 병의 뿌리가 이미 굳어져 날마다 쇠약해지고 숨을 헐떡거리면서 실오라기 같은 생명을 겨우 보존하고 있을 뿐, 다른 것은 족히 말할 수도 없습니다. 사위 형제는 모시고 배우면서 모두 편안합니까. 둘째는 지금 얼마나 장성하였으며 무슨 책을 배우고 있습니까. 때때로 만나볼 수 없으니 짐작만 하는 답답함을 어찌 말로 다 하겠습니까.

혼인은 궁중에서 비빈을 간택하는 기간이라 현재 금하고 있으므로 세상에서 행해지는 예를 지키려면 할 수가 없습니다. 처자는 어리지도 약하지도 않으니 다만 당신이 결정하신 처분을 따를 뿐입니다. 다만 생각해보니 금혼을 가벼이 어길 수 없고 조혼은 아름답지 못한 일이니, 올해에는 몸을 더 충실히 하며 대강 기약을 해두고 내년 가을이나 겨울에 서로 혼인식을 올리기로 기약을 한다면 두 가지를 다 얻을 것 같습니다. 알지 못합니다만 당신의 뜻은 과연 어떠하십니까.

그러나 나이를 더 먹고 몸이 충실해지는 것은 진실로 인력으로 할 수 없습니다만, 혼인에 따른 절차와 내용은 다만 지시에 따르겠습니다. 엎드려 생각해보니 아드님께서는 예를 아시는 분 곁에서 아침저녁으로 익혔으니 공자가 아들을 교화하는 것과 같은 효력이 있을 것입니다. 예법대로 가르치지 못했다고 하시니 듣는 사람이 오히려 부끄러워 대답을 할 수 없습니다.

이재대(李載大)가 갑자기 죽었으니 세상일은 믿을 수 없다는 바가 과연 이와 같습니다. 저는 이 친구를 열대여섯 살 때부터 서로 알아 기개와 문장이 참으로 크면서도 구애됨이 없어 가령 늙은 스승이나 오래된 선비라도 이재대보다 못할 것입니다. 중년에 과거 시험에 뜻을 두어 그 뜻을 채울 수는 없었습니다. 앞길을 예측할 수 없어 지난날의 뜻을 접고 고향으로 돌아가는 길에 편지를 주고받으면서 서로 힘쓰기로 한 약속이 가볍지 않았습니다.

지금 어찌 아프고 애석한 마음을 그칠 수 있겠습니까. 비록 오래 지나더라도 그칠 수 없을 것입니다. 이 위로하는 편지를 다행히 그 아들에게 전해주시기를 바라면서 나머지는 글로 다할 수가 없습니다. 새로운 서늘함에 다만 몸을 보호하여 파리해지지 않으시기 바라면서 예를 갖추지 못합니다.

9. 이석표(李錫杓)[15]에게 조문하는 글

뜻하지 않은 흉화로 존장께서 갑자기 효성스러운 봉양을 버리시니

---

15) **이석표**(李錫杓): 조선 후기 문신(1704~?). 본관은 경주. 자는 운원(運元). 호는 남록(南麓). 숙종 때 이조 판서를 지낸 인엽(寅燁)의 손자이며, 문인화가 재대 하곤(夏坤)의 아들. 1733년 29세에 알성 문과에 장원급제한 뒤 이조 정랑, 홍문관 교리 등 청요직(淸要職)을 두루 거쳐 대사간에 오름. 학문이 뛰어나서 성균관

하늘의 뜻과 사람의 일은 진실로 헤아릴 수가 없다고 하나 어찌 오늘 갑자기 존장의 부음을 받을 줄 알았겠는가. 자나 깨나 의심과 원망으로 소리를 못 내고 길게 통곡함을 느끼지도 못한다네.

엎드려 생각해보니 효심이 순수하고 지극한 사람이 사모하며 부르 짖다가 몇 번이나 기절을 하여 어찌 감당하면서 지내는가. 세월이 빨리 흘러 벌써 졸곡(卒哭)이 지났으니 애통함을 어찌하며 망극함을 어찌할까. 살피지 못한 사이 스스로 다독에 걸렸을 터인데 기력이 어떠한가. 엎드려 부탁하는 것은 억지로라도 소식을 더하고 마음을 다독여 예제를 따르도록 하게.

그대의 돌아가신 존장을 따라서 노닌 지 이미 30여 년이 되었으니 서로 관여하던 의리와 친애하는 정이 참으로 세상에서 보통 지내는 사이와는 비교할 바가 없네. 그러나 그런 사람을 이제는 영원히 잃어버렸으니 이 세상을 돌아보면 더욱 앞길이 아득하네.

또한 길이 멀고 병이 깊어 이미 살아계실 때 찾아뵙지 못하였고 장사 때에도 영결을 올리지 못하여 한스러움이 가슴을 메웠으니 어느 때나 풀릴 수 있을까. 지난가을 떠나갈 때에 남긴 편지가 어제처럼 눈에 선하여 바람을 따라 펴서 읽어보고 다만 눈물만 흘릴 뿐이네. 가슴에 맺힌 한을 풀지 않을 수가 없어 이와 같이 전하니 다만 슬픔 속에서라도 비추어보고 살피기를 바라며 삼가 글을 받드네.

대사성, 홍문관 부제학 등을 지낸 후 전라도 관찰사에 이름.

10. 진사 권혁(權爀)16)의 형제에게 조상하는 글

■ 유월 초사흘

나라와 집이 불행하여 선태야 부군께서 문득 관사를 버리시니 통곡하고 또 통곡할 뿐 무슨 말을 하겠는가. 지나간 몇 해 동안 간절히 엎드려 들어보니 건강이 전보다 좋으시어 경전과 사기를 읽으셔도 피곤하지 않을 정도에 이르셨다는 말을 전해 들었네. 구구한 마음으로 항상 건강하시어 세상에서 오래도록 도움을 받을 수 있기를 기쁘게 빌었는데 어찌 하늘의 뜻과 사람의 일이 갑자기 이와 같을 줄 알았겠나. 이는 참으로 운기와 관계된 것이니 생각이 이에 미치자 거듭 기가 막히네.

엎드려 생각해보니 순수하고 지극한 효심으로 사모하여 부르짖다가 기절하는 일을 어찌 감당하면서 지낼 수 있겠는가. 우물쭈물하는 사이에 삼우(三虞)와 부제(祔祭)17)가 문득 지나가 버렸으니 얼마나 애통하고 망극한가. 살피지 못한 사이 저절로 다독에 걸렸을 터인데 기력은 어떠한가. 억지로라도 소식을 더하여 순리대로 예제를 따르기를 엎드려 바라네.

오래도록 선태야(先台爺)께서 나의 재능을 후하게 대접해주시었으니 평소 사모하고 우러러 공경하는 정성이 감히 남에게 뒤질 수가 없었

---

16) **권혁**(權爀): 조선 후기 문신(1694~1759). 본관은 안동. 자는 자장(子章). 충주 출신. 이조 판서 상유(尙游)의 아들. 대사헌, 호조 참판, 함경도 관찰사, 이조 판서 등을 지냈으며 1796년(정조 20) 청백리에 책록됨. 시호는 정간(靖簡).
17) **부제**(祔祭): 제례에서 삼년상을 마친 뒤 그 신주를 조상의 신주 곁에 모실 때 지내는 제사.

네. 다만 병든 몸이 위태롭고 고통스러우며 종과 말을 모두 잃어 아주 가까운 거리도 움직이기 어려워 장지로 떠나기 전에 곡하는 예절조차 빠뜨렸네. 계신 곳을 우러르면서 슬퍼 오열함이 종이를 대해 더욱 간절하네. 삼가 글을 바치네.

11. 서사성(徐士成) 형제[종(宗), 집(集), 흡(翕), 섭(燮), 협(夾)]에게 보내는 글

■ 칠월 초열흘

뜻하지 않은 흉화로 그대의 넷째 동생인 도사가 갑자기 세상을 떠났다는 부음을 받으니 놀라움과 두려움이 그치지 아니하네. 엎드려 생각하건대 여러 형제의 우애가 한없이 높은데 애통함과 침통함을 어찌 감당할 수 있겠는가.

요사이 사람의 일이 이리저리 떠돌다가 숨어버리는 모양이니 살아있으면서도 참으로 살 뜻이 없네. 마치 난초가 꺾이고 옥이 부서지듯 사람이 거듭 죽으니 심기가 불편하네. 그러나 이것이 어찌 한두 집만의 운이겠는가. 모름지기 너그러움으로 마음을 다스리고 너무 손상하는 일이 없도록 하게.

가을이 되어 날이 서늘해졌는데 살피지 못하였으니 그대 형제들은 상중에 생활이 어떠한가. 나는 선산 아래 처소에서 몸을 숨겨 지내노라니 깊고 고요한 운치는 있으나 오래된 병인 당뇨가 점점 고치기 어려운 지경으로 굴러들어만 가네. 생각이 없는 한 그루 마른 나무처럼 되어 겨우 한 푼의 생기만 남아 있으니 이상한 일이나 어찌할 수가 없네. 이렇게 앉아서 글을 써서 위로하는 일 또한 늦어졌으니 슬픔과 부끄러움이 교차하네.

간절히 생각해보니 여러 형제가 여러 곳에 흩어져 살고 있어 자세하게 알 수 없고 또 병든 손으로 사람마다 글을 보낼 수 없으니 이 편지를 돌려가면서 보아준다면 고맙겠네. 그대의 동생이 머무는 섬으로는 따로 쓰지 아니할 수가 없었네. 바라건대 서신을 인편에 부쳐주기 바라네. 그의 지위가 높아서 따로 쓴 것은 아닐세. 삼가 글을 바치네.

12. 서여사(徐汝思)에게 보내는 글

뜻밖의 흉변으로 네 번째 동생인 도사 부군이 갑자기 먼 길을 떠났으니 지극한 슬픔을 어찌 말로 비유할 수 있겠는가. 엎드려 생각해보니 바다 가운데 있는 외로운 섬에서 지내는 생활도 감당하기가 어려울 터인데 하물며 이러한 흉한 소식이 갑자기 꿈밖에 이르게 되니 형제를 잃은 아픔을 더욱 참을 수 있었겠나. 남쪽을 바라보며 다시 목이 메어 흐느껴 울 뿐이네.

가을이 시작되어 심한 더위가 잠시 물러난 이때에 장습은 조금 나아졌으며 생활을 보전하여 평안하게 지내는지 걱정이 되어 되살아나는 갖가지 슬픔을 멈출 수 없네. 그러나 요사이 사람의 죽음 또한 불운과 관계가 있는 것을 어찌하겠는가. 다만 바라는 것은 비통함을 하늘의 이치와 자기의 운수에 맡기고 스스로 억제하며 먼 곳에서 보내는 나의 성의에 부응하기 바라네.

나는 오래된 병인 당뇨로 더욱 괴롭고 위태롭네. 정신과 근력이 날마다 심하게 상하여 오래도록 정신을 잃고 흐리멍덩한 사람이 된 것 같으니 그 밖에 다른 말이 필요가 있겠나. 병 때문에 게을러져 붓과 벼루를 가깝게 하는 일이 드무니 슬프고 고통스러우나 그런 말로 종이를 물들이고 싶지 않네.

이처럼 조상하는 글이 늦어짐을 거듭 부끄러워하며 한탄하네. 서쪽 마을에서 손을 마주잡고 이별한 지 얼마의 세월이 흘렀는가. 글을 쓰려고 하니 한탄스럽고 서글픔을 면할 수 없네. 삼가 글을 마치네.

13. 황직산(黃稷山) 형제에게 보내는 글

■ 그 이름은 하민(夏民)과 하필(夏弼)[18]이다

세상의 변화란 참으로 무궁하여 요사이 귀댁에 있던 화액은 진실로 변수이니 어찌 덕망이 높은 집안에 있을 수 있는 일입니까. 길 가던 사람마저도 눈물을 흘리면서 슬퍼하지 않을 수 없거늘 하물며 친구라는 사람은 더 말해 무엇을 하겠습니까. 엎드려 생각해보니 아버님께서는 인정이 두터우시니 참혹함을 어찌 견딜 수 있겠습니까. 이 화로 어려움을 당한 날에 저는 다만 촌구석에 있었을 뿐 아니라 붓을 잡고 글

---

18) **황하필**(黃夏弼): 조선 문신(1663~?). 자는 필명(弼明). 본관은 창원. 황하신의 동생.

황하신(黃夏臣): 조선 문신(1656~1723). 자는 종명(宗明). 창릉(昌陵) 참봉 황진(黃璡)의 3남 중 첫째 아들. 1723년 억울한 누명을 쓰고 옥중에서 죽음. 영조 때인 1725년과 1726년에 걸쳐 영부사(領府事) 민진원(閔鎭遠)이 황하신의 관작을 회복할 것을 진달하였으나, 선조(先朝)에 설국한 일이 없다 하여 끝내 관작은 회복되지 않음. 인품이 본래 성실하고 신중하였기 때문에 그를 아는 사람들은 모두 그의 죽음을 애통해함.

을 쓸 기력이 없었습니다. 살아 있는 사람의 아픔을 글로 위로하고자
하였으나 끝없는 슬픔과 부끄러움을 참을 수 없습니다.

글을 가지고 위로하는 일마저 빠뜨렸으니 슬프고 부끄러울 뿐입니
다. 지금 병으로 잠자는 이부자리에 몸을 맡긴 채 나아가지 못하고 있
습니다. 옛날에 형들께서 저를 돌보아주던 일을 생각하면 슬픔을 그칠
수 없어 글을 써서 우러러 아룁니다. 바라는 바는 다만 깊이 스스로
슬픔을 너그럽게 대하여 저의 구구한 심정에 부응하기를 바랍니다.

14. 조카 양성득(梁聖得)에게 주는 글

■ 칠월 상순

형식을 생략한다. 둘째가 죽었다고 전해 들었는데 그것이 참말이냐
참말이 아니더냐. 부음을 알리는 글이 이르지 아니했으니 참으로 의심
스럽구나. 능주에 있는 그대의 외손자인 홍언명(洪彦命)이 전해주었으
니 또한 믿지 아니할 수도 없구나.

그의 말에 따르면 이미 장사도 지냈다고 하며 또한 산송(山訟)19) 때
문에 시끄럽다고 하는데, 근거가 있는 말이기에 더욱 믿지 아니할 수
가 없구나. 참으로 이러한 말을 믿어야 한다면 초상은 언제이냐. 남쪽
을 바라보며 길게 통곡할 뿐 할 말을 잊었구나.

지난해에 중성(仲成)이 죽어서 통곡을 하였고 이제 또 그대의 둘째

---

19) **산송**(山訟): 묘지를 쓴 일로 생기는 송사(訟事).

형이 죽어 곡을 하게 되었구나. 하나하나 세어보면 외가에서 살아남은 남자가 몇이나 되느냐. 다만 죽은 사람만이 슬프고 애석한 바가 아니다.

돌아가신 우리 외조부께서는 덕행과 의리와 문학을 높이 쌓으셨으나 그 반절도 펼쳐보시지 못하였고 외숙부와 외사촌 형 두 분께서도 행실과 의리가 드높았으나 모두 사라지고 전하지 못하였다. 지금 그 자손이 이와 같이 일찍 죽으니 하늘의 도리와 신명의 이치를 참으로 헤아리기 어려워 거듭 한번 통곡하는 바이다.

생각해보니 너희들의 우애가 깊은데 애통함과 침통함을 어찌 감당하여 이길 수 있겠느냐. 더위가 물러가고 서늘함이 생기는 때에 건강은 어떠하냐. 지금 작게는 제사를 받들고 크게는 문호를 지키고 보호해야 하거늘 다만 그대들 몇몇 사람만이 남아 있다.

그대들이 병에 걸리는 일 없이 크게 자라기를 절절하게 바랄 뿐이다. 모름지기 깊이 스스로 감정을 너그럽게 억제하여 손상되지 않도록 하여 이 뜻에 부응하기를 바랄 뿐이다.

앞에 산송이 있다고 말했는데 어느 산으로 결정을 지을지 나중에 상의를 하겠느냐. 이 일 또한 생각만 간절할 뿐이다. 나는 의지할 곳 없는 홀몸으로 아직도 인간 세상에 살아 있으나 기운이 쇠한 썩은 해골로 다시 건강한 사람이 될 희망이 없구나. 스스로 가련하고 가련할 뿐이다. 나머지는 인편에 말로 전하기로 하고 병으로 생각이 더는 나지 아니하여 마저 다 쓰지 못하고 이만 줄인다.

15. 조카 병정에게 답하는 글

■ 칠월 열사흘

형수님의 행차가 뜻하지 않게 오시니 끝없이 기쁘구나. 그러나 너의 편지가 없어 자못 섭섭하던 차에 곧 너의 편지를 받아 살펴보았다. 권솔(眷率)이 평안하다고 하니 위로가 됨을 말할 길이 없구나. 굶주림은 어디나 다 마찬가지겠으나 정곡(井谷)에서 어제 대나무로 만든 발을 팔아서 팔 푼을 얻었다고 하는데 어찌 지내는지 알 수 없구나.

오늘은 무엇을 가져다 팔려는지 민망스럽고 민망스러울 뿐이다. 공자께서는 남의 심부름꾼이 되는 것은 진실로 마음으로 할 일이 못된다고 말씀하셨다. 스스로 경계하는 바는 부귀를 구하는 사람을 경계하는 이유와도 같다. 성인(聖人)이 아니라면 이와 같은 때에 어찌 쉽게 가문을 보전하겠느냐.

천한 일을 해서라도 가정을 지키고자 하는 마음이 생기더라도 스스로 마음을 다잡아서 경계해야만 한다. 구차하게 생계를 꾸려가지 않더라도 살아나갈 수 있을 터이니 다만 좋은 글을 익혀 학자로서 공부를 계속하도록 하여라. 네가 한 말에 처음에는 마음에서 구차한 생각이 생기더라도 사람의 지위가 높아지면 달라질 것이라고 하였구나.

공자께서도 또한 일찍이 곤궁함에 대비하셨느니라. 어찌 능력이 없이 제자들을 훈시할 수 있었겠느냐. 네가 질문한 '좋을 호(好)'에서 일찍이 어떤 의미를 얻었느냐. 모름지기 이렇게 서로 노력하여 처음부터 마음이 움직이지 않는 경지에 이를 수 있다면 잘된 일이다.

노비 실(實)이 도망가서 잡아오려고 한 것은 잘한 일이다. 그러나 잡아오다가 잃어버려 그야말로 게를 잡아 물에 놓아준 꼴이 되었으니 참으로 우습구나. 수박은 그런대로 잘 크고 잘 익어 그 맛이 매우 시원하고 좋더구나.

다만 늘 오늘과 같이 좋은 맛을 얻어먹어 왔으나 나의 55년을 돌아보면 아직도 성숙하지 못하니 수박을 대하면 문득 부끄럽고 두려운 마음이 드는구나. 그 경계하고 노력해야 하는 바가 오호도(五湖圖)[20]를 그리는 어려움보다 더하구나. 나머지는 바빠서 하나하나 다 쓰지 못한다.

손자 덕(德)이는 무엇 때문에 때때로 서울에 머물게 하지 않는 것이냐. 혹 그 처가에 왕래할 때나 숙부들과 손자 임(壬)을 따라다닐 때 함께 데리고 다니지, 왜 못가 정자에 외롭게 버려두었느냐. 또한 형수님 행차가 모래쯤 돌아가신다고 하였는데 어찌 조금 더 머무르게 하셨다가 모시고 돌아가지 않았느냐.

16. 윤이성(尹伊聖)에게 답한 글

학이 편지를 싣고 오니 자못 도가(道家)에서 말하는 고상한 정서를 느끼겠네. 다만 내가 쓴 네 글자는 신선이 타고 노니는 검은 학에 있는 깃털 다섯 개와 거위 두 마리만도 못할 것이니 필법과 풍류가 모두 부끄러울 뿐이네.

또한 살피건대 현기증이 나서 어제 화조가(花鳥歌)를 읽다가 정신이 없어 끝까지 읽지 못하였다고 하니 혹시 당황하여 병이 생긴 것이 아닌가. 어찌 졸작이 두풍(頭風)[21]을 낫게 하지 못하였는가. 그러나 다시

---

20) **오호도**(五湖圖): 중국 동정호 부근에 있는 격호(激湖), 조호(兆湖), 사호(射湖), 귀호(貴湖), 태호(太湖) 등 다섯 개의 호수를 그린 그림.

자세히 읽어보니 절로 병이 고쳐졌다고 하였는데 빨리 다시 회복되어 와주기를 바라네. 와서 좋게 웃어보세. 좋게 웃어보세.

여러 대 동안 임금님께서 지으신 시집은 가져가다가 비에 젖을까 두려우니 갠 날을 기다려야 할 것일세. 다 쓰지 못하네(며칠 전 자네와 내가 지은 시편에 희롱의 말이 있었으므로 또한 농담을 써서 보내네).

17. 독우(督郵) 조영세(趙榮世)에게 보내는 글

■ 고산(高山)[22]의 수령으로 있을 때

당신과 제가 멀리 떨어져 있어 소식이 서로 왕래되지 않으니 다만 간절하게 우러르고 그리워할 뿐입니다. 듣자하니 겨우 북방의 독우로 가시었다고 하는데 산천이 아득하여 슬픔을 더욱 그칠 수 없습니다.

다만 객사(客舍) 주위가 그윽하고 고요하여 일이 별로 없어서 편안하고 건강이 좋다고 하시니 깊이 위로가 됩니다. 저는 선산 아래 숨어 살면서 겨우 한가롭고 고요하나 해묵은 병과 새로 난 병이 함께하여 고통이 깊습니다. 놀랄 만큼 마른 한 그루 나무처럼 살아 있을 뿐이니 스스로 가련하고 가련합니다.

두렵고 번잡한 말씀입니다만 이천에 귀양 가 있는 유학자 홍우저(洪禹著) 씨와 혹 친분이 있으십니까. 병증이 바야흐로 위중하여 그 아들

---

21) **두풍(頭風)**: 머리 아픈 것이 오랫동안 치유되지 않고 수시로 발작하다가 멎는 증상.

22) **고산(高山)**: 강원도 고산군.

이 보고를 받고 당황하여 달려갔으나 지극히 가난한 집이라 여행에 가지고 갈 식량조차 없어 이곳저곳에서 조금씩 빌려서 갔다고 합니다. 알고 모르는 사이를 떠나 이러한 형편이라면 마땅히 측은이 여겨야 할 일인데 마침 독우께서 그곳 관장으로 계시니 이 글을 받아 보시고 다행히 힘을 써서 돌보고 구제해줄 수 있으십니까.

마침 일로 서울 집에 들렀다가 옆집 사는 이웃 사이에 너무도 가련하여 감히 아뢰며 또한 오랫동안 막혔던 회포를 펴고자 합니다. 편지를 읽으시고 눈썹을 찡그리는데 그치지 마시고 특별히 도와주시리라 믿습니다. 잠깐 사이에 날씨가 서늘해졌으니 더욱 몸을 진중하게 보전하시기를 바랍니다.

18. 홍회중(洪晦仲)에게 회답하는 글

삼월에 보내준 편지를 지금까지 편지를 모아두는 상자에 두고 때때로 펴 보면서 그대의 집이 「남영가(南楹歌)」[23]에 나오는 이야기처럼 되기를 바라나, 참말로 그대로 될 수 있을지 알 수 없네. 때때로 그대의 맏아들과 사촌을 만나니 한편으로는 위로가 되고 한편으로 슬프기도 하네.

들으니 요사이 몸이 평안하지 못하다고 하는데 장마와 더위가 물러간 뒤로는 조금 차도가 있는가. 거듭 드는 생각이 많고 많네. 또한 그곳에 산 지 이미 두 해가 지나갔으니, 풍토가 좋고 나쁘고 짜고 신 여러 가지를 거의 모두 맛보았을 텐데 과연 감당하지 못하는 일은 없는가.

---

23) 「남영가(南楹歌)」: 집 남쪽에 기둥을 세우면 왕후나 비빈이 태어나서 부귀하게 된다는 노래.

지난날 임금께서 교서(敎書)로 인해 귀양살이하는 사람을 굶주리게 하지 말라고 하셨는데 헛된 말이 아니라고 여기나 이러한 것은 때와 인사의 변화에 따르므로 늘 적용될 수는 없는 말이네. 요사이 들으니 안중집(安仲執)은 곤란한 일을 겪는 가운데에서도 자못 부지런히 글을 읽고 생각을 가다듬는다고 하니 이는 참으로 본받을 만한 일이네.

그대도 이별할 때에 글을 공부하고 생각을 다잡는다고 말한 기억이 나네. 그렇다면 아마도 이런 면에서는 안중집에게 뒤지지 않을 듯하니 조금쯤 굶주린다고 하여 어떠한 방해가 되겠는가. 중집이는 때때로 게으른 마음이 나서 낮잠을 자고 있으면 이웃에서 지내는 선비들이 신을 끌고 달려와서 중집이에게 공부를 하라고 채근한다네.

그러면 중집이는 어쩔 수 없이 머리를 긁으면서 일어나 다시 책을 읽는다고 하네. 그와 내가 권유받는 '공부'라는 것은 참으로 하면 좋은 일이나 하기는 어려운 일이네. 감히 천 리 먼 곳에서 글을 보내니 중집의 이웃 선비들과 뜻을 왕래하듯 하며 고요한 가운데 한번 웃어보네.

돌아보건대 이 병든 몸이 비록 스스로 강해지지는 못하네. 만약 성심이 있다면 책 읽기를 그만둔 상태로 데면데면 유유히 한 푼의 소득도 없이 지내지는 아니할 것이네.

어찌 한가롭고 고요함이 귀양살이만 못해서 그러한 것이겠나. 내가 잘하지 못하는 일을 다른 사람이 해주기를 바라고 있으니, 또한 한번 웃을 일이네. 그대의 맏아들이 어버이를 뵈러 본가에 들른다고 하는데 타향에서 만나는 기쁨이 있을 것이나 행색이 자못 염려가 되기도 하네. 다만 서늘한 때에 건강을 잘 챙기기 바라며 마음을 다 펴지 못하네.

19. 조카 병정에게 회답하는 글

노비 윤(允)이 와서 건네준 답서를 보고 형수님께서 행차하시었고 안세(安稅)의 김랑(金郎)도 온 것을 알았다. 가족 간에 화합할 일을 상상하니 아주 큰 위로가 되는구나. 나는 어제부터 작은 사랑채를 짓느라고 갇혀 지내느라 바빠서 가볼 수가 없구나.

네가 보내준 글을 자세히 살펴봤더니 너의 뜻이 어디 있는지 알 수 있었다. 『논어』에 대한 풀이와 내 생각을 쓴 글이 뒤섞여서 걱정이 된다고 하였구나. 이번 편지에 내가 좋아하는 '호(好)' 자에 따른다고 한 말은 부귀에 따른 통설에 관하여 쓴 말이었는데 아마도 글의 뜻을 잘못 이해한 것 같다. 득실을 논하지 않은 채 이 말을 나중으로 미뤄놓고 아직은 덮어두는 것이 옳을 것 같다.

잘 익은 수박을 먹을 수 있는 형편에 대해 스스로 고맙게 여긴다. 그러나 가르침을 잘 인용하지 못한 허물이 어찌 이토록 미련하고 잘못된 지경에 이르렀는지 심려된다. 염려가 깊으나 이 글에 다 쓰지 못한다.

20. 광손(光孫) 희중(禧重)에게 보내는 글

■ 팔월 초이틀

그저께 가져와서 보여준 서사와 서문은 말투가 웅장하고 뜻은 깊었으나, 처음에는 읽어보고 터무니없이 과장된 듯하고 귀로 듣고도 뜻이 선명하지 아니했다. 이것을 여러 날 되풀이하면서 읽어보았으나 아직까지도 이해되지 않는 대목이 있다.

알 수는 없으나 한 문공이 제자가 하는 터무니없는 소리를 듣고 부끄러워 할 말을 잊었다던 이야기와 네가 쓴 편지를 읽고 놀란 나를 견준다면 알 수 있겠느냐. 마땅히 지우고 고쳐달라고 네가 편지에 쓴 것으로 보아 스스로 문장이 아름답지 않다고 느꼈던 것 같구나. 그러나 실상은 이와 반대라서 부끄러움이 더욱 크구나.

가만히 오늘날 세상을 바라보면 도가 상하고 글은 쇠하여 슬퍼한 지 오래되었다. 뜻밖에 우리 문중에 기이한 재주를 가진 사람이 있으니 잘 기른다면 또한 쇠퇴한 문장을 크게 일으킬 수 있을 것이다. 일일이 언급할 수 없는 자잘한 기쁨이 넘쳐 밥을 먹고 잠자는 일마저 잊었다.

그러나 조용히 생각해보니 글을 거의 300~400편이나 지었는데 몇 개 다른 말을 빼고는 모든 글자마다 칠원옹(漆園翁)[24]이 쓰던 말의 기운을 띠고 있더구나. 너는 그 글을 끔찍이 사랑하는 듯하다. 한 사람을 사랑하게 되면 그의 집 위에 앉아 있는 까마귀마저 사랑스럽다고 하는데, 하물며 그의 글을 이와 같이 사랑한다면 또한 어찌 그 사람을 사랑하지 않겠느냐. 그 사람을 사랑하게 되면 그가 걷고 있는 길도 사랑하게 된다.

무릇 육경(六經)에 담긴 글이란 천지와 일월과 같고 별과도 같다. 그런데 하필 떳떳함을 버리고 두억시니처럼 어둡고 깊은 굴속으로 들어가서 기이함과 괴이함이 극에 이르러서야 만족하겠느냐. 정녕 거칠고 더럽혀진 밭을 일구는 농부가 되어서야 중도를 따르겠느냐.

깨끗한 곳과 더러운 곳은 분명 다른데 어찌 다만 선악의 구분이 없이 글로만 기묘하다고 말할 수 있겠느냐. 이러한 것은 부득이 너를 위해서도 근심하지 않을 수 없구나. 네가 앞으로 어떤 생각을 품을지 과

---

24) **칠원옹**(漆園翁): 장자(莊子). 몽(蒙)이라는 곳에서 칠원의 벼슬을 해 이르는 말.

연 알 수가 없구나. 이 병들고 학식이 부족한 나를 돌아보니 이미 큰일을 이룰 능력이 없어 절망스럽지만 지금 너는 젊은 청년이라 한껏 일을 할 때이니 바른길을 가야만 한다. 공경하고 사랑하고 기대하고 희망하는 정성이 절로 그치지 않으니 보잘것없이 틀에 박힌 이런 말이 네가 편지에 쓴 부탁에 대해 한번 웃어볼 만한 자료가 되겠느냐. 더욱 부끄러워 얼굴이 붉어짐을 감당하지 못하면서 다 펴지 못한다.

처음에 네가 스스로 잘 지었다고 전해온 글을 일원 등 여러 사람에게 보이고 같이 기뻐하고자 하였으나, 연이어 마침 볼일을 보러 모두 나가고 함께 볼 이가 없어 괴로웠다. 하지만 오래 가지고 있을 수 없어 그대로 돌려보내니, 모름지기 일원 등 여럿이 강론해 고친다면 지금 내가 본 글보다 몇 배는 더 나은 글이 될 것이다. 어찌 글을 잘 손보아주지 못하는 나와 같겠느냐.

21. 조카 길보(吉甫) 형제에게 보내는 글

요사이 부모님 봉양을 하느라 몸은 평안하냐. 가을이 와서 쌀쌀해지고 슬픔은 결코 얕지 않구나. 광손(光孫)이가 글을 잘 짓는다는 것을 이미 들었을 터이지. 엊그제 한 폭 글을 가지고 와 보여주었는데 쉽게 문단에서 큰손이 되겠더구나. 어찌 집안이 어려운 끝에 이처럼 영리한 아이가 생길 줄이야. 놀랍고 기쁘고 사랑하는 마음이 참으로 깊어 그에게 편지를 썼다. 그 아이가 자신의 글을 고쳐달라고 보낸 글에 더욱 힘쓰고 자만을 경계하라고 답을 보내주었다. 이는 또한 가정에서 가르쳐야 할 일이다. 일찍이 부모가 자식에 관한 말이 없다는 사실은 그 아들의 잘못을 알지 못해 그러한 것이다. 자식을 위하지 않고 그럭저럭 마음 편히 지내다

보니 그렇게 된 것이더냐. 우습구나. 광손이의 관명(冠名)과 자(字)를 나에게 알려주기를 바란다. 할 말을 다하지 못하고 이만 줄인다.

22. 김덕중(金德仲) 형제에게 보내는 글

마음에는 단지 하루가 지난 듯한데 세월이 빠르게 흘러 이미 두 해가 지나갔네. 임단(臨湍)25)을 바라보니 눈물만 흐를 뿐이니 다시 무슨 말을 하겠는가. 엎드려 생각해보건대 어찌 참고 어찌 견디며 지내는가. 둘째 형님은 이미 돌아오시어 만나뵈었는가. 부모님 상중에 있는 사람은 다만 덕을 닦고 그 자손을 생각해야 하네. 나는 바닷가에서 곡을 하며 세상의 변화를 바라보니 심기가 끊어질 듯하네. 자네 어머님께서는 환후가 계시는데 요사이는 좀 어떠하신가. 여러분들이 건강하여 어머님을 잘 모시고 세상이 바뀌는 모습을 잘 지켜보면서 몸을 보전하도록 힘쓰기 바라네. 마음을 가다듬어 어머님을 받들어서 끝내 효도하기를 바랄 뿐이네. 편지지를 대하니 가슴이 막혀서 말을 다할 수 없네.

23. 여오에게 회답하는 글

■ 갑진년 팔월 열아흐레 새벽

가을 기운이 이미 쌀쌀하니 슬프고 떨림이 많아 억제하기 어려운데

---

25) **임단**(臨湍): 경기도 장단군에 있는 읍. 군청 소재지.

생각조차 아득하구나. 형수님께서 학질이 더 심해지셨다고도 전하고, 조금 나아지셨다고도 전해 들었는데 어느 것이 참말이더냐. 지금 몸소 네가 쓴 글을 받아 보고 나서야 자세하게 알게 되었다.

병이 완전히 나으신 지 이미 한 달이 되셨구나. 병수발 드느라 많이 힘들지 않았다고 하니 기쁨의 끝을 어찌 말로 형용하겠느냐. 다만 윗분이나 아랫사람이 모두 해수병(咳嗽病)이 있다고 하는데 며느리의 병은 환경 탓에 더욱 심해 난 병증인 듯하니 여러 가지로 신경이 쓰인다.

소식이 온 뒤에 날씨가 더욱 차가워 근심스러울 터인데 여러 병환이 지금은 나았느냐. 참으로 아침저녁 늘 마음에서 떠나지 않는다. 모름지기 환절기 때마다 감기를 막을 수 있는 좋은 방법을 널리 물어서 더는 심해지지 않기를 바란다.

요사이 모든 형편은 어제와 같으나 살림이 더욱 힘들고 어려워 밭농사도 풍해와 병충해로 잘못되고 살아갈 계책이 망연하지만 어찌할 길이 없다. 말한 바대로 어려운 일은 홀로 편안하게 앉아서 면할 수 없는 것이 당연하다고 하겠다. 이것은 자신의 본분으로 영해의 밖으로 가족을 끌고 다니며 떨어져 사는 사람과 비교한다면 오히려 나은 형편이니 어찌 스스로 다행스럽게 여기지 않겠느냐.

다만 황보공(皇甫公)[26]이 가만히 웃는 것이 두려우나 결국은 스스로도 또한 웃을 뿐이다. 지금 성상의 체력이 소모되어 엊그제 오한과 열이 나서 수라를 드시지 못하시고 증세가 자못 가볍지 않다고 하는구

---

26) **황보공(皇甫公):** 황보밀(皇甫謐, 215~282). 자는 사안(士安). 스스로 현안(玄晏) 선생이라 부름. 집이 가난하여 몸소 농사를 지어 생계를 이으며 학문을 닦아 백가(百家)의 말을 모아 글을 만들었음. 밥 먹고 잠자는 일조차 잊고 공부하니 세인(世人)들이 '서음(書淫)'이라고 칭했음.

나. 그리하여 후반(候班)²⁷⁾을 날마다 설치하여 약원에서 일하는 사람들은 근심이 끝이 없다고 한다. 엊그제부터 자못 차도가 있으시니 기쁨이 이루 말할 수 없다.

대사헌이 쫓겨나고 수어사가 탄핵을 받아 고향으로 돌아간 일은 조보에서 찾아볼 수 있겠다. 수어사가 상소에 우의정에 관해 쓰면서 '공손홍(公孫弘)²⁸⁾의 거짓말'에 비유한 일은 싸움이 적지 아니할 것이다. 우습고 우습다.

나머지는 새벽녘에 등불 아래 급히 쓰느라 겨우 하나를 말하고 만가지를 빠뜨리는 꼴이다. 62번을 쓰고 75번을 읽으며 79번을 쓰고 87번을 읽어본다. 처음 편지를 받고 어떻게 생각을 전할까 고민했는데 다만 서로 마음으로 깨달아 알기를 부탁한다. 이만 줄인다.

24. 김여일(金汝一)²⁹⁾에게 보내는 글

■ 팔월 스무날

효공거(洨孔車)³⁰⁾와 같은 사람도 세상에서 큰 인물이라고 말을 하

---

27) **후반(候班)**: 신하들이 임금을 뵙던 때의 차례.
28) **공손홍(公孫弘)**: 중국 전한의 학자 정치가(B.C. 200~B.C. 121). 자는 계(季). 가난하여 40세에 춘추를 익히고 문학 시험에 장원하여 박사에 임관되었음. 내사(內史) 어사대부(御史大夫)를 거쳐 승상(丞相)이 되고 평진후(平津侯)에 봉해짐. 최초의 승상봉후(丞相封侯)였음.
29) **여일(汝一)**: 조선 문신 김정오(金定五, 1660~1735)의 자. 호는 노포(老圃), 본관은 안산(安山). 사헌부 감찰, 형조 정랑 등을 지내다가 경종이 즉위한 뒤 신임사화가

는데 대체 어찌된 까닭으로 그렇지 못하십니까. 그나마 다행으로 순조롭게 적이 쳐놓은 그물망에서 벗어나 은혜로운 용서를 입었으니, 어찌 복이 아니겠습니까. 다만 순창에서 지내기가 어떠한지 알 수 없어서 매우 걱정이 됩니다. 그러나 운수에 맡길 뿐이지 무엇을 어찌하겠습니까.

정확하게 언제 길을 떠나십니까. 어찌 나아가서 서먹함을 풀고 위로의 말을 하고 싶지 않겠습니까. 그러나 병이 심할 뿐 아니라 함께 갈 종과 타고 갈 말이 없어 문 밖을 나서지 못합니다. 이런 사정은 아우가 알고 있습니다. 그러나 가는 기일을 조금 늦춘다면 달려가 손을 마주 잡고 이별할 계획을 세워보겠습니다.

집이 가난하여 특별히 무엇을 가지고 가서 길을 떠나는 사람을 도울 수는 없고, 다만 좋지 못한 붓 세 자루와 먹 두 개와 종이 한 묶음으로 정을 표하려니 부끄러워 탄식할 뿐입니다. 참으로 여실(汝實)에게 아침에 편지를 쓰려고 했으나 늦게 일어나는 바람에 사사로이 인사를 전하지 못하였으니, 두렵고 슬플 뿐입니다. 이 글을 함께 보면서 허물하지 말아주십시오.

일어나자 관직에서 물러나 공주(公州)에 은거함. 또, 소론이 베푼 토역별시(討逆別試) 때는 같은 동네 사람이 응시하는 것을 만류하다가, 과거를 훼방했다 하여 순창(淳昌)으로 유배됨. 영조가 즉위하면서 다시 등용됨.
30) 효공거(汝孔車): 중국 후한 시대 허신(許愼, 58~147). 효현의 장(長)이었으므로 효를 따오고, 효렴(孝廉)으로 천거되어 공거를 따와 효공거라고 한주공이 지칭한 듯함.

25. 사경(士敬) 김시보에게 보내는 글

■ 을사년(1725) 이월 초하루

국애(國哀)[31]의 인산(因山)[32]도 어느덧 지나가고 몸이 아파 죽을 듯한 괴로움이 깊어져서 극에 달하였습니다. 임금께서 떠나가시고 신하들이 흩어진 뒤로 어느덧 세 번의 추위와 더위가 지났으니 그리움을 말로 다 할 수 있겠습니까. 봄이 왔는데 고요함 가운데 건강이 평소보다 좋으십니까. 구구한 마음을 달려 위로드립니다. 저는 해묵은 병이 나이가 먹을수록 깊어져서 살이 다 빠진 채 빈 껍질만 남아 있을 뿐이니 스스로 가련하고 가련합니다.

종손(從孫)[33]이 다행스럽게 귀댁과 인연을 맺었으니 진실로 호사스러운 혼인이라고 말하지 않을 수 없습니다. 기쁜 마음을 어찌 헤아릴 수 있겠습니까. 다만 길이 멀어 대례에 따라가서 만나지 못해 매우 슬픈 마음입니다. 또 봄이라 진흙길이 험하여 종과 말이 괴로움에 시달릴 터이고 젊은 아이가 지금까지 살면서 제일 먼 길을 가느라고 손상이나 없을지 매우 깊이 심려되는 바입니다.

강호에서 한가롭게 보양하는 일은 절로 즐거우나 구계(舊溪)에 주인이 없이 어찌 오래도록 서울에는 발자취를 끊어버리십니까. 한번 만날 날을

---

31) **국애(國哀)**: 국상(國喪). 국민 전체가 복상(服喪)을 하던 왕실의 초상. 태상왕(太上王), 상왕(上王), 왕, 왕세자, 왕세손 및 그 비(妃)의 상사(喪事)를 말함.

32) **인산(因山)**: 태상황, 임금, 황태자, 황태손과 그 비(妃)들의 장례.

33) **종손(從孫)**: 형이나 아우의 손자. 한주공의 조카 문청공(文淸公) 병태(秉泰)의 아들인 헌중(獻重, 1711~1742)이 사경의 딸과 결혼한 사실을 말함.

매일매일 기다립니다. 인편이 떠나려고 해 바빠 쓰느라 하고 싶은 말을 다 적지 못합니다. 다만 얼굴을 마주할 날을 기다리면서 몸을 잘 건사하기를 당부하는 바입니다. 이만 줄이면서 마음을 다 펴지 못합니다.

26. 계장(季章) 이세환(李世瑍)[34]에게 보내는 글

엎드려 생각하니 지극히 더운 때라 벼슬하는 그대는 건강한지 우러러 위로함이 구구할 뿐이네. 나는 8년 동안이나 당뇨를 앓은 뒤에 다시 풍토병을 앓았으니 진이 다 빠져서 다시는 온전한 사람이 될 희망이 없네. 사람의 행실이 좋지 못하다는 다른 사람들의 말을 들으니 이는 귀신이 하는 책망보다 심하여 몸과 이름이 죽도록 욕되네. 다른 여지가 없이 다만 문을 걸어 닫고 스스로 반성하며 조물주의 처분을 기다리고 있네. 그리하여 감히 사우들을 찾아가서 참여하고 토론할 수 없으니 슬퍼하고 탄식한들 어찌하겠는가.

여러분에게서 '남계 선생 문집'의 교정을 명받은 지 이미 한 해가 지났으나 병 때문에 우물쭈물 아직까지 힘쓰지 못하다가 이제야 다시 재교하여 보냈네. 다만 정신과 생각이 어두워져서 빠뜨린 것이 많으니 아마도 손을 떼기가 어려우리라 생각하네. 부끄럽고 죄스럽네.

그러나 잘못된 글자는 '오(誤)'라는 부호로 거의 모두 표시해놓았고 문장의 흐름에 있어 이해되지 아니한 곳은 달리 표시를 할 방법이 없

---

34) **이세환**(李世瑍): 조선 중기 학자. 본관은 벽진(碧珍). 자는 계장. 호는 과재(果齋) 이우당(二憂堂). 박세채, 윤증의 문인. 영조가 왕세제로 있을 때 사부(師傅)로 천거되었으며 이후 지돈령부사(知敦寧府事)를 역임. 시호 효헌(孝獻).

어 알아볼 수 있도록 점을 찍어놓았을 뿐이네. 잘못된 곳을 잘 살펴봐주기 바라네. 문집은 모두 신구(新舊) 여섯 책으로 함께 봉하여 보내네. 뒤이어 한 교정이 지금은 얼마쯤 되었는가. 그동안 청점(靑點)[35]과 속집의 간행 여부는 공론에 부쳐져 이미 결정이 되었는가. 자세히 알려주기를 바라네. 또한 구본(舊本)을 보니 혹 첨가한 곳이 있는 것 같았는데 누구 생각으로 한 일인가. 경임(景任)의 형제와 박필신(朴弼莘)에게도 또한 교정을 봐달라고 말해보면 어떠하겠는가.

27. 김성득(金聖得) 형제에게 보내는 글

■ 을사년 정월 십구일

어제 여러분들이 임시 처소에 이르렀다고 들은 것 같네. 엎드려 생각해보니 사람들이 문 앞에서 기뻐 날뛸 터이니 나도 함께 시나브로 날뛰었네. 그대 어머님의 병환이 이 경사로 인해 꽉 끼었던 구름이 흩어져 사라지듯 하늘의 온화함을 회복할 수 있을 것이니 구구한 축하를 어찌 그칠 수 있겠는가.

나도 곧 달려가서 이 생각을 펴고 겸하여 3년 동안 서로 떨어져 그리워하던 정을 펴고 싶네. 그러나 아내가 며칠 전부터 갑자기 얼굴 가득히 단독(丹毒)[36]이 생겨 침을 여러 군데 맞고 병중에 있어 차마 버리

---

35) **청점**(靑點): 잘된 글만 가려서 뽑은 것. 푸른 점으로 표시한 데서 이름 붙여짐.
36) **단독**(丹毒): 피부의 헌데나 다친 곳으로 세균이 들어가서 열이 높아지고 얼굴이 붉어지며 붓게 되어 종창, 동통을 일으키는 급성전염병.

고 가지 못하네. 멀리 있을 때보다 만나지 못하는 슬픔이 더욱 크네.

이리하여 우선 서신으로 대신 안부를 묻네. 자네 아우인 대감의 거취는 장차 어찌되는가. 소를 올린 뒤에는 그대로 직책에 머물러 있을 수 없을 것이네. 오늘 아침 차마 보지 못할 상황을 겪었으니 대감에게 다가올 모든 일을 때마다 잘 처리하기 바라네. 돌아가는 형편으로 미루어보아 어려움이 있을 줄 알았네.

장차 어떠한 조치를 당할지 모르네. 이러한 상황을 처리할 사람이 없어 겪는 일이네. 마땅히 깊이 생각하여 처리하게. 이것은 여러 사람과 더불어 할 수 있는 일이자 그 끝을 알 수 없는 근심이 아닐 수 없네. 애오라지 이 일을 맏형님에게 뒤에 아뢸 수 있을 것이네. 더욱 오랫동안 그 속에서 머물 필요가 없을 것 같네. 곁에서 시봉을 드는 사람을 재촉하여 서울 집으로 돌아와서 먼저 병을 편하게 치료할 수 있도록 조치하는 일이 급할 듯하나 어떻게 하는 것이 좋은지 알 수가 없네.

28. 첨정(僉正)[37] 이지규(李支逵)에게 보내는 글

■ 을사년 오월 십팔일

4년 동안 영해에 계셨는데 몸이나 상하지 않으셨습니까. 중간에 또 아버님의 변고를 겪으셨으니 어찌 서울을 바라보시며 바다와 같이 큰 슬픔을 감당하셨겠습니까. 유배지에서 오랫동안 학문을 닦아 한결 나

---

37) **첨정**(僉正): 조선 시대에 각 관아의 낭청에 속한 종4품 벼슬. 돈령부, 봉상시, 종부시, 사옹원, 내의원, 상의원, 사복시 등에 두었음.

아지셨다면 위로가 되겠습니다.

어떤 요행으로 하늘의 도움을 입어 성은이 오늘날과 같이 깊고 넓게 영해에까지 이르렀습니까. 어른께서 또한 유배지에서 풀려나 직명이 회복되셨으니 사우들에게 경사롭고 다행스러움이 실로 어떠하겠습니까.

곧 몸소 나아가서 많은 이야기를 나누고 싶지만 8년 동안 당뇨병을 앓은 끝에 풍토에까지 몸이 상해 이미 두 달 동안이나 움직이지 못하고 있습니다. 이리하여 진기와 원기가 물이 잦아들듯 삭아 거의 남은 기운이 없으니 집안에서도 출입이 자유롭지 못합니다.

그리하여 찾아가지 못하니 슬픔을 참으로 어디에 비유하겠습니까. 또한 다른 사람들의 비난까지 받아 몸과 이름에 지극한 모욕을 당했습니다. 이것은 평소에 말과 행동이 좋지 아니하여 친구들에게 죄를 지어서 생긴 일이 아닌가 합니다. 문을 닫고 스스로 반성하느라 사람을 대할 낯이 없었는데 뜻하지 않게 어른께서 옛 친구로서 대접하고 특별히 먼저 종을 시켜 안부를 물어주시니 우암 선생처럼 옛사람을 위하시는 성의를 볼 수 있었습니다. 그럴수록 부끄러움은 더욱 깊어집니다.

이에 감히 병을 무릅쓰고 떨리는 손으로 글씨를 써서 우러러 답하며 두텁게 돌봐주심에 감사를 드립니다. 나아가서 뵙지 못하는 허물을 굽어 용서하시기를 빌고 있으니 살펴주시기를 바랍니다. 병세가 조금 나아지면 곧 마땅히 나아가서 만나뵙기로 하고 예를 다 갖추지 못합니다.

소지(小紙)

말을 많이 하였기 때문에 마땅히 할 말은 없으나 제가 대간의 말에 의혹이 생겨 이렇게 번거롭게 아뢰는 것이니 간절히 바라건대 특별한 헤아림과 양해로 자세한 회답을 해주시기 바랍니다. 그것으로 의심이 풀린다면 아주 다행스러운 일이 될 것입니다.

지난날 정대간(鄭大諫)이 소에 어른께서 저를 지목하시며 소를 올리는 일을 피하려고 하여 크게 화를 내시었다고 썼습니다. 더불어 어른께서 앞장을 서서 스스로 이 일을 감당하시려는 것을 제가 직접 눈으로 보았다고도 적었습니다. 이 일은 세월이 많이 흘러 자세히 기억할 수는 없지만 그때 저는 소를 올리는 일을 두고 일찍이 한 번도 다른 사람과 소두를 다툰 일은 없었습니다.

소를 올리던 날 이미 소두(疏頭)[38] 자리에 어느 부서에 소속된 누구의 이름을 써서 올렸다가 호조에서 거듭 다른 이름으로 고쳐 내라고 지시를 내려 소청에 가보니 이미 어른께서 스스로 소두가 되시어 소본을 이미 필사한 뒤였습니다. 제가 진실로 어른을 존경하였던 바이기에 여러 사람과 더불어 어른을 따라 궁궐에 들어가서 소를 올리고 돌아왔던 일을 기억할 뿐입니다. 저는 그런 일이 없었다고 생각하나 혹시 어른께서 저의 불의를 보시고 크게 화를 내셨다면 제가 이를 잊을 수 있겠습니까. 참으로 있을 수 있는 일입니까.

엎드려 바라건대 어른께서는 하나하나 설명하시기 어렵게 생각하지 마시고, 자기를 반성하고 잘못을 고쳐 새사람이 되는 기회가 되도록 해주시기를 바라는 바입니다. 또한 확실히 기억하지는 못하나 정 대간도 그날 소청에 왔었습니까. 또한 그때에 제가 확인하지 못했기 때문에 알 수가 없습니다. 제가 직접 목격했다는 말도 참으로 알지 못하는 일이니 어떻게 된 일인지 아울러 자세한 기록으로 알려주시어 저에 대한 의혹을 없애도록 해주시면 어떠하겠습니까.

옛사람이 말하기를 "비방을 막는 일은 스스로 닦는 일보다 나은 것

---

38) **소두(疏頭):** 연명(連名)하여 올린 상소문에서 맨 먼저 이름을 적은 사람.

이 없다"라고 하였습니다. 이러한 일로 오락가락하면서 많은 일을 경험하고 나서 어찌 어른을 버린다고 말을 하겠습니까. 대간의 말이 이와 같이 확실하다면 저와 관계되는 부분이 또한 적지 않기 때문에 부득불 한번 알아보고자 하는 것이 또한 사람의 마음입니다. 아울러 용서와 양해를 구합니다.

29. 극념(克念) 김조택(金祖澤)[39]에게 보내는 글

■ 을사년 오월 열닷새

지나간 일을 어찌 차마 다시 거론할 수 있겠습니까. 어떠한 행운으로 하늘의 도움이 있어 임금께서 밝은 판단을 하시고 영문에 환히 빛이 났으니, 남은 감정이 거의 없어졌습니다. 기쁨과 감동을 다시 무엇에 비유하는 것이 좋겠습니까.

엎드려 생각해보건대 영감께서는 옛 일을 어찌 감당하셨습니까. 시골에 살 때부터 서울에 있을 때까지 조금의 틈만 있으면 직명(職名) 때문에 성에 들어가느라 바빠서 곧 만나뵙지 못하였으며, 큰 송사에도 민첩히 행동하지 못하였습니다. 갑자기 풍토병을 만나 거의 죽다가 살아났으니 정신과 근력이 거의 남은 것이 없어 뜰에도 출입하기 어렵습니다.

---

39) **김조택**(金祖澤): 조선 문신(1680~1730). 자는 극념(克念), 본관은 광산(光山). 현감으로 있던 1721년(경종 1) 정시 문과에 병과로 급제하여 전라도 관찰사 등 주로 지방관을 지냄. 강경 성향을 띠는 노론 명문가의 후손으로 노론계의 정치적 성쇠와 함께 부침(浮沈)을 거듭했음.

이때에 또 들으니 영감께서 장차 남해 고을로 가시려고 임금님께 하직 인사를 올릴 날이 가깝다고 하니 이로부터 찾아뵐 기약을 정할 수 없습니다. 와병 중에도 아른아른하여 슬픈 한을 이길 수 없습니다. 부득불 편지로 매를 맞는 예를 대신하고자 하니 다만 아량을 가지고 너그럽게 용서해주실 것을 바랍니다. 살펴주십시오. 나머지는 바쁘게 쓰느라 생각이 나지 않습니다. 여행 중에 평안하시기를 깊이 기원하면서 예를 다 펴지 못합니다.

30. 일원에게 답하는 글

귀로 듣지 못하고 눈으로도 보지 못한 지가 무릇 열흘하고도 아흐레가 지나갔구나. 잠깐 눈을 뜨니 아침볕이 창문에 가득하다. 갑자기 생기가 나서 여기저기를 뒤지다가 종이 한 장을 책상머리에서 찾아냈는데 그것은 네가 나를 위로한 쪽지였다.

아래쪽에 보낸 날짜가 없어 어느 날 온 것인지 알 수가 없고, 원만함이 어찌 병들지 않았을 때만 못한 것인가. 빨리 답장을 써 생각을 알리고자 했으나, 또다시 정신이 아주 아득해져 쓰지 못한 채 오늘이 되었다.

길을 갈 계획을 묵혀둘 수 없고 서로 얼굴을 볼 수 없으니 슬픔을 어찌 그치겠느냐. 슬픔을 그칠 수 없어 종의 부축을 받아 일어나 앉았다. 심부름하는 사람이 먹을 갈아 통증을 참으며 종이를 펴고 붓을 휘둘러 애오라지 송별하는 뜻을 써서 먼 길을 보낸다. 다만 모름지기 잘 가서 나의 구구한 뜻에 부응하도록 해라.

나를 사람이나 귀신이나 죽이고자 하나 죽이지 못하는 것은 참으로 이상하고 묘한 일이다. 그러나 평생의 말과 행동과 지조와 절개가 남만 못하여 끝내 몸과 명예를 모욕당하였다. 선대의 가르침에 죄를 더하였으니 스스로 세상에 설 수가 없구나. 귀신은 꾸짖고 사람들은 비난하나 그렇다고 누구를 원망하겠느냐.

보내온 글에 남의 말을 인용하여 가정을 완성하는 일은 하룻밤에 할 수 없으니 이같이 맹랑한 일을 어찌 말할 수 있느냐고 하였다. 소를 올릴 때의 일을 박필신에게 자세히 들어서 이 같은 결론에 도달하였느냐.

네가 스스로 분통이 나서 머리를 쥐어뜯으며 부르짖었다고 썼는데 더욱 나를 미워하는 마음이 깊을 터이니 아마도 왕창가(王昶家)[40]처럼 되고 나서야 만족하겠느냐. 문득 문득 상에 기대어 있으나 모두 사라져버렸구나. 다만 근년에 받은 우암 선생 문집 가운데 있는 '곧을 직(直)'이라는 글자 오직 하나만 아른아른하여 가슴에 품고 누워 있으니 어찌하겠느냐. 나머지는 다 펴지 못한다.

31. 희서 홍용조(洪龍祚)[41]에게 보내는 글

■ 을사년 오월 열아흐레

지난날 시골집에서 떠나보낼 때 어찌 오늘 같은 날이 있을 줄 알았

---

40) **왕창가**(王昶家): 왕창의 집안. 중국 오호십육국 가운데 민 땅 사람. 아버지의 종이었던 춘연(春燕)을 왕후로 삼고 질서를 어지럽혔는데 숙부가 반란을 일으켜 조카 계업(繼業)을 시켜 창을 침범해 그와 처자를 죽였음. 재위 3년에 멸망함.

41) **홍용조**(洪龍祚): 조선 문신(1686~1741). 본관은 남양. 자는 희서(羲瑞). 호는 금백(金伯). 1721년(경종 1) 연잉군(延礽君, 英祖)의 세제 책봉을 반대하는 소론의 유봉휘(柳鳳輝)를 처형하라고 상소하여 소론의 탄핵을 받아 능주목사(綾州牧使)

겠는가. 소명을 받은 뒤 높은 자리에 발탁되었다는 말을 들으니 더욱 축하할 만하네. 북쪽 변방 지대에서 바람과 서리에 시달리며 어려움을 견디느라고 건강에 손상은 없는가.

전 임금께서 승하하신 뒤 학문을 연구하는 길로 들어섰으니 또한 사무치는 슬픔이 있었을 것이므로 구구한 생각이 그치지 아니하네. 빨리 몸소 나아가서 많고 많게 쌓여 있는 생각을 함께 이야기하고 싶지만 8년 동안 소갈증을 앓은 데에 또 풍토병이 나서 기운이 크게 빠져 머리를 들고 일어나지 못한 지가 이미 달포가 되었네.

정신과 기운이 마치 독한 술에 취한 것 같고 바다에 뜬 배 위에서 물길을 잃어버린 것 같아 집안 뜰 안조차 부축을 받지 않고는 나가지 못하니 어찌 찾아가서 만나기를 바라겠는가. 하물며 사람들의 비방이 귀신의 책망보다 심하게 신명을 모욕하여 여지가 없으니 스스로 마땅히 문을 닫고 깊이 칩거하면서 자기의 허물을 스스로 반성하느라 어떠한 면목으로 다시 옛 친구를 대하겠는가. 그러나 아른거리는 생각을 감당하지 못하여 이에 억지로 떨리는 손으로 글을 써서 안부를 물으니 다만 헤아림과 양해를 바라네. 이만 줄이네.

32. 우서(虞瑞) 홍봉조(洪鳳祚)[42]에게 보내는 글

병에서 점점 깨어나서 귀댁 종이 전한 말을 집의 아이에게 듣고 병

로 좌천, 이어 파직됨. 이듬해 신임사화로 온성(穩城)에 안치되었다가 1724년 영조가 즉위하자 풀려나 충청도 관찰사, 병조 참의, 대사간 등을 역임함.
42) 홍봉조(洪鳳祚): 조선 문신(1680~1760). 본관은 남양(南陽). 자는 우서(虞瑞),

이 활짝 개었네. 기이한 일은 그대가 옛 친구의 욕된 문안을 특별히 기다리고 있었다는 것이네. 참으로 감격스럽고 부끄럽네. 병든 몸으로 생각하니 두려움이 아른거릴 뿐이네.

장마 더위에 벼슬살이가 평안한가. 나는 평소의 삶이 무상하도록 혹독하게 사람과 귀신이 하는 책망을 들으니 죄상이 추악하고 명분과 절개가 뒤엎어져 이 인간 세상에서는 다시 낯을 들 수가 없네. 형체와 정신이 모두 말라 긴 더위에 겨우 지탱하며 한 달 동안 조섭(調攝)했으나 여전히 파리한 거미의 모습을 하고 있으니, 아마도 오랫동안 볼 수 없을 것이네. 스스로 부끄럽고 스스로 가련하지만 어찌하겠는가. 이 글을 그대 둘째 아우인 영감에게 전해주면 고맙겠네. 나머지는 마저 다 펴지 못하네.

비방받을 때는 변명하지 않는 것이 최상이네. 이 일의 원인은 참으로 밝혀진 것이 없네. 소를 올릴 때 일은 망연하여 기억조차 할 수 없고 소를 올린 전후에도 나는 남에게 미루어 소두(疏頭)를 맡긴 일도 없었네.

소를 올리는 날 조금 늦게 소청에 나가보니 이 첨정(僉正)이 이미 스스로 소두가 되어 있었고 소본도 이미 다 썼으므로, 미처 여러 친구들과 의논을 하지 못한 채 이 첨정을 따라 궁궐에 들어가서 소를 올리고 돌아왔네. 기억나는 것은 다만 이것뿐이네.

그대도 또한 그 소에 참여했는데 혹 내가 다른 사람들과 이야기를 하다가 소두에 관한 말을 하는 것을 들었는가. 그날 소청에는 그대와 정 대간이

호는 간산(艮山). 김창협의 문인. 노론으로 신임사화 때 온성에 유배됨. 1724년 영조가 즉위하자 풀려나와 이듬해 증광문과에 을과로 급제하여 강원도 관찰사, 대사성을 거쳐 지중추부사에 이름.

오지 않았는가. 이 기록이 사실이거든 보여서 의혹을 깨우쳐주고 혹 내가 잊은 일이 있으면 꼭 듣고자 할 뿐이네.

33. 백열 이우신(李雨臣)[43)]에게 보내는 글

이별할 때 기억이 가물가물하네. 남쪽 들에서 헤어질 때와 모두 같은데 벌써 한 달이 지났네. 그대가 서울로 떠나가니 마치 한쪽 손을 잃어버린 것 같네. 어찌 보통 이별이라고 하겠는가. 병중에 생각이 자꾸 나서 감당하기 어렵네.

곧 직접 쓴 편지 두 장을 받아 보고서야 아직도 친구에게 다행히 버림받지 않았음을 깨닫네. 또한 처음으로 상황과 건강이 평안하고 좋은 사실을 한마디 말로 다 안 것 같으니, 쏟아지는 기쁨을 어찌 충분히 형용하여 비유할 수 있겠는가. 지조와 절개와 언행에 하나도 취할 것이 없다면 사군자(士君子)의 열에 서거나 곁에 끼지 못하는 것이 당연하네.

오늘날 당한 일로 누구를 원망하며 더구나 누구를 허물하겠는가. 하지만 그대는 꾸며낸 말을 듣지 못하였는가. 몸과 명예가 모두 죽어 다시는 살아날 여지가 없으니 무슨 낯으로 이 세상에 설 수 있겠는가. 다만 스스로 마음을 어루만지며 부끄럽게 탄식할 뿐, 어찌할 수 있겠는가.

사람들이 내가 잘못했다고 말하고 귀신 또한 책망을 하여 몸에 병이 이와 같이 깊으니 이 무슨 괴이한 일인가. 8년 동안 당뇨병을 앓고 난

---

43) **이우신**(李雨臣): 조선 후기 문신(1670~1744). 본관은 연안. 자는 백열(伯說). 호는 십탄(十灘). 이희조(李喜朝)의 문인(門人). 1725년(영조 1) 의성현감(義城縣監), 1727년 부평부사(富平府使) 등을 역임하고, 1733년 원성현감(原城縣監)을 거쳐 한성 우윤, 호조 참판 등을 지냄. 문장에 뛰어나 표충사비(表忠寺碑)를 지음.

뒤 풍토병이 더해져 거의 죽다가 살아나니 원기가 빠지고 삭았음은 말을 하지 않아도 알 일이네.

머리를 돌려보니 사십 여일이나 입맛을 잃어 먹고 마시는 것이 적으니 완전히 회복이 될 기약이 참으로 없네. 이것은 단전이 이미 망가져 기운이 운행되지 못하는 데 원인이 있는 것이니 어찌할 수가 없네. 다만 마땅히 문을 닫고 허물을 반성하면서 조물주의 처분을 기다릴 뿐이네.

이런 때에 조카 수마저 떠나가서 슬픔을 누르기 어려울 뿐이네. 보내준 쌀 세 가지는 모두 병을 다스리기에 알맞은 물건이고, 술은 의원의 지시를 기다려야만 마실 수 있지만 다행스러움과 고마움이 가득하네. 술맛이 사납지 아니하니 아마도 그 정치상 명령도 그러하지 않겠는가. 하하하!

관청의 곳간이 씻은 듯하여 그대가 알려준 말에 따를 수 있을 것이네. 관청의 일이란 사례가 이와 같은 것이니 걱정스럽고 근심스럽네. 나머지는 다 쓰지 못하네.

추고(追告)

덧붙여 알리건대 세간의 탄핵이 어찌 끝이 있겠는가만 머리에서부터 발끝까지 한 글자의 실마리가 될 만한 말이 없을 수 있겠는가. 하물며 비록 나의 행동이 무상하지만 과연 그와 같이 몰아간다면 시장 바닥에 호랑이가 나와 다닌다는 말도 세 번 들으면 믿게 되거늘 정형익(鄭亨益)[44]이 이와 같이 결정하는 일은 부당하네. 그러나 갑자기 이와 같이

---

44) **정형익**(鄭亨益): 조선 문신(1664~1737). 본관은 동래. 자는 시해(時諧). 경종의 생모 희빈 장씨(禧嬪張氏)의 사당 건립을 반대하다가 신임사화 때 노론 4대신과 함께 파직되어 김해(金海)로 유배됨. 영조가 즉위한 다음해인 1725년 배소에서

판결을 했으니 백 가지를 생각해보더라도 끝내 그 까닭을 알 수가 없네.

나와 형익은 삼세를 사귀어온 사이로 40년을 서로 좋게 지내오면서 털끝만 한 실수도 없었는데 진실로 함정이 없다면 어찌 이와 같이 처리함이 합당하겠는가.

비록 나에게 허물이 있다 하더라도 무엇 때문에 함정을 파놓을 일이 있겠는가. 이러한 일들은 또한 더불어 상의할 곳이 없으니 더욱 그대가 멀리 있는 것이 한이 되네.

그저께 망여(望汝)가 와서 "형익이 일찍이 그대에게 말을 했다고 하는데 그대가 만일 들었다면 어찌 나에게 말하지 아니하였겠는가"라고 말하였네. 망여가 한 말이 혹 잘못 들은 것이 아니겠는가. 그대가 혹여 형익에게 들은 말이 있다면 알려주기를 바라네. 무릇 스스로 닦는 것만큼 비방을 그치게 하는 길이 없으니 또한 꼭 듣지 못하더라도 내가 그대에게 어떠한 혐의를 두겠는가. 이러한 일로 몇 가지 물었으니 읽은 뒤에는 태워버리는 것이 좋을 것 같네.

34. 일원에게 보내는 글

■ 을사년 오월 열하루 견본지(見本紙)에서 찾은 글이다

지난번 온 편지를 잊지 아니하였으나 작별을 하느라 바빠서 답장을 쓰지 못하여 심려가 되었다. 그런데 오늘 다행스럽게도 또 편지를 받

아 보니 보내온 뜻이 만나서 직접 이야기하는 바와 다름이 없었다.

비가 오는 창가에서 다시 펴 보니 얼굴 마주하며 이별하지 못한 게 한스럽구나. 들으니 잠시 다시 머물 것이라고 하는데 나는 돌아가는 것을 볼 수 없어 눈에 아른거릴 뿐이다. 때가 맑고 세상이 고요해지면 사람마다 절로 즐거울 텐데, 다만 홀로 우리 집의 운액이 이와 같고 조카 수(受)가 또 비통한 소식을 전해왔으니 공사 간의 우려가 더욱 크구나.

건이가 거처를 옮겨 병에 걸릴 걱정이 사라졌으니 참으로 이사를 잘하였구나. 부모의 고통은 그쳤겠으나 아내와 아이의 병을 치료하느라 자기 몸에 대한 간호가 늦어져 건이가 또 아파서 누워 있다고 하니 우려가 끝이 없구나.

사흘 동안 더위를 먹어 아팠으나 이제 그쳤는데 이것은 귀신의 책망을 내가 많이 받아 그 가운데 한 부분을 자식이 받은 듯하니 절망스럽구나. 내가 일찍이 일에 오해가 있다고 한 말이 어찌 허황하지 아니하겠느냐. 괴이하고 놀랍구나. 양주목사 홍중주(洪重疇)가 사직을 청하며 올린 소에 그 곡절이 자세하지 아니하니 더욱 억울하고 더욱 억울할 뿐이다. 지난번 편지에서 한 말은 어찌하여 지나치다고 말하겠느냐.

아! 우리는 한갓 먹고사는 일과 처자에 얽매어 반생을 장부와 서류에 골골하다가 마침내 공인(貢人)45)이라는 직분을 떠나 분수를 벗어나서 밥을 훔치는 사람이 되었으니 다시 어떤 얼굴로 사람을 대하겠느냐. 말할수록 더 부끄러워지니 덮어두고 다시 말하지 않는 것이 옳을 듯하다.

병든 사람이 있는 집에서 직접 편지가 와서 다른 하인에게 시키지

---

45) **공인**(貢人): 조선 후기에 성행하던 공계(貢契)의 계원(契員). 광해군 이후 「대동법」실시로 모든 공물을 대동미로 바치게 되면서 국가에서 여러 가지 수요품이 필요하게 되자, 국가로부터 대동미를 대가로 받고 물품을 납품했음.

않고 아전에게 주었는데 아마도 오래 묵은 뒤에 과연 세를 납부하였는지 알 수가 없으니 어찌하면 좋은가. 송구함이 매우 크구나.

전에 말한 선적(先蹟)⁴⁶⁾을 가지고 있는 사람에게 부탁하여 빌리기로 하였으나 아직도 빌리지 못하였으니 매우 어리석고 둔하구나. 지금 이와 같이 다시 알리니 다행히 납부가 되지 아니했으면 찾아서 돌려받아야 마땅할 것이다. 급히 알리는 까닭은 더욱 봉화군수이셨던 고조부님과 또한 증조부님이신 한성군과 조부님까지 삼세의 유적과 그 밖의 유적을 다 찾아 보내주기를 간절하게 바라기 때문이다.

35. 광주목사(光州牧使) 이익명(李益命)에게 보내는 글

지나간 일을 어찌 차마 다시 말하여 살아남은 이의 슬픔을 더하게 하겠는가. 어떤 요행으로 그대 집안에 내린 성은으로 하늘의 해가 거듭 아득하고 외진 곳에까지 비추니 남은 감정이 더는 없게 되었네.

사람의 마음에 유쾌함과 기쁨이 일게 되니 사무쳤던 슬픔은 어떠한가. 더군다나 그대의 종손자가 큰 화를 벗어나 생명을 보전하게 되어 하늘이 시나브로 사람을 도왔으니 어찌 다만 귀문에게만 다행스러운 일이겠는가.

그러나 그대의 형님께서 겪으신 참혹함을 어찌 극복하겠는가. 슬픈 생각을 그칠 수 없네. 노형이 서울로 돌아온 지 이미 한 달이 지났으나 몸소 한번 찾아가서 여러 해 동안 쌓인 심정을 펴고 싶지만 8년 동안

---

46) 선적(先蹟): 조상의 사적(事蹟).

앓아온 당뇨와 풍토병이 여러 번 나서 몸과 마음이 변하였네. 또 원기가 점점 없어져 머리조차 들지 못한 지가 이미 40여 일이 되었네.

입맛을 잃고 음식을 전혀 먹지 못하였고 정신이 안개 속에 있는 것같이 아득하여 뜰 안에서조차 출입할 수 없어 뜻과 같이 찾아가지 못하니, 참으로 내가 지내는 요사이 형상을 이해할 수 있겠는가. 생각하건대 임금님께 하직을 하고 임지로 떠날 날이 머지않으니 떠나고 나면 다시 만날 날을 시일로 기약할 수가 없기에 감히 한 장의 글을 보내 대신하고자 하네.

36. 상국 정장암(丈菴)[47]에게 올리는 글

■ 을사년 유월 초사흘

뜻밖에 놀랄 일이 갑자기 일어나서 버선발로 급작스럽게 조정을 떠나게 되셨으니 나라를 걱정하는 마음은 어찌 다만 합하 혼자만이 하시겠습니까. 엎드려 생각해보니 강호에서 한가롭고 고요히 지내시는 일이 몸을 조섭을 하는 데 좋은 방편이 될 수 있다면 위로가 되어 다행스러울 것입니다.

---

47) **장암**(丈菴): 조선 문신 정호(鄭澔, 1648~1736)의 호. 본관 연일(延日). 자 중순(仲淳). 시호 문경(文敬). 1713년 대사성에 재임 중 송시열의 묘정(廟庭) 배향을 제의하고, 1717년(숙종 43) 세자의 대리청정을 시행하게 함. 다음해 이조 판서가 됨. 신임사화로 강진(康津)에 유배되었다가 1725년(영조 1) 풀려나와 우의정이 되고, 사화로 사사된 노론 4대신의 신원을 상소했으며, 좌의정을 거쳐 영의정이 됨. 일생을 노론의 선봉으로 활약하였고, 글씨와 시문(詩文)에 뛰어났음.

임금의 마음이 더욱 괴로우셔서 충간을 받아들이지 아니하시니 거취를 어떻게 정하려 하십니까. 장마 뒤라 날씨가 덥지 않고 점점 차가워지는 이때 엎드려 살피지 못했습니다만 벼슬살이하시는 건강이 어떠하십니까.

합하 아우님의 아들 장례는 이미 지났으리라 생각됩니다만 자애로운 슬픔으로 추도하시느라 어찌 감당하십니까. 소인은 합하 가솔들이 돌림병에 걸렸을 때에 외지로 임명을 받아 나가느라 급하여 작별을 하지 못하였는데 지금까지 죄스럽고 슬픕니다.

저는 병에 걸려 거의 죽었다가 다시 살아나기는 했으나 여러 번 당노병을 앓고 나니 진원이 없어지고 약해져서 완전한 회복을 기대할 수 없습니다. 또한 민망하고 가련한 데다 사람들이 저에 대해 책망을 하는 말이 두억시니가 하는 비방보다 심하여 몸과 명예가 욕되었으니 회복될 여지가 없습니다. 다만 문을 닫고 스스로 반성하면서 조물자가 내리는 처분만을 기다릴 수밖에 없으니 어찌하오리까.

마침 청풍(淸風)으로 내려가는 인편이 있어 비로소 정신을 가다듬어 삼가 한 통의 글을 써서 문후하는 예를 대신합니다. 다만 시절에 따라 만복하시기를 엎드려 축원하면서 나머지는 대강 쓰고 예를 모두 갖추지 못합니다.

37. 송성장(宋聖章)에게 보내는 글

■ 병오년(1716) 사월 초이레

일전에 편지를 써서 서울로 보낸 뒤 날마다 슬픔으로 지내고 있었는데, 뜻밖에 갑자기 고요하고 쓸쓸한 산골짜기 가운데로 편지가 전해오니 밝은 얼굴을 대한 것 같아 기쁨이 끝이 없습니다. 또한 살펴보니 관아로 돌아간 뒤 벼슬살이가 평안하다는 말이 더욱 위로가 됩니다.

부임하느라 시달린 고달픔은 서로 마찬가지이나 저는 오랫동안 병에 상한 끝에 천 리를 말 위에서 흔들리며 오다 보니 해묵은 병이 다시 나서 물을 마시고 오줌을 누는 일이 셀 수 없이 많아져 매우 두렵습니다. 또한 임계(林溪)에서 몸조리를 하려던 계획이 관원의 한 관리가 잘못하여 어긋났으니 스스로 가련하여 절로 탄식이 나옵니다.

38. 송성장에게 보내는 글

■ 병오년 사월 아흐레 그믐

지난날 광릉(廣陵)에 있을 때 글을 여러 번 보냈는데 받아 보았습니까. 오늘 관리가 와서 편지를 전해 받아 보았습니다. 제 딸과 사위가 무사히 관아로 돌아갔다고 하니 위로와 기쁨을 어찌 말로 다 표현하겠습니까.

저는 스무날 전에 비로소 돌아오기는 하였으나 당뇨 증세가 더욱 심해져 물을 마시고 오줌을 누는 일이 셀 수조차 없이 잦고, 원기가 날마다 사그라져서 민망스럽고 고통스럽습니다. 그 가운데 며느리가 병이 지극히 위독하여 어쩔 수 없이 맏사위 집으로 병을 피해 왔습니다.

병든 몸으로 다른 병이 겹칠까 걱정해 의심나는 병이 있으면 동서로 분주하게 피해 다니느라 갖가지 근심과 번뇌를 감당하지 못합니다.

항상 이화당(梨花堂)과 경양루(慶陽樓) 가운데 한가롭게 누워 있는 태수(太守)에 대해 어찌 부러워하는 마음과 시기하는 마음이 없을 수 있겠습니까. 하물며 발길이 이미 금강산에 닿았다는 말을 들으니 더욱 정신이 달려감을 이기지 못하겠습니다.

딸아이는 시부모의 가르침을 어기고 아직도 집에 편안히 머물러 있으나 제가 맏사위 집으로 와서 곁에 없으니 꾸짖을 수가 없습니다. 송구해 한탄할 뿐입니다. 나머지는 마침 관리가 돌아가는 길에 잠시 머물렀다가 떠나려고 하기에, 이것으로 문후를 대신합니다. 다만 회답하는 글에, 산중에 사시는 모습과 눈에 띄는 바를 모두 토론해주시기 바랍니다.

39. 송성장에게 보내는 글

■ 병오년 오월 초순

갑자기 두 편이나 되는 귀한 편지가 산골짜기로 들어와 병으로 신음하는 가운데 봉함을 열어 보았습니다. 이미 봉래도의 기운이 엄습해와 베개를 밀치고 일어나 앉아 즐거이 한번 읽어보았습니다. 만폭동의 물줄기와 동해의 바닷물이 가슴속으로 넉넉하게 흘러들어 먼지를 깨끗하게 씻어주는 것만 같았습니다. 지난날의 갈증이 갑자기 사라진 것 같고 안팎으로 지은 글이 제 마음과 아주 똑같으니 더욱 기쁩니다. 대개 일만이천 봉우리가 지닌 웅장하면서도 깊고 그윽하면서도 기이한 모습이 모두 담겨 있었습니다.

헐성루에서 바라보는 광경이 어찌 웅장하지 않겠습니까. 또 여러 개의 봉우리를 묶어 세워놓은 듯한 산이 몸 위로 떨어질 듯 느껴지고 하늘이 매우 좁아 보인다는 문장은 참으로 쾌활하였습니다. 마치 병 속에 들어가 있는 듯하다는 말이 참말임을 알 수 있었습니다. 불정대에서 폭포를 바라보고 은선대(隱仙臺)[48]에서 바다와 산의 웅장함을 맛보며 삼일포에서 느껴지는 아늑한 수려함과 총석정이 내뿜는 괴기함은 모두 다른 산은 미치지 못할 경계입니다.

지난해 내산(內山)에서 대엿새 동안 머무르면서 처음으로 은선대 위에 올라갔을 때의 그 쾌활했던 뜻과 모양을 다시 옷을 걷고 느끼고자 하였으나 얻을 수가 없었습니다. 그러나 하늘이 만들어낸 넓고 좁은 골짜기와 이어지고 끊긴 산등성이가 마음과 한눈에 들어오기에 제멋대로 우열을 정하여 보았습니다. 아마도 조물자가 본다면 웃음거리가 될 것입니다. 그때 저와 산의 인연이 없어서 무리가 하산을 재촉하기에 자리를 나서며 말을 끝맺었습니다. 다만 신선과 범부가 서로 달라 한이 될 뿐입니다.

지은 시를 어서 부쳐 이 회포를 위로해주기를 지극히 바라고 또 바랍니다. 공을 함께 따라간 사위가 위험을 만날까 봐 심려되는 것이 아니고 다만 아직은 어린아이로 지식이 조잡하여 아름다운 하늘과 산만을 탐할까 염려가 됩니다. 그러나 때때로 어린아이가 가진 지혜가 어른보다 나을 수도 있다는 것을 참고하지 아니할 수 없으니 그가 지은 글을 보내주신다면 읽고 그가 본 것이 어떤 것인지 알 수 있을 것입니다.

저는 남쪽 고을 벼슬살이가 한가로우니 족히 병은 조리할 수 있으나 갈증이 아직 멎지 않아 민망스럽습니다.

---

48) **은선대**(隱仙臺): 강원도 고성군 금강산에 있는 기이한 봉우리 가운데 하나로 신금강에 속함. 높이는 1060미터.

비로봉 구룡연(九龍淵)[49] 구룡폭포는 안개가 끼거나 비가 오지 않는 한 찾아가 구경을 하지 않을 수 없는 곳입니다. 구룡연은 처음부터 뜻을 내지 못했고 비로봉은 아주 위험하지는 않다고 하여 가려 했으나 비를 만나 오르지 못하였으니, 지금까지도 한이 남아 있을 뿐입니다. 그러나 반드시 그 어려운 곳을 찾고자 함은 도학에서 나온 세상에 숨겨진 것을 찾아 이상하고 오묘한 일을 행하는 것이니 마땅히 경계해야 할 바입니다.

또한 세상 사람들은 귀로 듣는 것만 귀하게 여기고 눈으로 보는 것은 귀하게 여기지 아니하므로 공이 가는 길도 또한 총석정에 그치고 시중대에는 미치지 못할 것이니 한탄스럽습니다. 앞서 간 여러 사람들도 모두 관인들에게 속아 총석정만 찾았습니다. 하나의 언덕에 대를 짓듯이 관인들만 시중대를 독점하여 구경하고 관장에게는 보이지 않은 지가 수백 년이 되었습니다.

제가 흡주를 다스릴 때 비로소 그 진짜 시중대를 보고 대략 몇 그루의 꽃나무를 심었습니다. 그 맑고 그윽하고 광활함이 삼일포에 견주어도 모자람이 없는데 관동팔경에 진짜 시중대가 들지 않은 것은 매우 안타까운 일이 아닐 수 없습니다. 공이 모름지기 한번 가서 보고 상매(湘梅)[50]와 촉당(蜀棠)[51]과 비교하는 말은 하지 말기 바랍니다.

---

49) **구룡연**(九龍淵): 강원도 고성군 외금강 구룡동 골짜기에 있는 구룡폭포 밑의 못.
50) **상매**(湘梅): 소상강가에 피는 매화.
51) **촉당**(蜀棠): 중국의 서쪽 지역에 피는 해당화.

40. 송성장에게 보내는 글

■ 병오년 오월 스무나흘

이어서 보내온 주옥과 같은 글을 수첩에 적어두고 읊어보니 아름다운 글귀는 금싸라기와 구슬같이 향기가 나는 듯하여 마치 잇몸 사이에서 시원한 기운이 나오는 것 같았습니다. 지난번에 보내준 글은 늘 반복해서 읽어보아도 아직까지 다 외우지는 못합니다.

대체로 보아 공의 생각과 제 생각이 서로 비슷하니 기분 좋게 되풀이하여 읽기를 그치지 않았습니다. 소식을 들은 지 이미 여드레가 되었습니다. 살피지 못했으나 벼슬살이하는 몸은 더욱 건강하며 권속들도 모두 평안한지 달려가는 생각을 금할 길이 없습니다.

저는 뜻밖에 이제까지와는 다른 방면의 책임을 맡았습니다. 제가 갖춘 재주와 분수로는 참으로 감당하기 어려울 뿐만 아니라 전날에 쌓인 당뇨가 피곤 끝에 다시 도져 하루에 거의 물을 두 말 마시고 소변도 그 양만큼 자주 보고 있습니다.

그리하여 원기가 날마다 없어지고 모습이 갈수록 파리해지니 정신과 기운이 모두 피곤하여 수습할 길이 없습니다. 실은 이렇게 병든 몰골로 부임할 형편도 아닌데 특별히 넓고 깊은 은혜로 직접 소비(疏批)[52]를 내리시어 엄숙하게 이 직분을 맡기셨습니다. 며칠 지나서 곧 하직을 해야 하나 조정의 상황이 급박하게 돌아가니 어찌 처신해야 할지 알 수가 없습니다. 만약 사직이나 교체가 되지 아니한다면 부임하

---

52) **소비**(疏批): 상소에 대하여 임금이 내리던 대답.

지 않을 방도가 없으니 그리 된다면 내달 초에 떠날 예정입니다. 산천 사이가 더욱 멀어지니 슬픈 생각이 더욱 간절합니다.

41. 송성장에게 보내는 글

■ 병오년 유월 초닷새

인편으로 보내주신 답장을 받아 보니, 글에 담긴 뜻이 다정하고 정 중하여 많은 도움이 되었습니다. 또한 더운 장마에 황당(黃堂)[53]에서 낮잠을 잘 수 있는 편안함을 누리신다고 하니 위로와 기쁨을 헤아릴 수가 없습니다.

저는 당뇨가 지난해 처음 생겼을 때보다 더욱 심해져 날마다 원기와 정신이 줄고 모습이 말라갑니다. 이러한 병든 몸으로 어찌 떠날 수 있으 며 어찌 다스려야 할지 실로 수행할 자신이 없으나 조정의 명으로 급박 한 형세를 만났으니 부득이 이달 보름 상감께 하직하기로 결정하였습니 다. 몸을 잘 부지해 탈이 나지 않고 갈 수 있을지도 알 수가 없습니다.

딸과 사위는 다행하게도 의시(依施)[54]를 입었으니 팔월 초는 너무 빠르고 팔월 스무날이 지난 뒤에 사람과 말을 보내 데려가면 어떠하겠 습니까. 그때 즈음이면 대개 날씨가 쾌청하고 서늘하여 모녀가 한때 떨어져 지내기가 편리할 것이기 때문입니다.

금강산 가는 길을 제가 따라가지 못하였는데 산과 바다를 구경하는

---

53) **황당**(黃堂): 태수가 집무하는 곳.
54) **의시**(依施): 청원(請願)에 의하여 임금이나 관청에서 허가하던 일.

운수를 만나지 못하여 항상 가슴속에서 염려가 됩니다. 지금쯤 석담(石潭)의 좋은 경치에 공은 흥이 날 테지만 저는 인연이 없어서 걸음을 함께할 수 없으니 다만 서로 아쉬워 눈물을 흘릴 뿐입니다. 이를 어찌하겠습니까. 서로 만날 길이 아득합니다. 다만 늘 벼슬살이가 날마다 재밌고 두루 잘 보살펴 모두 편안하기를 바랍니다.

42. 송성장에게 보내는 글

■ 병오년 추석 이튿날

서쪽으로 올 때 매우 바빠 문후하는 글을 보내지 못하고 왔으니 슬픔을 어찌 말로 할 수 있겠습니까. 한 달 전쯤 비로소 한 통의 편지를 보냈었는데 미처 전달되지 못하고 먼저 공이 보낸 고마운 편지를 받아보았습니다. 여름이 지나도록 무사하다는 말씀을 듣고 느낀 기쁨과 위로를 어찌 헤아릴 수 있겠습니까. 소식을 받은 뒤 여러 날이 지나고 가을 더위와 장맛비가 다소 여름보다 심한데 관동 지방 또한 그러한지 알 수가 없습니다. 벼슬살이가 맑고 건강하십니까. 생각이 달려가서 더욱 간절합니다.

광주목사 부인의 부고를 들었습니다. 놀라움과 두려움을 어찌 그치겠습니까. 저는 오는 길에서 쓰러지지 아니한 것만도 다행한 일입니다. 가을이 되면서 목마름이 더욱 심하여 하루에 거의 한 말의 물을 마시니 원기가 날마다 없어지고 형용이 갈수록 말라갑니다. 연민을 어찌해야 하겠습니까. 이 때문에 공무를 거의 접어두고 있으니 더욱 편안하지 못할 뿐입니다.

평산 어른은 아직도 만나뵙지 못했으니 자못 슬픕니다. 만약 마음으로 살펴볼 수 있다면 어찌 공의 말을 기다리겠습니까. 오래지 않아 순행을 하고자 하니 만약 이 계획을 성공하면 편안하게 토론할 수 있을 것입니다.

사위는 추석 전에 서울로 보냈습니까. 과거를 보려고 한다는 말을 들었는데 기쁘고 사랑스럽습니다. 그러나 길을 가는 중에 두 곳에 모두 비가 오는지라 출입이 극히 심려됩니다. 딸을 데려가는 것은 스무날 뒤로 생각하고 있는데, 들으니 사부인께서 또 서울로 가셨다고 하니 그렇다면 함께 모시고 가게 되어 더욱 다행스러운 일입니다. 다만 이곳에 있어 송별을 하지 못하니 직접 만나 말로 회포를 풀 수 없습니다.

저에게는 다만 아들이 하나만 있어 눈앞에서 심부름하고 있고, 태반은 모두 딸로서 맏딸은 이미 우환가(憂患家)[55]의 사람이 되어 왕래조차 할 수 없습니다. 우리 집의 구구한 정과 사랑은 맏딸에게 있는데 먼 곳에 서로 떨어져 있어 참으로 슬픔을 감당하기 어려우니, 항상 그 아이가 사내아이로 태어나지 못하였음을 탄식합니다.

때때로 친정 부모를 뵈러 친정으로 나들이하는 것은 조정에서도 허락하는 것이므로 이 부탁을 받아들여 내달 그믐께 사람과 말을 보내 공의 며느리가 된 나의 딸 부부를 데려와서 두 달쯤 머무르게 한 뒤 보낼 계획입니다. 모름지기 아녀자들이 품은 소견에 요동되지 말고 반드시 근친(覲親)을 허락함이 어떠하겠습니까. 또한 성혼한 뒤에는 오히려 부부가 동거하는 모양을 보지 못하였으니 인정상 어찌 슬프지 아니하겠습니까. 공은 이와 같은 세세한 정리를 양해해서 그 부부를 보내

---

55) **우환가**(憂患家): 병이 있는 집. 여기서는 죄를 얻어 귀양 가거나 처벌받은 집을 빗대어 씀.

어 두 달 여가를 줄 것을 바랍니다.

서울에서 공이 다스리고 있는 고을까지는 이레나 여드레면 충분히 오갈 수 있습니다. 어상(魚商)들은 산길을 걷더라도 닷새 길에 지나지 않는다고 말합니다. 거리가 아주 멀지 않고 또 이목이 번거롭지 않아 좋을 것입니다. 공께서도 그 거리를 물었으니 닷새 걸린다는 말을 미루어서 길 떠날 차비를 하는 것이 어떠하겠습니까. 『풍악록(楓岳錄)』56) 은 병중에 자세히 읽었습니다. 시문은 족히 병에서 일어나게 할 만합니다. 곧 공이 지나온 곳이 눈 속에 남아 몸이 거의 만폭동과 바다와 산 사이에 있는 것 같은 착각을 일으키게 하여 느낀 바가 많았습니다. 비교(批教)57)를 보여준 부분은 감히 뭐라 말을 하지 못하겠습니다. 외로운 성의를 거듭하여 감히 분에 너무 넘치게 시구에 글자를 더하고 빼보았습니다. 모름지기 웃으면서 보아주기 바랍니다. 다만 공의 아들이 지은 시문은 아버지와도 서로 견줄 만하였습니다. 기이하고 사랑스러운 마음을 이기지 못하겠습니다.

어느 때 서로 만나 이처럼 많이 쌓인 회포를 토론할 수 있겠습니까. 제가 만일 조금 움직일 수 있다 하더라도 어찌 네댓새나 걸리는 먼 길을 갈 수 있겠습니까. 말로조차 할 수 없는 일입니다. 이곳의 석담정(石潭亭)과 구월산은 예로부터 명승지이니 한번 가서 봐야만 하는 곳입니다.

또한 관동 지방은 제가 몇 년간 다스렸던 곳이므로 잠시 태수가 없더라도 무관할 것입니다. 구월 그믐이면 곡식을 다 거둘 것 같으니 공께서 만약 평산(平山)에서 목욕을 하려거든 말미를 얻어 큰아버님도 뵐 겸 아들과 며느리를 거느리고 와서 이곳에 머물게 하고, 저와 더불어

---

56) 『풍악록(楓岳錄)』: 금강산을 관람하고 느낀 바를 쓴 기행문.
57) 비교(批教): 신하가 올린 상소에 대하여 임금이 답으로 내리는 지시.

며칠 동안 수양산(首陽山)⁵⁸⁾ 석담정, 허정(許亭) 등 명승지를 함께 노닌 뒤 이어 금강산의 남은 흥을 느끼고 돌아간다면 어찌 좋은 일이 아니 겠습니까. 공께서는 모름지기 깊이 헤아려서 저의 바람을 뿌리치지 마 시기 바랍니다. 제가 만약 순행을 한다면 구월 그믐께나 시월 초에 돌 아올 것이니 이곳에 와서 서로 만나는 것이 어찌 좋지 아니하겠습니 까. 깊이 생각하여 시행하시기를 바랍니다.

43. 송성장에게 보내는 글

■ 병오년 시월 초사흘

가을 깊은 바닷가에 날씨가 쓸쓸한데 국화를 홀로 감상한다고 상상하 면 참으로 난감한 일입니다. 뜻밖에 관청의 심부름꾼이 갑자기 공이 몸소 쓰신 편지를 전해주기에 바삐 뜯어보았습니다. 말의 뜻이 정중하 여 읽어볼수록 느껴지는 위로가 거의 형용과 비유를 할 수 없었습니다.

소식을 들으니 벼슬살이가 평안하시며 사위가 학질을 옮기는 귀신에 게서 드디어 벗어나 오래지 않아 이 마을로 돌아온다고 하니, 더욱 기 쁨과 다행스러움을 느끼지 않을 수 없습니다. 소식을 들은 지 이미 이 레가 지났는데 한결같이 평안하시며 사위와 딸도 별다른 탈 없이 부모 님 봉양을 잘하고 있습니까. 연연한 생각을 또한 그치지 못하겠습니다.

저는 당뇨가 이미 뿌리 깊이 굳어져 쉽게 쾌차할 수 없고 해마다 봄 과 여름에는 물을 적게 마시지만 가을과 겨울에는 쉬지 않고 물을 마

---

58) **수양산**(首陽山): 황해도 해주시 북서쪽에 있는 산. 높이는 899미터.

서댑니다. 올해는 가을이 이미 다 지나갔으나 증세가 전혀 나아지지 않고 몸이 마르고 원기가 점점 줄어듦을 느끼고 있습니다. 그러나 늙을수록 아픔을 견디기 어렵고 약과 침도 도움이 되지 않아 그러한 것이니 어찌하겠습니까.

건강에 힘쓰라는 당부로 참으로 친구 사이의 정을 느꼈습니다. 다만 위의 내용은 보통 사람이라면 저는 아직 죽을 나이가 아니나 본래 타고난 복이 적어 5~6년 동안 선정(禪定)에 든 중처럼 바싹 말라버렸습니다.

아랫도리에 이르러서는 병이 더해졌습니다. 금년 여름 초부터 오늘까지 한 숟가락도 먹지 못하여 병에 차도가 없습니다. 억지로 먹으려고 해도 먹지 못합니다.

때로는 실컷 술을 마시고 싶으나 감히 하지 못합니다. 하물며 친구가 이처럼 조심하라고 말하는데 감히 명심하여 따르려고 합니다. 공이 상관에 관해 장차 서로 잊어버리는 것같이 하라고 하였는데 '약(若)'이라는 글자는 아마도 공이 평일의 풍류를 다하지 못하고 글을 생략한 듯합니다. 공이 저를 생각하고 저도 공을 염려합니다. 스스로 몸을 잘 보전하기를 바랍니다. 하하하!

산사(山査)[59]를 달이는 사이에 잠깐 나가보니 지난날 동쪽 고을에 있을 때 즐기던 맛과 전혀 다르기에 약을 달이던 사람을 꾸짖었습니다. 공이 보내준 귀한 항아리가 마침내 왔기에 곧 열어 마셔보니 과연 옛 맛 그대로입니다. 기쁨을 어찌 말로 다 할 수 있겠습니까. 이곳에서는 상응할 물건이 없어서 다만 이렇게 자하 젓갈 담근 것을 보냅니다. 그러나 철이 일러 맛이 아직 들지 아니했으므로, 두 되만 먼저 보내고

---

59) **산사**(山査): 장미과의 낙엽 활엽 교목.

나중에 다시 제철에 찾아서 보내겠습니다. 나머지는 글로 다 펴지 못하고 이만 줄입니다.

44. 송성장에게 보내는 글

시월 그믐께 온 편지를 아직까지 펴보고 있으니 위로됨이 어찌 그치겠습니까. 병으로 자리에 누웠으나 글은 볼 수 있는데 힘을 내어 답장을 쓸 수 없으니 곧바로 감사의 편지를 겸하여 기별을 하지 못한 지 어느덧 40여 일이나 되었습니다.

병든 몸으로 보고 생각하는 것을 어찌 말로 다 하겠습니까. 그사이에 눈이 오고 비도 오고 추워져 온기가 없습니다. 살피지 못한 사이 한결같이 건강하며 권솔이 모두 평안하십니까. 저는 지난 초이렛날 밤에 갑자기 가슴에 통증이 있어 숨이 멎는 듯하다가 몇 시간 뒤에야 겨우 되살아났습니다.

이 뒤부터는 때때로 가슴이 막히고 아파서 원기가 날마다 더욱 점점 줄어들고 거의 살 한 점 없으니 참으로 다시 일어날 기력이 없습니다. 6~7일 전부터 비로소 일어나 앉게 되고 입맛도 조금은 생겼으나 완전히 회복될 날은 기약할 길 없어 스스로 불쌍할 따름입니다. 어찌해야 좋겠습니까.

여식은 병이 서서히 치료가 되어가고 있고 사위도 병이 다 나은 뒤로 점점 완쾌되고 있겠으나 실로 다른 근심이 없습니까. 형편상 시간이 걸려 곧바로 데려오지 못하고 서로 보지 못한 지가 이제 반년이 되었습니다. 해가 바뀌려는 이때에 문득 병상에서 그리움이 멍울져 맺혔으니 이를 어찌 능히 감당하겠습니까.

요사이 여식의 혼인날이 점점 가까워져 새해 전에 사람과 말을 보내 데려오고자 하는데 그간의 일을 알 방법이 없습니다. 사위와 딸이 병이 나았다는데 멀리 떠나올 수 있는지 자세하게 알려주시기 바랍니다. 연시례(延諡禮)[60]는 날짜를 정하지 못했습니까. 만약 올해가 가기 전에 행할 수 있다면 형편에 맞을 것 같습니다.

새해에는 공이 평산으로 세배하러 갈 터인데 여식을 따라오게 한다면 좋겠지만 어찌 그러하기를 바랄 수 있겠습니까. 다만 홍옥일(紅玉日)에 선조개(仙鳥盖)[61]에 와서 머문다는 소식이 여태까지 감감하고 몸이 말라 옷이 날마다 느슨해지니 매우 가련합니다. 하하하!

여식의 방에 온돌이 차갑고 가난하여 아침저녁으로 먹을 음식이 없으나 주림과 추위를 잘 참으니 크게 걱정이 되지는 않습니다. 그러나 골짜기 가득한 땔나무와 산해진미는 어디에 두고 이와 같이 궁한 걱정을 하는 것입니까. 자못 한편으로 괴이하고 한편으로 우스울 뿐입니다.

보내주신 문어, 방어, 대구, 은어의 네 가지 맛있는 물건이 다정하게 병든 밥통을 활짝 열어주었습니다. 다만 방어는 한 마리를 보냈는데 반 마리밖에 오지 않았습니다. 가지고 온 놈이 도둑질해 먹은 것이 아니겠습니까. 그 허와 실을 알아내어 못된 버릇을 다스리려 할 뿐입니다.

사냥꾼이 하늘을 능멸할 훈련을 했으나 끝내 몇 마리 꿩이나 나오겠습니까. 요사이 또한 띠를 두르고 마음껏 사냥을 한 지 이미 한 달이 되어가던 때에 꿩 17마리를 잡았습니다. 중간에 잃어버린 것이 많지만 재미는 있었습니다. 이것을 가지고 금성(金城) 태수에게 꿩 세 마리를 보내서 서로 그 재미를 맛보이고 살진 꿩을 자랑하였습니다.

---

60) **연시례**(延諡禮): 시호(諡號)를 받는 의식.
61) **선조개**(仙鳥盖): 섬 이름.

곤쟁이 두어 되와 먹 20자루를 보냅니다. 제가 병들어 누워 있느라 검사해 살펴볼 수 없어 품질이 썩 좋지 못할까 두렵고 한탄스러울 뿐입니다. 약재는 구하는 대로 보내는데 백작약(白芍藥),[62] 천궁(川芎),[63] 복분자, 복령(茯苓)[64]은 동쪽 마을에서는 흔한 산물이라 보내지 않겠습니다.

오명중(吳明仲)이 공께서 다스리는 고을에 있을 때 저의 해갈을 위하여 복분자 환을 계속 보내주었는데, 지금 도리어 제게 구해달라고 하니 약을 구하는 계집종과 사내들에게 속은 것입니다. 너무 지나친 속임수입니다. 모름지기 내년 여름에 많이 따서 말려두었다가 보내주기 바랍니다. 이 물건은 흔히 묵정밭에서 나는데 협곡에는 묵정밭이 많으니 얻기 쉬울 것입니다. 나머지는 한 해가 다하려고 하니 다만 새해를 맞이하여 행복하시기를 바라며 이만 줄입니다.

45. 송성장에게 보내는 글

■ **정미년**(1727) **삼월 초엿새**

관인이 돌아와서 공이 길에서 쓴 답서를 받았습니다. 수레를 타고 가는 길에 마음과 기운이 쇠하지 않았다고 하시니 하려는 바를 반드시 이룰 수 있을 터이라 기쁩니다. 삼장(三場)[65]을 지난 지가 이미 닷새가

---

62) **백작약**(白芍藥): 함박풀이. 작약과의 여러해살이풀.

63) **천궁**(川芎): 산형과의 여러해살이풀.

64) **복령**(茯苓): 공 또는 타원형 모양으로 땅속에서 소나무 뿌리에 기생하는 버섯.

65) **삼장**(三場): 과거 시험에서 초장, 중장, 종장의 3단계 시험.

지났으니 방이 나오고 반드시 합격하였다는 소식이 있을 것입니다. 자못 기도가 간절합니다.

46. 사위 송군에게 보내는 글

■ 병오년 유월 초닷새

장맛비가 지루하여 왕래가 드물었고 또한 멀리 있어 손을 부여잡고 이별하지 못하였으니 너의 고운 모습이 어찌 생각에 매달리지 않겠느냐. 이때 네가 쓴 편지가 와서 받아 보니, 얼굴을 한 번 대한 것 같아 기쁘고 위로됨을 헤아릴 수 있겠느냐. 또한 살펴보니 더위에 부모님들과 너희 부부가 평안하다니 더욱 기쁘구나.

나는 이달 보름에 임금께 하직 인사를 올리기로 정하였는데 당뇨가 더욱 고통스러우니 더 심해지지 않고 궁궐에 잘 이를지 헤아릴 방도가 없어 민망하구나. 『해산일기(海山日記)』[66]는 다만 그 머리글만 보아도 이미 잘된 글임을 자세히 알 수 있으니 사랑스럽고 미덥구나.

내가 지난해 산에 들어갈 때 쇄령동으로 들어갔기 때문에 통구등(通溝磴)[67]과 단발령(斷髮嶺)[68]을 직접 보지 못하였는데 지금 네가 기록한 글을 보고 자세히 알 수 있으니 더욱 기쁘구나. 끝까지 자세히 보고난 뒤에 돌려줄 것이다. 국화가 피는 가을이 오니 종이를 대하여 쓸쓸하

---

66) 『**해산일기(海山日記)**』: 바다와 산을 유람하고 쓴 일기.
67) **통구등(通溝磴)**: 산마루 이름.
68) **단발령(斷髮嶺)**: 강원도 김화군과 회양군 사이에 있는 고개.

구나. 만날 때까지 더욱 부모님 봉양 잘하기 바라면서 마음에 있는 바를 마저 다 쓰지 못한다.

47. 사위 송재희(宋載禧)에게 보내는 글

■ 팔월 열엿새

서로 이별한 지 벌써 몇 달째더냐. 이 바닷가 마을에 와서 보니 동쪽 마을로 가는 길이 더욱 아득하던 때에 한 통의 답장을 받지 못하여 애틋한 그리움을 거의 감당할 수 없었다. 그러던 차에 네댓새 전에 처음으로 칠월 그믐날 보낸 서신을 받았구나. 편지가 석 달 만에 겨우 한 번 왔으니 그 기쁨을 말하지 아니하여도 알 것이다.

편지를 받은 뒤에 보름이 지나도록 답장을 쓰지 못하였다. 어른들 모시고 공부하느라 더욱 고되겠구나. 한결같이 평안하고 건강하며 서울에는 과연 추석 전에 갈 수 있겠느냐. 감시(監試)[69]도 또한 들어가서 보겠느냐. 이틀 동안 비가 많이 내렸는데 서울도 또한 그러한지 알 수 없구나. 갖가지 생각이 달려가서 그치지 않는다. 서울에 갔다가 돌아갈 기약은 어느 날로 정하였느냐.

네 아내를 뒤따라 보내 송별을 하게 할 수 없으니 슬픔을 다 말하기 어렵구나. 다음 달 그믐 전에 반드시 아내를 거느리고 이곳에 와서 우리와 만나고 겸하여 두어 달 동안 함께 살며 즐기기를 지극히 바라고

---

69) **감시**(監試): 소과(小科). 생원과 진사를 뽑던 과거. 초시와 복시가 있었음.

또 바란다. 『풍악일기(楓岳日記)』70)는 서울에서 시끄러운 사건이 벌어지는 바람에 자세히 보지 못하였고, 그 뒤로도 병이 나서 오늘에야 비로소 점을 찍어 고쳐 보낸다. 『풍악일기』가 시보다 낫구나. 요사이에는 오로지 이것을 가지고 기쁨으로 삼아 한번 웃으며 지낼 수 있다.

지금 돌려보내려니 또한 매우 슬프구나. 나의 당뇨병 갈증은 가을이 되어서도 그치지 아니하고 날마다 피곤하여 원기가 줄어듦을 느끼니 연민한들 어찌하겠느냐.

48. 참판 희경 이재(李縡)71)에게 보내는 글

■ 병오년 섣달 열사흘

지난가을 지나는 길에 갑자기 찾아뵌지라 송구한 마음으로 서쪽으로 왔습니다. 그 뒤에 참판께서 주신 편지를 받아보고 자못 위로가 되

---

70) 『풍악일기(楓岳日記)』: 금강산 유람기.
71) 이재(李縡): 조선 문신(1680~1746). 본관은 우봉(牛峰). 자는 희경(熙卿). 호는 도암(陶菴) 한천(寒泉). 시호 문정(文正). 김창협의 문인. 어머니는 여흥부원군 민유중(閔維重)의 딸. 1716년 동부승지, 호조 참의를 거쳐 부제학이 되어 가례원류(家禮源流) 시비가 일어나자 노론의 입장에서 소론을 공격했고, 이후 노론의 중심인물로 활약함. 1722년 임인옥사(壬寅獄事) 때 중부(仲父) 만성(晩成)이 옥사하자 벼슬을 그만둠. 1725년(영조 1) 영조가 즉위한 후 부제학에 복직하여 대제학, 이조 참판 등을 지냈으나, 1727년 정미환국(丁未換局) 때 문외출송(門外黜送)됨. 이후 용인의 한천에 살면서 오원(吳瑗), 임성주(任聖周), 김원행(金元行), 송명흠(宋明欽) 등 많은 학자를 길러내어 훗날 북학(北學) 사상을 형성하는 토대가 됨.

었으나, 신병으로 고통스럽게 다섯 달을 지내다 보니 공사 간의 처리를 모두 정지한 채로 아직까지도 답장을 드리지 못했습니다.

절실하고 급한 사정은 이미 영감께 양해를 구했는데 답을 받지 못하여 다시 글을 올립니다. 두려움과 민망함이 가슴까지 올라와 마치 체한 것과 같습니다. 겨울이 봄날처럼 따뜻한데 서울도 따뜻해 대감께서는 고요하고 건강하십니까. 구구한 생각이 달려가 그치지 아니합니다.

저는 당뇨가 갑절이나 심해진 가운데 가슴에 통증을 더하여 때때로 숨이 막혔다가 겨우 살아나곤 하여 원기가 날마다 줄어들고 몸은 뼈만 앙상합니다. 근심스러운 가운데 공무를 전부 포기하였으니 더욱 황공함을 이길 길이 없습니다. 어찌해야 합니까.

대감의 거취도 장차 어디로 나아가실지 모릅니다. 참으로 어려운 때에 상감께서는 항상 조정으로 들어오지 아니한다고 불쾌하게 여기십니다. 지난날의 허물로 이와 같이 되었으니 대감의 신분과 의리로도 움직일 방도가 없을 것입니다.

지난해 잠시 조정에 내직으로 들어갔을 때와 같은 예로 은혜로운 왕명에 감사드립니다. 폐단을 고칠 수 있는 방법을 대략 말씀을 올린다면 아마도 세상에 칭송이 있을 것이고 의리에 해가 되지 않을 것입니다. 서로 아끼는 정으로 문득 이와 같이 아뢰니 높으신 뜻에는 어떠하

정미환국: 1727년(영조 3) 극심한 당쟁을 조정하기 위해 정국(政局)의 인사를 개편한 일. 영조는 영단을 내려 탕평책(蕩平策)을 강력하게 시행함으로써 노론, 소론을 막론하고 당파심이 강한 사람은 제거하고자 함. 그 결과 소론 중에서 당파성이 농후한 김일경(金一鏡), 목호룡(睦虎龍) 등을 처형하고 같은 파의 이광좌(李光佐) 등도 유배시킴. 한편 노론의 정호(鄭澔), 민진원(閔鎭遠) 등을 기용하고 '신임(辛壬)의 옥(獄)'에 희생된 김창집(金昌集) 등의 관작을 추복, 원혼을 위로함. 또 한편으로는 소론의 이광좌, 조태억(趙泰億) 등도 기용했음.

신지 알고자 합니다.

전에 볼일을 핑계로 지방으로 순행을 가지 않은 적이 있었는데 이번에는 명을 따르지 않을 수 없어, 곧 각 고을에 알리고 순행을 하고자 합니다. 정 진사(鄭進士)가 이미 답장을 보내왔으므로 저도 답을 써서 보내고자 하였으나 잊고 지내다가 지금 비로소 부칩니다. 나머지는 한 해가 저물고자 하여 다만 부모님 모시고 더욱 많은 복을 받으시기를 엎드려 바라면서 생각을 남김없이 모두 다 펴지 못합니다.

49. 참판 후재 김간에게 보내는 글

■ 병오년 섣달 상순

만나뵙고 인사드리지 못한 지 이미 두 해가 되었습니다. 서울 안에 있으면서도 만남과 편지가 모두 드물어 탄식하였거늘, 하물며 서해 멀리에 떨어져 있으니 그 그리움을 더욱 어찌 감당하겠습니까. 겨울 날씨가 매우 따뜻한데 건강하시고 집안이 고루 평안하신지 구구한 생각이 지극히 달려갑니다.

아드님이신 도사가 이번 대과에서 높은 성적으로 합격을 하였으니 오랜 친구들의 축하하는 마음이 클 터인데 어찌 이런 일이 다만 귀문만의 경사이겠습니까. 저는 기뻐서 잠을 이루지 못합니다. 분에 넘치는 부탁을 거듭 올려 수고를 끼쳐 드렸으니 부끄럽고 송구합니다. 저는 병증이 날마다 위독해져 공무를 거의 보기 어렵게 되었으니 황송함과 민망함이 더욱 절절합니다.

대감께서는 거취를 장차 어찌하실 계획이십니까. 상감의 뜻은 갈수록 더욱 지극하시니 봄이 되면 한번 들어가서 알현하신 뒤 대략 생각하고 계시는 것을 아뢰시어 상감께서 돌보아주신 은혜로운 기다림이 헛되지 않도록 하시는 것이 어떠하겠습니까. 이어서 송구하오나 현석(玄石)의 『소학독서기(小學讀書記)』72)는 항상 한번 보고자 하여 일찍이 도사에게 부탁하여 한번 빌려주시도록 아뢰었습니다만, 바람대로 되지 아니하였습니다.

조보(朝報)를 받아보니 대감께서 소학을 상감께 바친 일이 있다고 하는데 현석이 지은 『소학독서기』 말고 제목이 같은 다른 책인지 알지 못합니다. 만약에 초본과 아울러 현옹이 쓰신 독서기를 보여주신다면 어찌 다행스럽지 않겠습니까. 나머지는 한 해가 다하고자 하니 새해를 맞이하여 엎드려 큰 복을 받으시기 빌면서 예를 갖추지 못합니다.

50. 집의(執義)73)의 박필주(朴弼周)74)에게 보내는 글

광릉에서 만난 뒤 어느덧 두 번이나 해가 바뀌었는데 하물며 이 바닷가에 와서 병세가 위태로워졌으니 더욱 괴롭습니다. 마음을 알아주는 사람들을 생각하면 거의 감당할 수가 없습니다. 겨울이 따뜻하여

---

72) 『**소학독서기**(小學讀書記)』: 『소학』을 읽는 방법과 소감을 기록한 글.

73) **집의**(執義): 사헌부에 속한 정3품 벼슬.

74) **박필주**(朴弼周): 조선 문신(1665~1748). 본관은 반남. 자는 상보(尙甫), 호는 여호(黎湖). 시호는 문경(文敬). 절에 들어가 독학으로 학문을 닦아, 학명(學名)을 떨침. 1717년(숙종 43) 영의정 송상기(宋相琦)의 천거로 시강원자의(侍講院諮議)가 된 후 지평(持平), 장령(掌令), 집의(執義) 등을 지내고, 이조 판서, 우찬성(右贊成) 등을 역임함. 박세채의 형인 박세교(朴世橋)의 손자.

봄과 같은 이때 더욱 건강이 좋으신지 구구한 위로를 보냅니다.

거취를 장차 어디로 할 것입니까. 은퇴한 선비가 갑자기 부름을 받으면 어느 누가 놀랍고 민망하지 아니하겠습니까. 선배도 끝내 빠져 나가지 못하고 왕명을 따랐는데 제 얕은 생각으로는 다만 마땅히 부지런히 힘쓰시고 나아가 배운 바를 펴신다면, 위로는 성상이 곁에 두는 성의를 저버리지 아니하고, 아래로는 동료가 바라는 기대와 마음에 부응할 수 있을 것입니다. 또한 좋은 계책이라고 생각하는데 어떻게 생각하십니까.

저는 요사이 당뇨병 말고도 가슴앓이를 얻어서 때때로 가슴이 막혔다가 겨우 되살아나곤 하니 원기가 점점 소멸됩니다. 온전히 소생할 희망이 없으니 절로 가련하고 애처로울 뿐입니다. 이러한 탓으로 사무를 전폐하고 나니 황공한 마음을 어찌 형용하여 말하겠습니까. 다만 새해를 맞이하여 복이 가득하시기를 빌면서 나머지는 병을 참으며 잠시 쓰느라 다 적지 못합니다.

51. 우서 홍봉조에게 보내는 글

두 번 보낸 편지에 대한 답장이 한꺼번에 이르니 병들었던 눈과 마음이 갑자기 시원하게 열려 얼굴을 보고 가르침을 받은 듯하네. 보내준 소동파의 말은 알고는 있지만 행동으로 옮길 수 없어 마음속으로 일찍이 한탄하고 있었네. 또한 그대가 앞뒤로 힘쓰고 경계하라고 말하였는데 그 마음이 지극히 깊네.

이 뒤부터는 온갖 일을 멈추고 맑은 마음으로 편안하게 앉아 있으니 더는 병이 깊어지지 않으나, 뿌리가 이미 깊어 바로 온전한 몸이 되기 어렵네. 도리어 물을 더 많이 마시게 되니 가슴앓이가 일어나 때때로 숨이 막혔다가 겨우 회생하곤 하며 원기는 날마다 줄어 참으로 일어날 여력이 없네. 비록 그대가 말한 대로 따르고자 하나 할 수 없을까 두렵네.

사람 젖의 약효가 또한 어찌 종유석만 하겠는가. 오두(烏頭)[75]를 열심히 먹었으나 효험이 없으니 비록 파리노(坡里老)[76]가 직접 와서 병을 다스린다고 해도 또한 아마도 어찌할 수 없을 것이네. 어찌 이와 같은 모습을 오래도록 볼 수 있겠는가. 다만 마땅히 하늘의 뜻과 상황에 따라 먹기도 하고 약을 쓰기도 하면서 조화옹의 처분을 기다릴 뿐이네.

그러나 사직을 하고 돌아가는 것이 도움이 되리라는 그대의 말은 참으로 간곡하게 생각한 말이네. 이 또한 쉽지 않은 것은 형편상 어찌할 수 없기 때문이겠지. 어찌하면 좋겠는가.

논밭을 검사하는 일은 전과 비교하여 증가량이 있으니 그대가 직분을 다했음을 볼 수 있었네. 요사이 어느 수령이 알려온 바에 따르면 보고서와 실제 일처리는 서로 거리가 멀다고 하네. 그대는 항상 내가 너무 세심한 것이 병이라고 충고했지만 나는 예전부터 자세하지 못할까를 스스로 근심하였네. 무릇 천지란 지극히 넓고 큰 것으로 동물과 식물과 꿈틀거리는 벌레가 모여 사는 것에 천지의 섭리가 자세하지 않다면 어찌 저마다 맞는 곳을 얻어 살아갈 수 있겠는가. 그대는 굳이 어렵게 대범함만 보고 나는 쉽게 세심히 보기 때문이네.

그대는 시험 삼아 자신의 모습을 보게. 그러면 천지의 자세함도 볼 수 있을 것이네. 털을 머리에, 아홉 구멍을 얼굴에, 물과 음식은 대소

---

75) **오두**(烏頭): 약 이름. 부자(附子)의 일종.
76) **파리노**(坡里老): 파선(坡仙). 송나라 사람. 태평흥국 시절에 여동빈을 만나 도를 통한 뒤 포항동에 숨어살면서 많은 사람을 제도하고 병을 구했음. 신선이 되고 나서 스스로 소상자라는 호를 붙임.

변으로 통하고 근력을 사지로 배치한 것은 천지의 지극한 미세함임을 어리석은 사람도 볼 수 있네. 어떤 이는 조화옹이 하는 일이 쓸데없이 많다고 할 것이나, 어찌 이것이 당연한 이치가 아니겠는가.

진실로 자세하지 않아도 괜찮다면 사람도 짐승도 없어야 옳고 사람에게는 귀, 눈, 입, 코가 없어야 옳을 것일세. 과연 이런 말을 하고자 하였는가. 그러나 한나라가 진나라를 대신한 것은 진실로 관용 때문이지 세세히 다스렸기 때문은 아닐세. 그러므로 도교숭배자가 따른 도(道)란 또한 황제(黃帝)[77]와 노자가 남긴 바이네. 어찌 순제(舜帝)와 우제(禹帝)가 구관(九官)[78], 십이목(十二牧)[79], 육부(六府)[80], 삼사(三事)[81]를 두어 일처리에 경중을 두고 정밀하게 다스리는 것과 같겠는가.

그대가 만약 주나라 주공이 세운 제도를 안다면 지나치게 복잡하여 물리쳤을 것이네. 그러나 나는 자세하지 못하면 일이 안 된다고 생각하네. 대개 오늘의 세상과 사람들이 복잡한 기준을 싫어하여 모두 편하고자 간략한 것만을 좋아하네.

그 해로움은 장차 거칠고 차분하지 못하여 터무니없이 망령된 곳에

---

77) **황제**(黃帝): 헌원씨(軒轅氏). 중국 고대 전설상의 제왕. 삼황(三皇) 중 한 사람. 처음으로 곡물 재배를 가르치고 문자, 음악, 도량형 등을 정하였다고 함.
78) **구관**(九官): 중국 순임금 때 사공(司空), 후직(后稷), 사도(司徒), 사(士), 공공(共工), 우(虞), 질종(秩宗), 전악(典樂), 납언(納言) 등 아홉 가지 관명. 주(周)나라 이후 구경(九卿)에 해당함.
79) **십이목**(十二牧): 황주, 해주, 양주, 광주, 충주, 청주, 공주, 전주, 나주, 승주, 진주, 상주 등 십이주에 둔 지방관.
80) **육부**(六府): 수(水), 화(火), 금(金), 목(木), 토(土), 곡(穀) 등 재용(財用)의 여섯 가지 구성 요소.
81) **삼사**(三事): 삼공(三公).

이를 것이니 어떤 깨끗한 의미가 있겠는가. 이러하기 때문에 나는 세밀하지 않음을 근심하네. 대개는 내가 성글며 주밀(周密)하지 못한 것을 그대가 알지 못하네. 종이를 대하여 뜻에 맡겨 이르는 대로 붓을 믿고 가는 대로 써가니 그대는 한바탕 손뼉을 치며 웃어나 주게.

그대의 아우는 답장이 없으니 자못 슬프고 답답하네. 지난날 먹을 보냈는데 그대의 조카들에게 함께 보내지 못하였으므로 다시 보내주니 전해주면 어떠하겠는가. 그렇다면 내 병이 조금 나을까. 그대가 이를 확신하기 어려울까 두렵네. 웃기나 하세.

나머지는 병을 참으면서 어찌 다 쓰겠는가. 새해를 맞이하여 다만 만복하기를 빌면서 다 쓰지 못하네. 이른바 박장운(朴長運)과 관련된 일은 비록 알아봐주고자 하나 해주의 땅이 넓어 어느 갱탕가(羹湯家)[82]인지 알 길이 없네. 사람을 돕는 바가 이와 같이 충성스럽지 못하니 어찌 세밀하지 못한 해악이 아니겠는가. 그저 좋게 웃어보세.

52. 영부사(領府事)[83] 민진원에게 올리는 글

■ 정미년 정월 열엿새

인편이 돌아와 내려주신 답장을 잘 읽고서 엎드려 감사함과 황송함을 이길 수 없었으며, 기쁨과 위로가 지극하였습니다. 소식을 들은 뒤 해가

---

82) **갱탕가**(羹湯家): 국 등 음식을 파는 가게.
83) **영부사**(領府事): 영중추부사(領中樞府事). 조선 시대에 둔 중추부의 으뜸 벼슬. 정1품 무관임.

어느덧 바뀌었는데 대감께서는 부모님을 모시고 일에 바쁘신 데도 건강하고 만복하시다니 구구히 축하하는 마음을 감당할 길이 없습니다.

소인의 병은 해가 지나도 한결같아 공무를 거의 전폐하였는데 억지로라도 하려고 하면 문득 실수를 저지릅니다. 빨리 사직을 해야 하는데 이같이 정신이 아득함을 무릅쓰고 자리에 버티고 있으니 황공하고 민망함을 어찌 모두 말씀드릴 수 있겠습니까.

별지로 아뢰는 것은 참으로 해서(海西) 지방에 관한 문헌에 오래전부터 증거가 있는 것이며 또한 이곳 판관이 직접 말한 것입니다. 엎드려 바라옵건대 특별히 허가를 내려주셔서 가문의 명성을 크게 하시기를 천만 번 빕니다. 예를 다 펴지 못합니다.

별폭(別幅)

해서 지방에 있는 부용당(芙蓉堂)은 다만 연꽃을 감상하기 위한 곳일 뿐만이 아닙니다. 선조 임금께서 한 번 머무신 뒤로 신하와 백성들이 의지하고 사랑하며 공경하는 곳으로 저는 좋은 곳이라 들었으니 평생 동안 한번 보기를 늘 원하였습니다.

제가 해주 관아에 와서 한번 퇴근을 한 뒤에 찾아가 살펴보니 기둥은 무너지고 단청은 벗겨지고 방의 온돌과 누각의 현판이 모두 파괴되거나 썩어서 잠시 동안도 머물 수 없었습니다. 저는 분을 이기지 못하며 그 자리에서 곧바로 온전하게 고치고자 하였습니다.

이에 이튿날 목수들에게 명하여 예산이 얼마나 드는지 헤아리게 해보니 물자와 인력이 아주 많이 필요하였습니다. 저는 병들고 볼품이 없는 몸으로 넋을 잃고 조치할 방도를 찾을 수가 없었습니다. 그날 밤 큰 방의 다락에서 가장 위에 있던 들보가 떨어졌는데 처음에 지을 때와 중수할 때 관련된 사람들의 이름이 모두 그 속에 있었습니다.

판관인 서종일(徐宗一)에게 이 일을 들어보니 수리가 참으로 하루라도 늦어져서는 안 될 일이었습니다. 저는 당연히 고치고자 바로 일을 시작하여, 한 달이 되기 전에 백성에게 부역을 시키지 않고도 기와와 기둥을 바꾸었으며 아울러 단청까지 새로 하였습니다.

저는 선조 임금을 추모하는 정성은 지극하다고 할 수 있으나 급한 일을 조치하고 처리하는 재주는 실로 서종일만 한 이가 드물었습니다. 간절히 생각해보니 이 당을 없애고 손질하지 아니하였다면 선왕이 남기신 위대하신 업적이 장차 거의 잊힐 뻔하였으니 반드시 고쳐야만 하는 당이었습니다.

앞서 왔다간 관리들도 또한 수리하려고 하였으나 생각이 소홀하고 짧아 그저 세월이 흐른 듯합니다. 판관이 아니었다면 새로 고쳐 빛을 내지 못했을 것입니다. 위와 같은 사실은 말씀드리지 않을 수 없습니다.

우암이 쓴 기문을 이어 다시 쓸 분은 단지 합하 한 분이므로, 감히 이와 같이 전말을 썼습니다. 당돌하게 이 내용을 판관을 시켜 전해드리는 바입니다. 엎드려 비옵건대 합하께서는 분에 넘치는 바를 굽어 용서하시고 특별히 허가를 내려주셔서, 해서 지방에 관한 문헌의 징표가 되게 해주시기를 바랍니다.

53. 참판 이희경(李熙卿)에게 보내는 글

■ 정미년 윤삼월 초나흘

저는 두 번 절하고 전 태학사(太學士)[84]이신 이희경 님께 아뢰옵니다. 봄추위가 요사이 조금 멎어서 온갖 사물 성하게 일어나는 이때에 엎드려 생각하건대 대감께서는 고요한 가운데 더욱 건강하신지 구구히 위로함과 사모함을 금할 수 없습니다. 저는 병이 날마다 더욱 심해지고 있으나 짐을 벗을 기약이 없으니, 공사 간 황송함과 민망함을 어찌 말로 다 할 수 있겠습니까.

지난가을에 말씀드렸던 선조(先祖)의 묘문(墓文)을 부탁한 일은 이어지는 병상의 위태로움과 통증으로 인하여 내용을 생각해둘 겨를이 없이 오래도록 잊고 있었습니다. 요사이 비로소 틈이 생겨 예전에 초본으로 써놓았던 글을 다듬어 선생의 생각을 우러르고 세상에 말할 틀을 갖추고자 하였으나 늦어졌으니, 소홀했던 죄를 스스로 깊게 다스립니다.

생각해보니 선조께서 순절하신 지 지금까지 136년이나 됩니다. 중간에 비록 조정의 증작이나 정려의 포상을 받아 그윽한 충정을 세상에 알리기는 하였으나 비명을 세우는 일을 아직까지 하지 못하였으니 무엇을 가지고 후손에게 알리겠습니까.

불행하게도 조부께서 일찍 세상을 뜨시고 아버님의 형제는 어린 나이에 난리를 만나 남쪽 고을로 낙향해 지내시느라 서울로 돌아올 여가가 없었습니다. 그러므로 검토할 문서를 거두고 모아 우암 선생에게 비명을 지어달라고 청하려 하였으나 가문의 화와 세상의 어지러움이 겹쳐 뜻만 있고 이루지 못하였습니다.

오랜 세월 동안 변을 만나 아직 비명을 쓰지 못하였으니 불초의 끝없는 아픔이 되었습니다. 만일 선대의 뜻을 이루지 못하고 선조께서 남기신 절의를 드러내지 못한다면 불초의 불효한 죄가 될까 두려워하여 삼가 선인께서 남기신 기록을 감히 계보를 써서 당세의 덕이 있고

---

84) **태학사**(太學士): 대제학(大提學). 조선 시대에 둔 홍문관과 예문관의 으뜸 벼슬. 정2품.

글을 잘 짓는 분께 은혜로운 말씀을 빌려 황천길에 쓰고자 합니다.

그러나 지금 생각해보아도 이 책임을 맡으실 분은 다만 선생뿐이십니다. 또한 간절히 엎드려 생각해보니 우리 두 집의 친교와, 같은 마을에서 여러 대를 함께 살아온 정을 아실 것입니다. 생각해보면 선생께서도 일찍이 가정에서 우리 집안과의 역사를 들으셨을 것이므로 제가 더욱 선생에게 간절히 바라는 것입니다.

엎드려 바라옵건대 선생께서는 슬프고 가련하게 여기시어 앞서 드린 간곡한 부탁에 따라 지혜를 발휘하여 선조의 의절이 만세에 사라지지 않도록 은혜를 베푸시어 아버님과 형님의 본래의 뜻에 부응해주십시오. 그렇다면 불초한 손자의 지극히 아픈 뜻을 펼 수 있어 천만다행이고 다행이겠습니다. 나머지는 병으로 겨우 초를 쓰고 아직까지 예를 갖추지 못합니다. 엎드려 바라옵건대 대감께서는 살펴주십시오. 삼가 글을 올립니다.

덧붙여 말씀드리건대 글에 대한 폐백은 따로 단자에 물건의 목록이 있습니다. 물건이 매우 보잘것없지만 물리치지 않으시기를 빕니다. 더욱 부끄럽습니다. 또한 책과 서와 묘비명을 복사한 책 한 권을 아울러 보내 드립니다. 비석은 이미 다 갈아서 정리해두었으니 다행스럽게도 허락하시고 빨리 지으신 뒤 그 기일을 알려주시어 곧 받들어 와서 비명을 새길 수 있다면 더욱 다행스럽고 감사하겠습니다.

그러나 감히 서두르지는 않을 것입니다. 문자는 항상 노역을 줄이고자 간소하기를 바라나, 진실한 선조의 업적을 드러내는 일인데 또한 어찌 구애됨이 있겠습니까. 줄이실 곳이 있으면 줄이셔도 무방하며 아울러 모든 것은 선생의 재량에 맡기겠습니다.

권 24

제문 祭文

祭文

1. 처남 유자명(俞子明)에게 제사하는 글

해는 신미년(1691)이요 사월 초하루는 병진일인데 보름날 경오일에 한산(韓山) 이 모(李某)는 삼가 돌아가신 기계(杞溪) 유공(俞公)의 영전에 아룁니다.

영혼께서는 순수한 마음으로 형식에 얽매이지 않고 겉과 속이 같으셨습니다. 양자로 들인 아들을 지극히 사랑하여 정을 더욱 두텁게 하셨습니다. 어버이의 연세가 팔십에 가까워지자 당신이 직접 힘들게 집안일을 하는 것을 꺼리지 않으셨으며 마음 상해하지도 않으셨습니다. 약과 음식은 스스로 체를 치고 방아를 찧어 신기(神氣)를 보존하는 일에 정성이 미치지 않는 곳이 없도록 하셨습니다.

아우나 누이동생에게 그 마음이 이르게 하여 감동시켰고 친척과 마을 사람들도 친분이 가깝고 먼 것에 관계없이 거리를 두지 않고 대하셨고 일을 주선하면 반드시 성사되게 하셨습니다. 이로써 사람들을 감동시켜 가슴에 간직하게 하셨습니다. 유학을 길로 삼고 어느 때나 공부에 게으르지 않으셨고 화복이 얽힌 일을 들어도 끝내 아는 척하지 않으셨습니다.

이처럼 공의 재주가 드러날 만했는데 어찌 끝내 막혔습니까. 그 어 짊으로 인하여 장수할 만했는데 하늘은 어찌 방법을 빌려주지 않았습 니까. 봄에서 여름으로 바뀔 때부터 몸이 쇠약해져 얼굴을 씻고 머리 를 빗는 일조차 어려워졌으나 누가 속에서부터 병이 들어 기운이 약해 지고 있는 바를 알았겠습니까.

그때 그저 감기 몸살로 알고 다스렸으니 치료 방법이 틀렸음을 나중 에는 함령(含靈)1)들도 알고 있는데 어찌 하늘은 방법을 빌려주지 아니 하였습니까. 하늘의 이치가 깊고 아득하여 헤아리기 어렵고 또 어렵습 니다. 마음이 아프고 애석하여 견디지 못하겠습니다.

그 옛날 제가 장가들었을 때 바르게 남을 이끌지 못할 사람이라고 투덜거렸었습니다. 그러하니 마치 쑥이 옥나무에 붙은 것 같았지만, 나중에 형님은 이런 말에 구애받지 않고 저에게 의리를 두텁게 하셨습 니다. 저에게 술을 경계하라고 말씀하셨는데 불민하여 이를 뉘우치지 못했습니다. 제가 병으로 고생할 때 공께서는 제 성품이 훼손될까 염 려하여 글로 써서 가르치시고 위로해주셨습니다.

글의 내용이 얼마나 좋았던지 늘 만지작거리면서 웃곤 합니다. 편지 내용에 구양수(歐陽修)2)와 소순(蘇洵)3)이 옛날에 짧은 편지로 한 약속

---

1) **함령**(含靈): 심령(心靈)을 가지고 있음. 중생을 달리 말함.
2) **구양수**(歐陽修): 중국 송나라의 정치가 문인(1007~1072). 자는 영숙(永叔). 호는 취옹(醉翁) 육일거사(六一居士). 당나라 때의 화려한 시풍을 반대하여 새로운 시풍을 열, 고, 시, 문, 양 방면에 걸쳐 송대 문학의 기초를 확립했음.
3) **소순**(蘇洵): 중국 북송의 문인(1009~1060). 자는 명윤(明允). 호는 노천(老泉). 소식, 소철의 아버지.

을 배신하고 명예를 그 맏아들에게 물려준 이야기를 읽고 저는 원통하고 슬펐습니다. 아내는 제가 편히 공부하도록 도와주었고 공께서는 저를 가르치시고 늘 염려하고 애처로워하셨습니다.

때가 바뀌고 변하여 어느덧 두 해가 지났는데 이제 와서 한 마리 닭과 맛없는 술과 함께 욕된 글을 드립니다. 옛집을 새로 고쳐 시중을 들고자 하였으나 꽃다운 풀이 무슨 말을 하겠습니까. 저녁 하늘에 구름이 가득 끼었습니다. 밝으신 혼령께서는 크게 비추시어 이 술 한 잔을 받으시기 바랍니다.

2. 외백종(外伯從)[4]에게 제사하는 글

신미년 시월 초하루는 임오일이요 스무사흘은 갑진일인데 외사촌 아우 이 모 등은 삼가 한 마리의 닭과 한 잔 술을 바치고, 울면서 외종 형님이신 영주 양씨(瀛州梁氏)[5] 공(公)의 영혼께 아룁니다.

아픕니다! 돌아가신 형님이시여! 아픔을 느끼는 일 말고 무엇을 할 수 있겠습니까. 아픈 것은 정이고, 정은 제 어머님의 오빠의 아들로 저에게는 외종이 되기 때문입니다. 형님의 근본은 제 외할아버님이십니다.

아아! 가지가 마르면 큰 뿌리는 곯는 법이니 오늘 형님의 죽음은 외조부의 문호가 장차 쇠함을 뜻합니다. 그렇기 때문에 다시 양씨 문중

---

4) **외백종**(內伯從): 외사촌 맏형님. 원문은 내백종(內伯從)이나 오기인 듯함.

5) **영주 양씨**(瀛州梁氏): 제주 양씨(濟州梁氏). 탐라(耽羅) 개국설화에 나오는 삼신인 (三神人) 중의 한 사람인 양을나(良乙那)를 시조로 하는 성씨. 후손 양탕(良宕)이 신라 조정에 들어가 양성(梁姓)으로 사성됨.

을 위하여 한 번 통곡하며 공의 죽음을 아파합니다. 보통의 도가 맞지
않는 것은 운명의 성쇠요 헤아리기 어려운 것은 하늘의 이치입니다.

제 외가는 호남의 명망 있는 집안입니다. 그 일족은 신라 때 시작되
었고 흥성한 것은 고려 때입니다. 그 공적들은 고사에 실려서 세상에
널리 퍼져 있습니다. 가까운 자손으로 이름을 드날린 분은 이조 판서
를 지낸 분과 원외랑(員外郞)[6]을 지낸 분입니다.

학포[7]공(學圃公)은 기묘사화로 조정암(靜庵)[8]과 함께 화를 입고 나라
에서 제사를 받는 분입니다. 학포공과 관(官) 대사성인 아들 송천(松
川)[9]공의 문장은 온 누리에 드러났습니다. 그분들이 지으신 문집이 세

---

6) **원외랑**(員外郞): 신라 때 집사성에 속한 13등급 벼슬.
7) **학포**(學圃): 조선 문신 양팽손(梁彭孫, 1488~1545)의 호. 본관 제주. 자 대춘(大
   春). 시호 혜강(惠康). 1516년(중종 11) 식년시 문과에 갑과로 급제하여 정언을
   거쳐 조광조 등과 함께 사가독서(賜暇讀書)를 하고, 1519년 교리(校理)로 재직
   중 기묘사화로 삭직됨. 1537년 김안로(金安老)가 사사된 뒤 복관(復官)되어,
   1544년 용담현령(龍潭縣令)을 지내다가 사직함. 글씨를 잘 썼음.
8) **정암**(靜庵): 조광조. 조선 중종 때의 문신 성리학자(1482~1519). 본관은 한양.
   자 효직(孝直). 호 정암(靜庵). 시호 문정(文正). 1518년 홍문관의 장관인 부제학을
   거쳐 대사헌이 되었는데 사림의 지지를 바탕으로 도학 정치의 실현을 위해
   적극적으로 활동함. 1519년에는 중종반정의 공신들이 너무 많을 뿐 아니라
   부당한 녹훈자(錄勳者)가 있음을 비판하여 결국 105명의 공신 중 2등 공신
   이하 76명에 이르는 인원의 훈작(勳爵)을 삭제함. 이러한 정책 수행은 반정공신
   을 중심으로 한 훈구파의 격렬한 반발을 불러일으켜 홍경주(洪景舟), 남곤(南袞),
   심정(沈貞) 등에 의해 당파를 조직하여 조정을 문란하게 한다는 공격을 받음.
   결국 사림파의 과격한 언행과 정책에 염증을 느낀 중종의 지지를 업은 훈구파가
   대대적인 숙청을 단행하는 기묘사화(己卯士禍)를 일으킴에 따라 능주에 유배되
   었다가 사사됨. 그러나 후일 사림파의 승리에 따라 선조 초에 신원되어 영의정이
   추증되고 문묘에 종사되었으며, 전국의 많은 서원과 사당에 제향됨.

상에 남아 있습니다.

　송천공의 아들과 아들의 형제자매와 부부 일곱, 여덟 명이 정유재란[10] 때 나라를 위해 죽거나 어머니를 위해 죽거나 남편을 위해 죽어 충효를 드높였습니다. 그 뒤부터 호남의 많은 선비가 글을 올렸고 마침내 정려(旌閭)[11]되셨습니다.

　어머니와 함께 돌아가신 처사(處士)[12]공이 계셨는데 학문을 좋아하셨으며, 여자 몸으로 특별히 행의를 지키신 송천공의 부인 박씨가 계셨는데 적군을 만나 아들에게 의리를 지켜 스스로 죽음을 택하라고 하셨던 분입니다.

　처사공(處士公)[13]의 부인 고씨는 제봉(霽峰)[14]의 손녀 따님으로 남편

---

9) **송천**(松川): 조선 문신 양응정(梁應鼎, 1519~1581)의 호. 자 공섭(公燮). 1556년 문과중시(文科重試)에 장원했으나 권신 윤원형(尹元衡)에 의해 파직됨. 1560년 복직되고, 수찬(修撰), 진주목사(晉州牧使), 경주부윤(慶州府尹) 등을 거쳐 공조참판, 대사성을 지냄. 시문(詩文)에 능함.

10) **정유재란**(丁酉再亂): 임진왜란 휴전 교섭이 결렬된 뒤 선조 30년(1597) 왜장(倭將) 가토 기요마사(加藤淸正) 등이 14만 대군을 이끌고 다시 쳐들어와 일으킨 전쟁.

11) **정려**(旌閭): 충신, 효자, 열녀 등을 그 동네에 정문(旌門)을 세워 표창하던 일.

12) **처사**(處士): 벼슬을 하지 않고 초야에 묻혀 살던 선비.

13) **처사공**(處士公): 송천공의 넷째 아들 양산축(梁山軸). 정유재란 때 전라남도 무안 삼향포로 피난길에 나섰다가 어머니 박씨가 적선(賊船)을 만나 "대부의 아내로서 놈들에게 욕을 당할 수는 없다"며 바다에 뛰어들자 형 산룡(山龍) 형수 이씨(李氏), 류씨(柳氏) 누이 사촌누이 등과 함께 뛰어들어 순절함. 이때 아내 첫아이를 가진 고씨(高氏)도 뛰어들었으나 종들이 "가문이 영원히 끊긴다"며 살려냄. 이렇게 하여 한주공의 외조부인 양만용(梁曼容)이 태어나게 됨.

14) **제봉**(霽峰): 조선 시대의 문인 의병장 고경명(高敬命, 1533~1592)의 호. 본관 장흥(長興). 자 이순(而順). 시호 충렬(忠烈). 1558년 식년시 문과에 장원급제함.

을 위해 복수하셨고, 그 며느리는 참판의 딸로 시어머니의 지조를 답습하여 부녀자의 도리를 다하시었으며 서사에 능통하고 자식을 법도대로 가르치시어 후세에 호남의 의로운 어머니로 전해집니다. 위대합니다! 어찌 한 문호에 충신열사, 열녀, 효자가 이와 같이 많이 갖추어져 있습니까.

외조부이신 응교(應敎)15)공은 곧 처사공의 하나뿐인 외아들이십니

1591년 동래 부사로 있다가 서인이 제거될 때 파직되어 낙향하였으며, 이듬해 임진왜란이 일어나자 격문을 돌려 담양에 6000여 명을 모아 의병을 일으킴. 충청남도 금산(錦山)에서 왜군에 맞서 싸우다가 전사함. 송천공의 문인.

고종후(高從厚): 제봉의 아들이며 처사공의 장인(1554~1593). 도충(道沖). 호 준봉(準峰). 시호 효열(孝烈). 1577년 별시 문과에 급제하여 현령(縣令)에 이름. 1592년 임진왜란 때 아버지를 따라 의병을 일으키고, 금산싸움에서 아버지와 동생 인후(因厚)를 잃음. 이듬해 다시 의병을 일으켜 스스로 복수의병장(復讐義兵將)이라 칭하고 여러 곳에서 싸웠고, 위급해진 진주성(晉州城)에 들어가 성을 지켰으며 성이 왜병에게 함락될 때 양산숙(梁山璹: 송천공의 둘째 아들), 김천일(金千鎰), 최경회(崔慶會) 등과 함께 남강(南江)에 몸을 던져 죽음. 세상에서는 그의 3부자(父子)를 3장사(三壯士)라 부름.

양산숙(梁山璹): 조선 시대 의병장(1561~1593). 자는 회원(會元). 성혼(成渾)의 문인. 임진왜란이 일어나자 형 산룡(山龍)과 함께 나주에서 창의(倡義)하여, 김천일을 맹주(盟主)로 삼고 그는 부장이 되고 형은 운량장(運糧將)이 됨. 김천일과 함께 북상하여 수원에 출진하여 활약하다가 강화도로 이진할 무렵, 곽현(郭賢)과 함께 주장의 밀서를 가지고 해로의 간도(間道)를 따라 의주 행궁(行宮)에 도착하여 선조에게 호남 영남의 정세와 창의 활동을 자세히 보고함. 이 공으로 공조 좌랑에 제수됨. 김천일과 함께 진주성에서 적과 끝까지 항전하다가 순절함. 시호 충민(忠愍).

15) 응교(應敎): 홍문관에 속하여 학문 연구와 교명(敎命) 제찬(制撰) 일을 맡아보던 정4품 벼슬.

다. 문장과 기국(氣局)과 재화(才華)16)는 가풍을 이어서 그 명성을 떨어뜨리지 않았고 과거에 장원급제하여 청반(淸班)17)을 지내셨으니 그 또한 장한 일입니다. 고귀한 덕을 많이 쌓았는데 보상을 받지 못하셨으니 어찌 창성하였다고 하겠습니까.

제가 일찍이 선배들의 말을 들으니 호남사람들은 고씨와 양씨 두 문중에 들지 못함을 부끄러운 일로 여겼다 합니다. 충성과 효도와 절의와 문장과 재화는 문중의 자랑거리이나 제가 장하다고 하는 바와는 다릅니다.

세상에서 말하는 장함은 때에 따라 변하기도 하지만 제가 말하는 장함은 천년만년 쇠할 수 없는 것입니다. 그러나 자손들이 못나지 않고 드물거나 젊지 않은 뒤라야 능히 면면히 후세에 전하여 귀와 눈을 밝힐 것입니다.

불행하게도 외조부께서는 벼슬은 낮고 수명조차 짧아 두 아들만을 두셨습니다. 큰 외숙부는 바탕이 남달랐으나 자손 없이 일찍이 돌아가

응교공(應敎公): 한주공의 외조부 양만용(梁曼容, 1598~1651). 자는 장경(長卿)이고, 호는 오재(梧齋). 1633년(인조 11) 생원과 진사과 대과를 한꺼번에 치러 급제하는 연관삼장(連貫三場)을 통과함. 이듬해 시강원설서와 검열을 거쳐 1636년 봉교를 지냄. 그해 병자호란이 일어나자 광주 지방에서 의병을 일으켜 서울을 향해 진격하던 중 인조가 남한산성에서 나와 항복했다는 소식을 듣고 돌아감. 지제교 등을 역임한 후에 1643년(인조 21) 수찬을 지냈으며 영국원종공신(寧國原從功臣) 2등에 녹훈됨. 장령, 보덕, 집의를 지내는 등 청요직을 두루 역임. 학문이 높아 세칭 양한림(梁翰林)이라 불림.

16) **재화(才華)**: 빛나는 재주.

17) **청반(淸班)**: 청환(淸宦). 조선 시대에 학식과 문벌이 높은 사람에게 주던 규장각 홍문관 등의 벼슬.

셨고, 둘째 외숙부는 지극한 행동으로 늦게 관직을 받았으나 나가지 않고 삶을 마쳤으며 그 아들 또한 외로이 다만 아들 둘을 두었을 뿐입니다. 지금 그 맏외사촌은 포의와 백면(白面)[18]으로 갑자기 먼 길을 떠났으며 아우는 스스로 숨어서 떠돌아다니고 있습니다.

아아! 아픕니다. 만약 가문을 이어갈 사람이 나타나지 않는다면 양씨 문중이 장차 쇠하지 않겠습니까. 이 때문에 양문의 쇠함을 통곡하며 이는 또한 공의 죽음을 통곡하는 까닭입니다. 어찌 선하면 복을 받는다는 이치의 어긋남이 이와 같습니까. 누가 시킨 것입니까. 사람입니까. 하늘입니까. 푸르고 푸른 하늘은 말이 없어 물어볼 수 없으니 뒷날을 기다릴 수밖에 없습니다.

다만 둘째 외사촌은 늦게 벼슬을 하였고 조카 네다섯은 모두 어리석지 않아 가르칠 만합니다. 형님의 중간 아들은 일찍이 글을 제게 배웠는데 사람 됨됨이가 걸출하여 쓸 만합니다. 다만 기가 너무 세니 조심하고 부지런히 공부하여 그 어리석음을 깨친다면 그 기가 정밀해질 수 있을 것입니다. 그렇다면 저는 평소 형님께서 부탁하신 뜻에 보답을 할 수 있어 위로가 됩니다. 그러나 하늘이 할 일이고 인력으로는 안 되는 일입니다.

아아! 아프구나! 한 번 통곡으로 영원히 이별하니 슬픈 정이 더욱 가슴을 칩니다. 또한 글로 슬퍼합니다.

다음과 같이 글로 이릅니다.

淳厚之心 端正之貌   순후한 마음, 단정한 얼굴

---

18) **백면**(白面): 나이가 어려 경험이 모자람.

事長以禮 與物無較　어른을 예로 섬기고 다른 사람과 비교하지 않았네

有才累擧 躓未趨趍　재주가 있어 여러 번 과거를 보았으나 실패하였고

爲畢婚嫁 提挈西笑　자녀들의 혼사를 다 마쳤으니 이웃 사람들도 기뻐하네

湖南漢北 幾年杳杳　호남과 서울에서 몇 해나 묻혀 지냈는가

一城相逢 歡喜普洊　한성에서 서로 만나니 기쁜 뜻이 높고 가득하네

僑居靡室頗自虓虓[19]　붙어살면서 집이 없으니 자못 절로 뒤뚱거렸고

坡上新構公之攸樂　언덕 위에 새로 지은 집은 공이 즐기는 곳이었네

經之營之凡百爲饒　스스로 농사 지어 살림이 넉넉했으나

折柳未攀熱痢相罩　과거를 이루지 못한 채 열과 설사가 번갈아 덮쳐

秋而不蘇歧扁蔑效　가을 되어도 낫지 않아 기백(岐伯),[20] 편작(扁鵲)[21]도 효험 없었네

官未承蔭四十亦夭　벼슬의 음덕도 입지 못하고 사십에 일찍 죽어

何不控揣莫詰幽官　어찌 아뢰거나 헤아리지도 못했는지 그윽해 묻지 못하네

---

19) **교요**(虓虓): 뒤뚱거림.

20) **기백**(岐伯): 중국 황제 때의 의사. 황제내경(皇帝內經)을 저술함.

21) **편작**(扁鵲): 중국 전국시대의 의사 진월인(秦越人).

鷺津之南明竁甫兆　노량진 남쪽 밝은 터를 얻어 무덤을 썼는데

魄離故山勢有所拗　혼백이 고향 산천 떠남은 형세가 꺾였기 때
　　　　　　　　　문일세

萬事已矣一片丹旐　모든 일은 끝나고 한 조각 붉은 명정만 남
　　　　　　　　　았고

茫茫舊遊如夢之覺　아득한 옛 놀이는 꿈을 꾼 듯하네

薄酒22)以侑我心如礭　술로 그대를 대접하니 내 마음 각박한 것 같
　　　　　　　　　으나

兄若有靈庶可相照　만약 형의 영혼이 있다면 바라건대 서로 비
　　　　　　　　　춰주소서

아! 아픕니다! 상향(尙饗)23)

3. 둘째 형수에게 제사하는 글

　해는 임신년(1692)이고 사월 초하루는 경진일인데 열사흗날 임진일
에 한산 이 모는 삼가 술과 안주를 갖추어 둘째 형수 유인(孺人)24) 안
동 김씨25)의 영혼에 울며 아룁니다.

---

22) **박주**(薄酒): 남에게 대접하는 술을 겸손하게 이르는 말.
23) **상향**(尙饗): '적지만 흠향 하옵소서'의 뜻으로 축문의 맨 끝에 쓰는 말.
24) **유인**(孺人): 벼슬하지 못한 사람의 아내가 죽었을 때 신주나 명정에 쓰던 존칭.
25) **안동 김씨**: 한주공의 둘째 형인 참판공 택(澤)의 초취부인(1661~1692). 군수
　　광식(光烒)의 딸. 참판공이 1699년 문과에 급제했으므로 유인으로 씀.

아아! 슬픕니다. 복은 스스로 구할 수 없고, 화는 스스로 버릴 수 없는가 봅니다. 지난 기사년(1689) 정월에 제가 봄을 맞아 축하하며 글을 지어 말하기를 "형제와 처자에게 사고가 없고 부모를 받들어 천년 동안 편안하게 즐기시기를 바란다"라고 하였습니다. 다만 제가 남에게 악한 짓을 하여 정성이 하늘을 감동시키지 못하였습니다. 하늘이 제 말을 들어주지 않으시고 재앙을 크게 내리시니 지나치다고 하겠습니다. 그해 한봄에 아버님[26]께서 세상을 버리시어 놀라 우왕좌왕하는데 두 조카가 이어서 어린 나이에 죽었고, 집안에 병과 근심이 계속되던 차에 상기(喪期)[27]를 마치게 되었습니다. 지금 와 1년도 안 되어 형수님께서 또 돌아가셨다고 하니 나무가 고요하고자 하나 바람이 그치지 않는 것과 같아 하늘과 땅이 아득합니다.

외로운 봉새는 홀로 퍼덕이는데 형제의 무덤은 참으로 처량합니다. 하늘이 우리 집안에 조금도 도움을 주지 않으셨으니, 참으로 지팡이에 의지하여 일어서려고 하나 앞날을 기약을 받지 못하였니 어찌 저승길에 산굽이가 있겠습니까.

아! 형수님이시여! 몸은 곧고 맑으셨으며 바탕과 마음이 금과 옥 같으셨습니다. 어려서 부모를 여의고 외가에 의지하여 자라고, 신랑을 택해 비녀를 꽂는 데 우리 집 둘째 아들이 적당하셨습니다. 금슬(琴瑟)을 북돋을 줄 아시니 아녀자의 도리가 믿음직하고 흡족하셨습니다. 어른들을 잘 받드셨고 동서 간에는 화목하셨습니다.

---

26) **아버님**: 한주공의 부친 이정룡(李廷龍, 1629~1689). 자 몽경(夢卿). 후릉 참봉, 목릉 참봉, 장흥 봉사, 군자감 주부를 거쳐 본감 판관, 문화 현령, 김제군수를 지냄.

27) **상기**(喪期): 상복을 입는 기간.

쓸쓸한 새살림에 조강지처로 집에 계시며 술을 빚고 밥을 지으셨습니다. 무엇이 있고 없든 간에 다만 형수님께서는 잘 만들어내셨습니다. 타고난 몸이 맑고 약하여, 늘 희고 파리하셨습니다. 상고를 당한 뒤에는 여러 병으로 위태로웠다가 다시 살아나시곤 하니 완전히 살아나시기를 바랐습니다.

어느덧 지난겨울에 백 가지 증세가 점점 무거워져 참다운 정기가 중심에서 떠났고 담화(痰火)[28]로 답답해하셨습니다. 약이 효험을 보지 못하고 의원도 고칠 방향을 잃었습니다. 저도 그 옆에 있으면서 방법을 찾아보았습니다만 능히 구할 수 없었고, 다만 병의 위중을 헤아릴 뿐이었습니다. 말씀은 그대로 잘하셨으니 누가 속에서 문드러짐을 알았겠습니까.

돌아가시기 전날 저를 불러 손을 주며 진맥을 청하시고는 "맥이 어떠합니까. 나는 끝내 살지 못할 것입니다"라고 마지막 말씀을 하셨습니다. 제가 "걱정 마십시오. 곧 쾌차하실 것입니다"라고 하였더니 "아! 시숙께서는 진맥을 잘했다"라고 하셨습니다. 말씀을 듣고 나니 제 마음은 찢어지는 듯했습니다.

병이 넉 달째 이르렀을 때이고 스스로 병의 중함을 근심하여 이미 집안사람들과 더불어 여러 번 영결을 말씀하셨지만, 그저 병을 근심하시는 말씀이라고 생각했는데 지금 이와 같이 되었습니다. 하물며 밝은 정신과 뜻으로 하신 말씀이 어긋나지 않고 그 밤에 이미 명줄이 다하여 말을 잘 못하시며 잠자리에 드셨는데 아침이 되어 살펴보니 영원의 밤으로 이미 가셨습니다.

---

28) **담화**(痰火): 담으로 인해 생기는 병.

아! 형수님이시여! 이 무슨 일입니까. 인생이 백 세라고 말을 하지만 쉽게 무너진다고도 하더니 32년 만에 어찌 이렇게 급히 가십니까.

생각해보니 형님께서는 겨울이 지나 봄까지 병을 고치려고 애를 쓰셨는데 마침내 이런 일을 당하다니 백 년을 함께 즐기려던 생각이 영원히 끝나버렸습니다. 아이를 어루만지며 통곡하는 소리를 듣고 누가 눈물을 흘리지 않겠습니까. 어머님[29]께서는 늘그막에 더욱 슬퍼하십니다.

어린 조카 담(聃)[30]을 혈혈히 겨우 보전하였으니 키우고 가르치는 일을 일찍이 저에게 부탁하셨습니다. 돌아보건대 이 어리석고 볼품없는 사람은 부탁받을 만한 사람이 못됩니다. 조카 담은 풍기가 맑고 굳세며 참됨이 있더니 상을 당한 뒤로는 미친 사람 같고 바보 같아졌습니다.

한 번만이라도 안정을 취하고자 노력하였으나 쉽게 슬픔을 이기지 못했습니다. 그 멋대로 하도록 두고자 하나 오만하고 제멋대로 하는 행동을 그치지 않았습니다. 제재를 하는 동안에도 그는 형수님이 돌아가신 상황을 아직도 알지 못합니다. 멀고 먼 이 경지를 영께서는 혹 아십니까.

제 나이 겨우 여남은 살에 형수님께서 저희 집에 시집오셔서 저를 친아우처럼 여기시고 돌봐주신 일이 참으로 많았습니다. 그러나 저는 공손함이 문연(文淵)[31]에게 미치지 못하여 넓게 교화시키지 못하나 다만 이 아이를 성취시키고자 하는 마음뿐이니 어찌 정을 다 쏟지 않겠

---

29) **어머님**: 제주 양씨(1630~1700).

30) **조카 담(聃)**: 병겸(秉謙, 1685~1707).

31) **문연(文淵)**: 마원(馬援). 중국 후한 때의 장군. 광무제(光武帝)의 신하가 되어 교지(交趾)와 흉노(匈奴) 등을 토벌하는 데 공을 세웠음. 형이 일찍 죽자 조카인 엄(嚴)과 돈(敦) 두 형제를 잘 가르쳐서 훌륭한 인물을 만들었다는 이야기가 전함.

습니까.

아! 믿을 수 없는 것도 문책할 대상도 하늘입니다. 이미 나의 형수님을 금옥 같은 바탕으로 낳았으나 도리어 일찍이 외로움 속에 요절하게 하였으니, 어찌 하늘을 믿을 수 있으며 트집 잡지 않을 수 있겠습니까.

다만 그 자손이 쇠하지 않도록 이 아이가 잘 자라기를 바랄 뿐입니다. 그렇다면 이치에는 떳떳하지 못하더라도 어찌 사람이 쓰는 힘을 빌리겠습니까. 이 또한 감히 믿지 않을 수 없는 일이므로 장차 다른 날을 기다리겠습니다.

아! 영혼이시여! 한 해가 지났으나 늦게나마 이 술 한 잔을 가지고 아주 오랫동안의 이별을 슬피 아룁니다. 혼이시여! 되살아올 수 없으십니까. 무덤을 아버님의 묘소 가까운 곳에 모셨으니 제가 살아 있는 동안 어찌 형수님의 죽음을 슬퍼하지 않겠습니까. 아! 상향.

4. 유공보(俞公輔)에게 제사하는 글

해는 임신년(1692)이요 구월 초하루는 정미일인데 열사흗날 기미일에 한산 이 모는 한 마리 닭과 한 잔 술로 기계(杞溪) 유씨 공보(公輔)의 영혼에 울며 아룁니다.

아아! 공의 아버님께서 돌아가시어 제문을 지었거늘 지금에 와서 어찌 그 아들에게 제문을 지어 곡을 하게 되었는가. 그러나 공보의 영혼이 상여에 실려 떠나가니 나는 부득불 울며 보내지 않을 수 없네. 우는 것으로 그 정을 다하지 못한다면 또한 말을 하지 않을 수 없네.

공보는 내 말을 듣고 있는가. 자네 아버님은 곧 나의 장인의 맏아들로 사람들이 다 착하다고 평가하였네. 그런데 갑자기 일찍 죽어 천복이 이미 다한 지 겨우 3년이 지났는데 그 아들이 젊은 나이로 이어서 영영 가는데, 더구나 아들도 없이 여자 아이 하나만이 엉엉 울 뿐이네.

이것이 어찌 하늘의 이치이겠는가.

오호라! 지난 을축년(1685)에 내가 그대의 집에 장가들었는데 그대의 나이가 나와 같았네. 자네 아버님께서 자네를 시켜 나와 함께 한방에서 글을 배우게 했으니 그때 비로소 자네의 성품이 유순하고 품위가 화평함을 알았네. 우스갯소리도 하며 즐거이 놀다가 함께 봄에 서울로 갔다가 겨울에는 산에 들어가 공부를 한 지 거의 네 해가 되었네.

기사년(1689)과 경오년(1690) 사이에 각각 큰 화에 걸려 외직으로 나갔다가 선인의 영혼을 찾아가서 곡을 하고, 자네를 여막에서 보았을 때 자네는 다행히 큰 병이 없었네. 올여름에 복제(服制)[32]를 다하고 나에게 찾아와 열흘 남짓 같이 머물며 벗이 되어주었네.

자네가 이미 비록 병들어 파리하였으나 다행스럽게 상고를 잘 이겨내고 학업에 게으르지 않음을 보니 장차 무엇이든 할 수 있어 보였는데, 어찌 자네가 여기서 마칠 줄을 알았겠는가. 어찌 자네가 여기서 마칠지 알았겠는가.

가을이 다할 때 병이 한성에 가득하여 내가 그대와 함께 겨우 고요한 곳으로 피할 겸 학업을 익혔으니 자네는 그때 운이 박하고 번잡하여 능히 나와 같이 깊은 골짜기로 가지 못하고 한 달 동안 서로 소식이 막혔었네. 그대가 병이 들어 여름에 더욱 심해졌다는 말은 들었으나 갑자기 이 지경에 이르러 끝내 일어나지 못했단 말인가.

오호라! 하늘이 하는 보시가 착한 사람에게 어찌 이와 같이 어긋나

---

32) **복제**(服制): 상례에 정한 오복의 제도.

는가. 하물며 장인께서는 연세가 팔십이 가까우신데 여러 번 처참한 지경을 당하시니 병이 더욱 굳어지고 깊어지셨으며 숨소리조차 가늘게 이어가고 계시네. 길 가는 사람이 들으면 그 누가 눈물을 뿌리지 않겠는가.

아아! 슬프네! 착한 사람의 뒤가 끝내 이와 같이 자취가 아주 사라져도 된다는 말인가. 자네에게 두 아우가 있는데 한 사람은 성정이 깊고 침착하면서 도량이 있고 한 사람은 영리하고 똑똑하고 인물이 잘났으니, 어찌 그대의 문호가 창대해지지 않겠는가. 도량 있는 아우를 자네가 일찍이 나에게 부탁해서 배우게 했는데 내가 간절히 그 아이를 사랑하였네.

바야흐로 내가 분주히 돌아다닐 때 서로 만나지 못했으나 내가 삶이 안정되기를 기다려서 학업을 권하고 힘쓰게 했네. 자네와 자네 아버님께서 평소에 준 두터운 은혜를 갚지 않을 수 있겠는가. 성취하는 힘에는 나에게 의뢰할 바가 없고 다만 하늘이 착한 사람에게 후하게 대함을 믿는다면 헛되게 이 아이가 태어난 것은 아닐 것이네.

오호라! 나는 어버이의 병환을 염려하여 속세에 구애됨을 벗어나지 못하고 곧바로 달려가 조상을 못했네. 다만 스스로 영위(靈位)를 만들고 길게 통곡할 뿐이네.

장삿날이 되어 비로소 어버이에게 여가를 얻어 와서 자네의 널을 어루만지며 긴 이별을 말하니 남조(南詔)³³⁾의 능가(菱歌)³⁴⁾로 이미 관어(觀魚)³⁵⁾의 자취를 베풀고, 서쪽 이웃의 소나무에 걸린 달 아래 누가 다

---

33) **남조(南詔)**: 중국 당나라 때 지금의 운남성에 티베트족, 버마족이 세운 왕국.
34) **능가(菱歌)**: 능창(菱唱). 마름을 뜯으며 부르는 노래.
35) **관어(觀魚)**: 냇가에서 고기를 보면서 놀던 일.

시 술 권할까.

자네의 정령을 생각하니 아름다움이 있을 뿐이네. 울음으로 슬픔을 다하지 못하고 글로 정을 다하지 못하여 한 잔 술을 그대에게 바치니 그대는 어찌 알지 못하는가. 오호라! 슬프구나! 상향.

5. 외구(外舅)에게 제사하는 글

송정(松汀) 유공(兪公)이 춘추 일흔여섯에 병을 치료하고자 이사 온 용호(龍湖) 마을에서 세상을 버리시니 때는 임신(壬申)년 구월 임술일이다. 동짓달 초하룻날은 병오일인데 십오일 경신일에 유양(維陽)[36]으로 상여를 옮겨 다음 달 초엿샛날 병인일에 전 부인 묘에 부장(附葬)[37]하는 예를 올렸다. 그 사위 이모는 발인을 당하여 슬픔을 머금고 글을 지어 영궤 아래 울며 아룁니다.

오호라! 사람이 태어남에 신(神)이 있고 정(精)을 후하게 받은 뒤 장수할 수 있었고 일을 많이 할 수 있었는데 밝은 사람의 심성이 세파에 깎인다면 누가 능히 그 후한 바를 믿겠습니까. 영혼께서는 금석과 같은 영특함과 산악과 같은 빼어남으로 젊을 때부터 세속에 얽매이지 않으셨습니다. 귀와 눈이 높아 나이 겨우 스물에 세속의 어지러움을 만나 과거 공부를 버리고 인천에서 성정을 기르시며 옛사람의 글과 『사기(史記)』를 십 년 남짓 읽으셨습니다.

늦게 늙으신 어버이를 위하여 처음 과거 길에 나가셨으니 쟁쟁한 옥

---

36) **유양**(維陽): 지금의 경기도 양주시.
37) **부장**(附葬): 합장(合葬). 여러 사람의 시체를 한 무덤에 묻음.

소리를 어찌 울리지 않았겠습니까. 성균관에 들어가셔서 그 명성이 날마다 높아지시고 오직 큰 고기에 날개가 달린 듯하였으니 잠시의 지체도 없이 음덕을 이어서 오래도록 나라 남쪽에서 다스리셨습니다.

바야흐로 온독(蘊櫝)[38]을 내어 팔지 않으셨고 세상살이의 곤궁함이 있어도 이에 얽매이지 않으셨으나 어찌 마음속에 슬픔이 없으셨겠습니까. 그렇다면 공께서는 과연 때에 따라 마음이 잠겼다가 떠올랐다 하는 분입니까. 진실로 때는 공께서 자루를 박을 수 있도록 구멍을 파서 기회를 만들었습니다. 그러나 자리가 재주에 비해 낮아 덕을 펴지 못하셨고 재목이 커서 쓰이기 어려웠으므로 아는 사람들은 다 슬퍼했습니다. 그러나 공께서는 마음에 성내는 바가 없으셨고 직분을 맡아 성심을 다하셨으며 사사로움을 버리시고 공도를 취했으니 옛 사람과 같고 지금 사람과는 다르셨습니다.

대각에 들어가셔서는 서리같이 엄숙하게 강한 세력을 피하지 않으셔서 재 밖으로 귀양을 가시거나 변방으로 부임하셨습니다. 춘방(春坊)[39]에 계실 때는 세자를 가르치고 지도하는 데 술법이 높으셨고, 속을 열고 베풀기를 잘하시어 말을 자세히 잘한다고 알려져 있었습니다. 저궁(儲宮)[40]은 이를 장하게 여겨 내용을 묻지 않으시고 명령을 내리셨습니다.

조정에서는 의리에 맞지 않는 사안은 물리치셨고 목사나 군수가 되어서는 정치를 다만 곧고 명석하게 처리하시어 얼음같이 맑으셨습니다. 강한 사람을 누르고 약한 사람을 근심하게 하지 않아 아전들은 간사하게 춤추지 못했고 백성들은 실로 죽다 다시 살아났습니다. 비석을

---

38) **온독(蘊櫝)**: 마음속에 담은 글이나 지식.
39) **춘방(春坊)**: 세자시강원(世子侍講院). 조선 시대에 왕세자 교육을 맡아보던 관아.
40) **저궁(儲宮)**: 왕세자.

새겨 글로 남겼으니 향기가 넘쳐 다하지 못합니다.

대개 옛날 어진 이와 같고 오늘날에 명예를 요구하는 무리와는 다릅니다. 승급되어 관찰사가 되시었고 그 뒤에는 판서의 열에 오르셨습니다. 지위는 비록 낮지 않고 공사가 가볍지 않으셨으나 공사에서는 겸손하여 항상 조심하는 듯 보이셨습니다. 옳은 일에는 자기가 가진 주장을 세워서 어떠한 압력에도 굽히지 않으셨으니 이것은 공의 경력의 대략이며 또한 정신이 분명히 처리하신 것입니다.

아아! 일은 다만 수단일 뿐인데 어찌 안의 아름다움을 보지 않겠습니까. 아름다운 공의 바탕으로 역사가 빛을 숨기지 않을 것입니다. 공께서는 세상에 드러내지 않으시려고 하여 찾아오는 이가 없이 문지방이 고요하였으므로 일에 임해서는 면밀하실 수 있었습니다.

성의 서쪽에 피해 사시면서 쓸쓸한 초가의 문전에는 수레와 말도 없었고 값비싸고 고운 장막을 치지 않고 사셨으며 아내는 비단옷을 입지 않으셨고 쌀독에는 남은 쌀이 없었으나 정신을 편안히 하고 정력을 맑게 기르셨습니다. 약을 서상에 쌓아 두시고 바람을 즐기고 비를 개게 하셨으며 기름진 음식을 드시지 않았고 고운 옷을 입지 않으셨습니다.

형제를 서로 격 없이 대하셨으며 자식을 사랑함에 법이 있어 엄하고 간략하게 하셨습니다. 이것이 어찌 다만 노력 때문이겠습니까. 심성의 본연에서 나오신 것이 아니겠습니까. 저는 나이가 많지 않아 공의 말년을 보았는데 공의 경력을 알 뿐 공의 내면적 아름다움을 두루 알지 못했으며 몸은 비록 보았으나 아직도 졸한 손으로 표현하지 못할까 두렵습니다. 그러나 지금 하는 말은 빌린 말이 아니기에 확신이 있게 말할 수 있는 것입니다. 만약에 빌린 것이라면 영께서 즐거이 저를 이해하시겠습니까.

아아! 공께서 병이 위독하시어 정신이 엄엄(奄奄)[41]한 가운데 저에게 경력을 차례로 말씀하셨으니 어찌된 영문이십니까. 오호라! 지난 을축년 제 나이 열여섯 살에 공께서 저에게 관례를 시키시고 자리에 나가게 하신 뒤에 읍하셨으니 의리있는 사위라면 공의 감식(鑑識)42)을 욕되게 하였을 것입니다. 이로부터 지팡이와 신을 받들어 모신 지 네 번의 봄과 가을이 지났는데 아침저녁으로 공께서 저 보시기를 당신의 아들처럼 하셨습니다.

부지런히 학문을 권하셨고 거듭거듭 가르치고 이끄셨습니다. 때로는 앞에 불러놓고 서사를 외우게 하시고 글을 짓게 하셨습니다. 혹은 재촉하여 옆을 돌아볼 잠깐 사이에도 갑자기 시험하셨고 가르침에 따르지 못하면 스스로 외우고 글을 지으셔서 격려하고자 하시는 뜻으로 계책을 삼으셨습니다.

세상에서 말하는 힘쓰게 하고 가르치는 도리가 극에 이르지 않음이 없으셨습니다. 그렇다면 진실로 하나같이 섬기는 뜻이 어찌 장인과 사위의 사사로움에 그치겠습니까. 또한 생(甥)43)이 관복(冠服)을 바꾸어 입는데 이르러서도 혹 때를 어기면 공께서는 반드시 마음에 두셨다가 고치도록 명령하셨습니다. 공의 돌보심이 어찌 저에게 이처럼 지극하셨습니까. 돌아보건대 제가 나쁜 짓을 하여 하늘이 도와주시지 않는 것 같았습니다.

지난 기사년에 상을 당하여 문득 아버님을 여의었으니 슬프고 슬픈 어린아이로 죽음조차 헤아리지 못하고 아버님의 덕으로 학업을 닦았는데 공께서 특별히 저에게 맞게 가르쳐 주셨습니다. 그 때에 일이 크

---

41) **엄엄**(奄奄): 숨이 곧 끊어지려 하거나 매우 약한 상태에 있음.

42) **감식**(鑑識): 어떤 사물의 가치나 진위 따위를 알아냄. 또는 그런 식견.

43) **생**(甥): 사위를 일컬음.

게 어긋나서 간언 때문에 죄를 입어 호외로 쫓겨나셨습니다. 한 번 절
하고 이별한 뒤 소식이 오래도록 끊겼다가 제가 상금(祥琴)⁴⁴⁾을 겨우
어루만지자 오셔서 호정(湖亭)에서 뵈었습니다.

소매 속에서 기노(箕奴)⁴⁵⁾가 썼다고 알려진 '용호과(龍湖過)'라는 책
여러 편을 내놓으셨기에 먼지를 털고 깨끗하게 하니 공께서는 그 뜻을
인정하시고 기특하게 여기셨습니다. 그 때 다시 짧은 시로 수작하면서
바둑 두기를 꺼려하지 않으셨으니 후생을 은혜로이 사랑하심이 더욱
두터우시어 의지하고 우러르는 바가 태산과 같고 북두와 같았습니다.

어찌 공께서 지금 저를 버리고 가시리라 생각했겠습니까. 꿈입니까.
실제입니까. 오호라! 슬픕니다. 공께서 첫 가을부터 병이 심해지셔서
위험한 증세가 계속되었는데 저는 그때 역병을 피해 깊은 골짜기에 올
라가 있었습니다. 오래 지나고 다시 와서 진맥을 해보니 담화가 이미
온몸에 퍼져서 종기가 되었고 파리한 얼굴로 답답하다고 하셨습니다.

놀라고 근심스러웠으나 공께서는 저를 보시고 기뻐하시어 쉬지 않
고 말씀하셨습니다. 또한 그 사이에 항상 시서를 외우게 하셨고 여러
사람의 시 수백 편을 때때로 읊고 외우게 하시면서 수고로움과 번거로
움을 마다하지 않으시고 선인들의 자취를 추억하여 일에 다하지 못함
이 있으면 뒷사람을 가르치시어 성의를 보이게 하셨습니다.

슬픈 생각이 계속 이어져 처리하는데 법의 어김이 있으면 규제하는
말을 한 번 하셔서 고치도록 하셨고, 하룻밤 동안 공께서 저를 부르셔
서 손을 잡으시고 평생 동안의 지난 일을 말씀해 주셨습니다. 말씀을

---

44) **상금**(祥琴): 상기(喪期)를 마치고 나서 처음 타는 소금(素琴).
45) **기노**(箕奴): 기자(箕子). 고조선 때에 있었다고 하는 전설상의 기자조선 시조.
   은나라 말의 왕족으로 폭군(暴君) 주(紂)를 간하다가 노비가 되어 기노라고 이름.

다하지 못하시고 기가 막히셨는데 불평을 가라앉히려고 애쓰셨으며 조금 진정되자 스스로 엄히 장주(莊周)⁴⁶⁾의 소요유편(逍遙遊篇)을 외우시다가 성내서 날아간다는 말에 이르러서는 읽기를 그치셨습니다.

또 다음 날 이불을 덮고 창문을 열어 "미안고금철필(未安姑今輟筆)"이라는 한 구절을 쓰셨습니다. 정신이 지극히 강한 사람이 아니라면 어찌 능히 이와 같이 하겠습니까. 말하자면 하늘이 반드시 도와주셔서 한 노인을 남겨두셨던 것입니다. 모시는 자가 곁에 있으면 기뻐하셨고 오히려 자신의 정신과 기운을 시험하시고는 부족함이 있으면 끝났다고 말씀하셨습니다. "생사는 정해져 있는데 어찌 슬퍼하고 싫어하겠는가"라고 하시고 말문을 닫으신 지 이틀 만에 합연(溘然)⁴⁷⁾히 돌아가셨습니다.

오호라! 아픕니다! 조화에 따라 돌아가셨으나 공께서는 이에 매이지 않으셨습니다. 귀밑머리가 금색이 되도록 팔십 세를 사셨으니 사람들은 모두 공경하고 찬탄하였고 저는 공의 정신으로는 마땅히 백세를 사실 것이라고 말하였습니다. 그러나 지금 돌아가시니 이치에 얽힘은 알기 어렵습니다.

다만 생각해보니 공께서는 두 번이나 장주의 항아리⁴⁸⁾를 두드리셨고 장인과 두 장모의 무덤을 한 봉우리에 층층이 모셨습니다. 늙어서는 자하와 같이 아들을 여의는 아픔을 겪으시었고 연이어 손자가 죽어 곡을 하셨으니 그 비참함에 창자를 찢는 듯하시어 슬픔이 장과 폐에 쌓였는데 어찌 영위가 소모되지 않으셨겠습니까.

---

46) **장주(莊周)**: 장자(莊子)의 본명.
47) **합연(溘然)**: 죽음이 뜻하지 않게 갑작스러움.
48) **장주의 항아리**: 장자가 부인이 죽자 항아리를 두드리며 노래한데서 유래하여 상처喪妻를 뜻함.

오호라! 아픕니다. 공의 형제 친척이 먼 곳에 사방 흩어져 있어 공께서 돌아가셨을 때 일찍이 한 사람도 와서 공의 초상을 주관할 수 없었고 다만 어리고 어린 손자가 목 놓아 울면서 여막을 지켰으니 지나가는 사람도 슬퍼하거늘 곁에서 이를 지켜보는 사람의 심정이 어떠하다고 하겠습니까.

달같이 흰 눈발이 동쪽들에 휘날리고 차고 무성한 숲속 나무 사이로 펄펄 붉은 깃발이 날리는데 혼을 부를 수 있겠습니까. 반계는 줄줄 흐르고 호수는 멀리 흘러가는데 밝은 무덤에 한번 묻히고 나니 어느 곳에서 따라 놀 수 있겠습니까. 변변하지 못한 예물로 구운 새와 삶은 닭을 바치오니 다만 즐기시는 음식은 진실로 저승과 이승이 다르지 않을 것입니다. 공께서는 가까이 오셔서 흠향하시어 저의 슬픈 정에 답하시겠습니까. 오호라! 상향.

6. 외고(外姑)에게 제사하는 글

해는 바야흐로 갑술년이요 팔월 초하루는 병신일인데 열닷새인 경술일에 사위 한산 이모는 삼가 술과 과일과 떡과 국수류를 갖추어 장모님이신 정부인 거창(居昌) 신씨(愼氏)의 영혼에 곡하며 바칩니다.

오호라! 슬픕니다. 장인께서 돌아가신 지 얼마 안 되어 또 장모님께서 이어 돌아가시니 어찌 덕문에 이와 같은 어긋남이 이치에 맞다 하겠습니까. 장인께서는 지난날 곁에서 봉양을 해주시던 두 번째 부인을 잃으시고 장모님께서는 그 때 아리따운 모양으로 처음 시집오셨습니다.

이때 장인께서는 크게 이름을 드날리시고 밖으로는 방백이 되셨고 안으로는 태경(台卿)[49]이 되시니 남편을 따라 귀하게 되시어 단고(丹

誥)⁵⁰⁾의 봉함을 받아 삼십 년을 금슬 좋게 흰머리가 되도록 사셨습니다. 안으로 덕을 쌓지 않으셨다면 어찌 이처럼 이루셨겠습니까. 순수한 성품과 떳떳한 덕으로 오직 여자의 도리만을 지키셨습니다.

시집오실 때 자식 기르는 법은 배우지 않으셨으나 이미 자식을 받아 기름에 자신의 소생과 같이 하셨습니다. 장인의 얼음과 같은 성품을 본받아 비단옷을 입지 않으셨으며 장인께서 병이 드셨을 때 음식을 꼭 입에 맞도록 준비하셨으며 여자로서 지킬 도리를 두텁게 하시니 하늘에 오를 수 있다고 해도 마땅할 것입니다.

슬프게도 기사년과 경오년부터 집안에 근심과 우환이 겹치니 상황이 점점 어려워져 이를 인내하시고 호서 땅에서 우거하시며 날마다 강보에서 우셨습니다. 마음속 아픔이 병이 되시어 해가 지나도록 낫지 않으시고 그럭저럭 여름이 되었는데도 끝내 일어나시지 못했습니다. 알 수 있는 것은 멀어서 모습을 자주 뵈기 어렵다는 것입니다.

돌아보건대 소자(小子)는 일찍이 좋은 집에 장가를 들어 옥 같은 신랑이 되지 못했으나 후하게 돌보아주시는 일이 참으로 많았습니다. 소자는 몸에 쌓인 병이 있고 처참한 큰 재앙에도 걸려 늙으신 어머님을 서울 집에 떨어뜨려 두고 의탁할 곳이 없게 하였습니다.

남모르는 장애와 오랜 병을 앓으시는 장모님을 모시고 서울에 있는 의원을 찾아갔으나 후산(后山)⁵¹⁾이 냉담하게 말하였습니다. 병이 많으셨던 장모님께서는 못난 사위에게 몸을 의탁하시어 참으로 마음고생이 많으셨습니다. 또한 모진 액을 만나 저희 부부가 병들었을 때 밥과

---

49) **태경**(台卿): 정2품 이상의 관직.
50) **단고**(丹誥): 증직(贈職)을 내리는 교지.
51) **후산**(后山): 찾아갔던 의원 이름.

잠을 잊으시고 달이 넘도록 친히 돌보시니 정성에 감동해 모두 살아났습니다.

은혜를 가슴속에 담았으니 저는 지금 더욱 간절합니다. 혹 장모님께서 이 때문에 근심과 수고로 병이 드시지 않았나 생각하기 때문입니다. 살아계실 때 생각을 해보니 털끝만큼도 보답하지 못했습니다. 크게 화하여 옮겨가시니 만사가 이미 끝났습니다. 병중에 남은 한은 생각할수록 슬픕니다.

세월에 기한이 있어 영거가 떠나가니 어린 아들과 딸은 이제 무엇에 의지하겠습니까. 황황히 목을 놓아 제가 어머님을 잃은 어린아이처럼 웁니다. 영원히 하직하는데 어찌 글로 정을 다할 수 있겠습니까. 눈물을 닦으며 술을 바치오니 영혼께서는 정성을 살피소서. 오호라! 슬프구나! 상향.

7. 낙계 서재 터 닦는 날 토지신(神)에게 제사하는 글

해는 갑술[靑狗]년이요 이월 신일(辛日)[52]에 이 모는 밤을 새워가며 깨끗이 재계하고 밝게 토지신에게 고합니다. 제가 서재를 짓고자 하는 곳은 물의 북쪽이며 산의 남쪽입니다. 좋은 날을 받고 터를 닦아 좌우에 있는 토지신에게 이 현주(玄酒)를 바칩니다. 신께서는 오셔서 흠향하시고 저의 백 가지 병을 없애주시고 날마다 성인의 말씀을 외우며 살든지 처신하든지 간에 영원토록 허물이 없게 해주시옵소서.

---

52) **신일**(辛日): 천간(天干)이 신(辛)으로 된 날.

8. 현석(玄石) 선생에게 제사하는 글

숭정(崇禎)[53] 기원후 을해년(1695) 사월 초하루는 임진일인데 17일 무신일에 한주 이 모는 삼가 술과 과일의 제물로써 얼마 전 돌아가신 의정부 좌의정 현석 박 선생의 영혼 앞에 두 번 절하고 울면서 고합니다.

오호라! 선생께서 세상에 계신 지는 65년인데 학문의 정밀함과 높은 도덕은 세상의 사표가 되고 나라의 귀감이 될 만합니다. 사문들이 힘입어 학문이 떨어지지 않고, 세상사는 길을 유지할 수 있었습니다. 선생께서 한 번 나서시면 경수와 위수가 나뉘고, 두 번 나서시면 위태로움과 의심이 결정되고, 세 번 나서시면 모두가 부지런해지고, 네 번 나서시면 떳떳한 인륜을 부식(扶植)[54]하셨습니다. 잘하시는 만 가지 말로 경륜을 토하셨습니다.

비록 그 정대한 논리와 넓고 큰 규모가 있다 하더라도 흠집을 내려고 하는 일은 피할 수 없었습니다. 당시에 기둥이 됨은 다 마음이 근본이며 옛날을 상고(想考)하는 것으로 백세(百世)의 성인이 기다릴 만합니다.

지금 선생이 돌아가시니 장차 생민에게는 녹이 없고 나라에는 보배가 없습니다. 사문이 땅에 떨어지고 학문이 끊어지며 정도가 해이해집니다. 그런 것을 아는 사람이 있다면 그 누가 있어 의문을 가진 채 얼굴을 가리고 통곡하지 않겠습니까.

선생을 사모함이 더욱 깊어지는데 알지 못하는 사람은 모두 말하기를 재주가 하늘을 찌를 만한 큰 인물이라도 죽음만은 어찌할 수 없겠으나 진정 선생과 같은 이가 드물다고 합니다. 그들은 다만 태연하게

---

53) **숭정(崇禎)**: 중국 명나라의 마지막 황제 의종(毅宗) 때의 연호(1628~1644).
54) **부식(扶植)**: 힘이나 영향을 미치어 사상이나 세력 따위를 뿌리박게 함.

스스로 즐기는 자들인데 필경 어떤 사람들이겠습니까.

선생의 덕은 백세를 기다리지 않고도 알 수 있는 것입니다. 소자는 가장 나중 태어나서 기운을 받음이 본래 잘못되어 오랫동안 사나운 말의 굴레를 벗어나지 못하였고 늦게 선생의 학당으로 들어가 좌우에 있는 성리의 글과 조용한 예법의 장소에서 온화한 기운에 익숙해졌습니다.

좌상(座上)55)에는 향기가 났으며 순순히 인도하여 가르치심에 정수리에 침을 놓는 바와 같았습니다. 어리석고 지지부진하여 충분히 할 수 없는 자질인데도 수레를 돌리고 바퀴를 고치게 하여 한 울타리에 머물게 하셨으니 어찌 오늘날 선생을 영결할 줄 알았겠습니까.

선생께서는 제가 불가(佛家)와 노자(老子)에 병들었다고 하셨습니다. 제가 과명(科名)56)에 오를 때에도 이미 불교와 도교의 논리를 말하였다가 여러 시관들에게 비난을 당하기도 했지만, 어버이는 늙고 집은 가난하여 항상 출세 길에 구애를 받았습니다.

어느 날 이런 일로 나가서 뵙고 말씀을 드렸는데 허황한 논리에 빠지지 않고 해오던 학문을 오로지 가르쳐주셨으니 제가 다른 날 선생의 무덤을 배알한다면 부끄러움을 어찌 면할 수 있겠습니까.

망망한 천지에 누가 제 맘을 알겠습니까. 홀로 남기신 시를 품고 흐르는 눈물이 옷깃을 채웁니다. 세월이 흘러 먼 기약이 있으니 슬픔을 머금고 글을 지어 이 한 잔으로 아룁니다. 대개 위로는 나라를 위하고 아래로는 저의 사사로움을 위해 웁니다. 오호라! 상향.

---

55) **좌상**(座上): 여럿이 모인 자리에서 가장 나이가 많거나 으뜸가는 사람.
56) **과명**(科名): 과거에 급제한 사람들의 이름.

9. 부제학(副提學)[57] 김만길(金萬吉)[58]에게 제사하는 글

■ 당중형[59]을 대신하여 쓰다

해는 정축년(1697)이요 오월 초하루는 경진일인데 초사흘 임오일에 얼마 전 돌아가신 부제학 김 공(金公)의 영전에 곡합니다.

오직 공께서는 법도가 있는 집 자손으로 씩씩하고 온순하고 공손하셨으며 그 바탕은 뛰어나고 강하며 신중하고 빈틈이 없으셨으며, 부지런히 서사를 읽었으나 늦게야 비로소 공을 이루셨습니다. 조용히 걸어서 높은 지위에 이르셨습니다. 땅에서 바라보는 곳은 드러나고 높은

---

57) **부제학(副提學)**: 홍문관의 정3품 당상관 벼슬.

58) **김만길(金萬吉)**: 조선 중기 문신(1645~1697). 본관은 광산. 자는 자적(子迪). 승문원(承文院)의 부정자(副正字) 익후(益煦)의 아들. 사헌부 지평(地平) 교리 수찬을 역임하고 1688년 강원도 관찰사로 나감. 1689년 숙부인 익훈(益勳)의 신원을 위해 사판(仕版: 관리의 명부) 삭제를 청해 변방으로 유배되었다가, 1694년 재등용되어 동부승지, 전라도 관찰사를 역임하고 1697년 이조 참의가 됨. 귀천공의 사위.

김익훈(金益勳): 조선 문신(1619~1689). 본관 광산. 자 무숙(懋叔). 호 광남(光南). 시호 충헌(忠獻). 장생(長生)의 손자. 참판 반(槃)의 아들. 1680년 경신대출척을 일으켜 남인을 숙청하는 주동 역할을 하고, 그 공으로 보사공신(保社功臣) 2등에 책록됨. 형조 참판, 어영대장(御營大將) 등의 요직을 역임하면서, 송시열 등과의 협력 관계를 바탕으로 병권을 장악하고 정국을 주도함. 1689년 기사환국으로 남인이 정권을 잡자, 공신호를 빼앗기고 강계에 유배되었다가 고문을 당한 끝에 죽음. 이조 판서로 추증됨.

경신대출척(庚申大黜陟): 1680년(숙종 6) 남인이 대거 실각하여 정권에서 물러난 사건.

59) **당중형**: 귀천공의 둘째 아들 행(涬, 1647~1702). 평창군수를 지냈음.

곳이었습니다. 이조 참판이 되셨고 세자궁의 사부가 되셨습니다.

근궁(芹宮)[60]의 스승이 되셨으며 지론이 공정하고 일을 처리함이 조용하고 세밀하셨습니다. 또한 중간에 외직에 나가 다스리실 때 중도의 법을 세우셨습니다. 불행히도 나라의 액인 흉년을 만나 남쪽 지방의 안무(按撫)[61]를 맡으셨을 때 사람들이 주리면 함께 굶어가며 밤낮으로 고을 사람들을 바로 다스려 널리 병든 백성을 제도하셨습니다. 백성들은 그곳에 오래 머무시기를 바랐으나 위에서는 조정에 다시 등용하려고 했습니다.

오래도록 상감께서 돌아보신 은혜가 드러나게 높았으나 쌓인 피로가 병이 되시어 이상한 병이 안으로 침입했습니다. 긴 길을 바야흐로 달리고자 하는데 수명이 거의 끝나셨습니다. 이름과 위치와 연령은 덕만큼 차지 못하셨으니 아픔이 어찌 나만의 사정이겠습니까. 진정한 근심은 국가에 있습니다.

오호라! 아프구나! 지난날 저희 집에 장가 오셨을 때 모습이 구름을 모는 용의 형상이었고 의리는 밝고 정은 드러나셨습니다. 제 부족하고 용렬함을 너그럽게 보시며 인간 세상을 즐기시다가 가실 때는 기러기처럼 날아가셨습니다.

슬프구나! 나의 누님이시여! 아버님을 일찍 여의시고 외로운 봉새처럼 홀로 날아 가슴에 슬픔을 안고 사셨습니다. 이로부터는 즐거운 일이 드물었으며 중간에 화복이 서로 얽혔을 때 함께하셨습니다.

기사환국 때 일을 말로 하자면 목이 멥니다. 공께서는 산골 집에 계셨고 저는 호중에 있었는데, 별처럼 서로 떨어져서 얼굴을 볼 수 없으

---

60) **근궁**(芹宮): 공자를 모신 사당으로 성균관을 말함.
61) **안무**(按撫): 백성의 사정을 살피고 어루만져 위로함.

니 말을 나눌 수가 없었습니다. 좋은 때를 회복하여 공께서는 남쪽으로 가시고 저는 동쪽에 있었으니 만남과 헤어짐이 무상하였습니다.

기러기와 제비같이 총총(悤悤)[62]하여 만날 듯 만나지 못했습니다. 아침저녁으로 기약이 드무니 마음속의 동동(憧憧)[63]함을 누가 알겠습니까. 한 가지 병으로 만 가지 일이 다 공(空)이 되어 끝나버렸습니다. 뒷날 어느 곳에서 다시 만나겠습니까.

오호라! 아픕니다. 공께서 돌아가신 뒤 눈물이 먼저 눈에 가득합니다. 누님과 뒤에 만나신 배필이 모두 아기를 낳지 못하셨습니다. 다행히 양자를 얻어 겨우 대가 끊기는 일을 면하였는데 이 아이가 겨우 이갈이를 마쳤습니다. 살 길을 잃고 나니 흉화가 문득 모였습니다. 부모를 잃어버린 외로운 아이가 괴롭게 울부짖고 있는데, 저 푸른 하늘은 차마 어찌 이와 같이 차갑게 버립니까. 볼수록 마음이 방아질을 합니다.

옛날에 누님이 돌아가셨을 때 공께서는 장사 지낼 곳이 없어 제 선대의 묘소에 부장하였는데 지금도 무덤의 풀이 쑥쑥 자라고 있습니다. 공께서 합장을 생각하여 무덤을 고쳐 쓰라고 명하신 일을 아직 마치지 못했습니다. 황천길로 달리 가기는 했으나 언덕을 사이에 두고 서로 바라보게 되었으니 영혼께서는 반드시 근심스러울 것입니다.

다만 아이가 자라 선인의 뜻을 받들어 두 분을 합장하기 바랍니다. 상여 끄는 일도 서로 어겼으니 이 병든 사람의 허물입니다. 애오라지 한 잔의 술을 바치오니 가까이 오셔서 이 충정을 살피소서. 오호라! 아픕니다. 상향.

---

62) **총총(悤悤)**: 몹시 급하고 바쁜 모양.

63) **동동(憧憧)**: 걱정이 많아 마음이 안정되지 못함.

10. 신자정(愼子貞)을 제사하는 글

해는 무인년(1698)이요 구월 십오일에 운택(雲澤) 신자정이 병으로 죽어 그다음 달 시월 초사흗날 갑진일에 장사 지낼 때 친구 한주 이 모는 삼가 닭 한 마리와 술 한 잔으로 울며 그대 영혼을 보내네.

오호라! 자정은 죽었는가, 살았는가. 살았다면 내 말을 어찌 듣지 못하며 죽었다면 어진 하늘이 차마 어찌 이런 일을 하였는가. 하늘이 그대에게 맑고 강함을 주지 않았다면 그대의 죽음이 옳다고 하겠네. 하늘이 크게 그대에게 글과 학문을 주지 않았다면 그대의 죽음이 마땅하다고 할 것이네. 하늘이 또한 그대와 나로 하여금 같은 세상에 태어나지 않게 했다면 내가 무슨 까닭으로 그대의 죽음을 슬퍼하겠는가.

그대의 마음이 깊고 맑고 투철하여 거울과 하늘같이 밝으며 그대의 자질은 금이 쨍쨍 울리듯 하고 옥구슬 구르는 소리 같으니 타고남이 맑고도 강하지 않았는가. 말을 하면 곧 글이 되니 한(漢)나라, 당(唐)나라 문장들과 실력이 같을 것이며 몸을 닦아 행동이 공경스러우니 자유(子遊)[64]가 아니면 자하(子夏)[65]일 것이네. 하고자 하던 바는 문학이 아니겠는가. 재주가 이와 같은데 갑자기 죽었다고 하니 믿어야 하는가.

또한 죽은 사람은 족히 산 사람을 데려가지 못하는가. 맑은 사람은 흐린 사람과 함께 흐르지 못하고 강한 사람은 유한 사람과 더불어 좋아하지 못하네. 그렇다면 그대의 죽음은 장차 넓고 넓은 기운을 타고

---

64) **자유**(子遊): 중국 춘추시대 노나라의 유학자(B.C.506~B.C.445). 본명은 언언(言偃). 공문십철(孔門十哲)의 한 사람. 문학에 뛰어났고 예(禮)의 사상이 투철했음.
65) **자하**(子夏): 중국 춘추시대의 유학자(B.C.507~B.C.420). 본명은 복상(卜商). 공문십철의 한 사람. 시와 예에 능통했음.

꿈틀거리는 뱀을 몰고 사해(四海) 밖과 넓은 들을 달리며 인간 세상의 도도함과 분분함을 보고 쉬파리, 날벌레와 같은 사람들이 벌인 흉흉함이 항아리 속에서 나뒹구는 것을 보고자 하는가.

그렇다면 그대의 죽음을 믿을 것이니 내 어찌 슬퍼하겠는가. 그러나 그대와 나 사이는 그대가 좋아하는 것을 나도 좋아하고 그대가 싫어하는 것을 나도 싫어하며, 그대가 할 말을 내가 하고 내가 할 일을 그대가 하였네. 뜻과 기운의 서로 허락함이 왕원미(王元美)[66] 같은 부류와 같았으니, 그대와 나 두 사람이 마음이 동시에 열리고 닫히기를 바라네.

원미가 우린(于鱗)[67]이 죽어 곡을 했으나 제문 천이백 마디로도 그 슬픔을 다하지 못했다고 하니 내가 지금 한두 문자를 가지고 어찌 슬픔을 마치겠는가. 아직은 생사의 말을 하여 나를 위로하고 그대를 위로하는데 그대는 알고 있는가. 오호라. 자정아! 자정아! 잘 가게나. 청산과 녹수는 어찌 그대가 즐기는 곳이 아니겠는가. 상향.

11. 유덕휘(兪德輝)에게 제사하는 글

해는 무인년(1698)이요 사월 초하루는 을사일인데 초이틀 병오일에 인척의 벗 한주 이 모는 삼가 과일과 술의 제물을 갖추어 기계 유덕휘의 영전에 곡합니다.

---

66) **원미(元美)**: 중국 명나라의 문학자 왕세정(王世貞, 1526~1590)의 자. 호는 엄주산인(弇州山人). 고문 복고 운동의 중심인물. 소설 『금병매』의 저자.
67) **우린(于鱗)**: 중국 명나라의 문인(1514~1570). 호는 창명(滄溟). 칠언 근체시에 능했음.

내 장인의 덕은 경사를 부름이 마땅한데 저 아득히 어두운 하늘은 어찌하여 그것을 조금도 비추지 못합니까. 집에 있을 때는 자식을 기르지 못했고 죽어서는 남은 자식의 외로운 그림자가 나무에 잎이 돋듯 하였으며 벼에 이삭이 나오듯 하였습니다.

바람과 서리에 부서지고 꺾이어서 문득 잠깐 사이에 의지하던 지팡이의 명이 짧았으니 누가 그 시신을 붙잡겠습니까. 하늘을 보고 땅을 보아도 아득할 뿐입니다.

헤아리지 못할 것은 생사의 경지로 지난해 을축년(1685)에 처음 알아서 다행스럽게도 아침저녁으로 따라 놀았는데 외우고 읊는 흥이 있었으며 성품은 자잘함을 버리고 글은 높고 씩씩했습니다. 자잘함을 버린 것이 빌미가 되어 사람들의 입이 고요하지 않았으며 높고 굳은 마음이 방해가 되어 항상 입의 가시처럼 여겼습니다.

중간에 우환을 겪고 바로잡아 앞으로 나갔으니 부지런했습니다. 스스로 멀리 달리기를 계획했습니다. 누가 목숨의 한계를 말하겠습니까. 지금 와서 이렇게 마쳤습니다.

지난겨울에 내가 병든 동안 그대는 영남(嶺南)으로 갔었는데 돌아와서 그대가 나를 진맥했을 때 가망이 없어 내가 죽을 것이라 했습니다. 근심스러운 마음에 늘 답답했다가 조금의 틈이 생겼으나 그대가 나에 이어 병들어 열흘을 넘기지 못하고 갑자기 명을 마쳤습니다.

35년이 번갯불처럼 지나갔으니 혹여 나를 진맥할 때 독이 옮아 이런 일이 생긴 것이 아닙니까. 생각이 이에 이르자 더욱 목이 멤을 느낍니다.

아들 하나가 나이가 차지 않고 어린데 외로이 고통을 당하고 있으며, 친척들은 쉬파리처럼 모여들어 조상을 합니다. 상사를 다스릴 사람이 없는데 하물며 나도 화액에 걸려 아무 일도 못합니다. 그대가 죽은 지 한 달이 넘었으나 정신을 잃고 깨어나지 못합니다.

그대의 아내는 울부짖고 아이는 신음하다가 이제 겨우 담담해졌으나 상사(喪事)는 염조차 하지 못했습니다. 늦게야 찾아와 보니 붉은 봉새는 어디로 가고 푸른 집만 처량하게 남았습니까(덕휘가 일찍이 마당 끝에 푸른 오동나무 한 그루를 심고 '푸른 집'이라고 호를 붙였다). 그림과 책은 옛 책상에 그대로 있으나 편하게 웃던 웃음을 다시 보지는 못합니다.

슬픕니다! 어린 누이는 병풍에 기대어 엎어져 있습니다. 한 잔 술로 영원한 이별을 고하니 황천길을 잘 닦으십시오. 붉은 깃발을 바라보고 눈물을 흘리며 빈손으로 보냅니다. 오호라! 슬픕니다. 상향.

12. 셋째 형님[68]께 제사하는 글

셋째 형님이신 진사공께서 병으로 서문 밖 임시 처소에서 돌아가시니 때는 무인년(1698)이었고 정월 열하룻날 밤이었습니다. 사월 초하루는 을사일인데 이십팔일 임신일에 상여로 옮겨 광주(廣州)의 낙생(樂生) 마을 곤좌(坤坐)[69] 간향(艮向)[70]의 언덕에 장사 지냈습니다. 아우인 저는 그전 날 과일과 술과 포와 식혜의 제물로써 곡합니다.

형님! 형님! 이 어찌된 일입니까. 형님께서 갖춘 효심으로 늙으신 어머님을 버리고 어디로 가십니까. 형님의 우애로 우리 형제를 버리고

---

68) **셋째 형님**: 협(浹, 1664~1698). 자 숙화(叔和). 1687년 사마시 진사과에 합격하였고, 문장이 뛰어났음.

69) **곤좌**(坤坐): 묏자리나 집터가 곤방(坤方, 남서쪽)을 등지고 앉은 자리.

70) **간향**(艮向): 동북향.

어디로 가십니까. 형님의 사랑으로 아내와 아들을 버리고 또한 어디로 가십니까. 늙은 어머님께서는 마루에서 곡하시고 형제들은 곁에서 울부짖으며 아내와 자식들은 방에서 웁니다. 아직도 어두워서 돌아보지 못하십니까.

형님! 형님! 이 일을 어찌해야 합니까. 어찌해야 합니까. 사람들이 모두 말하기를 사람이 죽고 사는 일은 천명에 달려 있다고 하는데, 아우는 형님의 명을 믿을 수 없습니다. 형님의 덕과 재주와 기질로 어찌 여기서 그치신다는 말입니까. 어찌 여기서 그치신단 말입니까.

다만 아우의 무상함으로 말미암아 악이 쌓여 몸에 남아서 화에 얽히고 독에 걸려 남은 기운이 형님을 오염시켜, 나의 어진 형님을 잃게 하였습니다. 이것이 과연 형님의 명입니까. 지난해 동짓달 스무하룻날 제가 병들어 반곡(盤谷)의 임시 처소에 누웠을 때 그 증세가 처음에는 감기와 같아 걱정하지 않고 집에 알리지 않았습니다.

사흘이 지나자 마을 친구 이사진이 와서 보고 제 병이 위독하다고 하였습니다. 이리하여 처음으로 어린 아들에게 알렸고 아들이 곧 왔는데 형님께서도 따라오셨습니다. 저는 이를 희미하게 기억할 뿐입니다. 이미 지나가 버린 일로 살필 길이 없습니다.

백 가지 증세가 함께 모이니 모두 위독하여 말조차 하지 못하고 수십 일이 지났는데 보는 사람마다 놀라지 않는 이가 없었습니다. 의원도 손을 묶고 죽음을 기다리는 수밖에 없었는데 다시 무엇을 할 수 있었겠습니까. 형님께서 아침저녁으로 분주히 다니시며 지성으로 구완하셨기 때문에 조금 차도가 있었습니다.

그러나 종아이가 이어 병이 나고 아내마저 병들어 독이 더욱 성해져서 고칠 수가 없었습니다. 그때 저는 조금 병이 나았는데 다시 번질까 두려워서 "지금 동생은 살 수 있으나 다른 두 사람이 이어 누웠으니,

이에 어찌 가까이 갈 수 있겠습니까"라고 형님께 아뢰었습니다.

번잡하게 다녀가지 마시라고 누누이 청했으나 형님께서는 제 병이 비록 잠깐 그쳐서 말을 할 수는 있으나 아직도 생사의 관문을 넘지 못했으니, 차마 어찌 보지 않을 수 있겠느냐고 하시며 아우의 정성과 아내의 말과 친척들의 경계를 거절하시고 더욱 자주 왕래하시며 진맥하고 보살피셨습니다.

그때는 엄동이라 눈이 쌓여 얼어붙었는데 사는 집이 춥고 방이 좁고 더러워, 아침저녁으로 밖에 나가 앉아서 친히 약을 달이시다가 형님께서 근력이 피곤해지셔서 독에 물드는 시초가 되었습니다.

때마침 조카 정(鼎)도 남동(南洞)에 앓아누웠는데, 맏조카는 낙계에 있었고 중간 조카는 장재(章齋)에 가 있고 저는 여전히 일어나지 못해 간호할 수 없었습니다. 이를 형님께서 의심하고 두려워하시니 독의 오염이 더욱 심해졌습니다.

그러나 형님께서 하신 일은 유숙포(庾叔褒)[71]의 의리와 같았는데 하늘께서 살피지 않아 도리어 독이 오염되어 이와 같은 지경에 이르렀으니 이것이 제가 명을 믿지 않는 까닭입니다. 마음이 찢어지고 간이 부서지는 지극한 아픔은 죽어서야 그칠 것 같습니다.

형님께서 돌아가시기 전 조카 정이 섣달 스무이레에 먼저 다녀갔습니다. 형님께서 이미 감기에 걸리셨다고 하였는데 어찌하여 몸을 돌보지 않으시고 위태로운 지경을 당하셨습니까. 섣달그믐께 낙산에 가셨다니 왜 그렇게도 무리를 하셨습니까. 누님께서 시댁으로 가실 때 설

---

71) **유숙포**(庾叔褒): 유곤(庾袞). 진나라 언릉(鄢陵) 사람. 친척이 중병을 앓을 때 다른 이들은 다 피해 도망갔으나 홀로 남아 치료하여 세상에서 유이행(庾異行)이라고 부름.

날이 가까워 모시고 갈 사람이 없자 형님께서 그 길을 가셨다니 감기가 얼마나 더하셨겠습니까.

　초이튿날 저녁 처음으로 심하게 앓으셨고 초이렛날 가마에 실려 성으로 들어가셨는데, 형님께서는 그 증세를 스스로 의심하셨습니다. 아마도 어머님의 근심을 염려하셨기 때문일 것입니다. 그 길을 가셔서 얼마나 건강이 상하셨습니까.

　서울에 들어오셔서는 남에게 귀찮은 일을 시키지 말라는 뜻으로 한양 근교에 있는 처가로 가시지 않고 지름길로 선한(先漢: 옛날 종 김인선(金仁先))의 집으로 가셨습니다. 집이 좁고 추워져서 이미 병을 조섭하기에는 마땅하지 않았습니다.

　하물며 둘째 조카는 아직도 서당에 다니고 저는 아직도 자리에 누워 옴짝달싹하지 못하는 물건일 뿐이니, 다만 맏아들과 형수님께서 진맥하고 안에서 병을 조섭해주셨습니다. 형수님의 오라버니인 한석보(韓錫甫)가 안팎으로 주선해주었습니다. 저희 집은 병이 너무 많이 퍼져 의원이 오기를 꺼렸으니 다만 민가에서 쓰는 요법을 쓸 뿐이었습니다.

　동네 의원 최가(崔家)라는 사람에게 병을 맡겼으나 다만 여러 날 동안 열을 다스리고 보통으로 쓰는 약을 썼을 뿐이니, 어찌 병이 중해지지 않을 수 있으며 치료가 되겠습니까. 형님께서 성안에 들어오실 때 맏조카는 서울에 있었으나 병으로 항상 움직이지 못하다가 초하룻날 처음으로 나와 함께 병 때문에 가마에 실려 성에 들어왔는데 병세가 위중하여 다만 저희 집에서 쓰고 있는 의원을 알려줬습니다.

　제가 그때 이 지경에 이를 것을 헤아렸겠습니까. 최가가 좋은 의원이 아닌 사실을 알고 있었기에 마음이 동해 그의 말을 듣기를 삼가라고 하며 맏조카에게 여러 번 편지를 보내 제가 친히 가서 간병을 하는 게 낫겠으니 타고 갈 가마를 보내라고 말하였습니다.

그러나 맏조카가 응하지 않았으며 집사람 또한 제가 열난 몸으로 가는 것을 꺼렸습니다. 또한 들으니 병을 간호하는 사람들이 형님의 병명이 아직 정확하지 않다고 말했습니다. 그 증세를 의심하고 저희 집에 알려오지 않아서 제가 감히 뜻대로 할 수 없었습니다.

초열흘날 저녁에 제 꿈이 나빠 열하룻날 아침에 물어보니 제활서(濟活署)[72]의 사람이 와서 진맥을 하는데 들어보니 어찌 저만 홀로 들어가지 못하게 하였습니까. 저는 집안사람들이 모르게 들어가서 병을 살피려 하다가 사람들에게 발각이 되어 끝내 나가지 못하고 문에 기대어 외롭게 앉아 남쪽을 바라보며 들어가려는 마음만 간절했습니다.

마침내 업(業)이라는 종아이가 약을 가지고 와서 의원이 오늘 밤 열이 물러날 것이라고 하였으니 걱정 말라고 했습니다. 저는 매우 다행스럽게 생각하여 안심하고 자리에 누웠는데 누가 이날 저녁이 형님께서 돌아가시는 날인 줄 알았겠습니까. 누가 형님께서 돌아가시는 날인 줄 알았겠습니까.

제가 병으로 비록 자리에서 일어나지 못하더라도 어찌 한 번이나마 형님의 병이 더함을 살피지 못했겠습니까. 가령 병이 조금쯤 더해졌다고 해서 어찌 형님의 상고에 달려가지 않겠습니까. 맏조카와 둘째 조카가 지나치게 근심하고 생각이 깊어서 그 이튿날이 되어서야 차도가 있다는 전갈을 들었습니다. 이어서 맏조카가 형님의 병증이 이미 걱정할 정도에서 벗어났다는 반가운 소식을 전해왔습니다.

이미 지나간 근심은 지금 와서 어쩔 수 없지만 전해 온 기쁜 소식은 큰 경사이니 형님께서 털끝만 한 차도라도 있다면 반드시 살아나실 수

---

72) **제활서**(濟活署): 조선 시대의 국립병원.

있다고 생각했습니다. 다만 저와 형님과 조카 정이 빨리 회복되어 서로 낙촌에서 만나 어머님의 얼굴에 기쁨이 돌기를 바랐습니다.

그럭저럭 세월이 흘러 그 뒤로 한 달 남짓 되었으나 집밖을 나가지 못하여 답답함이 쌓였습니다. 생각 같아서는 형님을 한번 뵙고자 했는데 춘(春)이라는 종아이가 와서 서문 밖 임시 거처에는 종들이 서로 이어 통곡하며 드러누웠고, 형수님께서는 정동(貞洞)에 임시로 옮겼다고 전해왔으므로 편지를 형님께 써서 저자에서 종아이 업을 만나 전하려고 했습니다.

종아이 춘이 와서 제 편지를 전하기는 했는데 형님께서 손이 떨려 답장을 쓰시지 못했다고 전했습니다. 이는 모두 저를 속이려고 하는 말이었으나 저는 끝내 알아차리지 못하고 제 병을 걱정했을 뿐이었습니다. 춘을 시켜 제가 형님을 뵙고 싶은 마음을 자세히 전하라고 하면서 반드시 편지를 보셨다는 두 글자를 받아오라고 하며 형님의 기력이 어떠한지 살피려고 하였습니다. 그 뒤로 여러 날을 목을 빼고 괴롭게 기다렸습니다.

곧 회답이 없고 때는 이미 이월 스무날쯤이었습니다. 둘째 조카는 장재로부터 돌아오고 맏조카는 낙촌에서 돌아와 함께 성에 있으나 병으로 직접 만나지 못했으므로, 스무이튿날 형님과 조카들과 중간 지점에서 만나보기로 약속하였습니다.

병정이가 먼저 와서 오늘 모이기가 어려울 듯하다고 알려왔습니다. 살아서 만나는 기쁨이 헤아릴 수조차 없겠으나 셋째 형님께서 병이 아직 다 나으시지 않아 모임에 오실 수 없어 흠이 된다고 했습니다.

병정이도 저를 속인 것입니다. 세간에서 본래 즐거움이 적었는데 세 사람이 모두 살아서 오늘날 함께 만난다면 지극히 즐거울 터이지만 마귀의 희롱으로 끝내 만나지 못했습니다. 그러나 이후로도 서로 만날

祭文_383

수 있으니 어찌 흠이라고만 할 수 있겠습니까.

이리하여 반지(盤池)로 병정이를 데려가 주변 마을에서 맏형님과 둘째 형님을 길에서 기다렸는데 지관 이위(李偉)가 길을 지나가다가 저에게 상사(喪事)에 관해 물었습니다. 제가 깜짝 놀라 "누구의 상사인가. 내가 죽은 줄 잘못 알고 이러는 것인가" 하고 물으니 그자가 우물쭈물하기에 저는 착오가 있음을 알게 되었습니다.

얼마 뒤 맏조카와 둘째 조카가 상복을 입고 와서 저는 비로소 형님께서 돌아가신 것을 알았습니다. 이때가 언제이며 어떤 경우란 말입니까. 맏조카의 손을 잡고 "병세가 중하지 않다 하더니 어찌 이 지경이 되었느냐" 하고 물으니 열이 안에 쌓인 것을 미처 살피지 못했더니 열하룻날 아침에 병이 중해졌으므로 조카가 저에게 병증을 적어서 보내어 알리려고 하다가 미처 알리지 못하고 이렇게 되었다고 답했습니다.

무슨 말을 하겠습니까. 상을 언제 당했는지 묻자 열하룻날 저녁이라고 했습니다. 빈소는 어디에 차렸으며 누가 지키고 있느냐고 물으니 아직 옛집에 모셨고 환(桓)과 예(禮)라는 두 여종이 지키고 있다고 했습니다.

염습은 누가 맡아서 하였으며 모든 물품은 무엇으로 준비했느냐고 물으니 대답하기를 신정업(申廷業)이 맡았으며 모든 물품은 근근이 모양새를 차렸다고 했습니다. 다시는 말을 더하지 않고 저는 기거하는 집으로 돌아왔습니다.

나흘날 형님의 최복(衰服)[73]을 입었고 삼월 초하룻날 비로소 형님의 널에 곡을 했습니다. 풍만한 얼굴과 온화하고 부드러운 빛은 보아도

---

73) **최복(衰服)**: 부모, 조부모, 증조부모, 고조부모의 상중에 입는 상복.

보이지 않았으며, 웃음 섞인 말씀과 해학이 깃들인 이야기는 들으려고 해도 더는 들리지 않았습니다. 다만 두어 칸 띳집에 누워 있는 한 그루 나무일 뿐이었습니다.

내 형님이시여! 내 형님이시여! 이 어찌되신 일입니까. 이 어찌되신 일입니까. 이날 형수님은 본가에서 딸을 데리고 오셔서 곡을 했습니다. 우시면서 제가 병든 분의 곁에 있다가 오히려 이 지경이 되었다면 아무 감정이 없겠다고 말씀하셨습니다.

형님께서는 제가 병이 덜한 뒤 항상 말씀하시기를 제가 곁에 있다면 살 수 있다고 하셨다고 합니다. "홀로 아내를 시켜 약시중을 들게 하니 내 어찌 살겠느냐"라고 하셨답니다. 제가 이 말을 듣고 사리를 생각하였습니다. 남은 세월이 얼마이기에 한번 죽음은 사람마다 있거늘 어찌 형님처럼 처참함이 있겠습니까. 형제의 죽음은 누구나 겪는 일이지만 어찌 저와 같은 심정이 있겠습니까.

누구에게나 상사는 생기는 일이나 제가 병이 걸리지 않았다면 어떤 변명을 할 수 있겠습니까. 비록 병으로 형님의 수발을 들지 못했어도 병정이가 저를 보고 나서 낙촌으로 가지 않았다면 어찌 이런 일이 있었겠습니까. 비록 지난 일이지만 제가 형님의 약을 맛보고 진맥을 해 드리지 못했으니 제가 한 푼의 슬픔이라도 어찌 줄일 수 있겠습니까.

형님은 지성으로 날마다 의원을 불러와서 제가 거의 죽을 것을 살려 주셨지만, 저는 형님께서 돌아가시는 날에도 다른 집에 편안히 누워 있었습니다. 형님께서 이 아우가 약의 이치를 조금 아니 한번 와서 보기를 바라셨으나, 저는 끝내 몰랐습니다.

지금 와서 생각해보니 이것이 어찌 사람의 이치로서 차마 할 일이겠습니까. 제가 아직까지도 죽지 않고 살아 있는 것이 슬프고 또 스스로 미워지고 의아합니다. 형님의 지극한 우애를 끝내 갚지 못하고 형님의 병을 곁에서 구하지 못한 사람이 되었으니 이 원망을 저 푸른 하늘에 옮기지 않을 수 없습니다.

이 일은 비록 그렇다고 해도 고복한 뒤에 입에 반함(飯含)[74]을 물리고 발을 거두고 몸을 염습하며 구슬을 물리는 일은 제가 몸소 해야 할 일인데 한갓 다른 사람의 손을 빌렸으니 어찌 저의 마음이 조금이라도 누그러질 수 있겠습니까.

한 벌의 옷이나마 형님의 몸에 입혀드리지 못한 채 널을 외롭게 궁한 거리에 맡겨두고 저는 홀로 아무것도 모른 채 사십 일 동안 푸른 옷을 입고 좋은 음식을 먹고 지냈으니, 이 또한 사람의 이치로 감당할 수 있는 것입니까?

저의 남은 한이 창자를 채우고 골수를 메워서 죽어도 없어지지 않을 것입니다. 형님께서는 어릴 때부터 습기로 인해 해마다 옴에 걸려 온몸이 종기와 고름으로 가득했고 가을에 시작하여 여름이 되어야 조금 그치셨으니, 편안한 날이 1년에 겨우 두세 달뿐이었습니다.

형님께서 열일곱 살이 되셨을 때 돌아가신 아버님을 모시고 해서(海西)[75]의 문화에 갔을 때 약승(藥僧)인 회색(回賾)을 만나 침을 맞고 얼마 뒤 쾌유하셨으나 이 일로 병이 안으로 숨어 거의 돌아가시게 되어 살 수 없었는데, 또 회색의 치료를 다시 받고 나으셨습니다.

신유년(1681)에 호남의 벽제(碧堤)에 갔을 때 눈병이 생겨 거의 실명할 뻔하시다가 한 의원을 만나 치료를 받았습니다. 그때부터 형님의 정신과 몸이 더욱 튼튼해지셨습니다. 사람들이 다 말하기를 "이 사람이 젊을 때 여러 번 이상한 병을 앓다가도 다시 완전한 사람이 되었으

---

74) **반함**(飯含): 염습할 때에 죽은 사람의 입에 구슬이나 쌀을 물림.
75) **해서**(海西): 황해도.

니 반드시 장수하고 귀히 될 것이다"라고 하였습니다.

한집안 사람들도 모두 재생함을 다행으로 여겨 백 살이 되도록 사시기를 바랐는데, 어찌 형님께서 오늘 날 갑자기 가실 줄 알았겠습니까. 어찌 형님께서 오늘날 갑자기 가실 줄 알았겠습니까.

저는 형제 가운데 기질이 매우 약하고 질병에 항상 걸려 부모님의 걱정거리가 되었고, 형제나 친척들이 깊이 연민하는 바가 되었습니다. 지난겨울에 병이 들었을 때 백에 하나도 살 가망이 없었으니 누가 아우는 살고 형은 죽으리라고 말할 수 있었겠습니까.

또한 형님께서는 성품이 관대하고 품질이 우뚝 높아 어릴 때부터 장년이 되도록 부모님의 뜻을 어긴 적이 없으셨고, 집안에서는 날마다 가난한 절차에 구애되지 않고 기뻐하면서 태연하시어 온 집안에 온화한 기운이 가득하게 하셨습니다.

사무에는 해박하고 숙달되시었으며 언론은 맑고 바르고 명쾌하시어 반드시 자신의 견해를 피력하셨으며, 이를 옆 사람 때문에 고치신 적이 없었습니다. 훈학과 글은 스무 살 전에는 병으로 책 한 권도 마치지 못하셨고 글 한 편도 짓지 못하셨습니다.

병이 없어지자 아버님과 스승의 가르침을 기다리지 않고 부지런히 노력하여 조금도 게으름을 피우지 않으셨습니다. 남이 읽는 만큼은 읽으셨고 남이 짓는 만큼은 지으셨는데, 그 가운데 우뚝 솟아 두드러졌고 사람들에게 미치지 못하는 바가 없으셨습니다.

또한 해서를 잘 쓰셔서 몸소 읽은 글을 베껴 썼는데 한사(漢史)[76]와 찬고(纂古)[77]와 문선(文選)[78] 등 책을 무려 수십 권이나 썼습니다. 그런

---

76) **한사**(漢史): 사마천이 지은 사기.
77) **찬고**(纂古): 옛글을 모아 엮은 책.

데 글자체가 정묘하거나 좋지 않은 것이 없으셨습니다.

서원에 다니실 때에는 시험마다 높은 점수로 합격했으며 정묘년 (1687)에 진사시에서 장원급제하셨는데 그때 나이가 스물네 살이었고 과거 공부를 한 지 겨우 3~4년 되셨을 때였습니다. 위와 같이 변려문 (騈儷文)[79] 공부를 과거에 맞추어하셨으니 형님의 재주는 가히 많은 무리보다 높다고 하겠습니다.

이러한 것을 보아 모두 세간에서 말하는 수복을 넉넉하게 누릴 수 있었는데 형님께서 여기서 그치셨으니 하늘이 무슨 까닭으로 한 일입니까. 하늘이 무슨 까닭으로 한 일입니까.

기사년(1689)부터 우리 집에 하늘이 어찌하여 이렇게 치우치게 혹독한 화를 내리는 것입니까. 엄부께서는 세상을 등지셨으나 형제 네 명이 모두 무고하게 보전하여 늙으신 어머님을 봉양하기를 바랐는데, 얼마 후에 하늘이 무너지는 아픔을 당하였습니다.

둘째 조카가 두 번이나 상처를 하였고 십 년 사이에 네 자녀가 연이어 요수했으니 거의 편한 날이 없었습니다. 집안은 점점 가난해지고 해마다 흉년이 들어 끼니를 겨우 이어갔고 장조카가 살림을 맡아하는데 계책이 궁해 마침내 백문동의 옛집을 돈으로 바꾸었으나 겨우 한 해 동안 살림할 밑천밖에 되지 못했습니다.

옛집 동쪽에 한 덩이의 땅을 사서 새로 집을 지었으나 미처 다 짓지 못해 어머님을 모시고 낙향의 옛집으로 옮겨갔습니다. 나머지 재물을 나누어 새집 가까이에 형님과 제가 작은 집으로 분가한 뒤에야 장조카가 어머님을 모시고 새집으로 옮겨왔습니다.

---

78) **문선**(文選): 좋은 글을 가려 뽑음.

79) **변려문**(騈儷文): 중국의 육조와 당나라 때 성행한 한문 문체.

형님께서는 늘 집을 팔아 편안하게 노친을 받들어 모시고 형제가 모여 서로 즐겁게 사는 날이 오기를 지극히 소원하셨습니다. 이 계획조차 쉽게 이루지 못하였고 또한 맏조카를 따라 낙향하여 봉양하는 일도 불가능하였습니다.

구양첨(歐陽詹)[80]이 시골에서 부모를 모실 때에는 가난으로 걱정을 하였지만, 벼슬을 하게 되어 서울로 올라가자 부모께서 기뻐하였다는 고사같이 서울에서 함께 지내기 위하여 밤낮없이 서로 힘썼습니다. 다만 한 번 과거에 급제해서 늙으신 어머님을 위로하려는 심사였습니다.

저와 같은 어리석고 병든 몸으로 여러 형님의 가르침을 받아 겨우 한 벼슬아치가 되었으나 과거에 급제하는 것이 결코 쉬운 일은 아니었습니다. 형님께서는 문자에 가까워져 과거에 더욱 친밀하셨으므로 형제들의 기대가 더욱 커졌습니다. 운명의 때에 어긋남이 많아 네 사람이 모두 성공하지 못했고, 형님께서는 기복이 아득하여 그 끝을 헤아리기 어려웠습니다.

하물며 둘째 조카가 늦게 음사(蔭仕)[81]로 벼슬을 받았으나 관직이 초라하였습니다. 지난날 횡역(橫逆)[82]을 만나 오랫동안 감옥 속에 얽매였다가 이제야 겨우 소를 올려 다행히 풀려났습니다. 형님께서 만약 이러한 사실을 아신다면 반드시 명명(冥冥)[83]해 보이는 황천에서도 분해하시고 한탄하실 것입니다.

---

80) **구양첨**(歐陽詹): 당나라 진강(晉江) 사람. 자는 행주(行周). 정원 연간에 한유(韓愈), 이관(李觀) 등과 함께 급제하여 이들을 용호방(龍虎榜)이라고 부름.
81) **음사**(蔭仕): 과거를 거치지 아니하고 조상의 공덕에 의하여 맡은 벼슬.
82) **횡역**(橫逆): 당연한 이치에 어그러져 있음.
83) **명명**(冥冥): 겉으로 나타남이 없이 아득하고 그윽함.

어머님께서는 칠십의 늙은 연세에 가난한 집으로 옮기셔서 나물밥마저 제대로 드시지 못하고 노쇠함이 날마다 심해지십니다. 다만 우환이 있을 뿐 좋은 모양은 전연 없거늘 하물며 지난겨울부터 지금까지 예닐곱 달 동안 처음에는 저의 병으로 마음이 상하셨고 두 번째는 형님의 초상으로 통곡하였으며, 또한 둘째 조카의 액에 놀라시니 하나라도 마음에 위로됨이 없습니다. 귀에 들리고 눈에 보이는 것마다 마음 아프시지 않은 일이 없으니 노인의 기력으로 얼마나 버텨내실 수 있겠습니까.

어머님께서 처음부터 끝까지 일찍이 직접 낳은 자손의 요수를 본 적이 없었는데 형님의 죽음을 맞은 뒤로 아프고 독한 병이 다른 사람보다 배가 되시었음을 알 수 있습니다. 저는 형님을 곡하는 다음 날에 둘째 조카의 일을 만나 두 곳에서 분주하여 곧 귀성하지 못했습니다. 며칠이 지난 뒤 어제 처음 가서 뵈오니 어머님께서는 바야흐로 과부가 된 누이와 서로 마주하여 뽕을 고르시고 계셨습니다.

제가 오는 것을 보고 놀라 기뻐하시며 누각에서 내려오셔서 손을 잡고 우시면서 말씀하시기를 "네가 지금 살아왔는데 진(辰)이 애비는 어느 날 와서 나를 볼 것이냐" 하시고 소리 없이 우시면서 기가 끊어질 듯했기 때문에 저는 곧 울음을 그치고 감히 슬픔을 내색하지 못했습니다. 말을 돌려서 좋은 얼굴과 빛으로 받들어 위로하면서 신관(神觀)[84]을 우러러뵈니 머리털이 더욱 희어지셨고 얼굴에는 광택과 윤기가 없었습니다.

인생에서 한번 죽는 일은 예나 지금이나 면할 수 없는 일인데 이와

---

84) 신관(神觀): 얼굴을 높여 가리키는 말.

같이 슬퍼하시니 장차 무엇으로 부지할 수 있겠습니까. 누누이 너그러움에 비유하여 말씀을 드렸지만 말은 이치에 맞지 않고 눈물이 절로 흘러 금할 수 없었습니다. 인정이 이에 이르자 그 어찌 잠시나마 세상을 볼 생각이 나시겠습니까. 형님의 효심은 반드시 이러한 일을 생각하셔서 오히려 아시려고 하지 않으실 것입니다.

형님이시여! 형님이시여! 이 일을 어찌합니까. 이 일을 어찌합니까. 또한 생각해보니 우리 형제의 우애가 독실함은 실은 같이 살며 화합하여 나온 것이지만, 마음을 서로 거스르지 않은지 거의 30년이 하루 같았습니다. 여러 곳에서 편히 살 때 비록 옛사람들이 아침에 제사 지내는 것과 같은 엄연한 예절에 비해서는 부끄러움이 있지만 태구(太丘)[85]의 집처럼 온화하고 부드럽고 사랑하는 도의는 조금쯤 남보다 진했을 것입니다.

일찍이 해를 넘기도록 떠나서 산 적이 없고 아침저녁으로 네 곳으로 둘러앉아 글도 읽고 공부도 하고 술도 마시고 글도 지으며 고상한 이야기로 당세를 말하기도 하며, 혹은 자질구레한 집안일을 이야기하는 속에 해학이 있었습니다. 한 번 집을 판 뒤로 형님께서는 한양 근교에 거처하셨고, 저는 반곡에 임시로 살았습니다.

그리운 생각이 일어나자 때로 떨어져 있는 사람을 찾아서 낙촌에서 모이고 혹은 백곡(白谷)에서 모였으나, 그 즐거움이 줄어들지 않았습니다. 제가 병들었을 때 형님께서는 날마다 제게 오셔서 제가 알지 못하는 사이에 정신을 잃으면 형님께서 곧바로 아셨습니다. 어찌 동짓달

---

85) **태구**(太丘): 중국 후한의 문신 진식(陳寔, 104~187). 태구현령을 지냄. 아들 진기(陳紀), 진심(陳諶)과 함께 세 군자란 명성이 있으며 양상군자(梁上君子)라는 고사로도 유명함.

열이렛날 밤에 이르러 백곡의 모임이 형님과의 마지막이 될 줄 알았겠습니까. 어찌 납일 병중에 몽롱하게 뵌 것이 형님과의 영원한 이별이 될 줄 알았겠습니까.

지금부터 앞으로 사당과 묘소의 서열과 어머님께 아침저녁으로 문안을 여쭐 때 앞줄을 보면 형님의 자리가 항상 비어 있을 것입니다. 길흉의 모임이나 글 짓고 술 마시는 장소에도 차례를 세어보면 형님의 자리는 늘 비어 있을 것입니다. 놀러 다니던 곳과 글 읽던 책상 앞에서도 향기가 아직 남아 있어 보고 들음이 살아계신 것 같으니, 눈에 띄는 곳마다 감정이 생겨 돌아가신 것 같지 않습니다.

백곡의 동쪽 집은 아버님께서 세우신 것으로 우리 형제들이 글을 외우고 읊던 곳입니다. 제가 일찍이 그곳을 '체화당(棣華堂)'이라 이름 붙이고 친구를 시켜 기문(記文)을 짓도록 하기도 하였고, 백 년을 함께 살 집이라고 여겼습니다. 그러나 남의 물건이 되었으니 기회가 있어 그 앞을 지나게 되면 눈물을 훔치지 않을 수 없었습니다.

지날 때마다 결심하기를 장차 삶이 안정되는 날에 반드시 한 칸 집을 지어 이름을 그대로 옮겨 영원히 형제들이 모여 사는 집으로 삼고자 하였으나 계획이 어긋나 한이 됩니다. 어찌 형님을 영원히 잃었다고 하겠습니까. 어찌 형님을 영원히 잃었다고 하겠습니까. 형님의 우애로도 반드시 이러한 바람이 있으시겠으나 지금은 막연한 곳에 계시니 응답이 없으십니다.

형님! 형님! 이 어찌 된 일입니까. 형님! 이 어찌 된 일입니까. 또한 생각해보니 형님께서 아내를 다스리고 자식을 가르치는 데 모두 조리가 있으셔서, 가르치고 인도함을 즐겁게 하셨습니다. 형제간에 화목하고 부모에게 순종함을 큰 근본으로 삼으셨습니다.

아아! 슬픕니다! 이제 끝났습니다. 홀로 되신 형수님을 생각하니 형님이 계실 때는 여러 번 자녀를 잃음이 많았고, 지금 또 이러한 지경이 되어 더욱 어찌 지탱하고 보존하겠습니까. 저는 형님의 초상과 장사를 보지 못하였으나, 형수님께서는 우시다가 기절하시며 스스로 생명을 끊고자 하셨는데, 다행하게도 맏조카와 석우가 이를 보고 막았으므로 오늘날 살아계십니다.

비록 지금 조금 안정됐으나 그 일을 생각하시면 울음이 나고 한번 우시면 울음소리가 종일토록 끊이지 않으니 한 숟갈의 쌀도 입에 넘기기를 싫어하십니다. 다만 가슴을 치며 우시는데 뱃속의 아이는 이치를 알지 못하고 말을 듣지 못하니 며칠이나 보존할 수 있을지 저는 알지 못합니다. 이와 같으니 여러 아이들의 잠자리나 밥 먹는 일과 아픔을 보호하고 구제하는 사람이 없어 더욱 처참합니다.

또한 조카 딸아이 애(愛)는 나이가 겨우 열세 살인데 영특하고 분명하여 일을 잘 알고 아침저녁으로 영정에 바치는 물건을 스스로 직접 꾸립니다. 형수님께서 울음을 그치지 않으시면 저를 불러 달래드리고 울음을 그치게 합니다. 형수님께서 밥을 드시지 않으면 저를 불러 드시도록 권하게 합니다. 이러한 모양을 본 사람이라면 참으로 짐승이 아닌 한 누가 간장이 찢어지고 상하지 않겠습니까.

하물며 진수(辰壽)의 성품은 너그럽고 생김새가 빼어나서 크게 형님의 전형이 있는데, 초상이 난 뒤로는 미친 듯하고 바보처럼 끊임없이 날뜁니다. 형수님의 울음소리를 들으면 반드시 얼굴을 가리고 눕습니다. 이 아이가 가장 어린데 어찌 슬픔과 즐거움을 알겠습니까.

지난날 화사(畫師)[86]가 와서 사록도(射鹿圖)를 주니 옆 사람이 상주가

---

86) **화사**(畫師): 예전에 화가(畫家)를 이르던 말.

어찌 짐승 쏘는 그림을 가지겠느냐고 희롱하였습니다. 이 아이가 그 말을 듣고 곡을 하며 우니 아이도 형님께서 돌아가셨다는 사실을 알고 있었습니다. 갖가지 이러한 경계를 참으로 눈으로 보고 싶지 않고, 차라리 형님을 따라 함께 죽어서 알지 못한다면 편하겠습니다.

형님께서 일찍이 진수에게 글을 가르치셨는데 다른 사람보다 재주가 뛰어나서 『사기(史記)』[87] 세 권의 뜻을 헤아렸습니다. 그러나 지금은 글을 배우지 못한 지 이미 넉 달이 지났으니 형님께서 어찌 저승에서도 탄식하지 않으시겠습니까. 이 아이가 『사기』를 배우기 시작한 것을 저도 알지 못했습니다. 형님께서 돌아가신 뒤 어느 날 갑자기 책을 끼고 와서 배우기를 청하니 제가 어찌 차마 책을 펼 수 있겠습니까.

배우려고 하는 아이를 거듭 뿌리치다가 눈물을 머금고 한 줄을 가르치니 총명하고 지혜로우며 잘 읽어 사랑스럽고 가련해 보였습니다. 영상(靈狀)[88]의 가리개가 바람에 날려 거치니 형님께서는 혹 그 소리를 들으셨습니까. 형님의 본래 뜻은 항상 이 두 아이를 가르쳐서 직접 공부를 마쳐주기를 계획하셨는데 지금 이것을 버리고 영원히 가셨습니다.

형님! 형님! 이 어찌해야 합니까. 이 어찌해야 합니까. 형님의 그림자와 소리가 다만 이 두 아이에게 남아 있습니다. 아이들을 어루만지고 길러서 성취시키는 것은 저의 몫이지만, 아직 살 곳마저 정하지 못하여 가끔 모이기가 쉽지 않으니 이것이 더욱 저의 지극한 아픔입니다. 집 한 칸을 구하여 그들을 데리고 살면서 형님의 뜻을 따라 가르치

---

87) 『사기(史記)』: 중국 전한(前漢)의 사마천(司馬遷)이 편찬한 중국 최초의 기전체(紀傳體) 통사(通史). 황제(黃帝) 때부터 전한의 무제(武帝) 천한(天漢)년간까지 약 3000여 년의 역사를 서술.

88) 영상(靈狀): 상(喪)을 치를 때 대렴(大殮)한 뒤 송장을 두는 곳.

고 키우는 것을 제가 아니라면 누가 하겠습니까.

저는 일찍이 이러한 곳에 마음을 쓴 적은 없으나 어찌해야만 이 끝없는 아픔을 지울 수 있겠습니까. 만약 형님의 영혼이 계신다면 이 뜻을 알아주시기 바랍니다. 형님의 널이 집 안에 있다가 머지않아 멀리 가려고 하니 다시 무엇을 할 수 있겠습니까. 형님의 무덤이 돌아가신 아버님의 묘 남쪽에 있어 서로 바라보이는 언덕입니다.

형님의 혼령이 반드시 아침과 저녁으로 아버님을 모시고 다니실 것이니 동생이 어리석게 차마 세상에 살아 있으면서 슬픔을 머금고 길게 통곡하는 것보다 어찌 낫지 않겠습니까.

어머님께서는 문에 기대서서 형님을 바라보시지만 그림자조차 만날 수 없고 다만 펄펄 날리는 하나의 붉은 명정(銘旌)만 보일 뿐입니다. 이것을 참으실 수 있겠습니까. 이것을 참으실 수 있겠습니까.

선산의 옛 구역은 묘로 다 찼습니다. 지관을 거느리고 아버님의 묘 앞산의 모양을 보니 묘 터는 비록 좋지만 장례법에 맞지 않는다고 했습니다. 마지못해 앞산의 동쪽에 한 언덕을 가려서 임시로 편안히 모실 곳을 만들고 다시 그에게 물어보니 서쪽 언덕으로 옮기거나 혹은 다른 산에 옮기는 일을 올여름이나 가을을 넘기지 말라고 했습니다.

형님의 영혼이 이곳에서 편치 못하시다면 하루도 머물 수가 없고 혹 편안하시다면 아직 그대로 두어 유감이 없을 것입니다. 묘 터를 보는 술법은 예로부터 알기 어려운데, 형님께서 제 꿈에 나타나셔서 일러주시렵니까. 초상이 나서 장사 지내는데 모든 제물을 마음대로 옮길 수 없는 것은 살(殺)[89]이 끼었기 때문인데, 가난해서 뜻대로 할 수 없으니

---

89) 살(殺): 사람을 해치거나 물건을 깨뜨리는 모질고 독한 귀신의 기운.

이 또한 남은 한입니다.

또한 형님께서 다스리던 집을 판 자금도 태반은 써버렸고 아직 형수님의 살 곳조차 마련하지 못하여 형님의 혼백을 장차 둘째 조카가 사는 백곡의 집으로 옮기려고 하는데 이곳은 일찍이 형님께서 사셨던 곳이기도 합니다. 혼백은 그곳에 의지하시렵니까.

형님의 죽음에 제가 어찌 차마 붓을 잡아 글을 쓰겠습니까. 형님과 더불어 서로 이야기할 날이 언제 다시 오겠습니까. 글을 써서 이 슬픔을 펴지 않을 수 있겠습니까. 이에 황잡(荒雜)[90]함을 피하지 않고 정을 따랐으니 형님께서는 듣기를 마다하지 마시고 곧 저의 정성을 받아주십시오.

형님께서는 과연 돌아가셨습니까. 제가 형님의 죽음에 곡하는 것입니까. 울다 그치니 참으로 당황스러워 형님의 생사를 알지 못하겠습니다. 한강 물은 멀리 흐르고 봄 산은 막막한데 같은 이불을 덮고 함께 즐기던 일은 다시 어느 곳에서 하겠습니까. 한 잔의 술로 길게 통곡하니 천지와 같은 슬픔이 끝이 없습니다. 오호라! 슬픕니다! 상향.

13. 윤양직(尹養直)에게 제사하는 글

■ **기묘년**(1699)

그 옛날 종남산에 올라갔을 때 그대는 수형(受兄: 이름은 季受)을 따

---

90) **황잡**(荒雜): 거칠고 잡됨.

라 왔었는데 그대가 나이 열일곱 살 때였지. 얼굴은 이미 풍만하였고 운에 따라 서로 화답할 때 그대가 먼저 지었는데 훌륭하여 나는 그 자리에서 정으로 인연 맺기를 부탁했네.

그때부터 지금까지 10년인데 넉넉함이 높은 언덕처럼 글을 읽었으며 조잡함을 버리고 정밀함을 취하였네. 서로 마음을 비추는 한 구절 뜻을 밝힐 수가 있었네. 뜬세상에 화려하고 유익한 길을 누가 버리려고 하겠는가. 그대가 좋아하는 학문의 깊이에 관해 이야기를 할 수 있겠는가.

다만 서울에서 그대의 재주와 인격이 무리 속에서 뛰어났으며 논리와 언변과 종횡을 분별하는 사람이 그대와 같은 자가 없었네. 일찍이 글을 공부하여 지은 글로 유명해졌고 변려 짓기를 힘써서 날마다 상자에 가득하도록 짓고도 남은 힘이 넉넉했네. 또 여러 경전을 외우면서 손꼽아 과거 시험 날을 기다리며 밤낮으로 그치지 아니했네.

그때의 고통에 스스로 놀라니 사람들이 조심하라고 말했지만 그대는 오히려 듣지 않았네. 말하자면 그대는 마음이 굳어 반드시 원기를 보호하리라 여겼는데 뜻하지 않게 오늘날 영결하게 되니 평생 참아온 성품의 법규를 기억하나 정녕 어제의 일이 되어버렸네.

남긴 자취는 사라져 다시 볼 수 없고 머리를 돌려 바라보니 서로 손잡고 거닐던 옛 탑과 다리에는 푸르게 풀이 돋았으며 함께 뛰놀던 아름다운 곳(양직의 처가에 탑이 있는데 바람을 막아주었으며 집을 보기 좋게 감싸고 있었다)에서 누가 다시 술잔을 권하겠는가.

과거 보는 자리가 장차 열리고 여러 선비들이 두각을 다투는데 그대는 지금 어디 가서 홀로 아무것도 하지 못하는가. 인간 세상은 뜬 거품과 같고 만 가지 일은 구름처럼 가벼운데 귀히 여김을 달관하여 상(殤)과 팽(彭)[91]을 하나처럼 여기니 오히려 운택(雲澤: 愼子貞의 호)을 따라 푸른 하늘에서 한껏 노닐기를 바라네.

14. 맏형수에게 제사하는 글

해는 기묘년이요 오월 초하루는 기사일인데 단옷날 계유일 모(某)는 삼가 맑은 술과 때의 덕을 갖추어 형수님[92]이신 남양 홍씨 공인[93]의 영혼 앞에 곡하면서 바칩니다.

오호라! 하늘이 저희 집에 화를 내리시고 어찌 조금도 돌아보시지 않습니까. 제가 때 아닌 때 태어나 일찍이 혼자가 되어 자랐기에 더욱 슬픕니다. 저는 남은 괴로움을 어디에 부치겠습니까. 형제들이 저를 보살펴준 일로 노모를 위로하였습니다. 둘째 형수님과 셋째 형님[94]께서 이어 세상을 등지시니 한집안이 서로 남은 눈물을 거두지 못하고 슬퍼합니다.

형수님이시여! 또한 이렇게 영원히 가십니까. 쳐다보고 호소하고 내려다보고 부르며 곡한들, 그 끝을 헤아리기 어렵습니다. 오호라! 형수님께서 제 맏형님께 시집오신 지 25년이 지났습니다. 아녀자의 온화한 뜻은 비파를 연주하듯 화목하셨습니다. 전통 있는 가문에서 배우셨으므로 여러 누이와 화합해 시부모에게 순종하니 하나의 법도가 되었습니다.

---

91) **상(殤)과 팽(彭)**: 상은 19살 전에 죽고, 팽은 800살을 살았음.
92) **형수님**: 한주공의 맏형님 오(澳)의 초취 남양 홍씨(1659~1699). 영의정을 지낸 홍명하(洪命夏, 1608~1668)의 손녀이며 현령 원보(遠普)의 딸.
93) **공인(恭人)**: 조선 시대 때 정5품 및 종5품 문무관의 아내에게 주던 품계.
94) **셋째 형님**: 협(浹, 1664~1698). 자 숙화(叔和).

시어머님의 살림을 이어받아 집을 크게 일으키셨습니다. 집은 본래 청빈하고 방은 빈 병을 달아놓은 것과 같아 춘궁과 겨울 추위에 어른을 섬기고 아이를 기르기가 어려웠습니다. 이 때문에 어른을 모시고 아이들을 이끌고 가족이 낙산으로 돌아와 옛집을 수리하고 우리의 땅을 일궜습니다. 땅은 이미 자갈이 되었기에 해마다 가을걷이가 없었습니다.

부업으로 누에를 치면서 수고로움을 견디어 여러 번 어려움을 헤쳐 나갔습니다. 있고 없음을 말씀하시지 않고 부모님에게 음식을 봉양하며 제사 음식을 때에 맞도록 장만하는 데 조금도 소홀함이 없으셨습니다. 두터운 인정과 은혜가 신분 낮은 이와 어린아이의 마음을 돌렸고 마을 사람들이 어질다고 칭찬하였습니다.

오호라! 다만 저 풍토병이 우리의 복된 땅을 오염시켜 피했다가 다시 돌아오셔서 도리어 병에 걸리셨습니다. 병을 앓으신 지 비록 오래되었으나 신명의 도움으로 가볍게 그칠 때가 있으리라 여겼는데, 어찌 이런 지경에 이를 줄 뜻하였겠습니까. 인간 세상의 마흔 살에는 편히 즐겨도 부족하거늘 하물며 형수님의 반생은 어려움과 험함으로 가득하였습니다.

형님께서 처음으로 벼슬을 하셨으나 그 녹을 함께하지 못했습니다. 조카아이가 잘 자라는 복도 함께 누리지 못하셨습니다. 세 어린아이는 앞으로 누가 보살펴 기르겠습니까. 이런 생각에 한이 맺혀 조금도 풀리지 않습니다. 어린 저를 바라보시고는 더욱 깊이 아프고 쓰려하셨습니다. 다만 정과 사랑뿐 아니라 뼈와 살을 베는 것 같습니다.

아버님 사당에 봄가을로 지내는 제사는 누가 맡으며 어머님 공양은 지금 누가 하겠습니까. 전에 제례에 대한 글을 써서 드렸을 때 형수님께서는 제수를 바치는 일이 아름다우며 제 뜻이 가상하다고 낭랑한 목소리로 말씀하신 일을 아직도 기억하고 있습니다. 한강을 건너 빨리 온들 누가 다시 기쁘게 맞아주고, 저를 위해 밥을 짓고 국을 끓이겠습니까. 지금부터 중당(中堂)95)에 밥을 차려놓은들 무슨 마음으로 먹을 수 있겠습니까.

저는 세상의 시끄러운 일로 상이 나도 바로 가지 못하는데, 날은 이미 정해졌고 상여는 이미 만들어졌습니다. 해가 지나도 가서 뵙지 못하고 문득 영결이 되었습니다. 박한 제물이나 거친 글로 어찌 충정을 다하겠습니까. 영혼께서 만약 아신다면 저의 정성을 받아주십시오. 상향.

15. 죽은 딸에게 제사하는 글

해는 기묘년이요 오월[午月] 초하루 기사일인데 열하루 기묘일에 애비는 너의 어머니를 시켜 떡, 과일, 밥과 반찬을 마련하여 죽은 딸 강임(康任)의 영혼에 곡하면서 제사를 지낸다.

겨울에 네가 병에 걸렸을 때 증세가 그리 위독하지 않았고 나는 일이 있어 능히 너를 간호하지 못했다. 그럭저럭 날짜를 지내다가 처음으로 맥을 살펴보니 기운이 안으로 움츠러들고 얼굴이 너무 파리하고 검어 아마도 시질(時疾)96)에 걸렸는가 보다 생각했다. 놀라고 슬펐으나 네 건강한 기운을 믿었고 약을 먹지 않는 것을 나무라며 쓴 약을 권했더니 거듭 이불에 쏟아버렸구나.

네가 비록 완강히 거절했으나 억지로 땀을 내게 하려고 하였다. 얼마 뒤 병이 조금 나아 땀이 났으나 힘이 없고 정신이 흐릿하더니, 내 소원이

---

95) **중당**(中堂): 대청 위 남북의 중간.
96) **시질**(時疾): 시환(時患). 때에 따라 유행하는 상한병(傷寒病)이나 전염성 질환.

아픔으로 변했구나. 너는 이미 대답이 없으니 나는 함께 죽기를 원했다. 너 또한 허락하지 않았고 백 가지 약도 이미 소용이 없었다.

천 번을 불러도 일어나지 못하니 이것이 네 명이더냐. 내 죄이더냐. 아픔과 슬픔이 층층이 쌓여 봉우리를 이뤘구나. 너를 선산에 초장(草葬)[97]하니 혼과 뼈가 슬프도록 차구나. 계절이 다시 돌아왔으나 집이 본래 빈궁하여 살아서도 따뜻한 밥조차 먹이지 못했고, 내가 당파 싸움에 관계되어 형세가 급박하였다.

죽음 또한 시름과 번뇌이니 어떤 사람이 죽지 않겠느냐만 너의 죽음은 원통하구나. 산이 무너지고 바닷물이 마른다고 해도 허물과 한은 오히려 남을 것이다. 요사이 마을에 병이 돌기 시작하여 아직도 무덤을 쓰지 못했다.

아직도 너의 목소리를 듣는 것 같고 너의 얼굴을 보는 것 같다. 어버이를 사랑하는 정성과 일을 잘 푸는 지혜가 눈앞에 아른거려 슬픔을 자제하지 못하겠구나.

들어가서 너의 어미를 대하노라니 눈물로 서로를 대하고, 석(石)은 누이를 부르니 내 창자가 더욱 찢기는 듯하다. 죽을 바에는 왜 태어났느냐. 태어나서는 왜 일찍 죽느냐. 잘 쓴 글자와 아름다운 바느질을 네 상자에 넣었으나 내가 어찌 그것을 열어 무덤 앞에서 태울 수 있겠으며 절로 가련한 생각이 들지 않겠느냐.

네가 아끼던 옥해(玉蟹)[98]와 쌍가락지는 너의 관에 넣어두니 무덤이 네 마음에 들겠느냐. 음식이 비록 좋으나 어찌 네가 먹는지 알아차리며, 이불이 비록 화려하나 어찌 네가 즐기는지 알 수 있겠느냐. 정해진

97) **초장**(草葬): 시체를 짚으로 싸서 임시로 매장함.
98) **옥해**(玉蟹): 옥으로 만든 게 모양의 노리개.

산은 숲과 물이 맑고 성하여 봄꽃과 가을 열매와 푸른 물결과 밝은 달을 너 홀로 가지고 놀 것이다. 혼을 그곳에 영원히 의지하여라. 이곳은 네가 항상 지나던 곳인데 혼은 어찌 돌아오지 않느냐. 상향.

16. 운택(雲澤) 신자정(愼子貞)에게 제사하는 글

해는 경진년(1700)이요 구월 초하루는 경인일인데 보름날 갑진일에 운택 선생 신자정이 죽은 날이 두 번째로 돌아왔으나, 영궤가 금릉(金陵, 金川)에 있었다.

그 친구 한주 이 모는 궤연(几筵)이 걷힐 때가 되었으나 서울에 살며 먼 길을 달려가서 곡하지 못하여 슬픔을 머금고 글을 지어 과일과 술을 싸서 그 아우 경소(敬所)에게 주어 대상 전날 저녁에 드리게 하고 영궤 옆에서 다음과 같이 읽도록 하였다.

오호라! 자정이여! 나를 버리고 가서 돌아오지 않은 지 이미 3년이 지났구나. 옛날에 이별할 때는 하루가 삼추와 같더니, 오늘날 이렇게 만난 지 오래된 것을 어찌 감당할 수 있겠는가. 하얀 휘장이 한번 드리우면 참으로 영원히 가리고 마는 것을. 슬프고 괴로운 말을 짜 맞추는 부끄러움이 있네.

그대가 멀리 갔을 때 쓸데없는 말로 다만 생사에 관한 말 오십여 마디를 만들어 위로하기 위하여 보냈는데 혼이 고향으로 돌아오려면 길이 멀고 아득하네.

영령이 의지할 땅에서 3년이 되었지만 다시 한마디 말로도 슬픔을 펴지 못하였네. 멀리 가는 자는 나의 마지막 말을 듣고자 했으나 내가 이를 몰랐네. 그렇다면 저세상 가운데서도 반드시 내가 세상에서 분주히 돌아다니는 것을 보고 껄껄 웃을 것이네.

오호라! 그대가 죽은 것을 아는 사람 중에 누가 슬퍼하지 않으련만 그들의 슬픔은 내가 슬퍼하는 것만 못할 것이네. 영특한 재주를 펴지 못하고 청춘에 꺾이었으니, 사람이나 하늘의 억울함이 이미 극에 달했네.

안자(顔子)99)는 요수하고 도척(盜跖)100)은 장수한 것과 어진 이는 궁하고 어리석은 사람이 풍족하게 사는 이치를 예로부터 의심하는 바이지만 오히려 그대에게 이러한 일이 다시 있었음을 어찌 알 수 있었을까.

돌아보건대 나의 가슴속에 천고의 한이 쌓여 있음을 다만 영혼은 아는가 모르는가. 내 나이 열일곱, 열여덟에 처음 그대를 서당에서 만났는데 나이가 나보다 두 살 적었으나 얼굴은 밝고 맑았고 취향은 단아하고 깨끗하여 이미 같은 무리들을 멀리 뛰어넘었으니, 나는 그 화려함을 좋아하였으나 그 실상을 직접 맛볼 수 없었네.

기사년(1689) 정월 서당에 모여 『중용』을 토론하며 서로의 학문을 알았고 편지로 서로의 중심을 엿보게 되었으니 바른길에 의탁하여 사귐이 이때에 비롯되었네. 이후로는 한 탑에 앉아 이야기하다 보면 아침저녁 때를 잊었고 높은 문장으로 쓰인 편지의 왕래는 열흘과 초하루의 틈을 주지 않았네.

위로는 현인과 성인의 도로부터 옆으로는 신선과 부처의 술법에 이르도록 미미하고 깊은 뜻을 의논하며 밝히지 않은 바가 없었네. 서로 같고 다름을 참고하여 증거를 내세워 토론하였고 내가 의심이 있으면 반드시 그대에게 물었고 그대가 아는 바가 있으면 반드시 나에게 일러

---

99) **안자**(顔子): 공자의 수제자 안회(顔回)를 높여 이르는 말.
100) **도척**(盜跖): 중국 춘추시대의 큰 도적. 현인 유하혜(柳下惠)의 아우로 수천 명을 거느리고 천하를 횡행하였다고 함.

주어 기쁘게 서로 깨닫는 바가 있었고 마음을 거스르지 않았네.

대개 시문을 서로 더욱 권장하였네. 그리하게 된 까닭은 우리나라의 앞길이 적막하고 슬펐기 때문이었네. 신미년 구월에 내가 화악(華嶽)101)으로 놀러 갈 때 함께 가기로 약속을 했었는데 다른 이들의 가슴을 두드리는 아픔이 있어 그날 가지 못했네.

자네 홀로 초연히 나를 따라 백운대에 올랐는데 우리나라의 산천이 작음을 보았고, 서해의 바람과 물결을 바라보며 영웅호걸이 잦아듦을 탄식하여 의기가 점점 치솟았네.

향로봉(香爐峰)102)에 내려와 긴 편지지를 끊고 글을 지어 서울의 여러 사람을 책망하고 술을 가져다가 둘이 마주 앉아 흔쾌히 마시면서 고체시(古體詩)103)를 짓기도 했네. 흥이 다한 뒤 걸어 돌아와서 "문장은 작은 기술이다. 대장부가 되어서 어찌 이 세상에 한 가지 큰일을 알지 못하고 그치겠는가"라고 서로 말하였네.

서로 화양(華陽) 이씨의 서장(書庄)에 가서 글을 읽기로 약속하였으나 끝내 계획이 어그러져 함께 사서오경을 짊어지고 고령사(高嶺寺)104)로 들어가 방석을 깔고 한 등잔 아래서 삼여(三餘)에 강론하고 닦으며 그 뜻을 연구하였네. 성명의 근원을 끝까지 연구하여 세밀한 핵심을 풀이하고 사물의 이치로부터 차츰 닦았네.

그 뒤에 학문을 우선으로 하여 장차 실속 없이 겉만 화려한 지경에

---

101) **화악(華嶽)**: 북한산.
102) **향로봉(香爐峰)**: 북한산에 있는 봉우리 이름. 서울 종로구 구기동.
103) **고체시(古體詩)**: 고시(古詩). 평측(平仄)이나 자수에 제한이 없어 비교적 자유로운 형식의 한시. 근체시와 상대되며 사언, 오언, 칠언, 잡언 따위가 있음.
104) **고령사(高嶺寺)**: 경기도 파주시에 있는 절. 지금의 보광사.

떨어지는 일을 막았고 날마다 높고 밝은 데로 나갔으니 두 사람의 즐거움은 서로 이어져서 더욱 끝이 없었네.

그대는 식견의 투철함과 재주와 기예의 넉넉하고 민첩함을 본래 가지고 있었고 나는 없었네. 나는 그대를 본받았으나 그대가 어찌 나를 본받았겠는가. 서로의 학문을 닦는 데서나 모든 일을 조치하는 데 마음과 뜻이 꾀하지 않아도 서로 같았고 약속하지 않아도 서로 맞았네. 사람들은 가끔 우리를 보고 놀리고 웃기도 했지만, 우리는 서로 즐거워할 뿐 염두에 두지 않았네.

평현(平絃)[105]이 자기(子期)[106]를 만났던 것과 악비(堊鼻)가 풍근(風斤)[107]을 만난 것은 우연한 것이었을 뿐 계획된 만남은 아니었네. 다만 일찍이 과거 공부에서 벗어나 함께 가장 높은 곳에 들어가 그대의 고요함을 더하고 나의 부족함을 채워 말년의 공을 거두고자 백 년을 서로 기약했는데, 결국 하지 못하고 자취 없이 돌아가는가. 그대가 갑자

---

105) **평현(平絃)**: 장식이 없는 거문고.

106) **자기(子期)**: 종자기(鍾子期). 중국 춘추시대 초나라 사람. 당시 거문고의 명인이었던 백아(伯牙)의 친구로서, 백아의 거문고 소리를 잘 알아들었다고 함. 그가 죽자 백아는 자기의 음악을 이해해주는 이가 없음을 한탄하여 거문고 줄을 끊고 다시는 거문고를 타지 않았다고 함.

107) **악비(堊鼻)와 풍근(風斤)**: 악비란 코끝에 백토를 묻힌 것을 이르며, 풍근은 바람처럼 벤다는 뜻. 옛날 영 땅 사람이 코끝에 흰 흙을 발라 파리 날개처럼 보이도록 하여 장석(匠石)을 시켜 깎아내게 했는데, 장석의 손놀림이 바람처럼 빨랐음. 그가 칼을 멈추자 흙은 다 깎이었으나 코는 그대로 남아 있었으며 영 사람 역시 꼼짝 않고 가만히 있었음. 그런데 송(宋) 임금이 이 말을 듣고 장석을 불러 자신에게 시험 삼아 해보라고 했으나 장석은 예전에는 할 수 있었으나 질(質: 자기와 잘 통하는 상태, 지기)이 죽은 지 오래되어 할 수 없다고 한 데서 유래함.

기 나를 버리니 슬퍼서 아무 것도 할 수 없네.

오호라! 이것이 다른 사람의 슬픔보다 더 슬픈 까닭이 되고 그대가 황천에서 잠시도 있지 못할 이유가 아니겠는가. 그대는 매양 물과 돌이 좋은 곳에 높은 누각을 짓고 만 권의 책을 갖춘 뒤 날마다 맘이 맞는 사람과 더불어 그 가운데 앉아 옛날과 지금을 드러내어 논하기를 항상 바랐었네. 천지 사이에서 놀고 술을 마시며 때로는 시를 짓고 거문고를 타면서 스스로 즐거움에 만족하려 하지 않았는가.

지금은 성 남쪽 작은 집에 주춧돌만 세우고 초가지붕으로 엉성하게 만들어놓고 상과 궤 사이에 그림과 책은 모두 흩어지고 먼지가 가득한 채로 버려져 있네. 지난날에 즐거운 구경을 하던 기억이 희미할 뿐이고 부생의 뜻을 끝내 이루지 못했으니 인간 세상의 슬픔과 기쁨이 뒤바뀜이 바로 이와 같다는 말인가.

오호라! 지난날의 자취와 행동이 이미 이와 같이 사라져버렸다면 평생토록 썩지 않기를 바라던 높은 뜻은 장차 어찌하며 사그라져 버렸는가.

그대가 수십 년 동안 지은 저술은 상자를 채울 것인데 책상에 버려진 채 그대가 나이를 늘이는 데 게을러 세상에 머무름이 얼마 되지 않았네. 경소가 바야흐로 상자를 수습하여 남긴 글 두루마리와 여러 친구들이 소장한 글을 모았고, 나도 서로 알게 된 뒤 부친 글과 시문을 아우르니 수백 통이 되었네.

그것을 모아 경소에게 보내니 시 원고가 대략 만들어졌으므로 잘 베껴두었고 문고(文藁)[108]가 잘 정돈되어 다른 날 완성이 되면 경소가 간행하는 일을 맡아하기로 했네. 그러나 이것은 합포의 한 구슬[合浦之一珠][109]에

---

108) **문고**(文藁): 한 사람의 시문을 모아 엮은 원고.
109) **합포의 한 구슬**[合浦之一珠]: 잃어버린 물건이 다시 돌아옴을 뜻함.

도 부족하니 어찌 그대를 영원히 사라지지 않게 할 수 있겠는가.

슬프고 또 슬프구나! 산과 바다는 막막하고 유유한 세월은 흘러 두 번째 기일이 다가오니 어찌 해와 달에 기약이 있겠는가. 홀로 내가 슬퍼함은 다할 때가 없겠구나. 지난날에 마치지 못한 것을 지금 대략 보고 천백 분의 하나둘도 마치지 못하니 다만 영혼이여 알아주게나. 천리 먼 곳에서 술잔을 드리니 한 조각의 마음이 비출 뿐일세. 오호라! 슬프구나! 상향.

17. 당중형 평창공(平昌公)에게 제사하는 글

해는 임오년(1702)이요 동짓날 초하루는 무신일인데 이십삼일 경오일에 육촌 아우는 당중형 군수 부군의 영혼에 울면서 잔을 드립니다.

오호라! 나의 돌아가신 아버님을 생각하니 다만 한 분의 형님[110]이 계셨고 두 집이 합쳐 형제가 겨우 일곱 사람인데 재화와 재앙으로 크게 참혹하게 되어 그 일곱[111] 가운데 셋은 죽고 다만 형님 한 분과 우리 형제 세 사람이 남았습니다. 어찌하여 형님께서 세상을 버리십니까.

오호라! 제가 태어난 지 얼마 되지 않아 여러 형님들은 두 집안의 아버님께서 함께 사시며 넓은 자리에서 함께 즐기고 아버님의 곁을 오래 즐겁게 받들 수 있기를 바랐는데 이루지 못함을 항상 한탄하였

---

110) **한 분의 형님**: 귀천공.
111) **일곱 사람**: 귀천공의 아들인 자(滋, 1632~1689) 행(涬, 1647~1702) 항(沆, 1654~1740)과 한주공의 형님들인 오(澳, 1659~1720), 택(澤, 1661~1720), 협(浹, 1664~1698).

습니다. 또한 돌아가신 저의 아버님께서는 우리 형제가 아니었지만 형님을 자식처럼 기르셨고 아들이라 부르셨고 조카라고 부르지 않으셨으며, 항상 저에게 형님을 종형이라 여기지 말고 친형으로 섬기라고 하셨습니다.

제가 형님을 친애하면서 사모하고 우러르기는 다른 종형들과는 견주지 못했고, 형님이 저를 가르치시고 꾸짖으심이 친형님과 다름이 없으셨습니다. 지난 정사년(1677)에 불효자가 복이 없어 아버님을 갑자기 여의니 서로 의지하고 믿었습니다. 더욱 형님께서 슬픔이 지극하시다가 마음이 놀라고 화가 바야흐로 성하여 군수의 직을 버리고 호빈(湖濱)으로 물러나셨는데 자잘한 병치레로 서로 만나기 어려웠습니다. 남과 북에서 서로 바라보며 꿈과 생각에서나 다만 만날 뿐이었습니다.

갑술년(1694)에야 조정이 잠시 진정되어 형님께서 서울에서 벼슬하시는 5~6년 동안 따라 노는 즐거움을 얻었습니다. 저는 죄역(罪逆)이 더욱 깊어져 홀어머님[112]마저 세상을 떠나시고 슬프고 슬픈 세상에 누구를 믿고 살겠습니까. 다만 형님께서 때때로 돌봐주심에 힘입었고 점괴(苫塊)[113] 가운데 어루만져 주시니 조금은 이 외로운 가슴에 위로가 되었습니다. 서로 돕고 부지하면서 말년까지 가고자 했었는데, 오호라! 지금은 끝났습니다. 오호라! 지금은 끝났습니다.

형님의 풍채와 골격은 깨끗하고 맑으셨으며 재기(才氣)와 영기(英氣)가 호쾌하고 젊어서 부모님의 가르침을 따르고 익혀 그 규모를 믿음으로 실천하시었고 자라서는 어진 벗을 섬기시어 칭찬하는 명예가 날마다 들렸습니다.

---

112) **홀어머님**: 제주 양씨(1630~1700).

113) **점괴**(苫塊): 거적자리와 흙덩이 베개. 어버이 상중에 있는 사람이 앉는 자리.

같은 무리들이 모두 하풍(下風)114)에서 우러러보았고 장로들은 바야흐로 나라에 큰 도움이 되리라고 기약했었는데 불행하게도 중년에 들어 사문(師門)에 화를 보고 자취를 산속에 숨기셨으며, 슬픔을 겪고 병에 걸리시어 위독한 지경에 이르렀기 때문에 당세와는 뜻을 끊으셨습니다.

까마귀와 메추리는 날개를 퍼덕이면서 멀리 날아오르고 있는데 용은 자벌레처럼 움츠리고 펴지 못하니 오호라! 이것이 운명입니까. 시대 때문입니까.

늦게 천거에 응하여 급히 아래 고을로 내려가신 것은 가난 때문에 뜻이 상해서이지 어찌 공의 본뜻이겠습니까.

하물며 큰아버님의 크신 덕과 연륜과 지위에도 이미 펼 길이 막혀 후한 보답을 받으시려면 마땅히 때를 기다려야 했습니다. 그런데도 형님께서는 집안의 재주를 잇지 못하시고 죽음에 이르셨습니다. 이 또한 더욱 신명의 이치를 헤아릴 수 없는 것입니다.

오호라! 형님께서 병든 지 20년이 넘었으나 그 타고나신 성품이 풍족하시어 몸을 잘 돌보셨다면 긴 세월을 누리셨을 것입니다. 그런데 누가 육십이 되기 전에 갑자기 이와 같이 될 줄 알았겠습니까.

지난달 초하룻날 형님께서 저희 집에 오셨을 때 함께 즐겁게 아침을 드셨는데 닷새가 지나 형님의 병환이 갑자기 급해지셨다는 소식을 듣고 급히 거처로 달려갔으나, 이미 고복하신 뒤였습니다. 어찌 신선 되시는 일이 이와 같이 급하십니까. 오호라! 여름철부터 설사로 인해 건강이 시나브로 줄어서입니까. 또한 특별히 바람과 추위 때문에 이 지경이 되신 것입니까.

---

114) **하풍**(下風): 사람이나 사물의 질이 낮음.

형님에게 아들[115]이 하나 있는데 호장(湖庄)[116]으로 나갔다가 돌아와서 역책(易簀)[117]을 끝내 지키고 못하고 돌아오는 길에 듣고 오열하였습니다. 하물며 형님께서 평일에 사랑하시는 정으로 어찌 한을 머금고 돌아가시지 않으셨겠습니까.

곧 멀리 가실 날의 기약이 있어 누삽(蔞翣)[118]이 문 앞에 있고 저 삼신산(三山, 三神山)[119]으로 갈 붉은 깃발이 펄럭이고 있고 연진(延津)[120]에서 만날 약속이 있으니, 혼령도 또한 옛집에서 노닐고 있을 것입니다.

스스로 즐기시면서 집을 돌아볼 생각이 없으십니까. 이별하면 천고 뒤에 어느 때 다시 만나겠습니까. 길을 멀리 닦고 돌림병이 옮겨 다녔기에 무덤까지 가지 못하고 영원히 이승과 저승에 갈라지니 울면서 상여를 보내며 강물과 같은 눈물을 흘릴 뿐입니다. 상향.

18. 누님의 딸 구랑(具娘)에게 제사하는 글

해는 계미년(1703)이요 정월 초하루는 정미일인데 초여드레 갑인일

---

115) **아들**: 병철(秉哲, 1674~1711). 자 군보(君保). 익릉(翼陵) 참봉을 지냄.

116) **호장**(湖庄): 호서에 있는 집.

117) **역책**(易簀): 증자(曾子)가 죽을 때를 당항 삿자리를 바꾸었다는 옛일에 서, 학식(學識)과 덕망이 높은 사람의 죽음이나 임종(臨終)을 이르는 말.

118) **누삽**(蔞翣): 장사 때 무덤에 함께 묻는 운삽(雲翣).

119) **삼신산**(三神山): 전설에 나오는 봉래산, 방장산, 영주산을 통틀어 이르는 말. 이 이름을 본떠 우리나라 금강산을 봉래산, 지리산을 방장산, 한라산을 영주산이라 이름.

120) **연진**(延津): 인연(因緣).

에 외삼촌이 닭과 술의 제물로써 구랑의 영혼에 곡하면서 말한다. 오호라! 나의 누님이 일찍이 과부가 되시어 대를 이을 자식이 없었고 다만 세 딸을 기르셨는데 네가 둘째였다. 너는 용모가 뛰어나고 행동이 민첩하고 총명하여 실로 여사(女士)[121]라고 할 만하여 나는 누님께 네가 남자로 태어나지 못함을 한탄하지 않을 때가 없었다.

거듭 누님의 팔자가 궁하고 박함을 한탄하였다. 오호라! 네가 태어날 때부터 어려웠고, 어려서 아버지를 여의었다. 네가 시집가서 오래도록 잘 사는 것이 마땅하였으나 얼마 살지 못하고 갑자기 죽었으니 하늘을 허물해야 하느냐 신을 나무라야 하느냐.

오호라! 누님의 궁한 모양과 슬픔을 누가 위로하며 너의 딸이 강보에 있는데 병들고 잔약함을 누가 보호하며 어찌 붙들어줄 것이냐. 나의 누님은 너의 딸을 자신의 딸로 여기고 너의 딸은 나의 누님을 어머니라고 부르니 이것이 차마 볼 일이고 차마 들을 일이냐.

네가 시집가기 전에 우리 집에서 자랐는데 너의 모습과 성품이 나와 흡사하여 너에게 정과 사랑이 매우 돈독하였다. 그러나 나는 네가 죽었을 때 병으로 고통스러워하고 있었다. 정해진 삼년상에 구애될 바는 없지만 그때에 병이 중하여 시체도 거두지 못하고 다만 자리를 만들어서 곡을 하였다.

그러나 이미 상여가 나간 때라 한번 무덤에 찾아가 울고자 했으나 계획대로 될 일이겠느냐. 내가 지금 외직으로 떠나는 길에 비로소 궤연 곁에서 우니 하늘을 쳐다보고 땅을 쳐다보아도 살고 죽음에 관한 생각이 심장을 끊는구나. 혼령은 나의 뜻을 아느냐. 오호라! 상향.

---

121) **여사**(女士): 학덕이 높고 어진 여자.

권25

제문祭文

祭文

1. 임군주(任君胄)에게 제사하는 글

때는 임오년(1702) 삼월 보름에 정수자(靜修子) 임군주가 그 집에서 죽었는데 그 벗 한주 이 모는 상중이라 비록 이웃에 있었으나, 그때 가지 못했다. 이듬해 계미년 봄에 처음으로 곡을 했으나 제사를 지내지 않는 것과 같으니 이어 말한다.

지난 을축년(1685) 내가 반계에서 놀 때 친구들이 한둘이 아니었지만 다만 그대만이 깨끗하였네. 그대가 반양(盤陽)에 찾아와 눈(雪)을 읊던 저녁에 날 듯하던 글귀는 담을 넘어갔었네. 맑고 아름다운 금옥과 같은 소리는 내 마음의 세계를 상쾌하게 하였네. 영롱한 구슬이 다했다고 알려왔지만, 나아가서 절을 하지 못하였네. 뜰 하나가 막혀 드리운 장막이 있었네.

총명하고 뛰어난 사람의 자리가 비어 있으니 울분으로 바라보네. 생각이 바르고 맑았으며 모습은 오만(傲萬)하고 두드러지게 뛰어났네. 시로 사람을 구하였는데 시가 사람보다 나았으며 손잡고 한마디 말로 백년 친구가 되기로 약속하였네. 봄꽃 피는 곳과 가을 달 비추는 곳 어디든 같이 가지 않았던가.

그대가 아는 것과 채워진 바를 나는 남보다 깊이 알고 있었네. 총명함은 안에 쌓인 지식이요 글이 깨끗하고 뛰어나니 견줄 만한 사람이 드물었네. 다만 눈이 커서 속세를 흘겨보고 한 말 술을 마셨네. 아침과 저녁을 천년같이 여기니 하늘이 혹 투기하였는가. 오래도록 그 발을 묶어서 글 속에서 노닐게 했네.

벼슬길이 막혀 슬픔 속에 나이를 먹었네. 더구나 어찌 요수하였는가. 사람의 허물로 할 일 없는 이가 되었으니 나는 푸른 하늘을 향해 사람의 뜻에 어긋나게 했다고 원망했네. 눈에 띄는 것은 자식들인데 몸에 있는 복은 어찌 그리 인색했는가. 어찌 뒷일이 창대하지 않겠는가. 그대가 감을 슬퍼하네.

나는 상중이라서 영정 앞에 엎드려 있었고 병들어 형체를 옮길 수 없으니, 죽어서 서로 염조차 못했네. 한 해가 지나 궤연에 와서 곡하네. 그대는 귀신이 되고 나는 사람으로 만 가지 일에 두 줄기 눈물만 흐르네. 마땅히 할 말이 있어 그대의 영혼에 말하네. 구구한 근심 때문에 지금에야 비로소 정을 펴네.

높고 고요한 집에서 놀며 반드시 큰 소리로 웃겠지. 비록 웃기만 하고 어찌 내려와서 모습을 보이지 않는가. 묘의 풀이 두 해나 묵었고 동산의 꽃이 세 번이나 피어 옛집을 둘렀지만 누가 새 술을 권하겠는가.

옛날을 생각하는 이 자리에 글과 술이 해학으로 넘치네. 좋은 말하면서 호쾌하게 마시니 예닐곱 벗이 취한 뒤 눈물을 더하네. 능(能)이가 그대의 노래를 거문고로 타나 이 즐거움은 끝나고 말았네. 바로 이때 어찌해야 하는가. 머리를 노강(鷺江)으로 돌리니 봄물이 줄줄 흘러가네. 혼령이여! 돌아와서 다시 이 술을 마시겠는가. 아! 슬프구나! 상향['반(盤)'은 반송동(盤松洞)이요, '능(能)'은 홍사능(洪士能)을 말한다].

2. 이진휴(李眞休)[1]에게 제사하는 글

해는 정해년(1707)이요 칠월 초하루는 신해일인데 스무하룻날 신미일에 한산 이 모는 삼가 닭과 술로써 생원시에 장원하였던 죽은 벗 이씨 집안 열세 번째 아들의 영혼에 곡하면서 말하네.

오호라! 그대는 문장가로 충분히 빠른 길을 갈 수 있었지만 부지런하여 순서대로 가는 길을 택하였으니 스물아홉 살이 되어 생원과에 장원한 것은 이른 것이 아니었네. 또한 잠깐 머물다가 크게 드러내려고 했는데, 갑자기 요수를 당하니 어떤 이는 속에 가득 찬 글이 빌미가 되었을 것이라고 의심하네. 구구한 이런 논의는 나만 그렇게 생각하는 것이 아니네.

그대의 가법을 보니 충성과 믿음과 효도와 우애가 바로 경사가 되었네. 다섯 난초가 함께 자라나 흡족하고 화합하고 편안하고 즐거워하니 그 부모님이 기뻐했고 세 사람이 급제하고 생원 여덟 사람이 나왔으니 덕이 넉넉해 보였네. 다만 그대에게 인색하여 어찌 먼저 꺾이어 복을 완전히 누리지 못했는가. 어찌 하늘이 좋아하고 싫어함이 백성과 서로 다른 것인가.

처음 그대가 총각 때 풍부한 용모와 높은 도량이 있어 내가 친구가 되자고 하였는데, 반드시 공평하고 바른 도리에 도움이 될 것이라 여겼네. 근래에 병으로 기운이 줄어든 데다 돌림병까지 더하여 죽음에

---

1) **이진휴**(李眞休): 조선 문신 이대성(1651~1718)의 아들. 이진검의 동생.
   이대성: 본관 전주. 호 삼취헌(三翠軒). 판중추부사 정영(正英)의 아들. 삼사(三司)
   와 이조의 청요직(淸要職)을 두루 역임하고 관직이 강화 유수와 호조 참판에
   이름. 소론 쪽에 서서 노론의 남인에 대한 격렬한 배척을 비판함.

이르니 누가 그대를 그렇게 했는가.

헤아릴 수 없는 이치를 알 길이 없네. 하물며 두 아이가 자네를 앞서고 뒤서서 가니 이 또한 무슨 모양인가. 저 어린아이가 세상에 홀로 버려졌으니, 아침마다 누가 『사기(史記)』를 가르치고 감독할까. 그대가 만약 이런 일을 생각한다면 혼령마저도 슬퍼하겠지.

돌아보건대 나는 그대를 안 지 20여 년이 되었네. 정은 형제와 같고 밭에 두둑이 없는 것처럼 허물이 없었네. 정수 집에서의 밤과 무송헌(撫松軒)에서 탑을 쌓고 글을 배우는 데 몇 해를 보냈던가.

아침저녁으로 또한 얼마나 자주 만났던가. 다시 만나서 함께 공부하기를 약속하였지만 각각 병으로 마침내 한 달이나 지나갔네. 그대가 병들었을 때 가서 살피지 못했고, 그대가 대산(岱山)으로 놀러 갈 때는 조카의 장사에 갔었네. 돌아와서 처음 알았을 때는 이미 장사가 지난 뒤였네. 옛날 나의 서가에는 붉은 명정(銘旌)이 우뚝 서 있었네.

만사가 끝났구나. 다만 한 번 통곡할 뿐이네. 그대의 백씨와 중씨를 위로하고자 하나 말이 막히고 눈물이 솟아나네. 멀리 갈 기한 안에 상여가 길을 열어줄 것이네. 푸른 산 어느 곳에 이 옥나무를 묻을 것인가. 멀고 먼 이 이별은 돌아올 기약이 없네. 글이 어찌 슬픔을 다하겠는가. 애오라지 한 잔 술을 바치네. 오호라! 슬프다! 상향.

3. 조카 병겸(秉謙)[2]에게 제사하는 글

해는 정해년(1707)이요 오월 초하루는 임자일인데 십오일 병인일에

[2] **조카 병겸**(秉謙): 한주공의 둘째 형인 택(澤)의 첫째 아들(1685~1707).

작은아버지는 죽은 조카 병겸의 영혼에 울며 제사한다.

슬프다! 너의 일생이 어찌 그리 기구하여 여덟 살에 어머니를 잃었고, 형과 동생도 매우 드물구나. 스물셋이 되도록 반생은 상중(喪中)에 살았는데, 병든 지 세 해 만에 끝내 요절하고 말았구나. 멀고 먼 저승길이 진실로 오래도록 착오가 있어 너를 빼앗아간 일을 나는 더욱 의심하고 슬퍼한다.

너는 타고난 성품이 맑고 곧고 강하고 날카로웠고 어려서는 공부를 하지 않았으나 커서는 스스로 노력하고 닦았다. 과장에 한번 들어가면 반드시 합격하였고, 벼루를 임해 먹을 갈면 화살이 날아가듯 붓으로 글을 달렸다. 어찌 너 홀로 재주를 많이 타고났으며 또한 안으로 아름다움을 지녔느냐.

어버이를 받듦에 뜻을 어기지 않았고 계모3)를 두 번 섬겼으나 집안이 화목하였다. 재주나 행동이 복을 크게 받음이 마땅한데 갑자기 그치고 말았으니 하늘이 한 일이냐, 사람의 소행이냐. 너의 생은 이미 끝났구나.

둘째 형님께서는 어찌해야 하느냐. 세 번이나 부인을 잃으셨으니, 세상에 드문 일이다. 먼저 형수님께서 돌아가신 뒤부터 너를 사랑으로 키우기로 하여 밤낮없이 너의 성취를 기약하고 바랐었는데, 네가 자라나 장가를 들자 둘째 형님은 겨우 위로를 받으셨다. 출입하시고 앉고 누우심에 너를 의지하실 뿐이었다. 네가 이제 네 아버님을 버리고 어찌 홀로 편할 길이 있겠느냐.

다만 임을(壬乙)이가 남아 있어 형님의 슬픔을 막을 수 있었는데 임

---

3) **계모**: 장수 황씨(長水黃氏, 1674~1696)와 문화 류씨(文化柳氏, 1680~1696).

을이마저 빼앗아가니 신명의 이치가 너무 잘못되었구나. 사방(士方)이 가 병들었을 때 너는 곁에서 떠나지 않았고 네 처도 따라 서 있었으나, 아침저녁을 보전할 수 없었다.

지나며 보는 사람들이 모두 눈물을 흘리는데 하물며 형님의 마음이야 말할 수 있었겠느냐. 나는 슬퍼할 겨를이 없었으나 다만 형님의 슬픔이 하늘과 땅이 무너지는 것과 같고 해와 달이 사라진 것과 같았다.

천지 사이에 사람이 있어 작은 피 낱알과 같고 일어남과 사라짐과 오래 살고 일찍 죽는 것 모두 시대의 운명이나 운수에 따른 것인데, 구구한 한번의 죽음에 오히려 어찌 달이고 볶겠느냐. 살아서는 먼지 속에 곤궁하다가 죽어서 가는 길은 혼돈스러우니, 이와 같이 환경이 바뀐다면 죽은 자도 원치 않을 것이라는 옛날 말이 있다고 형님께서 말씀하셨다. 다만 내가 밝지 못하여 정을 잊을 수가 없구나.

먼저 형수님께서 돌아가시며 너를 나에게 부탁하셨는데 너 또한 나를 생각하여 따라 다니는 재미가 적지 않았다. 잘못이 있으면 바로잡아주고 일이 있으면 반드시 상의하여 술좌석에서도 때로 풍도(風度)와 기상을 드러내고 너의 글을 사랑하여 점점 향상됨을 보고 병정이 다음이라고 여기면서 자못 너의 어짊을 깨달았다.

아름다운 일을 일깨워주면 즉시 깨달았고 일의 경위를 물으면 곧 대답하곤 했다. 아름다운 싹을 틔우지 못하니 뜰의 향기를 맡기 어렵구나. 항렬의 순서를 생각해보니 눈물이 한없이 흐른다.

형수님 묘 곁에 너를 장사 지내니 혼이나 서로 의지하려무나. 망망한 이 이별에 어느 날 다시 돌아오겠느냐. 서궤(書几)는 의구하고 모두 창자를 끊는 듯하는구나. 이처럼 술과 제물을 펴놓으니 너는 와서 흠향하여라. 오호라! 슬프구나! 상향.

4. 이이보(李頤甫)에게 제사하는 글

해는 기축년(1709)이요 오월 초하루는 신미일인데 이십삼일 계사일에 한주 이 모는 삼가 면주(綿酒)⁴⁾와 전물(奠物)을 갖추어 고인이 된 친구 이이보(頤甫)⁵⁾의 영혼에 울면서 고하네.

오호라! 착한 이가 복을 받는 이치는 무너진 지 이미 오래되었네. 어찌 이제 와서 이보를 처음으로 통곡하고 애석해할 길이 있겠는가. 그러나 이보가 이 지경에 이른 것을 통곡하고 애석해하지 않고 어찌하겠는가.

오호라! 이보의 드러난 모습은 맑고 깨끗하며 티 없는 옥이나 눈과 같이 맑으며 글이 침착하여 뜨지 않고 근원이 있으며 이른 곳이 있으니 이러한 것을 오늘날을 위하여 사용한다면 무엇인들 하지 못하겠는가. 하물며 사랑스럽고 어질고 인자함을 하늘로부터 얻었고 시와 예와

---

4) **면주(綿酒)**: 백성들이 대중적으로 마시는 술. 막걸리.

5) **이보(頤甫)**: 조선 문신 이진양(李眞養, 1667~1709)의 자. 1701년(숙종 27) 숭릉(崇陵) 참봉에 임명되었으나 나가지 않았고, 1702년 금부도사(禁府都事)에 임명됨. 종부시(宗簿寺) 주부(主簿), 호조 좌랑, 강서현령(江西縣令) 등을 지냄. 영의정을 지낸 이경석(李景奭)의 증손. 이경석은 이진휴의 증조부인 이경직(李景稷)의 동생. 이이보의 비문은 동생 이진망(李眞望)이 지었고, 이진검의 아들 이광사(李匡師)가 씀.

이광사(李匡師): 조선 후기 서예가 양명학자(1705~1777). 자 도보(道甫). 호 원교(圓嶠) 수북(壽北). 1755년(영조 31) 나주벽서사건(羅州壁書事件)으로 큰아버지 진유(眞儒)가 처벌될 때 이에 연좌되어 회령(會寧)에 유배되었으나, 학문으로써 많은 문인들이 모여들자 다시 진도(珍島)로 옮겨져 그곳에서 일생을 마침. 정제두(鄭齊斗)에게서 양명학을 배워 아들 영익(令翊)에게 전수하였으며, 윤순(尹淳)에게서 글씨를 배워 원교체(圓嶠體)라는 특유한 필체를 이룩함. 조선의 서예 중흥에 크게 공헌함.

교훈의 글을 이름난 할아버님에게서 이어받았네.

어버이를 섬김에 화순하고 고운 용모로 일을 가리지 않고 잘 섬기었고 말과 행동이 잠시라도 아우에게 우애함을 잊은 적이 없었네. 그리하여 훈지가 서로 조화하듯 뜻이 막힘이 없었고 살아도 방을 달리하지 않았으며 그릇을 달리 쓰지 않았으니 이러한 일은 옛날의 군자에게도 어려운 일이었네. 나의 벗 이보가 지닌 깊은 뜻은 또한 이런 행동에 있었네.

오호라! 세상에 공경 벼슬을 하는 늙은이들도 어찌 다 이보보다 나을까. 그러나 혼자인 이보는 겨우 사십을 넘겼을 뿐이네. 직책은 겨우 백 리를 맡아 다스렸을 뿐이었는데 갑자기 사라졌네. 겨우 서쪽 고을을 다스릴 때 한숨이 즐거움으로 바뀌게 하였으니, 이것이 이보가 세상을 살아가는 한 가지 방법이었네. 또한 그 밖에 무엇을 가지고 이보를 논하겠는가.

내가 이보를 안 것은 어린 나이로 대략 이갈이를 할 때부터이니 처음에는 글을 가지고 시작하여 스스로 청운의 꿈을 이루자는 약속을 했고, 중간에는 세상의 변고로 인하여 놀라서 조금 멀어진 듯 보였으나 실상은 가까웠네. 다만 이런 일로 본래의 뜻을 쉽게 잃어버리고 문장을 이루기 어려웠네. 몇 년 전부터 이미 빈발(鬢髮)이 창창(蒼蒼)하니 서로 보기가 망연하여 몇 번이나 삼수(三秀)6)가 황황(煌煌)7)함을 탄식하였는가.

오호라! 이보는 이제 끝이로구나. 슬프다! 내가 어리석고 누추한데 더욱 무엇을 가지고 일어날 수 있겠는가. 놀던 자취를 돌이켜 생각해

---

6) **삼수**(三秀): 지초(芝草). 한 해에 꽃이 세 번 피는 데서 전함.
7) **황황**(煌煌): 번쩍번쩍 빛나서 밝음.

보니 지금까지 스무대여섯 해나 되었구나. 산사(山寺)와 눈[雪]과 달과 도시와 시골에서 술잔을 들고 글을 읽고 시를 읊으며 몇 번이나 소매를 이었던가. 이것이 참으로 덧없는 세상에 좋은 일이었는데 다른 사람이 혹 능한 이가 있다면 또한 함께 불러 무리가 되어 떼를 지어서 몰려다녔네.

형세가 이로우면 진실로 모두 그렇듯이 뇌동(雷同)하여 의기로 친구 되기를 허락하였네. 이는 속인들이 벗을 사귀는 길이므로 우리들은 싫어했네. 내가 이보와 더불어 즐길 수 있었음은 그에게 좋은 일이 있으면 나는 나의 좋은 일처럼 생각했고, 내게 허물이 있으면 이보가 자기 병처럼 여겼기 때문이네.

갈고 닦는 말이 중복되어도 싫어하지 않았고 힘쓰고 노력하는 길을 서로 항상 끌어줘서 평정하게 하였으니, 나는 너그러움으로 그대의 지나친 강함을 고쳤고 그대는 강함으로 내 너그러움의 흐름을 꾸짖었네. 비록 그것이 변한 것은 뿌리가 되어 쉽게 바뀔 수는 없었지만 취미로 하는 일은 서로 반대됨이 드물었네. 이러한 구구함을 다른 사람들이 엿볼 수 있었겠는가.

자네가 지난해 소를 올릴 때 나는 끝내 그대의 뜻과 어긋남을 보았으나, 자네는 바야흐로 가슴에 맺힌 한을 풀기가 급하여 남을 따를 여유가 없었네.

나 또한 깊이 관여하여 다투고 싶지 않았으므로 서교(西郊)에서 반구(返柩)⁸⁾하는 저녁에 계씨인 구숙(久叔)⁹⁾에게서 대략 그 사유를 들었네.

---

8) **반구**(返柩): 객지에서 죽은 사람의 시체를 고향이나 제집으로 보냄.
9) **구숙**(久叔): 조선 문신 이진망(李眞望, 1672~1737)의 자. 본관 전주. 호 도운(陶雲), 퇴운(退雲). 1725년(영조 1) 대사성으로 소론 이광좌(李光佐)의 신원(伸冤)을

소중히 여기는 벗이 허락하지 않음을 그대는 어찌하여 얼굴빛을 변해가면서 쉽게 처리했는가. 사람들이 하는 말이 자기에게는 족히 부끄러움이 되나, 사사로운 마음으로 굳게 맺힌 것을 어찌 능히 풀 수 있겠는가. 어두운 밤길을 가는데 잡고 이야기할 수 없으니, 슬픔에 가슴이 더욱 찢어질 듯하네.

당중(堂中)에는 홀로 구숙이 있는데 그대는 어디로 갔는가. 나 또한 지난해에 그대와 더불어 이 방에서 잤는데 쑥과 개울은 옛날과 같으나 뉘와 더불어 재미있게 놀까. 한 자 되는 종이가 비록 짧으나 글자마다 정성이 담겨 있네. 영혼이여! 어둡지 않거든 어찌 밝게 임하지 않는가.

한 잔 술로 영결을 고하니 다만 눈물이 흘러 두 손바닥에 찰 뿐이네. 오호라! 상향.

5. 이진원(李眞源) 자심(子深)에게 제사하는 글

해는 기축년(1709)이요 시월 초하루는 무술일인데 초여드레인 을사일에 한주 이 모는 술을 갖추어 죽은 벗 시직(侍直)[10] 이자심의 영혼에 고별하네.

옛날에 그대를 처음 송옹(松翁)의 자리에서 보았을 때 잘 다듬은 두 귀밑머리와 밝고 밝은 두 눈에 손에는 『시경(詩經)』을 들고 낭연(琅然)한 소리로 읽었네. 깊은 뜻과 작은 뜻마저 털끝만 하게 세밀히 분석하

상소함. 예조 판서, 대제학, 좌참찬(左參贊), 중추부 지사(知事)를 지냄.
10) **시직**(侍直): 세자 시위(侍衛) 임무를 전담하기 위해 설치한 익위사와 함께 두었던 관직.

여 의심이 나면 남에게 물으니 대답하는 자가 문득 말이 막히기도 했네. 이미 자라서 약관이 되자 더욱 글을 펴 힘써 글 짓는 일이 빛이 났는데, 무리들에서 대적할 이가 드물었네.

과거 공부를 하였으니 스스로 때에 맞춰 생원시에 합격하여 높은 이름과 명성이 사방으로 퍼졌네. 성균시(成均試)11)에 장원했으나 문과 급제는 하지 못하여 말직으로 임명됨을 누가 슬퍼하고 아까워하지 아니했겠는가. 하물며 그대는 타고난 기품이 옥과 같이 따뜻하여 효도하고 우애하며 단정하고 공손하여 본래부터 법칙이 있었네.

몸이 겨우 옷을 이길 만해지자 헤아림이 넓고 큼을 기뻐했고 일을 처리하고 사물을 접할 때는 조용하여 서둘지 않았네. 서루에서 불이 났을 때는 조용히 종을 부르니 사람들은 혹 늦었다고 말했으나, 나는 마음으로부터 복종하였네. 몸가짐이 이와 같으니 마땅히 큰 복을 받으리라 여겼거늘 어찌하여 한 번 자리에 눕자 꽃다운 나이를 빨리 재촉하였나.

혹 병의 뿌리가 빌미가 되어 가시나무처럼 파리했는가. 강보에 한 명의 딸과 전해내려 오는 푸른 방석을 부칠 곳이 없네. 신이여! 어찌하여 차마 이런 지경에 이르게 하였습니까. 생각해보니 나의 소활(疎闊)12)함을 보고도 특별하고 돈독하다 하여 좋아했으며, 서로 좇으며 논 지 20년이 지났으나 마음의 기약을 어긴 적이 없었네.

시의 길을 좋아하는 취향이 서로 같아서 한나라와 위나라의 체와 개

---

11) **성균시(成均試)**: 관시(館試). 조선 시대에 성균관 유생만이 볼 수 있는 문과의 초시. 대과의 초시는 대개 한성부와 팔도에서 보았으나 특별한 경우 성균관의 생원, 진사에게 기회를 주기 위한 것이었음.
12) **소활(疎闊)**: 꼼꼼하지 못하고 어설픔.

보(開寶)13) 연간의 품격으로 되풀이하면서 서로 노력하여 높은 벼슬길에 이르기를 기약했는데 이제 모든 것이 끝났네. 누구와 더불어 확실히 논하겠는가. 반계의 옛 친구들은 해마다 쓰러져 가는데 군주와 진휴와 이보가 차례로 무덤으로 들어갔으니 술과 글로 놀자고 부르면 언제인들 슬프지 않겠는가.

그대는 가장 젊어서 긴 밤을 지새우기도 했으며 때로 진(珍)과 약(約)을 대하여 눈물을 흘리며 가슴속으로 생각을 했네. 명정과 운삽(雲翣)이 길에 있으니 멀리 가라고 고하네. 늙으신 부모님께서 문(門)과 거리에서 아침저녁으로 혹 돌아올까 바라보고 있으니 밤에 저승의 책상 위의 바람이 소나무와 대나무에 부네. 저 호수 밖을 바라보나 그대가 보이지 않네. 그대는 이곳을 버리고 어디로 갔는가. 비록 조금 늦었으나 내가 올리는 이 잔을 들어주게. 상향.

6. 유극천(俞極天) 준기(峻基)에게 제사하는 글

기계 유씨 극천이 경인년(1710) 오월 기사일에 병으로 죽었는데 얼마 뒤 구월 임자일에 상여로 양산(楊山)으로 가서 선영 아래 장사 지내니 한주 이계통(李季通)은 이틀 앞서 떡과 술을 갖추고 울면서 글로 제사하네.

오호라! 슬프구나! 그대가 이갈이를 할 때 소처럼 먹고자 하는 기운이 있어 여러 아이가 더불어 힘을 겨루어보았지만 모두 그 힘에 양보

---

13) **개보(開寶)**: 송나라 태조 때 8년(968~975)간 쓰던 연호.

했네. 내가 일찍이 책을 읽으라고 주니 이에 머리를 끄덕였네. 하물며 그대는 엄한 가정에서 교훈을 받아 쉬지 않고 경전과 사기를 읽고 외우기를 자못 여러 번 하였네.

질문하고 배워서 앞길을 닦음이 마땅했는데 불행하게도 어린 나이에 아버지를 여의고 근심을 머금더니 이때부터 정신이 산만하여 부지런히 닦음에 결점이 있었네. 지방시(地方試)에 한 번 합격하여 갚음에 빌미가 있다고 생각했는데, 슬프구나! 안자 같은 어진 모습으로 갑자기 나이가 꺾이었구나. 어떤 사람이 슬퍼하지 않겠느냐만 나처럼 오래가지는 않을 것이네.

나의 장인14)을 생각해보니 어진 마음이 깊고 덕행이 넉넉했는데 하늘이 자식을 빼앗아갔고 또한 그대도 머물지 못했네. 상자 속에 남긴 글은 장차 누가 거둘까. 때때로 장인을 생각할 때마다 눈물이 냇물처럼 흐르네. 그대의 미우(眉宇)를 대하면 장인이 남긴 여운을 볼 수 있었네.

고갯길을 걸어 넘어 몇 번이나 나에게 놀러 오곤 했던가. 지난봄 꽃을 보며 북록(北麓)의 그윽함을 느꼈고 손님과 바둑을 둘 때 술을 가지고 와서 수작을 했네. 즐거운 모임을 이제는 다시 할 수 없네. 옛집 꽃피는 언덕은 완연하나 집을 누가 지킬 것이며 일찍 남편을 여읜 어머님께서는 그대가 돌아오기를 기다리니 작은 풀도 가을을 슬퍼하네.

---

14) **장인**: 조선 문신 유헌(兪櫶, 1617~1692). 본관은 기계(杞溪), 자는 회백(晦伯), 호는 송정(松汀). 1651년(효종 2)에 생원시에 합격하였으며, 호조 좌랑이 됨. 1665년(현종 6)에 문과에 급제하여 사간원, 사헌부, 홍문관 등의 관직을 지냈으며, 예조 참판에 오름. 1689년(숙종 15) 기사환국이 일어나 숙종이 인현왕후를 폐출하자 이에 반대하는 서인 관료들의 단체 상소에 참여하였고, 이로 인해 파직됨.

슬프다! 외로운 과부여! 그 누구를 의지하고 믿을까. 흰 운삽이 길을 열고 조상의 언덕으로 가네. 서리와 이슬이 슬프고 차갑고 영혼도 소슬하게 바람에 날리네. 혼이여! 조금 멈출 수 있다면 나의 술과 안주를 받아주게. 상향.

7. 이진위(李眞偉)에게 제사하는 글

이사진(李士珍)의 아우 관부(寬夫)가 경인년(1710) 동짓달 초아흐렛날 병으로 죽자 섣달 스무엿새에 장례를 치르는데 그 벗 한산 이계통은 때마침 흡주의 현령으로 있었으므로 직책에 얽매어 상여를 잡고 따라가지 못하고, 이듬해 정월 스무날 글을 지어 사진을 통해 그 영전에 이르게 하였다.

오호라! 내가 처음으로 그대의 백씨와 중씨와 놀 때 그대는 곁에 있었는데 지방의 이름을 배우고 있었네. 맑음과 통함과 빼어남이 형과 흡사했으며 커갈수록 형을 반으로 갈라놓은 것 같았네. 사람들이 자기의 얼굴을 추하게 생각하게 했고 임리한 술자리에서는 항상 풍채를 자랑했네.

나이 스물이 되기 전에 이름이 진사에 올랐고 사람들은 푸른 하늘을 곧 따라가 잡을 수 있다고 말하였네. 어찌하여 한 번 든 병이 해가 지나도록 질질 끌더니 일어날 듯하다가 일어나지 못하고 그 명을 마쳤구나.

오호라! 사람에게 완전하기 어려운 것은 복이요 믿기 어려운 것은 생명이라. 그대의 집 다섯 마리의 봉15)이 털과 깃을 산뜻하게 정돈하여 아버님과 어머님을 모시고 가지런히 날았으며 과거마다 계속 장원급제를 하였으니 세상 사람들 중 누가 경사라고 이르지 않았을까. 불행하게도 세 형제가 먼저 가고 그대의 나이 또한 끝났으니 복과 생명이란 하늘에 있고 사람의 힘으로 어쩔 수 없음을 알겠네.

오호라! 어느 때에 선명하게 보배 수레를 타고 돌아오는 벗을 맞을 수 있을 것이며 어느 날 긴 피리를 불며 큰 베개에 이어 잠잘 수 있겠는가. 하늘과 땅이 무너질 때가 있고 내와 산은 바뀔 때가 있으니 사람이 그 사이에서 어찌 홀로 끝이 없겠는가.

한 번은 모두 멸하여 고요함으로 돌아간다는 것이 중요하네. 궁함과 통함과 수명의 장단이 어찌 정해졌다고 말하겠느냐만 또한 벗어날 수 없음을 알겠네. 먼지와 때 속에서 벗어나 구름과 노을 밖에서 놀다가 스스로 마음이 즐거워서 도리어 이 세상의 구구한 슬픔에 대해 웃는 것일까. 무엇으로 산 사람을 위로할까. 억지로 이런 말을 하게 되네.

영 밖의 관직에 얽매어 상여에도 영결을 알리지 못했고 바다의 전복을 구해달라는 부탁을 들어주지 못하다가 지금 봉해 부치니 술잔과 함께 받게나. 정을 어찌 감당하며 눈물을 어찌 쏟겠는가. 오호라! 상향.

8. 군보(君保)[16]에게 제사하는 글

임진년(1712) 칠월 스무나흗날은 다섯째 조카 군보가 죽은 날이다.

---

15) **다섯 마리의 봉**: 이진위(李眞偉)의 증조부 이경직(李景稷)은 아들 셋을 두었는데, 셋째 아들 정영(正英)이 다섯 명의 손자를 두었음. 즉 맏아들 만성(晚成)이 외아들 진유(眞儒), 사진(士軫)를 두었고, 둘째 아들 대성(大成)이 진검(眞儉), 진휴(眞休), 진급(眞伋), 진위(眞偉) 등 네 아들을 두어 다섯 마리 봉이라 표현함.
16) **군보**: 귀천공의 둘째 아들인 행(泞)의 아들 병철(秉哲, 1674~1711).

당숙인 계통은 동쪽 바닷가의 작은 관직에 얽매여 능히 쫓아가 울지 못하고, 남은 슬픔을 봉하고 꿰매어 한 잔의 술로 멀리 보내어 영혼에게 말한다.

슬프다! 군보야! 네가 참으로 죽었느냐. 해가 이미 바뀌었으나 소식과 글이 끊어졌으니 무엇으로 즐기며 가기는 했으나 돌아오지 못하니 올려다보고 내려다보아도 예나 지금이나 오래도록 슬픔이 남을 뿐이다.

처음 네가 태어났을 때 무리 가운데 뛰어나게 마음과 담력이 넓고 컸으며 기골이 높게 드러나 가을 숲에 성난 매가 구름을 가르며 아래로 느릅나무 숲을 내려다보는 듯해, 할미새와 메추리의 무리가 꼼짝하지 못하고 기가 죽은 듯하였다. 늦게 말직을 얻었으나 너는 가난과 고집스러움이 병이 되어서 준마에 소금을 싣고 얽어맨 것과 같이 눈썹을 낮추고 말직에 오르고는 곤해도 꺼리지 않았다.

나이가 많지 아니하여 불혹이 채 되지 않았어도 하늘같이 높고 땅처럼 크니 누가 틈을 엿볼 수 있었겠느냐. 어지신 나의 형님은 병으로 일생을 마치셨고 자식은 오직 너뿐이었다. 큰 생애가 잠시 끝나니 이는 참으로 어떤 이치인가. 억지로 세상 운수에 맡겨 형형한 구슬 다섯 개가 뒷날 융성하기를 바랐다. 생각해보니 나의 당내(堂內)에서 남은 사람이 몇이더냐. 오직 너와 여오(汝五)[17]뿐이니 서로 의지하면서 살아왔다.

어찌 귀한 보배 다섯만을 사랑하겠느냐. 참으로 문중이 발전할 징조를 보이며 네가 이어 태어나니 너의 빛이 문호를 드러낼 것 같았다.

네가 어찌 돌아보지 않고 여오를 더욱 외롭게 하느냐. 이로부터 넓은 자리가 한결같이 쓸쓸하고 고요하구나. 누구와 일을 상의하며 모이

---

17) **여오**(汝五): 귀천공의 셋째 아들 항(沆)의 아들 병상(秉常, 1676~1748).

는 사람들을 누가 맞이하겠는가. 천 리 밖에서 흉한 소식을 들으니 간과 폐가 모두 타버리는구나.

지난가을 서쪽으로 갔으나 이미 장사 지내고 돌아간 때였다. 동교(東僑)의 하얀 장막에 있는 술잔마저 차갑구나. 가슴을 치며 슬피 우나 무엇을 보고 듣겠는가. 관청의 일에 쫓기다 보니 글마저 줄 여가가 없었구나. 눈물을 닦고 동쪽으로 돌아오니 아직 때때로 이가 부딪치는구나. 소상(小祥)이 되어 글로 슬픔을 보낸다. 나의 글과 술을 혼은 알아보겠느냐. 오호라! 상향.

9. 둘째 형수님이신 김씨 면례(緬禮)[18] 때 제사하는 글

영구(靈柩)[19]를 묻은 지 24년 만에 다시 인간으로 나왔지만 어찌 들을 수 있겠습니까. 아이와 그 며느리의 무덤도 이 언덕에서 제사를 받는 열에 있다고 들었습니다. 그러나 다만 손자 하나가 있습니다.

우리 집에 재앙이 이어지다가 요사이 와서 조금은 그쳤습니다. 형님께서는 조정에 나가시어 당상관의 자리에 계십니다. 왕명으로 형수님께서 증직을 받아 황천길에서도 빛이 났으나, 어찌 살아서 함께 영화와 즐거움을 누리신 것과 같겠습니까. 저 백곡(白谷)의 집은 완전히 다른 사람의 집이 되었습니다.

큰 집 큰 가마솥은 누구를 위해 갖추었습니까. 이 세상을 생각해보니 사랑이 맺어지지 못했습니다. 새로 무덤을 소운산(巢雲山) 기슭 좋

---

18) **면례(緬禮)**: 무덤을 옮겨서 다시 장사 지냄.
19) **영구(靈柩)**: 시체를 담은 관.

은 땅에 썼습니다. 아들과 무덤을 가까이 쓰니 천년을 의탁하실 수 있을 것입니다. 한 잔 술로 영결을 아뢰니 영혼께서는 받아주시기를 바랍니다.

10. 송여규(宋汝奎) 징오(徵五)에게 제사하는 글

해는 을미년(1715)이요 삼월 초하루는 정유일인데 초나흘 경자일에 죽은 벗 송여규가 행주(杏洲)에 있던 빈소로부터 상여에 실려 임단(臨湍)으로 가니 한주 이 모는 삼가 술과 떡을 가져와 널 앞에 영결을 알리며 슬피 우네.

슬프고 또 슬프구나! 여규여! 좁고 더러운 이 세상에 누구와 뜻이 맞겠느냐. 천년 만에 그대를 만나 소리와 기운을 서로 느끼니 그대는 내 시를 좋아해서 거의 함께 읊조렸네. 영 밖에 있을 때 긴 편지를 받았는데 속마음을 터놓은 것이었고 반소(盤沼)에서 놀 때와 북한산을 유람할 때는 글과 술이 넉넉하여 연기와 구름이 높이 흔들어주었네.

그대가 병들어 누운 뒤부터 거문고 갑에 먼지가 가득 앉았네. 살아서 지척에 떨어져 있었으나 뜻은 늘 슬펐네. 지금 형체와 그림자가 어두운 굴로 돌아가니 저 하늘을 우러러 바라보나 내 감정을 어찌할 수 없네.

슬프다! 그대의 품부(稟賦)[20]는 꽃봉오리처럼 아름다웠고 마음은 얼음과 옥과 같아 티끌 하나도 끼어 있지 않았네. 아름다운 글은 구절마

---

20) 품부(稟賦): 선천적으로 타고남.

다 한가롭고 맑았으며 이론이 뛰어나고 바르니 그윽한 어둠을 깼네.

구구하고 속된 아이들은 한 줌에도 차지 않았고 맑고 깨끗함이 지나쳐 귀신마저 틈을 엿보았으니, 이상하고 괴이한 병에 꽃다움을 빼앗겼네.

조화옹의 뜻은 그대의 담박함을 돌보았네. 그대를 끌고 선계로 돌아가니 속된 먼지에서 벗어났구나. 진실로 이와 같은 말은 오랜 벗 사이에서 어찌 칭찬하는 말이 될까. 그대의 자식이 지금 옛 가업을 짊어지고 가니 이것이 그대에게 위로가 되겠지. 강주(江州)에 길게 뻗쳐 있는 봄풀은 무명처럼 늘어져 있네. 이 글을 한번 읽고 나면 영원토록 막힐 것을. 붉은 충정이 글자마다 스며 있는데 영혼은 어찌 보지 못하는가. 상향.

11. 윤종주(尹宗柱) 여중(汝重)에게 제사하는 글

해는 갑오년(1714)이요 이월 초하루는 계유일인데 십일일 계미일에 벗 이 모는 삼가 술과 떡을 갖추어 윤여중의 영혼에 영결을 곡하네.

슬프고 슬프구나! 여중이여! 문장이 넉넉하여 과거에 합격할 만했는데 밝히지 못하였고, 재주의 갖춤이 넉넉하여 사무를 감당할 만했는데 시험하지 못하였네. 젖먹이 때 어머님을 잃는 아픔을 겪었고 집에 들어가서는 문에서 기다리는 자식이 없어 저 좁은 서산에 부부가 작은 집을 지어놓고 금슬을 울리면서 함께 즐겼고, 아버님과 어머님의 뜻에 순종하였네.

이것조차 보전하지 못하고 바쁘게 어디를 갔는가. 슬프고 슬프구나! 여중이여! 운명이 어찌 이리도 기박한가. 운명이란 과연 하늘이 먼저 정하여서 인력으로 어쩔 수 없는가.

전국시대 때 조나라 평원군(平原君)21)과 제나라의 맹상군(孟嘗君)22)은 일찍이 춘릉(春陵)에 있을 때 흰 벽에 황금 칠을 했고 공자의 제자 안회와 원헌(原憲)23)은 발길을 이어 함께 시골로 들어가 베옷과 갈옷을 입고 형초(荊草)24)와 덩굴 풀을 키웠는데 서늘한 바람과 찬 이슬에 도깨비가 날고 반딧불이 뒤집혔네. 땔나무하는 아이와 목동 들이 위아래서 노래하며 원숭이와 새가 슬프게 앞뒤에서 울부짖었네.

이때를 당해 부귀와 궁달(窮達)25)을 어찌 족히 논할 것이며 혹 지난날에 부하고 귀한 사람이 좋은 집을 생각하여 슬픔과 한을 가질 수 있는가. 그러나 가난하고 천한 사람이 궁한 길을 기뻐하고 빈집을 좋아할까. 산 사람이 보면 참으로 저 사람은 넉넉하고 이 사람은 졸렬하다고 안할 수 없지만 죽은 사람에게 말한다면 누가 슬프고 누가 즐겁다는 것을 어찌 알겠는가.

슬프고 슬프구나! 여중이여! 오래 살고 일찍 죽으며 궁하고 달하는 이치를 사람마다 두루 알지 못하나 이러할 때에 옛정을 생각하고 느끼고 오열하며 눈물을 흘리지 않을 수 있겠는가. 글로 어찌 가슴속의 말을 다하겠는가. 이 한 잔의 술을 드리니 영혼이 밝다면 살펴서 알아주게. 상향.

---

21) **평원군**(平原君): 중국 전국시대 조나라의 공자(?~B.C.251). 본명은 조승(趙勝). 무령왕의 아들로 3000명의 식객을 부양했음. 맹상군, 초나라의 춘신군(春申君), 위나라의 신릉군(信陵君)과 함께 전국사군(戰國四君)으로 일컬어졌음.

22) **맹상군**(孟嘗君): 전국시대 제(齊)나라의 경대부. 현사(賢士)를 초빙하여 식객 3000여 명을 거느렸음.

23) **원헌**(原憲): 전국시대 노나라의 학자. 공자의 제자로 가난하지만 도(道)를 즐겼음.

24) **형초**(荊草): 가시풀. 만초(蔓草)와 더불어 흔한 풀을 뜻함.

25) **궁달**(窮達): 빈궁(貧窮)과 영달(榮達)을 아울러 이르는 말.

12. 안변(安邊)²⁶⁾ 부사 류도휘(柳道輝)에게 제사하는 글

안변부사 류도휘가 병으로 관아에서 죽어 그 널을 성남으로 옮겨와서 병신년(1716) 정월 병신일에 상여에 실려 선성(宣城)²⁷⁾으로 내려갈 때 그 친구 한주 이계통은 통곡하면서 이별을 고하네.

오호라! 세상은 지금 교묘함을 능사로 삼는데 그대만 홀로 평탄하게 졸하며 세상은 임금에게 아첨으로 충성하고자 하는데 그대는 홀로 소박하고 곧았네. 뜬 영화와 사치스러운 삶을 세상이 즐겨하는 바이나 검소하고 소박하고 누추함은 그대의 소유이며, 교만하고 인색하고 과장함을 사람들이 즐겨하는 바이나 겸허하고 양보하고 묵묵함은 그대가 지키는 바이네.

하늘이 장수를 주는 사람은 교묘하고 아첨하고 떠들고 교만한 사람이고, 요수하는 사람은 늘 옹졸하고 곧고 겸손하고 검소한 사람이니 혹 하늘이 두터움과 박함을 사람마다 달리 주어 그런 것이 아니겠는가. 그렇지 않다면 내가 하늘을 어찌 원망하는 감정이 없을 수 있겠는가.

오호라! 집에서는 효도하고 우애하며 사람을 유쾌하고 다정하고 친절하고 진실하게 대접하고 규정에서 벗어나거나 다른 것을 즐기지 않았으며, 항상 법을 따랐으니 이것이 평탄하며 옹졸하지 않겠는가. 외롭고 약한 뿌리를 심어서 일찍이 의탁할 곳이 없었으나 정성을 다해 임금을 도왔고 소원하고 배척되기를 꺼리지 않았으니, 이것이 거칠고 곧은 것이 아니겠는가. 고달픈 말과 떨어진 도포로 맑은 생각을 맡겼고 대대로 전해 온 옛집이 무너져도 바꾸지 않았으니 이 어찌 검소하지 아니한가.

---

26) **안변(安邊)**: 함경북도 안변군에 있는 면.
27) **선성(宣城)**: 경상북도 안동의 옛 이름.

젊은 나이에 급제하였으나 스스로 만족하지 않았고 어눌하면서 말이 적고 남과 다투는 일이 날카롭지 못하였으니 이것이 그대의 겸손함이 아닌가. 네 가지 덕을 이미 갖추었으나 남모르는 복이 길지 않아 벼슬은 삼품(三品)28)을 지내지 못하고 나이는 오십을 넘기지 못한 채 저 외로운 변방 지대에서 죽어 돌아왔으니 내가 비록 말하고자 하나 무슨 말을 할 수 있겠는가.

교묘하고 아첨하는 사람은 귀하고 출세하지만 늙어서 도휘 같은 사람은 액을 만나고 영화를 누리지 못하니 족히 슬퍼하지 않겠는가. 지극히 슬픈 것은 나의 벗이 거의 남지 않은 것이네. 맑음과 쉬움과 평평함과 간략함이 도휘와 같은 자가 없으며 정답고 뜻 맞는 이가 도휘만 한 사람이 없었는데, 지금 이렇게 잃었으니 오히려 또한 무슨 말을 할까.

반계의 못가에서 달밤에 술에 취할 때 진실로 그대를 알았고 돌아와 얼굴을 마주보면서 나에게 다정하게 말하고는 하였는데, 시와 술이 있은들 누구와 더불어 취해 읊겠는가. 한 잔 술로 영결을 알리니 창자는 썩고 마음은 찢어지는구나. 그대가 만약 안다면 어찌 와서 잔을 받지 않는가.

13. 신정보(正甫)29)에게 제사하는 글

해는 병신년이요 유월 초하루는 기축일인데 십팔일 병오일에 한주

---

28) **삼품**(三品): 문무관 품계의 셋째. 정(正)과 종(從)의 구별이 있음.

29) **정보**(正甫): 조선 문신 신정하(申靖夏, 1681~1716)의 자. 본관 평산(平山). 호 서암(恕菴). 1705년(숙종 31) 증광문과에 병과로 급제하여 검열(檢閱), 부교리

이 모는 삼가 술과 떡을 갖추어 근래에 죽은 청하자(靑霞子) 신정보의 영혼에 곡하네.

슬프고 슬프구나! 정보여! 어찌 이런 지경에 이르렀는가. 누가 다행으로 여기겠는가. 군자들은 모두 슬퍼하네. 그대의 근면은 말하자면 맑은 얼음과 같아 옥병에 담으면 가을 달과 맑음을 다툴 것이니 한 점의 검은 먼지가 어찌 와서 더럽힐 수 있을까.

고움과 추함과 굽음과 곧음의 경계가 분명히 가슴 안에 있고 얼굴에는 기름기가 사라졌으며 뾰족하고 우뚝하여 외롭게 높았네. 화려함과 교만함과 인색함을 일체 깨끗이 씻어 시문에 금석 소리같이 쩽쩽하게 나타났었네.

붕새가 예림(藝林)³⁰⁾에 날아 소동파와 육유(陸遊)³¹⁾[정보는 동파의 글과 육방옹(陸放翁)의 시를 좋아하였음]의 빛이 찬란하게 드러났는데 누가 놀라고 기이하게 여기지 않았겠는가. 다만 그대의 진실을 아는 이가 드물었네.

대말³²⁾을 타고 회랑(回廊)³³⁾을 처음 돌며 놀 때는 어린아이 같았으나 몇 해 지나지 않아 성대하고 큰 선비가 되었네. 어찌 다만 문장이

(副敎理) 등을 지냄. 1715년 헌납(獻納)으로 있으면서 소송이 일어나 노론과 소론이 대립했을 때 이진유(李眞儒) 등이 노론을 모략하므로 장편의 소를 올려 노론을 변호했으나 받아들여지지 않고 파면됨.
30) **예림(藝林)**: 예술가들의 사회를 아름답게 이르는 말.
31) **육유(陸遊)**: 송나라 시인 육방옹(陸放翁). 시를 통해 그 분노를 표출하는 한편 일상생활의 자적함을 동시에 표현함.
32) **대말**: 죽마(竹馬). 아이들이 말놀음을 할 때 두 다리를 걸터타고 끌고 다니는 대막대기.
33) **회랑(回廊)**: 정당(正堂)의 좌우에 있는 긴 집채.

족히 나라의 기강을 바로 세웠겠는가. 나는 더욱 복종하는 바이었네.

금처럼 화려하고 옥 같은 집은 마음에 두지 아니했고 동산과 석호(石湖)에 돌아와서 스스로 만족하였네. 사물을 보는 이치가 아주 주밀하였고 파도가 무너지고 물결이 뒤집혔을 때에는 지주(砥柱)[34]처럼 스스로 우뚝 섰네.

그 쓰임을 다하지 못하고 드디어 물결 속에 묻혀버렸네. 훌륭한 글이 홀로 남았으니 천년에 빛날 것이네. 저들이 자네의 글을 헐뜯는다 해도 어찌 그대를 허물할 수 있을까. 파리를 활로 쏘고 옥에 점을 찍는 바와 같이 씻길 뿐이네.

이 세상이 좁음을 그대는 참으로 싫어하였네. 작은 소리로 수레를 몰았으며 한 말 기장쌀로 밥조차 짓지 못했네. 조용히 죽음에 임해 평생 지낸 바를 가늠해보았네.

도연명의 만사를 외우니 나는 더욱 슬퍼지네.(죽음에 이르러 도연명의 자만을 외우고 술을 마셨으나 만족하지 못하고는 "내가 한스러운 일은 글을 읽으면서 만족을 얻지 못한 것이네"라고 하였네.) 돌아와서 농암 선생을 뵈었더니 옛 업을 이을 만하다고 하시기에 모자란 점을 찾아 보충하였네.

내 어찌 벗이 없겠는가. 그러나 다만 그대를 깊이 알 뿐이네. 비록 지은 시가 있으나 누구와 더불어 읊겠는가. 사람들이 와서 내 글을 읽어도 그대가 없으니 고칠 수 없네. 어찌 온갖 일을 논하겠는가. 한 잔 술로 영결을 고하네. 상향.

---

34) **지주**(砥柱): 격류 속에서도 움직이지 않는다는 중국 황허의 돌기둥.

14. 수촌(睡村) 이상국(李相國)에게 제사하는 글

해는 무술년(1718)이요 삼월 초하루는 경술일인데 십삼일 경신일에 모시고 가르침을 받은 사람 이천부사 한주 이 모는 삼가 맑은 술과 떡의 제물로써 근래에 작고하신 수촌 선생 이상국의 영혼에 울며 영결을 고합니다.

오호라! 큰 산은 움직이지 않아도 묵묵히 운행하는 묘함이 있고 깊은 못은 파도가 없이도 불어나는 공이 있으나, 여러 사람들은 알지 못하고 보기만 합니다. 그 무성한 것은 빛이요 넘치는 것은 소리입니다.

공께서 조정에 서신 지 40년이 되었는데 임금의 덕을 찬양하고 왕자의 길을 도운 때가 참으로 많았습니다. 낭묘(廊廟)에서는 일을 단정히 처리하셨고, 세상일을 옹용(雍容)하고 한가로이 경영하셨습니다. 성색(聲色)에 움직이지 않으셨으나 또한 스스로 바르게 풍속을 다스리는 효력이 있었습니다.

어찌 기력을 과장하고 공업을 드러내는 자에게 비유할 수 있겠습니까. 구구한 저는 어려서부터 공의 가르치심에 힘입었는데 지나간 일은 비록 자세히 알지 못하나 친히 보고 들은 공의 노후의 절개만으로 오히려 공의 평생을 징험하는 데 만족합니다.

지난 병신년 봄 사문의 액이 일어났을 때 구하고 잡아준 사람이 많았으나 말이 격렬하여 상감의 뜻을 돌릴 수 없었으며, 여러 사람의 성냄을 누를 수 없었습니다.

공께서는 이럴 때에 꿇어앉아 한 장의 글을 올리셨는데 말은 온순하나 이치는 곧았고 글 속에는 간략하나 의리가 드러났으므로, 홀로 조용하고 명백하다는 포상을 얻으시었고 미워하는 자가 더욱 그 틈을 엿보지 못했습니다. 해가 끝나지 않고 액이 변해 태평 시대가 되었는데 어찌 공의 말씀을 근본으로 하지 않을 수 있었겠습니까.

상감님께서 마음을 바꾸시고 기대고 의지함이 더욱 두터워졌으나 뜻을 물리치셨습니다. 배를 타고 여주의 호숫가로 돌아오니 이는 옛날의 어진 대신(大臣)이라고 하더라도 얻을 수 없는 판단입니다.

아! 증자(曾子)[35]께서 재물에 힘쓰지 않음이 태평정치의 근본이 된다고 하신 뜻은 미미하나 사람들이 그것을 강론하지 않은 지 오래되었습니다. 공의 벼슬이 정승의 반열에 오르시었으나 말 한 마리 돌릴 뜰이 없어 수레를 강가에 매어두었고, 담을 쌓을 만한 몇 이랑의 터도 없으셨습니다. 쓸쓸한 낡은 집에 베 이불과 종이 족자뿐이었습니다. 공께서 증자의 뜻을 참으로 얻지 못하셨다면 어찌 이러한 검소함이 있겠습니까.

이 몇 가지는 모두 족히 공께서 배우신 바를 시험하여 한 세상에 권장할 바입니다. 그러나 공께서는 스스로 공덕이 많다고 하지 아니하시었고 사람들 또한 깊이 알지 못하였으니, 이것이 어찌 큰 산이 움직이지 않는 것과 깊은 못에 물결이 일지 않는 것과 다르겠습니까. 스스로 공덕과 이익을 베푸신 것입니다.

늦게 문하에 든 저를 지나치게 알아보시고 돌보심을 입어 밤에 촛불을 여러 번 갈면서 끌어주시고 가르쳐주심에 게으름이 없으셨습니다. 그러나 제가 지킨 것은 남천(南川)의 공소에 갔을 때 한 번 가르치신 규범을 따랐을 뿐이니 어찌 좋게 봐주시기를 바라겠습니까.

신발과 지팡이를 가까이하며 배우려고 하였습니다만 지금 영원히

---

35) **증자**(曾子): 중국 노나라의 유학자 증삼(曾參, B.C.505~B.C.436)을 높여 이르는 말. 자는 자여(子輿). 공자의 덕행과 사상을 조술(祖述)하여 공자의 손자인 자사 (子思)에게 전함.

잃었으니 어찌 다만 나라를 위하여 돌아가심을 슬퍼하겠습니까. 오호라! 슬픕니다. 상향.

15. 비를 비는 제문

높구나! 설산이여! 큰 이익을 주는 곳이여! 다만 신의 큰 영혼은 공을 펼침에 인색하지 않습니다. 한집안의 백성과 사물이 그 은혜를 받아 자라납니다. 돌아보건대 지금 높고 융성한 은혜가 어찌하여 한결같이 치우치고 혹독합니까. 뜨거운 불꽃이 혁혁하여 대지가 모두 붉습니다.

때로는 소나기와 우박이 오며 때로는 끓는 물에 눈을 녹이는 것과 같습니다. 밀은 이미 자랐으나 벼는 뿌릴 데가 없습니다. 혹은 뿌렸더라도 자라나지 못하기에 삼농(三農)36)에 손을 묶고 희망을 끊었습니다.

가을걷이할 곡식이 없으니 슬픕니다. 저의 백성들이 장차 무엇을 먹고 살겠습니까. 거듭 가문 바람이 사나운 기운을 선동하니 온 동네가 울부짖으며 죽음이 이어집니다. 신께서 반드시 보실 터인데 어찌 슬퍼하지 아니하고 모른 체하여 구제하지 않으십니까.

마침내 제가 이 고을에 수령으로 왔는데 해마다 굶주림이 점점 더하였습니다. 백성이 무슨 죄가 있습니까. 허물은 제 몸에 있습니다. 공경하여 조정의 명을 받들고 짐승을 잡은 폐백(幣帛)37)을 깨끗하게 준비하여 신에게 고합니다.

---

36) **삼농**(三農): 평지에서 짓는 농사, 산에서 짓는 농사, 소택지(沼澤地)에서 짓는 농사를 통틀어 이르는 말.

37) **폐백**(幣帛): 윗사람이나 점잖은 사람을 만나러 갈 때 가지고 가는 선물.

제물 접시를 늘어놓았으니 신께서는 와서 흠향하시고 어서 단비를 내리시어 아득하고 답답함을 씻어주시고 곯고 병든 것을 살려주소서. 신께서 만약 들어주시지 아니하면 장차 백성은 씨가 없을 것입니다. 옷깃을 여미고 간청하오니 두근거리는 가슴 그치지 아니합니다.

16. 신사휘(慎士輝)에게 제사하는 글

해는 무술년(1718)이요 사월 초하루는 기묘일인데 십육일 갑오일에 이천부사 한주 이 모는 울며 신사휘의 영혼에 고하네.

오호라! 수(壽), 부(富), 귀(貴) 세 가지를 연모하나 살아서 겸하고 죽어남은 한이 없는 자는 백에 한둘도 못 된다. 그러나 그대처럼 살고 죽음에 더욱 한스러운 경우 또한 드물다.

저들은 달(達)하여 부자가 못 되었고 부하면서 달하지 못했다면 오히려 한이 되겠으나, 그대는 달하지도 못하였고 부하지도 못했네. 저들 가운데 혹 부귀하지만 오래 살지 못한 이가 있고 오래 사나 부귀하지 못했다면 오히려 한이 되겠지만, 그대는 가난함이 궁극에 달했고 또한 장수도 하지 못했네.

슬프구나! 화려한 집안에서 덕을 쌓았으나 자손에게 의지하지 못하고 어진 마음과 아름다운 자질을 가지고 한 푼도 베풀지 못하였으니, 초가는 누추한 골짜기에 있었고 쌀 항아리는 자주 비었네. 푸른 도포에 한 권의 책으로 지내다가 한번 병들자 급히 가버렸으니, 슬프고 슬프구나! 저 푸른 하늘이여! 어찌하여 사휘의 가난함에 치우치게 독하였단 말입니까.

내가 이 고을을 다스릴 때부터 다행히 자주 만났으나 항상 이야기할 때마다 상심(傷心)과 한은 궁하지 아니하였네. 지금 그대의 집을 보니 입 백 개가 굶주리고 있으니 뽕잎에 가린 근심[38]을 누구에게 호소할까. 친척에게 할 수 있는가. 정부에게 할 수 있는가. 나에게 책임이 있네.

흉년 들어 관의 수입은 적고 쓰임새는 많아 두터운 성의를 펴지 못하였네. 가난한 사람을 구휼하는 의리가 있다고 하겠는가. 그것을 태수의 어짊이라 하겠는가. 내가 이 때문에 그대의 죽음을 더욱 슬퍼하는데 그대는 초연히 죽음을 맞아 떠돌며 노는 것을 즐거움으로 삼으니, 족히 이 한을 바꿀 수 있겠는가.

우물쭈물하는 사이에 무덤가의 풀이 해묵어 죽은 날이 돌아왔네. 근심에 얽매어 있다가 처음 와서 울며 잔을 드리네. 술병과 안주 그릇을 상 위에 올려놓았으나 어찌 지난해의 푸른 눈[眼]을 얻을 수 있겠는가. 오호라! 슬프구나! 상향.

17. 민사로(閔師魯)에게 제사하는 글

해는 무술년이요 팔월 초하루는 정축일인데 스무엿새 임인일에 한주 이 모는 삼가 술과 떡을 준비하여 민사로의 영친(靈櫬)[39]에 곡하면서 영결을 고하네.

아아! 그대는 족히 아름다운 자취를 남길 수 있었으나, 한번 급제를 하지 못하였네. 재주는 세상을 도울 수 있었으나 큰 책임마저 맡지 못하였네. 가슴속에는 뭇별의 직분을 품었고 밖으로 백 리를 다스릴 수 있는 재질을 갖추었으나 이것도 오히려 능히 실천하지 못하였고, 갑자

---

38) **뽕잎에 가린 근심**: 굶주림.
39) **영친(靈櫬)**: 시신을 안치한 관.

기 중년에 황천의 땅으로 자취를 감추어버렸네.

　오호라! 하늘이 어찌 사로를 미워하여 궁액이 이에 이르렀는가. 하늘이 진실로 알지 못해 믿지 못한 것인가. 홀로 그대만을 처음으로 의심하였단 말인가. 사람이 죽음은 어찌 술에 취하여 잠드는 것과 다르다고 하겠는가. 그대 일찍이 술을 즐겨 풀 수 있었는데 바야흐로 그 근심하고 병들고 괴롭고 영화롭고 파리하고 얻음이 골골하고 가슴에 답답함을 담아두고 씻지 못하였으니, 큰 술잔을 들어서 깊이 취해 주정을 하였네.

　어찌할 수 없는 깜깜한 곳에 들어가서 몸이 오히려 죽음도 잊었거늘 하물며 밖에서 허물이 침입하여 업신여기니 다만 그 취한 꿈에서 도리어 깨어났네. 백 가지의 시끄러움이 예와 같다면 어찌 고운 목숨이 한 번 끊어짐과 같겠는가. 밤이 깊었는데 긴 시간 동안 영원히 이어질 듯하고, 그대는 듣지 못하니 잠든 것 같네.

　인정이 취하기는 좋아하지만 죽기는 싫어하네. 그대의 생각이 넓고 큼을 생각하니 참으로 이 이치를 알 것 같네. 다만 옛일을 생각하니 뜻과 행동이 아깝네. 저 푸른 하늘을 바라보면서 원망하며 부르짖으나 늘 정이 부족함을 부끄러워하네.

　오호라! 사로여! 취하였는가. 잠들었는가. 서쪽 도랑에서 오래된 항아리의 술을 누구와 더불어 기울이겠는가. 여주 남천(南川)의 소춘주를 그대는 일찍이 맛보았는가. 한 병을 들고 그대를 찾아왔는데 어찌하여 잔을 들지 못하나. 바람을 대하여 길게 통곡하니 만사가 슬프고 처량하구나. 오호라! 상향.

18. 첨정(僉正) 임군옥(任君玉)에게 제사하는 글

해는 무술년 섣달 초하루 갑진일에 한주 이계통은 술과 떡을 갖추어 사람을 보내 근래에 작고한 서하(西河) 임군옥의 영혼에 곡하며 영결을 고하네.

그 옛날 남용(南容)40)은 어짊으로 떳떳한 계율을 하루 세 번 되풀이하여 성사의 칭찬을 얻고 그 조카가 되는 이로 아내 삼기를 허락받았는데, 오늘날 현옹(玄翁) 씨의 문중에서 또한 그대를 남용과 같이 대하였네. 그대의 기질이 높고 명랑하며 알고 보는 것이 투명하여 이갈이 때부터 이치와 수에 밝아 늙은 스승이나 해묵은 선비도 더러 눈을 뜨고 보았거늘, 현옹께서 깊이 취한 것은 다만 그 기질이 높기 때문이었네.

법도가 있는 장소에서도 머리 숙이는 일을 즐기지 않았고, 알고 봄이 분명하여 일찍이 즐기는 학문 밖에서 칼날을 놀릴 수 있었네. 문로(門路)41)에 들어 등용되기를 목표로 삼았다면 현옹께서 슬퍼하셨을 것이네.

신미년(1691)에 내가 현옹을 뵈었을 때 화지장(和之章)42)을 주셨는데 절대로 절개를 꺾지 말라는 경계였네. 늦게 세월이 돌아와 자포자기를 면하지 못하였는데 늘그막에 서로 만나 다만 함께 읊으면서 참회할 뿐이었네.

그러나 그대는 문장이 족히 나라를 빛낼 수 있어 나의 어리석음과

---

40) **남용(南容)**: 공자의 제자로 하루 백규시(白圭詩)를 세 번씩 외워서 자기 몸을 보살폈음. 공자가 조카사위로 삼음.
41) **문로(門路)**: 임금의 수레가 드나드는 대궐 정문의 길.
42) **화지장(和之章)**: 현석 선생이 『시경』을 모방하여 지은 시편의 이름.

같지 아니하였고, 지혜는 족히 사물을 판단할 수 있어 나의 멍청함과 같지 아니하였네. 이른바 세상에서 우러르는 영화와 명예를 쉽게 이룰 것 같았지만 오히려 하급 관리에 오래도록 머물다가 궁함을 안고 마쳤으니, 이것이 어찌 우리들이 바라던 바이겠는가. 다만 스스로 저 하늘을 원망하고 의심할 뿐 사람들은 가끔 그대가 세상 물정에 어둡다고 하였네. 나 또한 그대에게 세정을 살핌이 마땅하다고 말하였네. 사람들은 다만 그 자질구레한 일에서 어두움을 보았고, 나는 반대로 큰일에서 밝음을 보았네. 그렇기 때문에 간절하게 스스로 그대를 아는 사람은 나만 한 이가 없다고 할 수 있었으며, 그대 또한 일찍이 이 말을 인정하였네.

오호라! 그대를 스무 살에 만났는데 드디어 백발이 되었네. 생질의 사위이나 의리가 두터운 벗으로 여기었네. 따라다니며 배우고 강론하며 인격을 닦을 때 오래되어도 싫증이 나지 않았네. 미묘한 연원을 보고자 하늘과 사람의 관문을 출입하였고, 횡설수설하며 때로는 쓸 데 없는 곳을 다녔네.

내가 혹 삿됨에 바쁘고 바름에 어두울 때는 그대가 반드시 일러서 고쳐주었고, 가끔 당황할 때는 그대가 반드시 자세히 풀어주었네. 사람들이 손가락질하며 웃었으나, 스스로 싫어하지 아니하였네. 세속에서는 꺼리는 것을 피하지 않았고, 내가 부르면 그대가 화답하여 화목한 형제와 같았네. 이때의 즐거움을 거의 전할 수가 없는데 중간에 세상살이에 걸려 이 좋은 인연이 끝이 났네. 다만 이 상자에는 주고받은 편지가 책을 이루네. 책 한 권으로 어찌 부르짖음을 가라앉힐 수 있을까. 어찌하여 열 벌 옷을 가지고 영원히 보배로 삼지 못하는가.

오호라! 성긴 눈썹과 검은 눈에는 그 말이 빛났었는데, 하루아침에 쓸고 가서 산언덕에 묻어버렸네. 영연에서 세 번 곡을 하고 부르짖어

도 대답이 없네. 병들어 동각(東閣)에 누워 장삿날을 어겨버렸네. 멀고
먼 이 세상도 이미 끝이로구나. 눈물을 흘리며 글을 써 내려가면서 멀
리서 한 잔의 술을 권하네. 오호라! 아프구나! 상향.

19. 참의(參議)43) 신심(申鐔)44)에게 제사하는 글

■ 남을 대신하여 지은 글

오호라! 익중(翼中)이여! 이제 그대는 죽었는가. 하늘이 그대를 낳았
는데 어찌 여기에서 그치게 하였으며, 사람의 기대가 어찌 여기에서
그쳤단 말인가. 그대가 갑자기 가니 하늘이 시킨 것인가 아니면 사람
이 만들어낸 일인가.

그대가 병에 걸린 지 3년 남짓한데 점점 깊어져 위독해졌으니, 내
마음이 어찌 편안하며 근심을 그칠 수 있겠는가. 오직 믿는 것은 나이
가 늙지 않아 신명이 은밀하게 도울 줄 알고 혹 다시 일어나기를 바랐
는데, 구월에 가서 보니 다행스럽게 심해지지 않았었네.

손을 잡고 말할 때 미미(亹亹)45)하게 나라 걱정을 하였네. 다녀온 뒤

---

43) **참의(參議)**: 조선 시대에 육조(六曹)에 둔 정3품 벼슬.
44) **신심(申鐔)**: 조선 후기 문신(1662~1715). 본관은 평산. 자는 익중(翼仲). 호는
   봉주(鳳洲). 응교, 집의를 거쳐 승지 때에 진하(陳賀)를 하지 않은 예관(禮官)은
   바꾸어야 한다고 상주해 예조 판서가 바뀌었으며, 후에 이조 참의, 대사간을
   지냄.
45) **미미(亹亹)**: 힘써 부지런함.

종이 가져온 편지에 정신과 뜻이 아직 왕성하다고 하여 구구하게 밤낮으로 빌고 또 빌었고 늘 생각을 하고 있었네. 얼마 지나지 않아 부음이 한강을 건너오니 북쪽을 바라보면서 길게 부르짖었네. 만장을 짓지 못하였고 병 때문에 가지도 못하고 지금 처음 와서 곡을 하네.

훈훈하고 좋은 사람이 죽은 나무처럼 염을 했으니 봐도 보이지 않고 불러도 대답이 없네. 다만 두 아이를 어루만지니 눈물이 샘솟듯 하네. 오호라! 익중이여! 이제 그대는 죽었구나. 단아한 모습과 화려한 기상을 어느 곳에서 다시 볼 수 있을까. 세상에서 견줄 데가 없는 사람으로 말과 행동이 평화로웠고 오로지 문예에 힘썼네.

묘년(妙年)부터 화려한 명예가 있었고 진사시에서는 장원으로 합격하였으나 문과에는 더디었네. 아직은 우도(牛刀)46)를 시험하였으나, 끝내는 붕도(鵬圖)47)를 밝히려고 하였네.

제우(際遇)48)가 맑을 때 누가 누릴 복이 모자라다고 하였는가. 청반(淸班)의 좋은 자리를 거치지 아니함이 없었고 얼마 후 궁궐에 올라가 곧 아전으로 자리를 옮겼네. 넓은 도량과 아름다운 지조를 어찌 일찍이 펴지 못했는가. 눈살을 찌푸리는 깊은 어려움에도 가슴속에 걸림이 없었네. 풍채와 뜻이 높고 바르고 의로웠네. 세상이 좁음을 보면 장차 자신이 물들 것을 경계하였네.

누가 그대를 미워하겠는가. 벗들이 그대를 사랑하였네. 뜻을 크게 펼쳐서 다가오는 세상을 도울 줄 알았더니 먼 길을 반도 가지 못해서 갑자

---

46) **우도(牛刀):** 우도할계(牛刀割鷄). 소 잡는 칼로 닭을 잡는다는 뜻. 작은 일에 어울리지 아니하게 큰 도구를 씀.

47) **붕도(鵬圖):** 한없이 큰 포부.

48) **제우(際遇):** 제회(際會). 임금과 신하 사이에 뜻이 잘 맞음.

기 준마를 잃은 듯하네. 어찌 친한 사람만이 구구하게 슬퍼하고 아파하겠는가. 어려운 우리나라와 나와 같은 착한 무리들도 슬퍼하였네.

하물며 나는 그대에게 어찌 정을 그치겠는가. 평생을 오랜 친구로 살았고, 10년 동안 벼슬을 같이하였는데 옥서(玉署)[49]와 궐문에 드나들며 볼일을 볼 때 큰일이나 자질구레한 일이나 반드시 서로 상의하여 확정하였네. 아침저녁으로 농담을 하더라도 어긋남을 지웠네.

나는 매우 노둔하였지만 그대는 예민하였고, 나는 몹시 우활하였지만 그대는 주비(周備)[50]하였네. 내가 미치지 못하는 일을 그대가 반드시 알아서 고쳐주었네. 일찍이 내가 귀양 가 있을 때 그대는 나를 위하여 지극한 변명을 하였네. 세 번의 귀양살이 동안 나의 권속을 정성스레 돌보아주었네. 서울로 돌아와서 또 이웃에 같이 살았네. 여러 해 동안 움직일 때 서로 함께 다녔고 때로 소식이 끊겼으나, 콩 한 알도 함께 나누었네.

갈 길 모르는 이 세상에서 영원히 그대를 잃어버렸네. 일이 있을 때 누구에게 부탁하며 의심이 나면 누구에게 물어보겠는가. 인간 세상을 올려보고 내려다보니 마음이 무너지고 창자가 찢어질 듯하네.

오호라! 익중이여! 지금 무엇이 흡족하여 네가 죽었단 말인가. 일찍이 약속을 한 것도 아닌데 생각하면 눈물과 콧물이 흐르네. 내가 지금 그대를 쫓아가더라도 짝이 될 수 있을까. 우리들을 내려다보면 굴레에 얽매어 분주하게만 보이겠지. 먼 하늘에 떠다니며 놀면서 웃고 탄식하겠지. 참으로 이와 같다면 삶에서 무엇이 부럽겠는가.

---

49) **옥서**(玉署): 홍문관. 조선 시대에 삼사(三司) 가운데 궁중의 경서, 문서 따위를 관리하고 임금의 자문에 응하는 일을 맡아보던 관아.
50) **주비**(周備): 두루 갖춤.

진세의 뿌리를 자르지 못하여 오히려 스스로 슬퍼하네. 갈수록 깊은 골짜기로 들어가니 어느 날 다시 만날까. 한 소리, 긴 통곡에 글이 말이 되지 않네. 영혼이 만약 어둡지 않다면 나의 한 잔 술을 받게. 상향.

20. 침랑(寢郞) 이중빈(李仲賓)의 묘에 제사하는 글

■ 묘는 이천 백토리(栢土里)에 있다

해는 기해년(1719)이요 이월 임술일에 남천(南川)군수 이 모는 침랑 이중빈의 묘에 곡하며 제물을 바칩니다.

슬프고 슬픕니다! 노형이시여! 어찌하여 이곳에 누웠습니까. 쌓인 흙과 거친 풀 위로 이미 만장이 끝났습니다. 저 산악을 보니 무너질 때도 있거늘 하물며 우리 인생은 혈기로 뭉친 것이니 백 년에 한 번씩 죽는 일은 다 있는데 오직 어찌 공(公)만이 어진 덕으로 오래 살지 못하였습니까.

옛날에 서로 만나 술과 시로 즐기었고 오늘 다시 오니 눈물과 콧물이 앞을 가로막습니다. 좋은 술과 좋은 잔을 누구와 다시 즐기어 마시겠습니까. 긴 부르짖음 한 번에 산이 비고 구름은 어두워집니다. 오호라! 아픕니다! 상향.

21. 맏형님에게 제사하는 글

경자년(1720) 동짓달 스무사흘 병술일에 맏형님께서 병으로 계양(桂

陽)[51]의 관저에서 돌아가셨습니다. 다음 섣달 초닷샛날 정유일에 널을 모시고 서울에 있는 집으로 돌아와서 이듬해 정월 스무날 임오일에 광주(廣州)의 당우촌(堂隅村) 산에 형수님을 모신 묘 오른쪽에 부장하였습니다. 상여가 떠나기 이틀 전 정축일에 친아우인 모는 삼가 보잘것없는 전물을 갖추고 글을 지어 영결을 고합니다.

오호라! 아픕니다. 하늘의 뜻입니까. 운명입니까. 형님께서 어찌 이 지경에 이르셨습니까. 형님께서는 온화하신 어짊을 지니셨으며 밝고 맑으셨습니다. 온화한 기운은 털끝만큼도 사람을 해하거나 남을 해할 마음이 없으셨습니다. 집에서는 효도와 우애의 도리를 다하셨고, 사람을 대할 때는 겉으로 드러나는 가식의 형태를 버리셨습니다.

사물을 대해서는 소리나 모습에 따라 움직이지 않으시고 이치에 따라 매우 세밀하게 움직이셨습니다. 고을을 다스리실 때는 은혜와 위엄을 아울러 아전과 백성들이 함께 사모하였습니다. 이러한 성품은 어느 곳에서인들 옳지 아니하였겠습니까만, 벼슬이 겨우 주부(州府)[52]에 머물렀으니 어찌 그리 운명에 굴하셨습니까. 어려서부터 글을 지으셨는데 근체(近體)에 가까운 글을 많이 지어 책을 만드셨습니다. 커서는 그 책이 만족스럽지 못하여 다 불태워버리셨습니다.

열일곱, 열여덟 살부터 변려문을 지으시어 무리들보다 뛰어나 예림 (藝林)[53]의 여러분들이 많이 칭찬하니 오래지 아니하여 크게 드러나리라 기대하였습니다. 하지만 여러 번 과거를 보았으나 모두 실패하고

---

51) **계양**(桂陽): 오늘날의 인천시 계양구.

52) **주부**(州府): 오늘날의 군수.

53) **예림**(藝林): 조선 시대에 성균관에 속하여 성균관의 학생을 지도하는 일을 맡아보던 정6품 벼슬들이 모이던 곳.

일찍이 과거를 포기하여 끝내 성공하지 못하시니, 궁함이 어찌 그와 같습니까.

형님의 죽음에 누가 형님의 어짊과 사랑을 칭송하지 아니하고 하늘을 원망하지 않으며, 또 누가 형님의 재주와 뜻에 대하여 운명을 의심하지 아니하겠습니까. 다른 사람들도 모두 이와 같았는데 아우의 원통함은 참으로 더욱 깊고 크게 불어납니다. 그러나 아우의 죄가 가볍지 아니하여 일찍이 부모를 여의고 중간에 셋째 형님마저 돌아가셔서 아득한 하늘과 땅에 의지할 곳이 없었으니, 살아남은 사람은 다만 두 분 형님뿐이셨습니다.

형님께서 갑자기 세상을 떠나시고 다음 달에 중형마저 이어 돌아가시니 어찌 사람이 이러한 이치를 참을 수 있는 것입니까. 이는 반드시 하늘이 저를 미워하여 궁함에 이르게 한 것이니 더욱 외롭습니다. 무엇을 원망하며 무엇을 의심하겠습니까.

오호라! 아픕니다. 형님께서 담이 심하셨고 추위를 만나면 더욱 고생을 하셨는데 해마다 늘 있는 일이었습니다. 지난겨울의 병증은 다른 때에 비하여 더함이 없었는데 동짓달 초이렛날 낙계로 가심을 사양하실 때 형체를 뵈니 조금 피곤해 보이셨으나 정신은 예전과 다르지 않으시어 편지를 쓰다가 잠깐 거두고 말씀하시고 대답하심이 줄지 않으셨으니, 근심하지 않았습니다.

낙계에서 서울로 돌아오셔서는 인편을 통하여 연락이 계속되었지만, 중대한 보고는 없었습니다. 열여드렛날 인편에 가르침을 보내주셨으나 종[奴]이 하는 말이 희롱에 가까웠으므로, 형님의 가르침대로 따르지 않았습니다.

스무사흗날 새벽에 병정이가 가지고 달려온 글을 보고 증세가 비로소 걱정됨을 알았습니다. 의원을 데리고 병정이와 앞뒤로 갔는데, 가는 길에서 흉한 소식을 들었습니다. 집에 들어가서 부르짖어 보았으나 영상(靈牀)의 장막은 이미 가려져 있었으며, 이불로 덮여 있고 형님을 불러보았으나 숨이 이미 멎었고 몸은 차가웠습니다. 이 무슨 때이며 이 무슨 일입니까.

참으로 이와 같음을 알았다면 어찌 열여드렛날 종의 말을 듣고 달려가 네댓새 동안 모시고 수발을 돕고 간호하여 친히 손발을 어루만지다 얼굴을 뵙고 영결을 맞이하지 않았겠습니까. 소리 내어 슬피 울고 후회가 숨이 끊어질 듯 가슴에 가득합니다. 거둬서 널 속에 염하니 만사는 헛일이 되었습니다.

관사에 오래 머물 수 없어 바쁘게 상여를 다루어 조카들과 끌고 얼음과 눈을 밟으며 서울 집으로 돌아왔습니다. 옛날 앉고 눕던 자리에 궤연을 설치하였고 옛날 출입하던 자리에 명정과 운삽을 세웠습니다. 백발의 누님과 형수님께서는 무엇을 보고 맞이하며, 여러 며느리와 조카들이 곡을 한들 누가 답하겠습니까.

슬프고 슬픈 인간 세상이 끝이 났습니다. 간장이 마디마디 찢어지니 놀란 혼이 얼마나 남았겠습니까. 일찍이 보름이 지나지 않아 둘째 형님이 뒤따라 돌아가셨는데 서로 약속하신 듯이 끌고 가시니 이는 또한 무슨 일입니까. 이는 또한 무슨 일입니까.

오호라! 두 형님께서는 어찌 저를 불쌍하고 민망히 여기시지 않고 저를 버리십니까. 일찍이 조금도 어려움이 없었는데 버린 물건처럼 남아서 흰머리와 남은 뼈를 홀로 인간 세상에 부치고 처량하게 기댈 곳이 없게 만드셨습니까.

저는 자주 병을 앓아 몸이 파리하고 골았는데 여러 형님께서는 모두 건강하고 병이 없으시어 늘 아우를 걱정하셨습니다. 아우가 먼저 눈을 감아 여러 형님들께 근심을 끼칠까 두려웠는데, 어찌 오늘 반대로 될 줄 알았겠습니까.

지금 두 형님께서 돌아가시니 부모님을 황천에서 뵙고 숙형과 여러 형수님들과 함께 인간 세상에서 누리던 기쁨을 이을 수만 있다면 또한 황천이 어찌 인간만 못하다고 하겠습니까.

그러나 이 아우가 가시는 것을 보면서 외롭게 길옆에서 슬피 부르짖는 것을 보신다면 반드시 슬퍼하실 것입니다. 다만 제가 상을 당한 뒤부터 병이 더욱 심해지고 혼이 날마다 떠나니 얼마나 이 세상에서 지탱할지 알지 못합니다. 실은 스스로 돌보고자 하여 구구한 슬픔을 반드시 안으려고 하지만, 슬픔이 그치지 않습니다. 참으로 번뇌의 근본을 끝내 뽑아내기 힘들다는 것을 알았습니다.

오호라! 슬픕니다. 우애라는 두 글자는 우리 집안 전통으로 아버님께서 큰아버님을 아버님 섬기듯 하셨는데 조정 법의 엄함보다 덜하지 않았습니다. 동생이 태어난 날부터 세 형님과 함께 부모님 슬하에 있으면서 함께 이러한 부드러움과 사랑으로 새벽과 저녁에 받듦을 온화하고 즐겁게 하였습니다.

물러나서 함께 사실 때 사방으로 둘러앉아 친구처럼 친하게 지내시고 가슴속이 통하여 글을 읽고 강론하고 토론하고 시를 짓고 읊고 외우며, 대소사(大小事)를 논할 때 분별과 다툼을 꺼리지 않았습니다. 술을 마시고 장기와 바둑을 둘 때에도 해학을 싫어하지 않으셨습니다.

언제나 천하의 어떤 즐거움과도 이런 일을 바꿀 수 없다고 말씀하셨습니다. 이렇게 지내온 지 거의 20년이나 되었으며 일찍이 며칠도 떨어진 적이 없었습니다.

불행하게도 기사년(1689)에 하늘이 우리 집에 재앙을 내리시어 아버님께서 세상을 등지시자 집이 나뉘기 시작하였습니다. 다만 형님께서는 어려움을 무릅쓰시고 어머님을 모시고 가솔을 거느리고 삼년상을 마치신 후 병이 나시어 살 계획이 전혀 없었습니다.

형님은 이에 어머님을 모시고 낙계로 돌아가서 보양하셨습니다. 둘째 형님과 셋째 형님과 저는 낙계의 집에는 먹을 양식이 만족하지 못하여 따라가지 않았습니다. 잠깐 동안 다녀오니, 모이고 흩어짊이 무상하였습니다.

을묘년(1675)과 병자년(1696)에 흉년이 들어 변변하지 않은 음식조차 먹기 어려워 천서(川西)의 옛집을 팔아 살 길을 마련하였으니, 우리 형제가 살던 집이 남의 것이 되어 그곳을 지날 때마다 어찌 눈물을 흘리고 가슴이 찢어지지 않았겠습니까.

다리 동쪽 집으로 옮겼을 때 집을 판 돈을 저희들에게 나누어 주시어 모름지기 가까이 살면서 어머님을 받들어 위로하라고 하셨으니 이것은 형님의 괴로운 마음이 어려운 가운데서도 주선을 잘하여 함께 살고자 하는 뜻을 보여주신 것입니다.

어찌하여 남은 화가 다하지 못하여 셋째 형님과 두 형수님이 연이어 돌아가시고 경진년(1700)이 되어서는 어머님의 얼굴을 뵙지 못하게 되었으니, 오래된 계획이 기와처럼 깨졌습니다. 어찌하여 저 하늘은 우리 형제를 궁하게 하고 막아서 한결같이 이 지경에 이르게 하였습니까.

10여 년 사이에 우리 세 형제가 겨우 작은 집을 가까운 곳에 지어 과부가 된 누님과 셋째 형수님이 형님의 집과 이웃해 살며 집안에 태(泰)와 항(恒) 두 조카가 자라나서 셋째 형님의 죽음을 보충하였습니다. 그리고 여러 조카가 차례로 장성하여 따라다니는 기쁨을 누리니 거의 늘그막에 마음을 위로할 수 있었습니다.

먹고사는 것이 허물이 되어 벼슬살이로 각각 동남으로 떨어져 살 때가 많았고 만나볼 날이 적었습니다. 밤에 창문에서 들리는 바람과 비의 느낌이 어느 때 그칠 수 있겠습니까.

지난해 형님께서 영천(永川)54)으로부터 계양으로 자리를 옮기셨고
저는 남천(南川)에서 벼슬을 그만두고 돌아오는 길에 서관(西關)55)에서
조서(詔書)56)를 받고 조정으로 돌아왔습니다.

병정이 또한 계산(稽山)으로부터 체임하여 돌아와서 이때부터 서로
자주 만나니, 중간에 떨어져 찾던 한을 메울 수 있을까 기대하였습니
다. 어찌 인사(人事)의 변천이 이와 같이 지극함을 헤아렸겠습니까. 인
간 세상에서 지극한 즐거움은 적고, 근심과 액이 많음을 느꼈습니다.

오호라! 아픕니다. 계상에서 집을 지을 때는 다만 함께 돌아와 서로
의지하여 바라보고, 묘소와 천석(泉石)57)을 보수하면서 밭을 갈고, 농사
를 지으면서 임학(林壑)58)을 소요함을 은혜로이 여기며 남은 해의 즐거움
을 삼고자 하였는데, 이제 모두 끝났습니다. 다른 날 산간(山澗)을 찾아가
보니 우연히 옛집은 남아 있는데 황량하여 내와 돌이 모두 묵은 자취가
되었습니다. 이러할 때 제가 어떤 생각을 할 수 있겠습니까.

오호라! 아픕니다. 선인의 묘소에 비석을 아직 세우지 못하였는데
형님께서 돌을 다듬어두고 세우시지 못하였으니, 반드시 한을 머금
으셨을 것입니다. 헤아리건대 조만간 힘을 다해 성취하여 형님의 숙원
을 저버리지 않겠습니다.

오호라! 아픕니다. 옛날 신미년에 우리 형제가 아버님을 따라 김제
의 임소에서 몇 달을 머물렀는데, 형님께서는 마침 서울로 가실 때 저

---

54) **영천**(永川): 지금의 경상북도 영천시.
55) **서관**(西關): 서쪽 지방.
56) **조서**(詔書): 임금의 명령을 일반에게 알릴 목적으로 적은 문서.
57) **천석**(泉石): 수석(水石). 물과 돌로 이루어진 자연의 경치.
58) **임학**(林壑): 숲과 골짜기. 곧 시골.

는 울고 있는 저를 형님께서는 돌아보시면서 눈물을 머금었다가 다시 한 번 웃고 떠나셨습니다.

그 뒤에 형님께서는 항상 이별에 임하여 문득 말씀하시기를 "잠깐 동안 이별하는데 무엇 때문에 눈물이 나오느냐. 겉으로 슬퍼하지 않지만 저절로 눈물이 흐르는 것이야 어찌 서로 다르겠느냐"라고 말씀하셨습니다. 참으로 형님의 말씀은 아마도 저희들을 깨닫게 하려고 하신 것입니다.

저는 지금 형님과 긴 이별을 하는데 그 정이 어떠하며 그 눈물은 또한 얼마나 되겠습니까. 형님께서 만약 아신다면 또한 어둠 가운데서 강물이 쏟아지듯 눈물을 흘리실 것입니다.

형님께 말씀을 올리니 무슨 한이 이렇게 많아 괴로움이 가슴을 막고 정신이 황량하여 글이 말이 되지를 아니합니다. 말이 순서를 이루지 못하니, 바라건대 형님께서는 양해하시고 살피소서. 오호라! 아픕니다. 오호라! 아픕니다. 상향.

22. 둘째 형님에게 제사하는 글

해는 신축년(1721) 삼월 초하루 임술일인데 초엿새 정묘일에 아우 모는 슬픔을 머금고 아픔을 참아가면서 글을 지어 술잔을 올리면서 둘째 형님인 참판 부군의 영혼에 영결을 고합니다.

오호라! 슬픕니다. 오호라! 슬픕니다. 큰형님께서 세상을 버리셨을 때 우리 형제의 화액은 이미 참혹하였고, 아픔 또한 지독하였습니다. 형님께서 큰형님을 따라서 보름 안에 저를 버리시니 어찌된 일입니까. 어찌된 일입니까. 왕자유(王子猷)[59]가 말하기를 해가 다하도록 화가 다시 이르지 않는다고 하였는데, 어찌 이처럼 급하셨습니까.

비록 형님과 제가 같은 세상에 남아 있다 하더라도 네 형제 가운데 이미 그 반을 잃어버렸으니 어려서 부모를 잃은 두 사람이 머리가 희도록 도와가며 지낸다고 하더라도 순서를 뒤바꾼 아픔이 사라지지 않습니다. 하물며 외로이 세상에 홀로 섰으니 장차 누구를 의지하고 기대며 누구를 믿고 살아가겠습니까. 형님께서는 이러한 고통을 생각하지 아니하시고 의심도 없이 가버리셨습니까.

오호라! 내 형님께서 어찌 차마 이런 일을 하십니까. 오호라! 내 형님께서 어찌 차마 이런 일을 하십니까. 형님께서는 하나 남은 동생을 붙들고 인도할 수 없다고 하시겠으나, 끝없는 슬픔을 안고 저승에서 부모님을 뵙고 백씨와 숙씨를 부르시면서 날개를 이어서 퍼덕이겠습니까. 말로 할 수 없는 길 없는 곳에서 무궁한 변화를 따르는 것보다 차라리 옥난간에 서서 꽃을 보며 고향 산천의 남은 아픔을 펴고자 하십니까.

또한 말씀하신 수명이 그 사이에 있어서 형님께서는 스스로 벗어나지 못하셔서 그러십니까. 저는 참으로 하늘을 원망함이 앞에 말한 바와 같으나, 형님께서는 당신에게는 후하고 아우에게는 박하시니 제가 어찌 형님을 원망하겠습니까.

오호라! 아픕니다. 형님께서는 젊어서부터 천식을 앓으셨는데 늙으실수록 점점 고통스러워서 따뜻하면 덜하시고 추우면 더하셨지만, 원기가 융성하여 조금도 피곤함이 없으셨습니다. 요사이 와서 대개 약 쓰는 것을 일로 삼으셔서 힘이 들지 않으셨습니다.

관서에서 돌아오셔서 기력이 좋아 전과 같으셨고 머리는 오히려 푸

---

59) **왕자유**(王子猷): 왕휘지(王徽之). 중국 남북조시대 진(晉)나라의 서예가. 왕희지(王羲之)의 아들로 자유분방한 성격을 지녔고 대나무 그림에 능했음.

르고 윤기가 나니, 친척과 벗 들이 기쁘게 여겼습니다. 어찌 생명의 한계가 하룻밤 사이에 있음을 헤아렸겠습니까.

오호라! 아픕니다. 큰형님의 상사가 갑자기 계양에서 났을 때 둘째 형님께서 놀라 병이 생기셔서 달려가 곡을 하시지 못하였습니다. 지극히 아프시면서 저에게 다섯 통의 편지를 보내셨는데, 글자마다 창자를 베는 듯한 오열 때문에 읽을 수가 없었습니다. 제가 큰형님의 상을 다스린 지 열이틀 만에 널을 받들고 서울로 돌아올 때 형님께서는 아직도 마중을 못하시고 자리에 누워 계셨습니다.

제가 그제야 비로소 형님께서 손상이 깊다고 판단하였으나, 형님께서는 도리어 제 병을 근심하셨습니다. 종을 시켜 의원을 보내 저를 진맥해주시고 잠시 휴식하라고 하셨습니다. 저 또한 삶과 죽음 사이를 의심하지 아니하여 이튿날 진맥을 받지 않았는데, 다음 날 아침 급보를 듣고 비로소 달려가 보니 형님께서는 낯빛이 변하시어 저를 보시고도 아무 말씀을 못하셨습니다.

손가락으로 가슴을 가리키며 말씀하시기를 "이곳이 답답하여 참을 수가 없구나"라고 하시니, 저는 이미 혼비백산하여 어찌할 바를 알지 못하였습니다.

그러나 형님께서는 아직도 옷을 정돈하시고 바로 앉아 이웃집으로 옮겨가려고 하셨습니다. 저는 찬 기운에 몸이 드러나신다고 말렸으나, 형님께서는 제 말을 듣지 않으시고 일어나서 가마를 타셨습니다. 옮겨가신 뒤 얼마간 부좌(趺坐)[60]를 하셨다가 날이 저물자 옷을 벗기라 하시기에 다시 살아나시리라 기대하였습니다.

---

60) **부좌**(趺坐): 결가부좌(結跏趺坐). 부처의 좌법(坐法)으로 좌선할 때 앉는 방법의 하나.

그러나 한순간에 눈을 감고 길게 누우시니 약을 입에 넣어도 삼키시지 못하고 토하셨으며 불러도 응답하지 않으셨습니다. 이것이 어떤 때이며 어떤 지경입니까.

　　거품이 사라지듯 하는 세상에 누가 죽지 않겠습니까만 급속히 상하심이 어찌 이와 같은 날이 있겠습니까. 저는 차마 이날을 보고도 아직까지 캄캄하고 아득하나, 보고 들음이 이와 같으니 또한 스스로 참을 수 있음을 미워합니다.

　　오호라! 아픕니다. 저는 여러 형님의 죽음에 더욱 지극한 아픔이 있으니 지난 무인년 셋째 형님께서 돌아가셨을 때 제가 병들어서 형님께 약도 써보지 못하였고, 반함(飯含)이나 염조차 하지 못하였습니다.

　　전날 큰형님께서 돌아가셨으나 직접 가서 영결하지 못하였고 지금 형님께서 돌아가셨으나 하루라도 옆에 모시고 친히 시탕을 하지 못하였으니, 당황하여 손을 잡고 눈물을 흘리며 서로 바라볼 뿐이었습니다. 희미한 몇 마디 말로 문득 길고 긴 이별을 맺었습니다.

　　오호라!『시경』에서 말하지 않았습니까. 죽고 사는 위험에도 형제는 함께 품는다고 했는데, 지금 죽고 살 즈음에 그 정을 다하지 못하니 어디에 쓰겠습니까. 하물며 생각해보니 정축년 겨울에 제가 독려(毒癘)에 걸려 백에 하나도 살 가망이 없었습니다.

　　객지살이가 외롭고 쓸쓸하여 어려우니 형님과 셋째 형님께서 바람 속에 따라다니고 이슬에 잠을 주무시면서도 지성으로 간병하기를 거의 삼십 일이 되었습니다.

　　이리하여 귀신을 돌려 사람을 만들어서 오늘이 있게 하였으니, 생각하면 어찌 감격하여 목이 메지 않겠습니까. 저는 여러 형님이 병들어 돌아가실 때 홀로 저버림이 이와 같으니 참으로 인간의 도리가 끊겼다고 하겠습니다. 하늘의 떳떳함이 줄었다 하겠습니다. 저의 죄악이 비록 몸과 뼈를 갈아도 속죄할 수 없을 것이며, 제 아픈 한은 비록 천지가 다하도록 끝이 없습니다.

오호라! 아픕니다. 사람은 진실로 젊고 장대할 때가 있는데, 요수란 궁한 액으로 죽는 것입니다. 오늘날 맏형님께서는 예순 살을 넘기셨고 벼슬은 도호(都護)[61]까지 지내셨으며, 형님께서는 예순 살에 참판의 반열에 계셨으니 젊어서 요수하고 궁하여 죽은 자보다 어찌 낫지 않겠습니까.

셋째 형님은 재주를 갖고도 써보지 못하셨고 장년(壯年)임에도 갑자기 돌아가시었으니, 어찌 근심스럽고 슬프지 않겠습니까. 제가 그때는 조금쯤은 너그러울 수 있겠으나 그 화기의 촉박함과 놀람과 깊은 아픔으로 후회가 뼈를 깎는데 어찌합니까.

오호라! 아픕니다. 형님께서 돌아가시기 전날 밤 옆 사람에게 "나의 재주와 기국과 인망이 백에 하나도 백부님께 미치지 못하였는데, 이름과 벼슬과 나이가 백부님과 비슷하니 죽은들 무슨 한이 있겠는가"라고 하시니, 이것은 형님께서 겸손하게 하신 말씀입니다. 그러나 우리 집안사람들이 장수하지 못하고 귀하지 못한 지 이미 오래되었습니다.

저희들의 고조부이신 북애(北崖) 선생께서는 그 덕업과 문장으로 칠십 살을 산다고 하지 아니하셨고 팔좌(八座)[62]와 같은 높은 벼슬을 귀히 여기지 않으셨으니, 마땅히 하늘이 내린 보(報)가 있어서 후손이 창

---

61) **도호**(都護): 지방의 군수.
62) **팔좌**(八座): 중국 후한 진(晉)나라 때 육조의 상서(尙書), 일령(一令), 일복야(一僕射)를 통틀어 이르던 말. 중국 위(魏)·송(宋)·제(齊)나라 때 오조(五曹), 일령, 이복야를 통틀어 이르던 말. 중국 수·당나라 때 좌우 복야와 영(令)과 6상서를 통틀어 이르던 말.

대할 것입니다.

증조부도 스무 살 정도의 젊은 나이로 국가를 위하여 순직하셨으니, 혈혈한 자손이 오직 할아버지뿐이셨습니다. 일찍이 영예와 성명을 날려 공보(公輔)[63]가 되기를 바라셨는데 때가 어려워져 여러 고을을 낮은 벼슬로 40년이나 전전하시다가, 갑자기 세상을 떠나셨습니다.

백부님께서는 깊은 학문으로 높은 덕망이 계셨는데 나이와 벼슬을 채우지 못하셨고, 돌아가신 아버님께서도 빛이 잠기고 덕이 숨어 세상에 크게 드러내지 못하시고, 장수하지도 못하시었습니다. 하물며 화액과 어려움이 극에 이르지 않은 바가 없었습니다.

형님에 이르러 갈옷을 벗고 조정에 올라가셨으니 거의 곤액(困厄)을 벗어나서 형통한 광명으로 선대의 그윽함을 밝힐 가망이 있었으나 돌아가시었고, 그 후 15~16년 만에 다시 이와 같은 하늘이 무너지는 궁액을 만났으니, 우리 집이 어찌하여 이와 같은 데 이르렀습니까. "이치는 헤아릴 수 없고 신은 알 수 없다"라는 옛사람들의 말이 참으로 헛말이 아닙니다.

오호라! 슬픕니다. 형님의 성질이 빼어나시고 정신이 밝으셨으며 속은 맑고 밖은 윤택하여 위대함과 아담함을 겸하여 갖추시었고, 처하는 곳에 조용하고 자적하는 뜻을 두셨습니다. 행동은 시원하고 구애됨이 없으셨으며 무리들 가운데 숙연히 공경받는 모습이셨습니다.

형님께서 어리셨을 때 돌아가신 어머님께서 회초리로 때리시면 큰아버님께서 웃으시며 "이 아이는 반드시 귀하게 될 것인데 계수씨는 어찌 성내며 때리십니까"라고 하시며 말리셨습니다. 아이 때부터 일찍

---

63) **공보**(公輔): 임금을 보좌하던 삼공(三公)과 사보(四輔)를 아울러 이르던 말.

이 아버님과 형님께서는 이와 같이 잘 보셨습니다. 커서는 문학이 넉넉하고 세상에 널리 알려져 서당에 나가서 글을 배우실 때에도 서당 아이들이 곁눈질을 하였습니다.

뒷날 늦게야 작게 이루시었고 크게 드러낸 것은 더욱 늦으시었으니, 이것은 운수의 기묘함 때문입니다. 형님께서 조정에 나가셔서 임금을 바르게 섬기셨고 높은 이론에 비난을 피하시지 않았습니다. 다만 뜻은 학문을 바로세우고 간사하고 아첨하는 무리를 배척함을 자기의 책임으로 삼으셨습니다.

비록 여러 번 귀양살이로 배척을 당하더라도 후회하지 않으셨습니다. 그러나 교만하고 격렬하고 남과 다투는 습관을 버리시고, 정상에 따라 옳은 일에 합당하도록 힘쓰셨습니다.

집에 계시면서 모두 온화한 기운으로 천한 이에게도 똑같이 대하셨으며 악인(惡人)을 개돼지처럼 보셨고, 비단옷 입는 청렴함을 평생 싫어하셨습니다. 몸으로 행동함에 얼음처럼 맑게 하시었고, 여러 고을에 군수로 나갔다가 돌아올 때 주머니를 쓸쓸히 비워오셨습니다.

서영(西營)[64]에 안찰사(按察使)[65]가 되셔서는 한 푼의 재물에도 물들지 아니하셨으며, 죽음에 임하여 모든 결과를 자기의 탓으로 돌리셨습니다. 부조와 수의(襚衣)[66]는 예법대로 따르지 않고 못하게 하셨으니 비록 옛날에 유독(留犢)[67]의 청렴함도 이보다 진하지는 않을 것입니다.

---

64) **서영**(西營): 조선 시대에 경희궁의 서쪽에 있던 훈련도감의 분영.
65) **안찰사**(按察使): 고려 시대에 각 도의 행정을 맡아보던 으뜸 벼슬.
66) **수의**(襚衣): 염습할 때에 송장에 입히는 옷.
67) **유독**(留犢): 위나라의 시문 덕주(德冑)가 임지로 끌고 간 소가 낳은 송아지를 그곳의 산물이라 하여 남겨둔 고사에서 전하여 청렴함에 비유함.

그러나 형님께서는 일찍이 스스로 많다고 하지 않으시었고 사람들도 깊이 알지 못하였으니 이것으로 형님의 대범함을 알 수 있습니다.

그러므로 형님께서 돌아가시자 위로 진신대부(縉紳大夫)[68]로부터 아래로 대예(臺隷)[69]와 노비에 이르기까지 슬퍼하며 몹시 안타까워하였고 궁교(窮交)[70]나 먼 친척에 이르기까지 모두 지성으로 슬픔을 이르니, 이것은 형님의 어진 마음과 참다운 덕을 사모하고 사랑한 것으로 심상치 아니함을 볼 수 있었습니다. 그러하다면 형님의 죽음이 어찌 다만 우리 집의 죽음이겠습니까. 또한 시운에 연관된 바가 아니겠습니까.

오호라! 슬픕니다. 형님의 이름과 벼슬이 조금 드러났으나 세속에서 말하는 부귀와 영락은 하나도 뜻한 바가 없었고 녹은 자기 몸 하나의 보양에도 미치지 못하였으니, 참으로 하늘이 끝나는 아픔이 됩니다. 세 번이나 아내를 잃었으니 이미 집안의 즐거움은 없었고, 외아들과 며느리가 함께 죽는 처참함을 보았으니, 이것이 어찌 하늘의 바른 도리이며 이것이 어찌 사람으로서 해야 할 일이겠습니까.

다행스러운 것은 다만 손자 임년(壬年)이가 스무 살이 되었고, 요증(堯曾)이 형님의 눈앞에 있어 형님께서 지금 영원히 가심에 뒷일이 처량하여 떨치고 일어나기가 어렵습니다. 그러므로 형님께서 죽음에 임하여 하신 말씀이 민망하지 않을 수 없습니다.

오늘날의 희망은 다만 임년이를 잘 보전하여 기르는 데에 있으나 그 아이는 한갓 아버님을 그리워하는 정으로 슬퍼하며, 다른 생각을 할 겨를이 없습니다.

---

68) **진신대부**(縉紳大夫): 모든 벼슬아치를 이르는 말.
69) **대예**(臺隷): 하인.
70) **궁교**(窮交): 오교(五交)의 하나. 남의 빈궁함을 이용하여 사귀는 일을 이름.

처음부터 의로운 성품에 고집스러움을 경계하고 힘쓰라는 말을 듣지 않고 울고 뛰는 일이 셀 수 없이 많아 식음을 자주 끊으니, 얼굴은 마르고 몸은 파리해져서 지난날의 병이 도졌습니다. 저는 형님의 가르침으로 꾸짖어 잘못을 밝히나 오히려 절제를 알지 못하고 병이 날마다 심해지니 형님께서 만약 알고 계신다면 어찌 그 아이의 꿈에라도 나타나 가르치지 않으십니까.

갖가지 말을 하는 동안 창자 마디마디가 끊어지려고 합니다. 임년의 병이 이와 같아 무덤 여는 때를 어겨 장사 지낼 기약을 늦추었습니다. 비록 예에는 어긋나지만 영혼이 오래 머물러 있으니, 오히려 의지할 만합니다. 해와 달이 쉽게 가서 상여가 떠날 날이 문득 이르렀습니다.

오호라! 아픕니다. 지금 봄 농사가 시작되고 온갖 생명이 다 살아나니 바로 형님의 병이 다시 회복될 때입니다. 형님께서 그윽한 방에 갇혀 주무신 지 오늘까지 여든아홉 날이 다 되어갑니다. 말소리는 들리지 않고 몸짓도 볼 수 없으며 운삽과 깃발이 펄럭이는데, 갑자기 어디를 가시려고 합니까.

봄은 화창하고 날은 따뜻하며 병은 가고 몸이 건강해지려고 한다며 봄을 축하하셨습니다. 창문 위를 우러러보며 어떠한 생각을 하겠습니까. 저기 집 위로 보이는 구름은 둘째 형수님의 무덤으로, 그 골짜기는 그윽하고 고요하여 살 만하고 또한 낙산이 가까우니 형님께서는 그곳에 작은 집을 짓고 늙어 살 곳으로 생각하고 계셨습니다.

집 형편이 넉넉하지 못하여 우물쭈물 해를 보내다가 지난봄에 형님께서 꿈에 휴관(休官)71) 시를 지어 외우시며 말씀하시기를 "병중의 생

---

71) **휴관**(休官): 벼슬을 일시로 쉼.

각은 꿈속에도 나타난다고 하였는데 돌아가 쉴 곳이 없으니 한결같이 더디기만 하구나. 내 계책이 잘못되었다"라고 하시며, 오랫동안 탄식하셨습니다. 저는 뜻을 이루어 휴양하며 병을 조섭하시도록 권하지 못하고 지금 닐로 돌아가시게 하니, 이것 또한 저의 한 가지 한입니다.

오호라! 아픕니다. 우리 형제가 50년 동안 화목하던 정과 따라 놀던 즐거움이 지금은 끝나버렸습니다. 지금은 끝나버렸습니다. 지난겨울 서교에서 만나 뵈었을 때 모일 기회를 만들자고 하셨는데 공사로 분주하여 겨우 하룻밤 동안 이불을 같이 덮었고, 계양으로 달려갔을 때는 영결이 되었습니다.

마을 집에서 저승으로 가는 놀이를 말리지 못하고 지금으로부터 백문산(白門山)에서 바람만 오니 어디에서 배알할 수 있겠습니까. 매각에서 향기로운 술을 누가 다시 권하고 잔질하겠습니까.

오호라! 아픕니다. 형님께서 일찍이 저와 함께 주무실 때는 뱃살을 재며 몸의 살을 비교하고, 함께 밥을 먹고 잔을 기울이시며 마신 잔을 비교하시었었습니다. 형님께서 문득 웃으시며 저는 살지고 잘 먹는다고 농담을 하셨습니다. 저는 그 뒤에 두 형님의 죽음에 울었습니다.

저는 자주 목마르고 오줌을 누니 백 가지 병이 몸에 침입하여 형체가 마른 학과 같고 밥을 줄여 먹어도 맛이 없으니, 마음은 들에 선 허수아비 같고 몸은 병든 잎사귀 가지에 남아 있는 것 같습니다. 얼마 가지 않아 형님을 따라갈 것입니다. 영원한 이별을 알리는 말이 어디 여기에서 그치겠습니까.

정신과 생각이 가물가물하여 믿는 붓으로 쓰지만, 말의 순서가 어떠한지 알지 못합니다. 다만 큰형님께 미처 고하지 못한 것을 말합니다. 형님과 큰형님께서는 함께 들으시고 저의 정성을 살피시면 저의 정을 슬피 여겨주십시오. 오호라! 아픕니다. 오호라! 아픕니다. 상향.

권26

제문祭文

애사哀辭

뇌사誄詞

祭文

1. 사학(四學)[1] 유생이 되어 권수암(權遂菴)[2] 선생에게 제사하는 글

■ 신축년 팔월 열아흐레

오호라! 주자의 도가 전해오지 아니했다면 사람은 짐승이 되었을 것이고, 『춘추(春秋)』[3]의 법이 밝지 않았다면 중국은 오랑캐가 되었을 것

---

1) **사학**(四學): 조선 시대에 나라에서 인재를 기르기 위해 서울의 네 곳에 세운 중학(中學), 동학(東學), 남학(南學), 서학(西學) 등 교육 기관.
2) **수암**(遂菴): 조선 문신 권상하(權尙夏, 1641~1721)의 호. 본관은 안동. 자는 치도(致道), 호는 수암 한수재(寒水齋). 시호는 문순(文純). 송시열의 수제자. 1674년(숙종 즉위년) 남인이 정권을 전단하자 관계 진출을 단념하고 청풍의 산중에 은거하여 학문에 전념했음. 기사환국으로 송시열이 사사되자 스승의 의복과 책을 유품(遺品)으로 받음. 숙종의 총애를 받아 우의정, 좌의정 등에 임명되었으나 모두 사양함.
3) 『**춘추**(春秋)』: 유학에서 오경의 하나. 공자가 노나라 은공(隱公)에서 애공(哀公)에 이르는 242년(B.C.722~B.C.481) 동안의 사적(事跡)을 편년체로 기록한 책.

이다. 짐승이 되는 것이 민망하여 사람이 되고자 하였고 오랑캐가 되는 것을 근심하여 중국을 지키고자 한 사람은 우리 해동 화양서원(華陽書院)⁴⁾의 어진 스승님이 아니겠는가.

이러한 까닭으로 화양이 풍운(風雲)⁵⁾을 만나서 뜻을 폈다면 이 도가 창대하여 『춘추』의 법이 나타나고 화양(風雲)⁶⁾의 학문이 산이나 바다로 밀려나서 뜻을 펴는 데 어려움에 처한다면, 이 도가 파괴되어 『춘추』의 법이 미미해질 것이다.

주자의 도를 전하려 해도 화양을 높이지 아니한다면 오히려 강의 중간에서 배를 잃어버린 것 같음이며 『춘추』의 대의를 밝히고자 해도 유학을 배우지 않는다면 궁금한 문제의 결과를 알기 전에 산통(算筒)⁷⁾을 깨는 것과 같다.

오호라! 지난날 유학이 바다를 건너와 이 나라에 전해진 일은 하늘의 뜻이다. 지금이 어떤 세상이며 어떤 때인가. 사나운 기운이 가득히 퍼져 하늘과 땅의 이치가 어긋나고 도에서 벗어난 말이 넓고 어지러이 퍼져 갓을 쓴 무리들이 무너지니 이때를 당하여 진실로 화양의 도를 붙들고 법을 밝히지 못한다면 세간에 어찌 다시 주자의 영향과 사서의 빛이 남아 있겠는가.

오직 선생께서는 송나라 때 황정견(黃庭堅)⁸⁾과 채양(蔡襄)⁹⁾과도 같은

---

4) **화양서원**(華陽書院): 노론 영수 송시열을 제향한 서원으로 1696년(숙종22) 사액(賜額)을 받음. 충청북도 괴산군 청천면 화양리에 있음.

5) **풍운**(風雲): 용이 바람과 구름을 타고 하늘로 오름. 영웅호걸들이 두각을 나타내는 좋은 기운.

6) **화양**(華陽): 우암 송시열이 이룬 학문. 보통은 유학을 말함.

7) **산통**(算筒): 장님이 점을 칠 때 쓰는 산가지를 넣은 통.

8) **황정견**(黃庭堅): 중국 송나라의 문신 시인 화가. 소식(蘇軾)의 문인으로 강서파(江

분이시라 덕의 순수함과 학문의 올바름으로 그 의발(衣鉢)을 전수받고 부탁의 말을 받으셨습니다. 이리하여 선생께서는 남은 혼을 불꽃 가운데서 거두시었고 높은 산 물가로 돌아가서 엎드려 숨으셨습니다. 다만 도와 법을 좋아하시고 입에 단맛의 즐거움과 몸에 곱고 편한 옷을 버리셨습니다.

아침저녁으로 올올(兀兀)[10]히 궁함을 참으며 세월을 보내시고 그 몸을 마칠 때까지 변하지 않기를 스스로 맹세하셨습니다. 하늘이 마음을 바꾸고 해와 달이 밝아지자 양기가 왕성해지고 모든 음기가 쇠하니 먼저 선생을 뽑아서 높은 자리에 계시게 하였습니다.

요사이 선왕께서 선생을 대접하실 때는 반드시 화양 선생을 대접하는 정성으로 높이셨고 화양 선생과 같은 예우로 만나시고 대접하셨으며, 수암 선생께서도 선왕을 화양 선생이 갖춘 마음과 배움으로 섬기었습니다.

풍속과 교화가 이에 힘입어 더욱 좋아졌으며 사림들이 믿고 높이며 지금까지 거의 30년 동안 마음으로 공경하여 떠받들었습니다. 그러나 폐백을 작게 준비하고 깃발을 보내 부를 때가 잦았으나 산속 깊이 사시거나 멀리 도망가서 사시거나 굳게 동강(東岡)의 언덕을 지키셨습니다. 미묘합니다. 선생의 뜻을 속인으로서는 헤아려 알 수가 없습니다.

西派)의 시조. 시, 문장, 행초(行草) 등이 모두 당대를 풍미할 만큼 절묘했고 진관(秦觀), 장뢰(張耒), 조보지(晁補之)와 함께 소문사학사(蘇門四學士)로 일컬어짐.

9) **채양**(蔡襄): 중국 송나라 때의 문신. 시문에 뛰어나고 역사에 밝으며 명필로 이름남.

10) **올올**(兀兀): 꼼짝도 하지 않고 마음을 한곳에 집중하여 똑바로 앉아 있는 모양을 나타내는 말.

어찌 넓고 초연하여 깨끗한 몸으로 멀리 속세를 떠나셨습니까. 모든 사람이 다 따랐으나 조정의 뜻과 선생의 길이 달랐으니 어찌 편안하게 살 수 있었겠습니까. 바르게 살며 효도와 우애를 베풀기 위함입니까.

오호라! 화양서원에는 임금님께서 쓰신 제액(題額)11)을 걸었으며 숭보단(崇報壇)12)에 법을 세우고 향사를 치르게 하신 우리 선왕의 효는 참으로 지극합니다. 그리하여 죽은 부모가 뜻한 사업을 추진하여 그릇된 말을 물리치시고 백성의 떳떳함을 지키셨습니다.

상감의 덕을 도우시고 선비들의 나갈 길을 정하신 것은 다만 선생의 학문이 돌아가신 스승을 추존하여 그 뜻을 세웠기 때문입니다. 영천(靈泉)13)에서 임금을 인대(引對)14)하시던 날에는 여상(呂尙)15)의 풍도[渭濱之風]와 같으셨습니다. 관직을 버리시고 귀한 손님으로 불려가서 임금의 옥수를 잡으시고 용안을 우러르는 일은 수천 년 동안 드문 일이었습니다.

유학에 힘쓰시며 세운 정성스러운 계책에는 주자의 바른 말씀과 『춘추』가 남긴 법이 아닌 게 없었습니다. 영고(寧考)16)께서 남긴 뜻과 화양의 법은 그 빛을 발휘하는 것인데 어찌 본래 뜻한 바가 굳지 아니하여 조정으로 왕과 함께 돌아가지 못하셨습니까.

오호라! 하늘이 천하를 태평하게 다스리고자 하지 않으시어 동방에

---

11) **제액**(題額): 액자에 그림을 그리거나 글씨를 씀.
12) **숭보단**(崇報壇): 명나라 신종 황제를 모신 사당.
13) **영천**(靈泉): 신기한 약효가 있는 샘.
14) **인대**(引對): 높은 사람에게 불려가서 뵘.
15) **여상**(呂尙): 강태공.
16) **영고**(寧考): 조선 제17대 왕 효종. 재위 1649~1659년. 병자호란 직후 소현세자 (昭顯世子)와 함께 청나라의 볼모로 8년간 머묾. 즉위 후 송시열을 중용하여 북벌계획을 수립했음.

계신 우리 선왕께서 신선이 되신 지 얼마 되지 않아 선생께서 갑자기 뒤를 따라가셨습니다. 장차 화양의 어진 스승을 따라가서 효종 임금과 화양 선생을 난간에 심어놓은 꽃 곁에서 모시어 평소에 다 펴지 못한 마음을 보상받고자 하심입니까.

우리의 도는 장차 끊어지고 큰 법의 앞날은 어두운데 나라의 앞일을 물을 곳이 없습니다. 학자들도 질의할 곳이 없으니, 나라 사람들이 본보기로 삼고 세상 모든 사람이 의지하고 우러러 사모할 곳이 없습니다. 선행을 권할 이가 없고 악행을 꺼릴 사람이 없으니 어찌해야 합니까.

고요한 한수재(寒水齋)에서 광풍제월(光風霽月)[17]을 다시 볼 수 없고 화양의 학문이 사라지고 떨어지는 것을 보고 있으나 누가 다시 보호하고 지키겠습니까. 백 년 된 들보가 무너지는 아픔을 돌아보니 무엇으로 능히 형용하겠습니까. 정성을 나타내고자 옹졸한 글을 올리니 영혼께서는 이 술잔을 물리치지 않으시겠습니까. 오호라! 슬픕니다. 상향.

2. 의흥(義興)[18] 군수 조하성(曹夏盛)[19]을 제사하는 글

옛 친구 조시중(曹時仲)이 기해년(1719) 구월 스무날 의흥의 임소에

---

17) **광풍제월**(光風霽月): 마음이 넓고 쾌활하여 아무 거리낌이 없는 인품을 이르는 말. 황정견이 주돈이의 인품을 평한 데서 유래함.
18) **의흥**(義興): 경상북도 군위군 의흥면 고로면 산성면 계면 우보면 일대에 있었던 옛 고을.
19) **조하성**(曹夏盛): 조선 문신(1667~1719). 여러 관직을 거쳐 의흥현감(義興縣監)을 지냄.

서 죽어 두 달 뒤 동짓달에 황려(黃驪)[20]의 향로산으로 돌아와 장사 지내고 백문의 옛집으로 신주를 모셔왔다.

친구 이 모는 병으로 골골하여 아직 한 글자도 그 영혼에게 술로 고하지 못하다가 소상 이틀 전인 병오일에 겨우 정신을 가다듬어 짧은 글을 짓고 한 마리 닭을 올려 곡하면서 고한다.

슬프구나! 슬프구나! 시중아! 그대는 준걸하고 큰 자질과 통달하고 민첩한 재주와 쏟아지는 비와 같은 언변과 불꽃 튀는 듯한 문장을 고루 갖추어 조정에 등용되는 복을 받음에 만족한 인연이라고 하였다. 그런데 지금은 그 나이에 자리도 없이 고달프게 이리저리 다니다가 마침내 영외의 관사에서 고복을 불렀으니 어찌할까.

궁함이 꿈꾸는 듯 잠자는 듯 함께하니 일찍이 가련함을 말로 할 수 없었다. 지난날 그대를 만났을 때는 기력이 한창 치솟아 호쾌한 매가 구름 속 하늘을 날아오르듯 하였는데 근래에 온 화로 뜻이 꺾이고 낮아져 거의 준마가 달리지 못하고 수레 앞에 매어 있는 모양과 같으니, 나고 죽는 이치를 의심한 지 이미 오래되었다. 이러한 이치가 그대에게는 왜 더욱 냉엄하게 지켜지는지 알 수 없구나.

오호라! 내가 그대를 사귄 것이 대개 갓을 쓸 무렵부터인데 얽히고 설킨 정이 좋아서 머리가 희도록 변하지 않더니 그대가 죽을 때 보내준 편지가 천 리를 전해 나에게 왔다. 그 몸은 이미 죽었으나 마음이 전해졌구나. 두고 볼수록 눈물이 흐르더니 아직도 달려 있다.

그러나 그대가 부탁한 것은 옛사람도 들어주기 어려운 일이거늘 이 어리석고 졸렬한 사람이 능히 받들어 행할 수 있을까. 세월이 빠르게

---

20) **황려**(黃驪): 경기도 여주.

흘러 슬픈 이날이 다시 돌아오니 아프구나.

어찌 영원히 떠난 것이 실감이 날까. 술 한 잔을 이 자리에서 드리면서 구구한 몇 마디 말로 어찌 이 가슴속에 맺힌 말을 다 할 수 있을까. 다만 그대는 내가 몸이 상하고 위엄이 다 깎였음을 이해하고 정이 넘치나 말이 많지 못함을 양해하고 술을 흠향하게. 오호라! 아프구나! 상향.

3. 여덟째 조카 병일(秉一)²¹⁾에게 제사하는 글

해는 임인년(1722)이요 정월 초하루는 정해일인데 열아흐렛날 을사일에 열여섯 번째 아저씨는 삼가 떡과 과일의 제물로 여덟째 조카인 집중(執中: 병일의 자)의 널에 울면서 영결을 고한다.

오호라! 네가 풍토병으로 자리에 누운 지 거의 30년이 되었구나. 때로 위중하다가 다시 소생하여 쾌히 낫기도 하였는데 얼굴은 비록 밖으로 사그라졌으나 안으로는 정력이 실로 완전하였다. 밝은 두 눈에는 신비롭고 불가사의한 기운이 활발하였다.

너는 반드시 수복을 얻을 것이라 믿었으니 한때의 병으로 신음한다고 하여 어찌 놀랐겠는가. 그러나 여드레 사이에 갑자기 긴 밤으로 갔으니 오늘부터 다시는 선비의 관상을 보지 않겠다.

너의 재주와 품질이 선대의 아름다움을 잇기에 족하였는데 오랫동

---

21) **병일(秉一)**: 아천군의 종손(1676~1722). 아버지는 영릉 참봉을 지낸 부(溥, 子周, 1652~1726). 조부는 윤우(潤雨, 1631~1692), 자 순경(舜卿). 증조부는 현풍현감을 지낸 확(穫: 1583~1658, 자 君實). 고조부는 경홍(慶洪: 자 善源, 1550~1585). 5대조는 아천군.

안 병에 잠기어 힘을 다 펴지 못하였다. 도시락 하나와 한 그릇의 물로 시골에서 궁함을 지키다가 죽으니, 위로 노친이 계시어 흰머리가 휘날리고 아래로 어린 자식은 영원히 믿을 곳을 잃었다.

어질고 밝은 성품을 하늘이 어찌하여 인색하게 막았으며 아지랑이 같이 뜬세상을 풀풀 가버리다니 슬프구나. 다만 한 가지 이유로 너를 너그럽게 보낼 수 있으니 세 그루 귀한 나무가 날마다 씩씩하게 자라나 너의 문호를 높고 크게 하여 반드시 가풍이 끊이지 않으리라.

어떤 사람이 친족이 없을까마는 어찌 우리 집처럼 넓게 팔촌 사이로 화목을 논하겠는가. 하물며 너는 나와 멀리 살지 않아 반생 동안 말과 희롱으로 정과 뜻이 어긋나지 않았다. 호담과 동전(東田)에 서루를 짓고 바람, 꽃, 눈과 달을 따라다니며 놀고 네가 반계에 집을 짓자 나도 서쪽 언덕으로 옮겼으며 늙어서 서로 집에 드나들기를 기대했는데, 이 날의 영결을 어찌 기약했겠느냐.

형님께서 지금 널을 붙들고 고향 산으로 돌아가 장사를 지내시니 서루는 변함이 없고 못물은 잔잔한데, 한 송이 꽃과 한 그루의 대나무는 다 네가 심은 것이다.

혼이 돌아갈 때 어찌 즐겁지 않겠는가. 남은 사람은 이를 보고 그 슬픔을 감당하지 못한다. 밤을 줍고 고기를 낚던 지난날의 기쁨이 이제는 끝났구나. 한 잔 술과 두 줄기 눈물로 어찌 나의 뜻을 다하겠느냐. 오호라! 상향.

4. 형 도정(都正)22) 속(涑)에게 제사하는 글

다섯째 형 도정공(都正公)이 경자년(1720) 정월 스무하룻날 관사를 버리실 때 열여섯 번째 아우는 병에 걸려 남천 임소에 있으면서 영결하는 자리에 가지 못했습니다. 삼월 그믐날 동전에서 상여가 호중으로 온다는 말을 듣고 갈산(葛山)의 통역관으로 가서 기다리다가 널을 맞으며 곡하고 이별하였습니다.

다만 만시 두어 구절을 가지고 그 슬픔을 폈습니다. 소상에 미쳐서도 오히려 공사에 바빠져서 글을 지어 가슴속 생각을 펴지 못하였고 담사(禫祀)23) 전날 저녁에 처음으로 글을 지어 고합니다.

오호라! 슬픕니다. 갈산에서 상여를 잡고 울며 영결한 지 어제 같은데, 푸른 산 밑에 꽃은 이미 세 번이나 피었습니다. 좋은 때는 쉬이 가고 음성과 얼굴은 더욱 숨어드니 연화계 모임의 시를 짓는 자리에서 누가 짓기를 재촉하며 풍진에 분주히 다니는 저를 누가 경계하며 가르쳐주겠습니까. 옛날을 생각하면 항상 슬픔과 부끄러움이 서로 얽힙니다.

오호라! 슬픕니다. 북애(北崖) 할아버님 자손들의 수가 이미 드문데 요즈음 혹독한 화로 높은 항렬에 드는 사람이 거의 없습니다. 이 세상에서 우뚝 서신 형님만을 믿었습니다. 계를 맺고 화목을 맺고 예부터 내려오던 유업을 다시 닦은 것은 형님의 두터운 뜻이시었습니다. 묘갈

---

22) **도정**(都正): 조선 시대에 종친부, 돈령부, 훈련원에 속하여 종실, 종친, 외척에 관한 사무를 맡아보던 정3품 벼슬.

23) **담사**(禫祀): 담제(禫祭). 대상(大祥)을 치른 다음다음 달 하순의 정일(丁日)이나 해일(亥日)에 지내는 제사. 초상으로부터 27개월 만에 지내나 아버지가 생존한 모상(母喪)이나 처상(妻喪)일 때에는 초상으로부터 15개월 만에 지냄.

명과 묘지명과 선대의 자취에 관한 일을 모두 형님께 부탁하였는데, 지금 머물지 않으시니 종중의 일을 누구에게 맡기겠습니까.

오호라! 슬픕니다. 공께서는 효려(孝廬)[24]에서 죽을 드시면서 어짊과 덕을 쌓으셨고 돈은 콩 줄기에 걸어두고 관심이 없으시었으니 그 청백함은 가히 속세에서 뛰어나셨습니다. 나머지 일은 화려한 문장으로 크게 드러낼 만하시었고 본마음이 편안하고 고요해 선을 권하는 데 만족하셨는데, 때를 만나지 못해 슬퍼하셨고 끝내 군수 벼슬에 그치셨습니다.

우리 사우들이 누가 슬퍼하지 않았겠습니까. 다만 오래 사셔서 비대와 쌍옥을 하사받아 계급을 빛내시었다면 늙음을 위로하였을 터인데 급히 먼 길을 가셨습니다. 자손을 위하여 뒷날의 복을 기르고자 하신 것입니까.

오호라! 경자년에는 어떤 운기(運氣)가 왔습니까. 형님께서 이미 먼저 가시고 두 형님께서도 따라가시니 한 문중에 어떤 화가 이보다 혹독하다고 하겠습니까. 돌아보건대 남은 생애에 몸과 그림자가 고독하니 거의 기러기 떼가 짝을 잃은 것과 같고 병든 나뭇잎이 가지에 남아 있는 듯합니다.

무엇을 가지고 지나간 바람과 서리를 참으면서 여러 형님을 따르지 못하겠습니까. 또한 병정이 호남으로 떠나가다니 모든 일은 참으로 놀랍습니다. 이승의 남은 생각 하나가 재가 되어 가라앉음을 느낍니다.

죽어서 알지 못한다면 살아 있던 시간에 참으로 부러움이 있겠습니까. 멀고 먼 생각이 무엇에 얽매이겠습니까. 풀풀 쓴 거친 글은 어찌 가슴의 말을 다하겠습니까. 한 잔 술로 길게 통곡하니 다만 영혼께서

---

24) **효려**(孝廬): 상제 노릇을 하고 거처하는 곳.

는 이것을 받아주소서. 상향.

5. 상국 몽와(夢窩) 김상국(金相國)에게 제사하는 글

해는 임인년(1722)이고 오월 초하루가 을유일이니 열하룻날인 을미일에 한주 이 모는 눈물로 옷을 적시면서 몽와 김 공의 널 앞에서 통곡합니다.

한위(韓魏)[25]가 "공이 한 일이 정성스럽고 착한데 만일 차질이 있더라도 어찌 몸을 스스로 보전하지 못하였는가"라고 말하였습니다. 아마도 이 말처럼 바르게 처신하였어도 살 집이 없는 것은 오늘의 공을 두고 한 말입니다.

어찌 차마 말로 하겠습니까. 어찌 차마 말로 하겠습니까. 그러나 힘을 다해 온 힘을 다하여 임금을 섬기시었으니 공은 위 공에게 부끄러우나 마음은 위 공에게 부끄럽지 않으시니, 오늘의 화는 공이 슬퍼하실 바가 아닙니다. 하늘의 뜻이거늘 어찌합니까. 오호라! 아픕니다. 오호라! 아픕니다. 상향.

6. 죽취(竹醉) 김필형(必亨)[26]에게 제사하는 글

죽은 친구 죽취 김필형이 임인년 가을 팔월 스무나흘날 부령(富寧)[27]

---

25) 한위(韓魏): 송나라 때 충헌공 한기(韓琦).
26) 필형(必亨): 조선 중기 문신 김제겸(金濟謙, 1680~1722)의 자. 본관 안동. 자

의 적소에서 화를 당하였다. 시월 초사흗날 겨울에 비로소 파산(坡山)으로 널을 옮겨 올 수 있었고 열나흘 만인 병인일에 몽와공의 묘 옆으로 장사를 지내니 이 자리는 공이 귀양 가던 날 스스로 정한 것이다. 하루 전 을축일에 한주 이 모는 가서 곡하며 고한다.

아프고 아프구나! 어찌해야 합니까. 하늘이시여! 눈은 높고 귀는 낮지만 오히려 보고 듣지 못하니 내가 그대의 죽음에 또 무슨 말을 하겠는가. 반드시 말하고자 하면 그들은 처음에 그대와 그대의 아들에게 죄를 뒤집어씌우고, 끝내 그대 할아버님의 죄로 만들었구나.

그대의 아들을 국문(鞫問)[28]하여 얻은 것이 없었고 그대의 몸을 구속하여 찾은 바가 없는데 도리어 할아버님에 관한 헛된 죄상을 꾸며 그대를 죽였으니, 천하에 어찌 이런 일이 있겠는가. 천하에 어찌 이런 일이 있겠는가.

저들도 사람인데 어찌 많은 눈을 가리고 여러 사람의 마음을 속이는 것이 어렵다는 것을 알지 못하는가. 또한 어리석은 무리들을 위협하여 그대의 죄를 만들고자 하니, 그 화가 저승에까지 미치겠구나. 아무리 무고한 사람을 해하려고 하여도 도리어 웃음거리가 될 뿐이다.

저들이 비록 칼과 톱을 가지고 솥을 깨뜨리며 남의 가족을 멸문시킬 수 있어도 그 사업의 빛과 깊은 절개와 명분을 끝내 닳아 없애지 못함

필형(必亨). 호 죽취(竹醉). 시호 충민(忠愍). 영의정 창집(昌集)의 아들. 고양군수, 우부승지가 됨. 신임사화 때 아버지가 노론 4대신의 한 사람으로 사사되자, 울산에 유배되었다가 다시 부령에 옮겨져 처형됨. 조성복(趙聖復), 김민택(金民澤)과 함께 신임사화 때 죽은 삼학사(三學士)로 꼽힘. 뒤에 좌찬성에 추증됨.
27) **부령**(富寧): 함경북도 부령군.
28) **국문**(鞫問): 임금의 명령에 따라 국청(鞫廳)에서 형장(刑杖)을 가하며 중죄인을 신문하던 일.

은 무엇 때문인가. 그들은 아직도 벼슬자리를 지키고 녹을 먹는 것을 다행과 즐거움으로 삼고 명분과 절개와 사업을 똥과 흙같이 보니 그들 자신들도 어찌 될지 알지 못하는 일이네. 귀가 담에도 붙어 있으니 감히 길게 말할 수 없네.

영혼은 다만 말이 없구나. 죽음에 임하여 몸소 편지를 썼는데 조용함이 평시와 같고, 두려움과 공경도 마찬가지였네. 자손이 죽음을 당할 것이라 추측하며 바닷가에 안치(安置)29)되었네. 그 약한 무리들이 널을 어루만지면서 소리를 내어 우는구나. 내 마음이 찢어질 듯한데 그대의 영혼은 어찌 슬프지 않겠는가. 오호라! 아프구나. 상향.

7. 금성(金城)군수 오진주(吳晉周)에게 제사하는 글

해는 갑진년(1724) 십일월 초하루는 신축일인데 열나흘 갑인일에 친구 한주 이 모는 삼가 구운 닭과 보잘것없는 제물로써 근래 죽은 자연당(自然堂) 명중(明仲)의 영혼에 영결을 고하네.

그대는 양곡(陽谷)30) 선생의 어진 아들이며 농암 선생께서 사랑하시는 사위였네. 참으로 뿌리가 바르고 오래도록 배워 집에서는 효도하고 우애하고 사랑하고 화목하였으며, 남을 대할 때는 충성스럽고 미덥고

---

29) **안치**(安置): 조선 시대에 먼 곳에 보내 다른 곳으로 옮기지 못하게 주거를 제한하던 형벌.

30) **양곡**(陽谷): 조선 숙종 때의 문신 오두인(吳斗寅, 1624~1689)의 호. 자는 원징(元徵). 공조 판서, 형조 판서를 지냈으며 인현왕후 민씨의 폐위를 반대하여 국문을 받고 귀양 가는 도중에 죽었음.

두터웠으며, 학문을 일찍 이루어 글이 화려하고 재주에 대한 희망이 있었네.

같은 무리들은 모두 자리를 양보하였고 벼슬길은 비록 낮았지만 청렴하고 너그럽고 곧음이 드러나 사람들의 칭찬을 받았네. 이로 말미암아 오래 살고 복을 누리는 것이 마땅할 줄 알았는데 그대로 되지 않았으니 그대는 어찌 평생 동안 한 가지도 이루어지지 않았는가.

어려서 참화를 당하여 부모와 형제를 모두 잃었고 두 번이나 상처하더니 바쁘게 가버렸네. 나이를 헤아려보니 서른을 겨우 넘겼고, 벼슬은 형편이 없었으니 수조랑(水曹郎)[31]에 그치었다.

슬프구나! 하늘이여! 끝내 이리 인색하십니까. 처음에는 무엇 때문에 넉넉하게 양곡 선생에게 다섯 구슬의 보배를 주시었다가 모두 빼앗아가 땅에 묻게 하고, 농암 선생의 문중에 황정견과 채양을 이을 사람을 데려가니 신의 이치를 헤아릴 수 없습니다. 오 군 한 사람만을 위하여 슬퍼함이 아닙니다.

오호라! 나와 그대 집안은 삼세 동안 가까웠고 20년간 그대와 사귐이 두텁고 정이 깊었으니, 사랑이 어찌 다만 가볍겠는가. 그 영부(靈府)[32]가 길이 평탄하여 언덕과 험함을 없애고, 무릇 일체의 교만하고 인색하고 실속이 없고 집착하는 마음을 버리기 바라네.

일찍이 털끝만큼도 한을 남기지 않았고 매우 부지런히 자신을 단속했으며 게으르거나 해이하지도 않으며 방탕하거나 오만하지도 아니하며, 또한 교만하거나 자만하지도 않았네. 물러나서 부드러움과 화하여

---

31) **수조랑**(水曹郎): 공조(工曹) 정랑(正郎).
32) **영부**(靈府): 신부(神府), 철부(哲府)와 더불어 삼부(三府)의 하나. 대종교에서는 정신이 깃들어 있는 곳이라는 뜻. '마음'을 이르는 말임.

호탕한 가운데서도 뜻을 굳게 세워 남과 다투지 아니하였네. 시비의 경계에서 실오라기만큼도 관여하지 않은 것은 하늘의 조화가 스스로 움직인 것이므로 그대도 알지 못하였을 것이네.

나를 돌아보니 모자라고 얕은 생각으로 부지런히 가슴에 담아 그대를 보면 문득 흠모하였고 배우고자 하였으나 이르지 못하다가 이제 와서 모두 알아버렸으니 나는 앞으로 외로울 것이네. 도량이 좁은 이 세상에서 다시 누구와 더불어 벗하겠는가.

오호라! 별이 떠나가고 비가 흩어진 지 이미 여름과 가을이 세 번 지나갔네. 며칠 동안 한 말이 어찌 지난날 넉넉하게 주고받던 글과 술과 같겠는가. 그대의 병이 비록 중하였으나 나이가 많지 않으니, 반드시 다시 좋아져서 예전의 기쁨을 이으리라 여겼는데 어찌 서로 이별한 지 스무날 만에 영구 앞에 와서 곡을 해야 하는가.

여덟 폭 병풍 속에 그대의 영혼이 또렷한데 온화하고 윤택한 얼굴은 어디에서 볼 수 있는가. 죽음에 가까웠을 때 보고 싶다는 말을 듣고는 창자가 썩어버렸네. 해와 달이 머물지 않고 영구를 실은 수레가 멍에를 메고 떠나려고 하였는데 병들어 자리에 누워 상여를 잡고 묘 터로 가지 못하였으니, 길고 긴 이 한이 내 생애를 마치도록 허물이 될 것이네.

오호라! 생사는 밤과 낮 같으니 여기에 통달한다면 무엇이 슬프겠는가. 들으니 그대는 스스로 지문(誌文)33)을 지어둔 지 오래라고 하니, 나는 그대의 통찰력에 굴복하며 부질없는 일상에 골골함이 부끄럽네. 하물며 그대의 순박함과 두터운 인정, 선명한 글은 족히 썩지 않을 것이네.

오호라! 그대는 지금 매미가 껍질을 벗듯 탁한 세상을 버리고 숙연

---

33) **지문**(誌文): 죽은 사람의 이름 생일 죽은 날 행적 무덤의 위치와 좌향(坐向) 따위를 적은 글.

히 높은 바람을 몰고 상계로 올라가 아버님과 농암 선생을 곁에서 모시며 시끄러운 이 세상을 다시 떠올리겠는가. 아직도 두 선생께서 세상일을 물으시면 그대는 반드시 눈썹을 찡그리며 차마 좌우의 일을 자세히 말씀드리지 못할 것이네. 상향.

8. 지촌(芝村) 선생에게 제사하는 글

해는 갑진년 삼월 초하루는 을해일인데 초아흐레 계미일에 한주 이 모는 삼가 술을 갖추어 요사이 돌아가신 지촌 이 선생 영전에 울며 영결을 고합니다.

아프고 아픕니다. 공께서 지금은 돌아가셨습니다. 어찌 하늘이 정한 이치에도 없이 사람이 하늘을 이기게 하셨습니까. 무릇 이리와 호랑이와 뱀과 악어가 우리 인류를 해하게 하셨습니까. 삿됨과 흉악함과 간사함이 우리의 군자를 해하게 하였습니까. 이 어찌 하늘이 할 일입니까. 슬프고 참혹합니다.

짐승이 사람을 해하고 간사한 사람이 어진 이를 병들게 하여 어지러움이 천하에 넘칩니다. 모두 그런 것은 아니지만 하늘이 사람을 이기지 못하는 일이 생기는 것을 직접 보니 이제는 괴이한 일이 아닙니다. 지금 세상에서 나오는 포악함과 사나움을 공이 어찌 제지하겠습니까.

무엇 때문에 용과 기린과 추우(騶虞)[34]를 나게 하고 그 사이에 다른

---

34) **추우(騶虞)**: 신령스러운 상상의 짐승. 흰 바탕에 검은 무늬와 긴 꼬리가 있으며 생물을 먹지 않고 살아 있는 풀을 밟지 않는 동물. 성인의 덕에 감응하여 나타난다고 함.

물질을 나게 하며, 또 무엇 때문에 착하고 어진 현성을 세상에 나오게 하는 동시에 악하고 독한 사람을 나게 합니까.

쯧쯧! 이 마음이 늘 조화옹에게 의심과 감정이 있었습니다. 공께서 지금 참으로 돌아가셨으니, 오히려 상제님께 여쭈어보아 꿈속에라도 저에게 알려주십시오. 오호라! 영암(靈巖)35)에서부터 철산(鐵山)36)까지 거의 수천 리나 되는데, 거친 세상을 피한다고 하였으나 실제로는 죽음의 땅에 둔 것입니다.

슬픕니다. 사람들이 어찌 차마 이렇게 할 수 있습니까. 피가 흐르는 다리로 눈 속을 뚫고 가시다가 끝내 길 위에서 고복을 하시고 말았습니다. 삽의 깃발이 돌아오는 까닭을 말해주시며 영혼이 아름다운 구슬로 장식된 수레를 타고 창오(蒼梧)37)의 길을 따라 저물게 현포(玄圃)38)로 가셨습니까. 옥난간의 꽃에 노시며 농환(弄丸)39)의 정자에서 즐기셨을 터이니, 제가 또 무엇을 서러워하겠습니까.

다만 사주(沙洲)40)의 문장이 공으로 해서 더욱 빛이 났는데 지금 누가 아름다움을 이을 것이며, 우암과 조정암의 도학을 지금 누가 지키고 보전하겠습니까. 이 글이 사라져가도 잡아줄 종사(宗師)41)가 없고 후생들이 어려운 일이 있어도 질문할 곳이 없습니다. 망망한 이 세상에 제가 누구와 함께 나가겠습니까.

---

35) **영암**(靈巖): 오늘날의 전라남도 영암군.
36) **철산**(鐵山): 평안북도 철산군.
37) **창오**(蒼梧): 지명. 순임금이 붕어(崩御)한 곳.
38) **현포**(玄圃): 중국 곤륜산 위에 신선이 산다는 곳.
39) **농환**(弄丸): 구슬을 공중에 높이 던졌다가 받는 공 던지기 놀이.
40) **사주**(沙洲): 조선 인조 때 문신 정진철(鄭晉哲)의 호.
41) **종사**(宗師): 모든 사람이 높이 우러러 존경하는 사람.

홀로 남기신 편지를 가슴에 안고 다만 눈물을 흘리고 있을 뿐입니다. 정월 보름날 수정에서 술을 권해드린 때가 어제 같은데 마시지 않으시고 무엇 때문에 그렇게 슬픈 말씀을 하셨습니까. 오늘 와서 한 잔 술을 드리나, 잔을 받으시고는 수작을 하지 않으십니다.

　　울음이 빈산을 뚫지만 영혼께서는 아시지 못합니다. 담에도 귀가 많이 붙어 있어 말을 다하지 못합니다. 오호라! 아픕니다. 오호라! 아픕니다. 상향.

9. 단양(丹陽)군수 홍사준(洪士駿)에게 제사하는 글

　　구옹(臞翁) 홍사준 씨는 성품이 대세에 휩쓸리지 않고 지조가 있고 속된 기운을 벗은 선비인데 세상은 그를 알아보지 못하였다. 그 벗 한 주 이 모는 옹을 안 지 오래되었는데, 옹의 존재를 다른 사람들과 같이 알아보지 못했다.

　　옹이 집을 짓고 담을 이어 살면서 아침저녁으로 지나다니며 가만히 살펴보니, 그의 성품이 고인 물과 같이 고요하고 금석과 같이 굳세었다. 문을 닫고 수레를 씻으며 교유를 사절하고 다만 서사와 문자와 문장 쓰기를 즐기면서 다른 걱정이 없이 지내왔다.

　　얼굴은 말랐고 몸은 말끔하였다. "허물을 날마다 고치니 점점 맑고 파리해진다"라는 옛말을 따와서 스스로 이름 하여 '구옹(여윈 노인)'이라고 하였다. 옹은 참으로 경개(耿介)하고 속기를 벗어난 자태였다. 나는 옹이 참으로 남다르다는 것을 알았으니 옹을 사랑하고 공경함이 특별하였다. 지금 갑자기 그를 잃으니 아픔을 어찌 참을 수 있겠는가.

　　해와 달이 머물지 아니하여 상여가 떠나고자 하는데 어찌 한마디 영결을 고하지 않겠는가. 병이 깊고 정신이 짧아 능히 긴 말은 하지 못하고, 다만 옹을 알게 된 경위를 말하는 바이다. 감히 옹의 지식을 안다고는 할 수 없는데 옹이 아는 바를 말하겠는가. 옹을 사랑하는 내 맘을 옹은 아시는가. 모르시는가. 상향.

10. 참의 이상성(李相成)[42]에게 제사하는 글

해는 을사년(1725)이요 팔월 초하루는 병인일이니 스무날 을유일에 한주 이 모는 병들어 자리에 누워 애오라지 거친 글을 써서 멀리 돌아가신 참의 이 공의 영혼에 고하네.

처음 내가 공을 만났을 때는 그대는 총각이고 나도 총각이었네. 나의 여러 형님을 따라서 깊이 우정을 맺었고 글을 서로 인정하면서 고향에서 붙어 돌아다닌 지 40년이나 되었네. 기미가 좋지 못하여 청춘이 쉽게 떠나가고 여러 가지 일에 정신이 상하였는데 세 분 형님께서 연이어 돌아가시고 병든 나만 홀로 남았네.

백문동의 옛 친구들이 거의 다 죽었고 쫓아다니며 놀던 사람들 가운데 다만 그대가 남았었는데 창해와 상전과 같이 누리가 바뀌었고, 영남 바닷가에 멀리 있었으나 때만 있으면 짧은 편지를 썼네. 어찌 감추

---

42) **이상성**(李相成): 조선 중기 문신(1663~1723). 본관은 광주(光州). 자는 원경(元卿). 호는 영은(嶺隱). 1697년(숙종 23)에 정시문과에 병과로 급제하여 의정부사록(議政府司錄)이 됨. 그루 예조와 병조의 정랑, 서산현감, 전라도와 강원도의 도사, 울진현감, 강계부사, 형조와 호조의 참의를 지내고, 삼척부사로 나갔다가 재직 중 죽음. 지극한 효자로 이름남.

고 쌓아둔 정을 흐트러뜨릴 수 있겠는가. 아득한 구름과 나무를 지나 갑자기 대산으로 놀러 간다는 말을 들었네.

슬프구나! 지금 세상에 좋은 사람이 어디 있는가. 자네와 같이 높아서 훤히 터진 기품과 널찍한 가슴은 옛날 사람 가운데 찾아보아도 많지 아니할 것일세. 굳센 뜻으로 부지런히 글을 읽어 추위와 더위도 다 잊었지. 과거 시험에 성공하여 가장 먼저 무리에서 앞서나갔네.

조정에서 임금님을 섬기는데 바른 소리가 두드러졌고, 일을 만나면 바람이 일듯 일찍 처리하고 조금도 더디지 아니하였네. 그때는 무슨 연유로 공이 배척을 받았는가. 오늘에 와서야 흉한들과 간사한 무리가 다 드러났고 상감께서 사실을 거듭 밝히시어 그대를 모함하던 무리들이 죽음을 당하거나 벌을 받았으나 그대가 보지 못하여 한스럽네.

성한 열기를 어두운 구천에서 혹 알 수 있는가. 온화함과 쾌함을 실어 갔다면 근심함과 분함이 거의 풀렸겠지. 다만 저 조정에 옛날 어진 이들이 모두 모였는데 그대만이 홀로 어디로 가서 이 맑은 때를 만나지 못하는가. 그대의 나이와 자리를 생각하니 어진 덕을 보상받지 못하고 하늘의 조화가 막연하고 아득하여 더욱 내가 아파하고 안타까운 것이네.

지난날 쫓겨 다니던 일이 거의 난리 같아서 죽을 위험 때문에 능히 말조차 하지 못하였고, 죽은 뒤에 염에 가지 못하였고 장지에도 가지 못하였네. 묘의 풀이 두 해나 지나고 궤연은 이미 거두어졌는데, 아직도 내가 그대의 영혼에 고하지 못한다면 영혼은 참으로 날 꾸짖겠지.

이처럼 게으름이 습관이 되었는데 어찌 살펴주지 않는가. 때는 비록 늦었으나 정을 오래도록 누르기 어렵고 길이 멀어 가지 못하고 글과 술을 보내 애오라지 그대가 남긴 훌륭한 맏아들에게 부탁하여 담사(禫祀)43)에 외워 조상하게 하네. 말이 짧다고 하지 말게. 글자마다 마음을 기울였네. 그대가 만약 옛정을 생각한다면 어찌 작은 정성이라고 받지 않겠는가. 오호라! 슬프구나. 상향.

11. 지중추부사(知中樞府事)[44] 이시성(李時聖)에게 제사하는 글

해는 을사년(1725) 팔월 초하루는 병인일인데 열이렛날 임오일에 한주 이 모는 삼가 떡과 술의 전물로써 근래 고인이 된 숭록대부(崇祿大夫)[45] 지중추부사 이 공의 영전에 곡하며 고하네.

예전부터 뜻을 알아도 때가 흉흉하여 동조하지 못하였으나 생각하는 바와 취미가 맞아 서로 좋아하고 의지하였네. 돌아보건대 내가 그대를 어찌 데면데면 알고 있었겠는가. 그대가 갖춘 것을 보니 실하고도 많았네. 그 문장과 글씨는 선비 가운데에서도 드문 재주였네.

한편으로 제가(諸家)[46]의 학설을 통하여 묘한 경지에 이르렀으나, 이는 학문 밖의 일이었네. 그대의 아름다움과 빼어난 재주, 도량, 탄탄한 마음은 어리석은 자들을 100명이라도 용납할 수 있었는데 큰 기운으로 높은 자리에 오르지 못하고 아래 무리에 섞이었네. 먹고 살 걱정 때문에

---

43) **담사**(禫祀): 대상(大祥)을 치른 다음다음 달 하순의 정일(丁日)이나 해일(亥日)에 지내는 제사. 초상(初喪)으로부터 27개월 만에 지내나, 아버지가 생존한 모상(母喪)이나 처상(妻喪)일 때에는 초상으로부터 15개월 만에 지냄.

44) **지중추부사**(知中樞府事): 중추부에 속한 정2품 무관 벼슬.

45) **숭록대부**(崇祿大夫): 조선 시대에 1품 관직을 일컫는 말.

46) **제가**(諸家): 제자백가(諸子百家). 공자·관자(管子)·노자·맹자·장자·묵자(墨子)·열자(列子)·한비자(韓非子)·윤문자(尹文子)·손자·오자(吳子)·귀곡자(鬼谷子) 등의 유가(儒家), 도가(道家), 묵가(墨家), 법가(法家), 명가(名家), 병가(兵家), 종횡가(縱橫家) 음양가(陰陽家) 등을 이름.

스스로 슬퍼하고 아까워하였으나, 머리에 쓰는 금관자(金貫子)[47], 옥관자(玉貫子)[48]만이 어찌 참된 즐거움이겠는가.

그러나 그 밟고 지내온 이력이 뒤를 가는 무리에게 많은 영향을 주었네. 또한 오만함과 거만함으로 무리 속에서 호랑이처럼 호통 치지 않았네. 옛날에 아버님께서 지으신 고청수결(叩請壽訣)에 옛사람의 성패를 하나하나 예로 드시며 다만 욕심을 병으로 여겨 버리라고 말씀하셨으니 그 말씀이 아직까지 마음속에 반짝거리네.

그대의 평생을 잘 헤아려보니 전수받은 바가 있었네. 그것을 전하여 후손들이 대부분 잘되었네. 이와 같이 그대를 밝힌다면 그대는 지나치다고 하지는 아니할 것이네. 그대도 또한 이것을 인정하여 언제나 말하기를 "나를 아는 것은 권리도 아니고 권세도 아니며, 처음과 끝에 변함이 없다"라고 하였네.

서산의 흰 눈 속에서 스스로 와서 병을 구하였으니, 다만 그 깊은 사랑은 위태로움을 당하여도 자신을 돌아보지 아니하였네. 천금이나 되는 좋은 약재는 정 한 조각이라고 여기었네. 누가 서로 두텁다고 하였는가. 다만 다시 살려준 은혜를 느낄 뿐이네.

그대와 내가 서로 아는 것을 세상에서는 평하기 어렵겠지만, 지난여름 병들어 누웠을 때 또한 정을 어기지 못하고 비록 날마다 와서 보았으나 꿈처럼 기억이 흐릿하네. 어찌 그때 보고는 이별일 줄 알았을까.

슬프고 슬프구나! 기백이와 편작이도 또한 마침내 죽었구나. 지금 세상을 돌아보니 누구에게 마음을 열까. 이 병든 몸을 어루만져보니

---

47) **금관자**(金貫子): 금으로 만든 관자. 정2품 종2품의 벼슬아치가 달았음.
48) **옥관자**(玉貫子): 옥으로 만든 망건 관자. 왕과 왕족 1품 이상의 관원은 조각을 하지 않았고, 정3품 당상관 이상의 관원만 조각을 했음.

누가 마른 나를 다시 살려줄까. 항아리에 가득한 붉은 술을 만나서 마신 일이 어제 같은데 오늘은 한 잔 술을 어찌 알아보고 받지 못하는가.

쓸쓸한 바다의 달에 삽의 깃발을 달고자 하네. 유유한 만사에 슬픈 두 줄기 눈물이구나. 오호라! 슬프구나. 상향.

12. 화양서원에 제사를 올리는 글

■ 다른 사람을 대신하여 짓다

천지의 큰 법에 한 부분은 춘추(春秋)라! 성인이 가신 지 오래되었고 말씀마저 사라졌으니 누가 주나라 높이는 뜻을 알겠는가. 홀로 우뚝 서서 한 몸으로 짐을 지었네. 영릉(寧陵)49)에 계신 임금과 뜻이 잘 맞아 임금을 도와 담력과 뜻을 태우며 아픔을 참고 원한을 머금어 마음속으로 복수하여 욕됨을 씻으리라고 맹세하였네.

지혜의 주머니를 봉하고 독대하니 꾀를 숨기고 누설하지 말라고 당부하셨네. 무후(武候)50)의 한결같은 충성이여! 태산과 같은 큰 뜻이여! 하늘이 복을 주시지 아니하여 갑자기 전쟁이 일어났네. 숙종대왕 때와서 선대의 뜻을 따르고자 하니 군탄(沼灘)51)의 해에 금궐 안에 단을

---

49) **영릉(寧陵)**: 경기도 여주군 능서면에 있는 조선 효종과 그 비 인선왕후의 능.
50) **무후(武候)**: 제갈량(諸葛亮). 중국 삼국시대 촉(蜀)나라의 문신. 뛰어난 전략가로 유비(劉備)의 삼고초려(三顧草廬)의 예에 감격하여 그를 도움. 오(吳)나라와 연합하여 조조(曹操)의 위(魏)나라를 대파하고 촉을 일으키는 데 큰 공을 세움.
51) **군탄(沼灘)**: 고갑자(古甲子)에서 천간(天干)의 열아홉째. 신(申)과 같음.

쌓았네. 두 성군의 빛나는 공을 그대는 실제로 밝히고 드러내었네.

공은 비록 이루지 못하였으나 법은 더욱 밝아졌네. 조상의 일심을 어디에 맡길 것인가? 메마른 화양에 그대의 무덤을 썼네. 의종(毅宗)[52] 황제가 남긴 현판을 외진 산골에 걸었더니 환히 빛나네. 암자의 호는 크고 아름다운 곳에 신위를 모시고 제물을 바치었네.

생각하면 법은 세웠으나 예는 고증할 바가 없네. 고금을 헤아려보니 송나라 선비들이 순임금의 사당을 지은 것과 같고, 초나라 사람이 소왕(昭王)[53]을 제사한 것과 같네. 이 일을 끌어다 본받아서 정성을 부치니 뜻이 어찌 즐겁지 않겠는가. 죽음이 가까워서 부지런히 작은 암자를 경영하였네. 발우를 전할 사람 있어 만동사(萬東祠)가 이어졌네.

한마을 동천에 대명의 일월이 밝았고 하늘같은 인륜의 떳떳함이 이에 의해 끊어지지 않았네. 대개 그대의 도학은 옛 서적의 진위와 다름과 같음을 조사하여 밝혀 이룬 것으로, 왕가의 법을 높이며 평생 동안 가슴에 품고 정진하였네. 뜻과 사업이 분명하였으니 천하에 할 말이 있었네. 나는 그대가 없었다면 만고가 긴 밤이었겠지. 저 우뚝 솟은 나무는 나의 성조를 빛나게 하네. 헛되고 교만하다고 말하는 자는 삿된 혀를 감히 놀려 세도를 무너뜨려 어지럽혔고 선비들을 미혹하였네. 이에 나의 영고께서는 다만 이것을 근심하시었네. 밝고 밝은 임금의 교훈은 이것으로 제비에게 날개를 달아주었네. 황황(煌煌)[54]한 보배의 글

52) 의종(毅宗): 중국 명나라 17대 황제. 재위 1628~1644. 이자성(李自成)의 반란 때 자살.
53) 소왕(昭王): 중국 주(周)나라 4대 왕. 재위 B.C.995~B.C.977. 남쪽으로 초(楚) 땅을 정벌하였는데 초인(楚人)들이 아교를 칠해 놓은 배를 타고 한수(漢水)를 건너다가 물에 빠져 죽었다 함.

씨는 그 사원의 현판에 크게 나타났네.

지난 일을 미뤄 생각해보니 더욱 슬프네. 세상 급수가 점점 낮아지니 법을 누가 밝힐 것인가. 한 조각 빈산에 사당과 집이 서로 이웃하였네. 일이 나라의 법과 다르다는 것을 나는 비로소 들었네. 중국을 북쪽으로 바라보니 황천에서도 생각나겠지. 저승을 짓기 어려워 같이 죽기 어려움을 한탄하네.

이미 강도(江都)⁵⁵⁾에서 제사 지내었고, 사당을 남겨 다시 향사하네. 내 뜻이 법에 있으니 열렬함을 장려하네. 그대의 괴로운 마음에 상을 주고 영령에 술을 권하네. 상을 내리고 숭상함이 어찌 다만 그대를 위해서이겠는가. 선왕의 뜻에 따라 쇠하는 세상을 격려하기 위함이네. 관리를 보내 전물을 설치하니 이 잔을 받아주게. 상향.

13. 영암 죽정서원(竹亭書院)⁵⁶⁾에 판서 이만성(李晩成)⁵⁷⁾을 배향하는 글

■ 이만성의 호는 귀락당(歸樂堂)이다

공손하게 생각해보니 숙종 때에는 이름난 신하들이 많이 나왔으나

---

54) **황황**(煌煌): 번쩍번쩍 빛나서 밝음.

55) **강도**(江都): 강화(江華)의 다른 이름.

56) **죽정서원**(竹亭書院): 조선 숙종 때 전라도 영암에 건립된 서원. 박성건(朴成乾), 박권(朴權), 박규정(朴奎精), 이만성(李晩成), 박승원(朴承源) 등을 배향함.

　배향(配享): 학덕이 있는 사람의 신주를 문묘나 사당 서원 등에 모시는 일.

57) **이만성**(李晩成): 조선 숙종·경종 때의 문신(1659~1722). 본관은 우봉(牛峰). 송시열의 문인. 1709년 대사성에 임명되어 영의정 최석정(崔錫鼎)이 저술한 『예기

크고 높은 자태와 준정한 뜻으로 많은 수의 고관들 가운데 공과 비교될 이가 드물었습니다. 바른 얼굴로 조정에 나가 무겁기는 산악과 같으시었고 하나같이 지키시는 것이 있어 분육(賁育)58)도 빼앗을 수 없는 것이었습니다.

굳게 변함없이 스스로 책임을 지시고 맑음을 지키고 흐림을 버리셨습니다. 임금의 덕에 잘못이 되거나 조정의 득실을 알고는 아뢰지 아니함이 없으셨습니다. 말하면 격론하지 아니함이 없어 동서의 양론을 모두 헤아리셔서 이 도를 밝히고자 하셨습니다. 바위처럼 서서 법을 시험하셨고 바람처럼 흩어져서 변화를 일으키셨습니다.

장주(章奏)59)는 절대적이었으니 누가 읽지 아니하겠습니까. 그러나 이와 같은 일은 자잘한 일에 불과합니다. 대개 그러한 행동의 근원을 생각해보니 돌아가신 아버님의 법을 따르신 것이었습니다. 사문의 날개가 되셨고 가문의 학문을 전수하신 것이었습니다. 도리에 밝으셔서 검은 물을 싫어하셨고 남은 물결을 남에게 가르치셨습니다.

예법이 어긋나고 성인의 도가 없어지니 공께서 때마침 드러내어 밝히셨습니다. 명백하고 통쾌하여 국론이 처음으로 밝아졌습니다. 선비들은 이를 공론으로 의지할 수 있었으나 반대하는 무리들이 성을 내며

유편(禮記類編)』에 주자의 글귀를 고친 것을 논죄하다가 숙종의 노여움을 사서 삭직됨. 1721년(경종1)에 다시 병조 판서가 되어 노론 대신들과 연잉군(延礽君: 뒷날 영조)의 세제(世弟) 책봉을 주청해 실현되었으나, 소론이 일으킨 신임사화에 연루되어 전라도 부안에 유배되었다가 서울로 불려 와서 국문을 받다가 64세를 일기로 옥사함.

58) **분육(賁育)**: 중국 춘추전국시대 위(衛)나라의 역사(力士) 하육(夏育)과 제(齊)나라의 역사 맹분(孟賁)을 함께 부르는 말. 용맹이 뛰어난 사람을 가리킴.

59) **장주(章奏)**: 신하가 임금에게 올리던 글.

화살촉같이 몸에 박혀 그림자처럼 따라다니며 틈을 엿보았습니다.

수많은 계책에 하늘이 무너진 것같이 형세는 매우 위태롭고 불안하였으나 공께서는 조금도 흔들리지 아니하시고 힘을 다해 바로잡으셨습니다. 뜻은 비록 벼슬을 물러나려 하셨으나 마음은 나라를 잊기 어려우셨습니다. 시골로 돌아가실 뜻을 쉽게 결정하지 못하시고 새로운 교화를 돕고자 하여 효종께 나아가 보고하시니 신묘년 가을에 나라의 정책을 결정하는 데에는 공의 도움이 컸습니다.

그러나 적의 조치가 번개와 같아서 하늘과 땅이 뒤바뀌었습니다. 적들은 회남자(淮南子)[60]와 마찬가지로 평당(平當)[61]과 같은 공의 곧음을 꺼렸습니다. 비로소 남해로 귀양을 가시니 반대하는 떼들이 놀라서 처벌이 사치스럽다고 말하여 끝내 감옥에 안치되셨으니 어찌 환관이 지내는 북사에서 거처하는 것과 다르겠습니까.

티를 찾을 수 없이 담력을 펴시기도 하고 누르기시도 하며 세월만 보내셨습니다. 몸의 궁함이 극에 달하여 칼을 채운 목에 구더기가 슬었으나 여전히 고문을 그칠 줄 몰랐습니다. 어찌하여 저 푸른 하늘은 일찍이 굽어 살피지 아니하셨습니까. 예로부터 선비 가운데 몇 사람이 화를 당하였으나 참혹함이 이와 같은 때가 없었습니다.

공께서는 이때 일찍이 근심하거나 두려워하지 않으시고 살아서는 충신이 되고 죽어서는 바른 귀신이 되시겠다며, 우러러 하늘을 쳐다보거나 사람을 굽어 대하더라도 무엇이 부끄럽고 후회가 되겠느냐고 말

---

60) **회남자**(淮南子): 중국 전한의 학자 유안(劉安, ?~B.C.123). 고조의 손자로 회남왕(淮南王)에 책봉됨.

61) **평당**(平當): 중국 전한 애제(哀帝) 때의 승상. 경학(經學)에 밝아 박사가 되었으며, 애제 때 공신에 책록되고 승상에 오름.

씀하셨습니다. 윗사람이 갈려서 조서를 통해 억울함을 벗자 이조 참판의 직품이 내려졌습니다. 관리를 보내 제사를 지내니 슬픔과 영화가 더불어 이르렀고 사림들에게는 위로가 되었습니다.

죽정의 사당은 마을에 살았던 어진 이들을 모시는 곳으로 공을 이곳에 향사하였습니다. 많은 선비들이 의지하고 은혜가 깊어 가까이 모시니 명망이 태산과 북두 같았습니다. 화가 심하여 대들보가 무너져서 배울 수 없게 되자 학문은 그 길을 잃어버렸습니다. 불쌍한 후생들의 슬픔을 무엇으로 위로하겠습니까.

앞에 가신 철인들께 배향함이 마땅하여 천고에 영원토록 보이고자 합니다. 어르신을 좋아하던 관리들이 모두 모여 성대한 의식을 이렇게 마련하였습니다. 간하고 의논하던 풍도와 절개가 향기를 아름답게 피웠습니다. 산 위의 밝은 달은 공의 모습을 보는 것 같고 넘실대는 큰 바다는 공의 도량 같았습니다. 공경하여 제례를 베풀고 삼가 작은 정성을 고합니다. 찾아오셔서 흠향하고 돌아보시어 문명(文明)을 열어 도와주시기를 바랍니다. 상향.

14. 봄과 가을에 지내는 향사의 축문

무겁고 정성스러운 자질이여! 높고 바른 이론이여! 너그럽지 못한 풍속을 넉넉하게 할 수 있고 숨은 것을 열어줄 수 있습니다. 화가 덕의 베풂을 막으니 사림들이 통분히 여깁니다. 남은 덕과 화가 이곳에 있으니 영원히 공경하며 제사를 지냅니다.

15. 몽와 김상국(金相國)에게 제사하는 글

해는 병오년(1726)이요 시월 초하루는 기미일인데 보름날 계유일에 모시고 가르침을 받은 황해도 관찰사 통정대부(通政大夫)[62] 한주 이 모 는 돌아가신 영의정 몽와 김 공의 널을 열고 파산에서부터 배에 싣고 동쪽으로 가서 동짓날 경신일에 영원히 황려(黃驪)의 산에 편안하게 장 사 지낸 소식을 들었습니다. 그러나 이 몸이 변방의 수령인 까닭에 몸 소 찾아가서 슬픔을 펴지 못하고 삼가 사람을 보내 대략 술과 떡을 갖 추어 감히 널 앞에 밝게 고합니다.

오호라! 아픕니다. 청음(淸陰)[63] 노정승의 큰 절개와 문곡(文谷)[64]의 큰 덕으로 좋지 못한 운수를 만나 궁한 액과 혹독한 화를 입으셨는데 공께서는 그 뒤를 이으면서도 두려워하지도 위축되지도 않았습니다. 비록 죽어도 후회하지 않으셨으며 끝내 하늘같이 나라를 지켰습니다.

---

62) **통정대부(通政大夫):** 조선 시대 정3품 문관의 품계.

63) **청음(淸陰):** 조선 선조·효종 때의 문신 학자 김상헌(金尙憲, 1570~1652)의 호. 본관은 안동. 서인 청서파(淸西派)의 영수. 병자호란 때 끝까지 주전론(主戰 論)을 주장함. 정묘호란이 일어났을 때 진주사로 명나라에 갔다가 구원병을 청하였고, 돌아와서는 후금과의 화의를 끊을 것을 강력히 주장함. 효종이 즉위해 북벌을 추진할 때 그 이념적 상징으로 '대로(大老)'라고 존경을 받고 좌의정에 임명됨. 이후 수차례 은퇴의 뜻을 밝히면서 효종에게 인재를 기르고 대업을 완수할 것을 강조함. 죽은 뒤 대표적인 척화신으로서 추앙받았고, 1661년(현종 2) 효종의 묘정에 배향됨. 몽와의 증조부.

64) **문곡(文谷):** 조선 중기 문신 김수항(金壽恒, 1629~1689)의 호. 시호 문충(文忠). 효종 현종 때 여러 관직을 지내고, 제2차 예송이 일어나 남인이 주장한 기년설이 채택되자 벼슬을 내놓음. 그 후 숙종 때 영의정이 되었으나, 1689년 기사환국으 로 남인이 재집권하게 되자 진도에 유배되었다가 사사됨.

공께서 안계셨다면 어찌 선대를 영원히 빛낼 수 있었겠습니까. 우리 나라에서 삼세가 모두 어진 현인이셨습니다. 송나라 때 충헌공(忠獻公)[65]도 공과 비교하면 더 높지 아니할 것입니다. 임인년(1722) 여름에 바치신 글은 참으로 높이 평가합니다. 하늘에 도가 되풀이되어 붉은 빛으로 밝게 '신원(伸寃: 가슴에 맺힌 한을 풀어버림)'이라는 두 글자를 쓰셨으니 은혜로운 글씨는 앞서간 사람에게 맞습니다.

노량진에 사옥을 짓고 제사를 올리니 단종 때 충신인 여섯 신하의 사당과 이웃하였습니다. 정령이 모인 곳에 거의 의지할 수 있습니다. 상계(上啓)[66]에 의지하여 거친 무리들은 모두 무덤 속으로 귀양을 갔고 나라의 예를 갖추었으니 슬픔과 영화에 유감이 없습니다.

저 궁궐을 우러러봄에 임금의 자리가 더욱 새로워졌습니다. 착한 줄이 끊어지지 아니하여 종묘의 맥이 영원히 이어졌습니다. 칼을 밟아도 그림자가 없으니 비록 임금의 아픔은 맺혔으나 황천에 밝은 해가 빛났으니 공의 눈에 어둡지 아니할 것입니다.

지나간 참화는 참으로 다시 거론할 수 없습니다. 다만 적들이 아직도 교만하여 머리를 싸매고 틈을 엿보니 이승과 저승에서 아픔과 원통함이 클 뿐입니다. 나라에 근심이 참으로 끝이 없습니다. 늙은 몸으로 이제 남은 생애에 다만 슬픔과 탄식이 있을 뿐입니다. 한 잔을 멀리서

---

65) **충헌공**(忠獻公): 중국 북송의 정치가 한기(韓琦, 1008~1075)의 시호. 자 치규(稚圭). 지주안 무사(知州按撫使)로서 사천(四川)의 기민(飢民) 190만 명을 구제하고, 이어 서하(西夏)의 침입을 격퇴하여 변경 방비에도 역량을 과시함으로써, 서른 살에 이미 문무에 명성을 떨쳐 추밀부사(樞密副使)가 됨. 그러나 자청하여 지방관을 역임하고, 1058년에는 재상에 올라 약 10년간 국정에 참여함.

66) **상계**(上啓): 조정이나 윗사람에게 사정이나 의견을 아룀.

바치오니 만사가 영원히 끝났습니다. 영혼께서 만약 아신다면 이 잔을 받으소서. 오호라! 아픕니다. 상향.

16. 죽취 김필형(必亨)에게 제사하는 글

전(前) 승지 죽취 김 공이 임인년 팔월에 북쪽에 있는 적소에서 화를 당한 뒤 파주 서쪽으로 돌아와 장사 지냈다. 5년이 지난 뒤 병오년 (1726) 시월 열이레 을해일에 묘를 열고 동짓달 초이튿날 경인일에 황려에 새로 정한 산으로 영원히 장사 지내는데, 아버지이신 몽와 공의 옮긴 무덤 옆으로 옮겼다.

벗인 한주 이 모는 그때 바닷가를 지키고 있었으므로 가서 곡하지 못하고 묘를 열기 이틀 전 계유일에 삼가 대신 사람을 보내 영구 앞에서 잔을 올려 고하네.

오호라! 아프구나. 그대의 아픔과 원통함은 내가 이미 임인년 겨울 무덤을 쓸 때에 글로 대략 밝힌 적이 있네. 지금 어찌 차마 다시 말하겠는가. 그러나 하늘을 원망하지 않을 수 없는 것은, 형은 재주가 있고 덕도 있고 지혜도 있는데 재주와 덕과 지혜가 형만 못한 간흉한 무리가 비록 형의 집에 원독을 품었으나 죽음에는 이르지 않았음이네.

오랫동안 닦달을 당하다가 끝내 죽음에 이르렀으니 재주와 덕이 다른 사람들보다 나았네. 간악한 사람들이 뒷날 조정에서 크게 될 그릇을 없애버렸으니 어찌 그들이 자주 인용하는 『춘추』에서 말하는 '징토 (懲討)'[67]의 벌을 받지 아니하겠는가.

오호라! 아프구나. 오늘의 일을 대중이 아직도 알지 못하니 막막한 구천에서 다만 여러 현인이 그대가 글을 짓지 못함을 한탄하겠지. 그대가 만약 단서(丹書)⁶⁸⁾가 고쳐졌음을 알게 된다면 '경(卿)'으로 지난달에 증직된 일도 위로가 되지 않고 어둠 가운데에서 통곡하며 울 것이네.

이러한 것은 나라의 운명과 관계되는 것이니 슬픔을 씻을 수 없는 것이네. 우주에 살아남은 사람으로 다만 한숨을 쉬며 탄식을 할 뿐이네. 구구한 뒷일을 번잡하게 그대에게 말하고 싶지 않으나 가족들은 살 곳이 없어 강가로 전전하면서 온갖 가난과 고통을 당하니 상심하지 않을 수 없네.

사위의 부탁을 어찌 가슴에 새기지 아니할까. 나의 노망(鹵莽)⁶⁹⁾함을 돌아보니 실로 벌이 벌레를 잡아와 자기의 새끼로 기를 덕이 없으니 늘 그대의 부탁을 저버릴까 두렵네. 그대가 유배되고 귀양을 가서 곤란함이 극한 뒤에도 깊이 스스로 힘쓰고 노력하네.

기질이 날마다 더해가고 문사가 바르고 묵직하며 글이 날마다 발전하니 거의 끝에는 업을 이루어 집안의 명성을 이을 수 있으리라 여기네. 저세상에서 걱정하지 말게. 강한(江漢)⁷⁰⁾에서 이별을 가까이 두고 멀리서 술과 안주를 보내면서 한 움큼의 맑은 피를 보내니 영혼은 이 술잔을 다 마시고 나의 슬픈 회포를 보아주게. 오호라! 아프구나! 상향.

---

67) **징토**(懲討): 불러서 옳지 못함을 벌함.
68) **단서**(丹書): 임금의 명령을 일반에게 알릴 목적으로 적은 문서.
69) **노망**(鹵莽): 거칠고 서투름.
70) **강한**(江漢): 양자강(揚子江)과 한수강(漢水江)을 아울러 이르는 말. 강을 두고 하는 이별로 이승과 저승 사이의 이별을 말함.

17. 한포재(寒圃齋) 이상국(李相國)[71]에게 제사하는 글

　돌아가신 좌의정 한포재 이 공께서 임인년 팔월 스무이레에 귀양 간
곳에서 또다시 사약을 받아 흥양도(興陽島)에 있는 적소에서 명을 다하
시자 널을 덕산(德山)[72]의 산으로 옮길 때 땅에 온기가 너무 없어 예를
지키지 못하고 땅을 얕게 파고 묻었습니다.

　지금의 상감께서 즉위한 원년인 을사년(1725) 봄에 비로소 왕명으로
허물을 씻고 예전의 작위를 받으시고 충민(忠愍)이라는 시호가 내려졌
습니다. 왕명으로 무덤을 개장하도록 하니 이는 매우 특별히 내리신
은혜였습니다. 병오년(1726) 시월 스무이튿날 경진일에 얕은 무덤을
파서 한 달 뒤 십일월 갑오일에 교하로 옮겨 묻으니 선영이 가까이에
있습니다.

　옛날의 부하 관료인 통정대부 황해도 관찰사 한주 이 모는 직분에
매어 친히 나가 잔을 올리지 못하고 멀리 바라보니 감격과 통분을 이
길 수 없어 사람을 보내 삼가 맑은 술과 전물을 갖추어 감히 밝게 영구
앞에 고합니다.

　참혹하고 참혹한 임인년의 일을 입안에 담고 차마 밖으로 내지 못합
니다. 다만 공께서는 백강(白江)[73]의 손자이시며 민서(敏敍)[74]의 아들이

---

71) **한포재(寒圃齋)**: 조선 중기 문신 이건명(李健命, 1663~1722)의 호. 본관 전주.
　　자 중강(仲剛). 시호 충민(忠愍). 노론 사대신(四大臣)의 한 사람. 1686년(숙종
　　12) 춘당대문과(春塘臺文科)에 급제하여 대사간, 이조 참의, 이조 판서 우의정을
　　거쳐 1720년 좌의정에 오름. 신임사화가 일어나 나로도(羅老島)에 유배되었다가
　　목이 베어 죽음을 당함. 1724년(영조 즉위) 신원됨. 시문(詩文) 글씨에 뛰어났음.
72) **덕산(德山)**: 충청남도 예산에 있는 지명.
73) **백강(白江)**: 조선 광해군·효종 때의 문신 이경여(李敬輿, 1585~1657)의 호.

십니다. 금옥의 정기를 타고 나시었으며 송백의 정조를 지니셨습니다.

일찍이 영예로운 명성을 날리시었고 벼슬은 정승에 이르셨습니다. 책임감을 갖고 천하를 다스리고자 하여 일에 따라 용맹하게 나가셨습니다.

만약 위기를 당해서는 크고 높은 산과 같으셨고 한 몸을 잊고 사직을 도우셨으니, 이것이 공의 가정에 내려오는 전통 있는 교양이었습니다. 공께서는 독사나 말벌의 독이 몸에 퍼져도 슬퍼하지 아니하셨습니다. 그러나 임인년 앙화는 천지가 생긴 뒤에 처음 있는 일이었으니 마땅히 없는 죄를 만들어 엄히 다스린 것이었습니다.

지금은 상전(常典)75)이 있는데도 오히려 시행하지 않고 죄인의 숨을 보호하여 생명을 보전하게 하니 이게 어떤 세계이며 무슨 법리입니까.

천지의 상도가 무너져도 괴이하게 여기지 않는다면 지탱할 수 있지만 만약 그대로 익숙해져서 나라가 망해버릴 때에는 누가 구할 수 있겠습니까. 공께서 이런 일을 생각하신다면 또한 억울하고 답답하여 아

본관 전주. 자 직부(直夫). 시호 문정(文貞). 1623년 인조반정으로 부교리(副校理)에 오르고 1636년 병자호란이 일어나자 왕을 남한산성에 호종하고, 이듬해 경상도 관찰사가 되고 형조 판서를 지냄. 1642년 배청파(排淸派)로 청나라 연호를 쓰지 않았다는 밀고를 받고 심양(瀋陽)에 끌려가 억류되었다가, 이듬해 우의정이 됨. 1646년 민회빈(愍懷嬪) 강씨(姜氏, 昭顯世子嬪)의 사사를 반대하다 진도(珍島)로 유배되었다가 효종의 즉위로 1650년 중추부영사(中樞府領事)에 이어 영의정이 됨.

74) **이민서**(李敏敍): 조선 효종·숙종 때의 문신(1633~1688). 자 이중(彝仲). 호 서하(西河). 시호 문간(文簡). 송시열의 문인. 강화부 유수(江華府留守), 호조·이조 판서, 돈령부 지사를 지냄.

75) **상전**(常典): 상규(常規). 보통의 경우에 널리 적용되는 규칙이나 규정. 또는 사물의 표준.

파하지 않으실 수 없을 것입니다.

그러나 이것은 나라의 운수로 난 일일 뿐 인력에 따른 것이 아닙니다. 혀를 차며 답답해하나 계책은 없고 생각은 궁하니 오직 바라는 것은 공께서 저 기운을 타고 위로 올라가시어 상제의 궁궐을 두드리고 들어가 바로잡아 달라는 훈계를 바치십시오.

그리하여 봄의 화기로 죄인도 살리라는 명령을 그만 거두게 하시고 백제(白帝)[76]의 엄숙함을 행하여 한 세상에 떠도는 혼탁함을 맑게 하시고 나라가 지닌 힘을 반석 위에 두게 하십시오. 그리하면 삼강오륜이 떨어지지 아니할 것이며 사람과 신이 모두 기뻐할 것입니다.

슬픕니다! 저는 공의 지우(知遇)[77]를 벗어나기 어려워 마음속으로 백년의 맺음을 기약하고 스스로 하얗게 센 머리카락을 바치더라도 아픔을 다하기가 어렵습니다. 여러 번 꿈에 뵈어 서로 느끼니, 비록 그 말이 미덥지 못하더라도 중심에서 발원하였으니 마음에 두고 잊을 수가 있겠습니까.

병으로 두렵고 꺼려서 이승과 저승 사이의 의리를 많이 저버렸습니다. 지금 묘를 고치는데도 달려가 영결조차 하지 못하니 유유한 이 한을 천고에 없애기 어려울 것입니다. 만사나 글로써 어찌 이 가슴속에 맺힌 한을 다하겠습니까. 겨우 한 잔을 드리오니 영혼께서 만약 말씀이 없이 아신다면 작은 정성이나마 살피옵소서. 오호라! 아픕니다. 오호라! 아픕니다. 상향.

---

76) **백제**(白帝): 방위를 지키는 오방신장의 하나. 가을을 맡은 서쪽의 신.
77) **지우**(知遇): 남이 자신의 인격이나 재능을 알고 잘 대우함.

18. 해주 석담(石潭)[78]에 있는 향현사(鄕賢祠)에 송애(松厓) 박여룡(朴汝龍)[79]을 봉안하는 제문

오직 이 석담은 율곡 선생의 무이정사(武夷精舍)입니다. 한 지방의 현송(絃誦)[80] 소리는 어느 때나 변함이 없습니다. 이때 우리 공께서는 이곳에 먼저 폐백을 바치셨습니다. 누가 감히 돌아오기를 바라겠습니까. 스승께서 당신의 뜻을 일으키라고 말씀하셨습니다.

공의 기질은 일찍부터 뛰어난 바가 있었습니다. 어릴 때 부모를 잃으시었으나 분연히 스스로 노력하셨습니다. 걸어서 스승을 찾으시고 배움을 즐기기를 미친 듯이 하셨습니다. 목마름과 주림을 잊고 날마다 나아가고 달마다 진보하셨습니다. 여사(餘事)은 글짓기로 힘들이지 않고도 잘 지으셨습니다.

현문(賢門)[81]에 돌아오셔서서 사랑하고 사모함이 끝이 없었습니다. 집을 호수 서쪽으로 옮기시고 날마다 모셨습니다. 말 한마디와 행동 하나를 손으로 직접 기록하여 알게 하셨습니다. 향당(鄕黨)[82]의 한 편은 족히 비유할 바가 못 됩니다. 부지런히 가슴에 담아 행동할 때마다 그 법규를 따랐습니다.

수신제가를 극복하시어 발휘할 수 있었고 일명(一命)의 관직이라도

---

78) **석담**(石潭): 황해도 해주에 있는 명승지. 이이(李珥)가 이곳을 배경으로 「고산구곡가(高山九曲歌)」를 지어 유명해짐. 지금의 황해남도 벽성군(碧城郡)에 속함.

79) **박여룡**(朴汝龍): 조선 선조·광해군 때의 문신(1541~1611). 본관은 면천(沔川). 호는 송애(松厓). 시호는 문온(文溫). 이이(李珥)의 문인.

80) **현송**(絃誦): 거문고를 타면서 시를 읊음.

81) **현문**(賢門): 현인의 문하. 여기서는 송시열을 말함.

82) **향당**(鄕黨): 자기가 태어났거나 살고 있는 시골의 마을 또는 그 마을 사람들.

마음을 다함을 보이셨습니다. 현령의 구구함이 어찌 그를 빠뜨리겠습니까.

한 번 웃고 돌아오셔서 소나무 가에 만 권을 쌓으셨습니다. 도의 옛맛을 씹으시며 돌아가실 때까지 아름다움이 가득 찼습니다. 마을에서는 그 덕을 칭찬하고 선비들은 그 어짊을 인정하니 돌아가셔서 제사를 받는 이는 어찌 이런 분이 아니겠습니까.

돌아보면 석담 위에 여섯 분의 현인과 함께 제사를 받게 되시었습니다. 오직 공의 평생 이곳에 꿇어앉아 절하시던 곳입니다. 많은 선비들이 마음을 가지런히 하여 바로 옆에 집을 지어주었습니다. 그것을 가지고 공의 영혼을 달래며 희생과 폐백으로 제향(祭享)83)을 지냅니다.

터를 쌓고 남은 정성을 길이 부칠 수가 있었습니다. 가을달 차가운 물에 맑은 마음을 넓혔고 날이 좋고 때가 좋으니 공경하는 예의를 이곳에서 행합니다. 좌우에 있는 선사들이 후생들을 비호할 것입니다. 바라건대 천고(千古)가 되도록 꽃다운 소리를 떨어지지 않게 하소서. 상향.

19. 봄과 가을에 박성용에게 제향하는 축문

성품은 착하셨습니다. 어진 스승을 얻으셨습니다. 스승의 영혼에 의지하니 영원히 제사를 받음이 마땅합니다.

---

83) **제향**(祭享): 제사의 높임말.

哀辭

애사(또는 哀詞): 애도사(哀悼辭). 죽음을 슬퍼하는 뜻을 나타내는 글이나 말.

1. 이공망(李公望)에 대한 애사

■ 갑신년(1704)

해와 달이 쉽게 감을 보니 비록 백 년도 한순간과 같네. 하물며 그 반도 살지 못한 이여, 다시 어찌 주순(朱蕣)[1]과 다를까. 다만 저 푸른 하늘이 몽몽(懞懞)하여 헤아릴 수 없음이여. 또한 도척에게는 풍족하고, 안회에게는 인색하였네.

지난날 그대를 서곡(西谷)에서 만나 생김새가 꽃답고 윤택함을 사랑하였네. 흉금에 막힘이 없음이여. 갑옷을 입고 투구를 쓰고 충성을 맹세하였네. 기상이 높아 남의 위급함을 구하였고 글을 해석하기에 정진하였으나, 이곳에 돌아오지 못하였구나. 어찌 때를 어기고 명을 버렸을까. 일찍이 부모를 여읜 사람으로서 드물게 학문의 끝을 마쳤으나

---

1) **주순**(朱蕣): 붉은 무궁화나무.

신명(身名)이 액(阨)을 받아 요수하기에 이르렀구려. 이 이치의 어긋남이 슬프네. 누가 능히 하늘을 향하여 물어볼까.

지난날 함께 공부할 때가 떠오르네. 난초의 향기가 널 속에 쌓였구나. 늙어서 서로 의지함을 기약하였는데 만사(萬事)를 이미 빈소에 부쳤구려. 늙으신 부모님께서 문에 기대어 바라보는구나. 누가 아롱 옷을 입고 와서 볼까. 아내는 슬픔에 잠겨 달을 보며 조상하고, 뜰의 나무는 바람에 흔들리네. 빠른 가을에 산은 고요하고 소슬하구나. 붉은 명을 날리며 영혼의 비가 내리네. 연성(連城)2)을 어느 산에 묻을까. 차가운 등잔걸이에 재만 남았구나. 아직도 무릉[茂陵: 윤양직의 본관으로 이를 호(號)로 삼았다. 공망과 교제가 매우 깊었다]을 끌고 넓은 들로 가겠지. 나의 글이 전해져서 내 생각을 알아주기를 바라네.

2. 김회중(金晦仲)에 대한 애사

■ **갑신년**(1704)

슬프구나! 겨울 기운이 처참한데 삭풍이 사납고 만산이 얼어붙네. 서쪽 나루의 아득함을 보니 발을 담그면 연호(漣湖)에 이를 것 같네. 그대 어찌 나의 동쪽 마을에 살기를 거절하였는가. 그곳으로 헐떡이며 달려가더니 어찌 궁한 산골에서 답답하게 지냈는가. 그러나 집은 옛집의 편안함에 비할 수 있었네.

---

2) **연성**(連城): 이공망의 호.

그대의 뜻을 아니 형제 사이보다 가까이 지냈네. 처자와 식솔의 모양이 구구하고, 늙은 부모님께서 오래 계시지 못하여 부모님에게 온화함을 드리지 못하였네. 봄빛이 와도 이 세상에 알리지 못하는구나. 어찌 정성을 저승에서 다할 수 있을까.

흰 띠를 묶고 연연하게 울고 있노라니 잠시라도 떨어져 있음을 감당하지 못하겠네. 얼굴이 상해도 후회가 없는 것은 이제는 넓은 곳에 떠서 영원히 막혔기 때문일세. 그대의 자손이 부모를 모시는구나. 다만 자식에 대한 일을 즐기니 세간에 무슨 일이 구애될까. 이미 두 사람이 이어서 지극한 행동을 하였구나.

어찌 글의 높고 낮음을 논할까. 다만 벗들이 도와주어서 작은 시험에 불러 먼 계획을 열어주어 사마시에서 장원하였구나. 은혜는 받았으나 끝내 차가운 선비로 남았네. 어찌 세상의 어려움과 고생이 떠나지 않았는가. 높은 난초를 마르게 만들었구나. 후하고 박함이 어진 이에게 이리도 미치지 못하니 저 푸른 하늘을 누가 헤아릴 수 있을까.

지난날 그대가 내 형님의 사위가 되어 나를 백문(白門)의 구석으로 끌고 갔었네. 푸른 회화나무 그늘에서 함께 쉬며 다만 맑은 생각과 마음을 읊었네. 천명을 보존하고 함께 마시며 서로 시를 주고받느라 해가 저무는 것도 잊었네. 중간에 삶과 죽음으로 마음이 놀라니 옛날 즐거움을 버리고 머뭇거리게 되었네. 하물며 거친 땅에 옥을 묻었구나. 문득 보니 황려의 뫼일세.

저 달인들은 장수와 요수를 달리 여기지 않네. 참으로 일어나고 무너짐이 얽히었구나. 뒷날의 복을 세 개의 구슬[三珠]로 옮기었구나. 그대 또한 이 길을 즐기겠지. 내가 슬퍼하지 않음은 그대의 아이들 때문일세.

참으로 그대의 옹용(雍容)[3]하고 깨끗한 말을 생각하면 나의 슬픔이 얽힘을 면할 수 있을까.

3. 신숙(辛㕑) 어르신에 대한 애사

■ **경인년**(1710)

제 선자[4]께서 평생 교유를 즐기지 아니하셨는데 어른인 신 공과는 젊어서부터 서로 좋아하시어 노년에 이르도록 사귐이 변하지 아니하였습니다. 대개 공의 성품이 담백하고 고상하시며 책을 읽고 시 짓기를 좋아하셨습니다.

집안사람들의 지위는 대대로 높고 화려하였으나 검소하고 소박한 정이 바탕에 있었습니다. 글은 넓었으나 자랑하는 뜻이 없었으니 저의 아버님과 더불어 교제가 변하지 않음을 알 수 있었습니다.

그러나 하늘은 어찌 공에게는 태배(鮐背)[5]의 나이가 되도록 끝내 펴주지 아니하여 포의(布衣)로 늙으시어 떨어진 바닷가에 살고 계셨습니다. 간신히 적은 곡식을 가지고 명을 이으셨으며, 이마에 옥관자를 두를 자격이 있었는데 벼슬이 없으셨으니 하늘을 참으로 알 수 없습니다.

그러나 공께서는 기뻐하고 슬퍼하는 빛이 없으셨으며 술을 대하여 취하시고 경치를 대하여 문득 읊으시어서, 일찍이 영락과 승침(升沈)으로 모든 것을 생각하지 아니하였습니다. 어찌 구구한 속된 선비들이

---

3) **옹용**(雍容): 마음이나 태도 따위가 화락하고 조용함.
4) **선자**(先子): 예전에 살았던 사람. 특히 돌아가신 아버지나 스승을 이름.
5) **태배**(鮐背): 복어의 등이란 뜻. 늙은이를 이르는 말.

미칠 수 있는 일이겠습니까.

오호라! 저는 공으로부터 탕병(湯餠)6)을 함께 수시로 나누는 손님이 되어 칭찬과 사랑을 많이 받았습니다. 지난 병인년 여름을 생각하면 공께서 서호에 우거하셨는데 제 선자(先子)께서도 또한 한가로이 사실 때였으므로 서로 맞이하여 뱃놀이를 하셨는데, 두 집안의 여러 자손이 모두 뒤를 따라 줄지어 모셨습니다. 궤석(几席) 사이에서도 역력히 강호의 승경(勝景)을 바라보셨으며 수작이 교착(交錯)7)하고 웃음소리가 끊이지 않았습니다.

조용할 때에 여러 자손들에게 명하시어 날이 저물도록 시를 짓게 하셨으며 아버님께서는 푸른 얼굴과 흰머리로 서로 술잔을 의지하여 화답하시면서 유람의 흥을 마무리하게 하셨으니, 인간의 즐거운 일이 아마도 이러하기 쉽지 아니할 것입니다. 저는 그 시를 모아서 항상 건연(巾衍)8)의 보배로 삼았습니다. 오늘날 또 어찌 인간 세상에서 이러한 모임을 이룰 수 있겠습니까.

오호라! 아픕니다. 지나간 즐거움을 참으로 얻을 수가 없습니다. 공께서는 제 선자보다 22년을 더 사셨으나 천 리 먼 길에 떨어져 계십니다. 때때로 상하(牀下) 배후(拜候)9)하여 풍수의 남은 슬픔을 펴지 못하고, 지금 와서 영원히 잃게 되었습니다. 망망한 천지에 누구와 더불어 다시 이러한 생각을 논하겠습니까. 지금과 옛날을 생각하니 다만 하수 같은 눈물이 흐를 뿐입니다.

---

6) **탕병(湯餠)**: 국과 떡. 격의 없이 집에 드나들 수 있는 가까운 사이.
7) **교착(交錯)**: 이리저리 엇갈려 뒤섞임.
8) **건연(巾衍)**: 소중한 것을 보관하는 궤짝.
9) **배후(拜候)**: 문안(問安).

하물며 저는 동해가에서 관직에 얽매어 장례에도 가지 못하였으니 정황을 어찌 감당하겠습니까. 이에 애사를 지어 사람을 보내 영연(靈筵)10)에서 읽게 하오니 공의 명막(冥漠)11)의 혼을 위로할 수 있겠는지요. 다만 저의 무궁한 아픔을 부칠 뿐입니다.

높디높은 백록(白麓)12)은 선비들이 높이는 바입니다. 그분에게 영손(令孫)이 있었으니 하늘에서 풍부함을 주셨습니다. 그 성품은 고상하고 담백하였고 성실하고 친절하며 인정이 두터우셨습니다. 게다가 문장까지 겸하셨으나 굴하여 농부가 되었고, 공부는 깊어 반딧불이가 모였으나 뜻이 무너져 크게 될 인물을 죽였습니다.

늙어서 바닷가 마을에 의탁하였는데 궁액(窮阨)으로 끝을 마치셨습니다. 노공의 떳떳한 덕은 후세에 반드시 융성함이 마땅하고, 공이 가진 글은 세상에서 쓰여야 하는데 어찌하여 이 지경에 이르렀습니까. 때를 만나지 못하였기 때문입니다. 다만 하늘이 사람을 대접하는 데 가끔은 공평하지 못함을 의심합니다.

예부터 다 그렇거늘 공께만 어찌 다르겠습니까. 이 세상에 남은 저를 돌아보니 고로(孤露)13)하여 공경할 이가 드뭅니다. 옛날에 맺은 정이 다하니 아픔이 더욱 가슴을 메웁니다. 막막한 산과 바다에 무엇으로써 이 마음을 펴겠습니까. 공께서 사랑하시는 저의 글은 천 리에 한

---

10) **영연**(靈筵): 궤연.
11) **명막**(冥漠): 까마득하게 멀고 넓음.
12) **백록**(白麓): 당나라 사람 이발(李渤), 이섭(李涉) 형제가 흰 사슴을 기르며 은거한 동네. 남당 때 이곳에 학관(學館)을 지었고 송나라 때 주희가 여기에서 강학한 일이 있음.
13) **고로**(孤露): 진작 부모를 잃어 비호해 줄 사람이 없음을 일컬음.

통뿐입니다. 공을 위로하기를 바라니 감통하시기 빕니다.

4. 사간(司諫)[14] 한영조(韓永祚)에 대한 애사

■ 계사년(1713)

지난 임술년(1682)에 내가 처음으로 한 군(君) 석보(錫甫)를 알았는데,
다만 나의 셋째 형수님의 오라버니로서 서로 왕래하며 지낼 때에는 나
는 총각이었고 그대는 갓 스물이었네. 나는 어리석었고 그대는 학식이
높고 견문이 넓었으며 한 방에서 놀고 함께 지내는 기쁨이 있었네.

다만 됨됨이가 옹용하여 선비가 될 사람으로 알았고 그 중심을 살피
지 못하였네. 내가 어른이 되고 나서 글 짓는 솜씨가 넉넉함을 알았고
당세에 쓰이리라고 믿었으나, 그대를 깊이 알지는 못하였네.

나에게 험한 액이 생겨 셋째 형님께서 일찍이 돌아가시고 네 자녀만
외로이 남아 의지할 곳이 없었는데 나의 집은 가난하고 궁색하여 조카
들을 거두어 기르지 못하였네. 그대의 가난과 궁색함이 나보다 덜하지
않았는데 그대와 내가 한 담 안에 살면서 조카들을 정성껏 보호하였네.

집안에서는 화기애애하여 그 누이를 도왔고, 조카들을 자기가 낳은
자식인 듯 사랑하였네. 다만 굶주림과 추위를 막아줄 뿐 아니라 조카들을
모두 혼인시켰네. 이뿐만 아니라 두 조카들이 부지런히 배워서 수행하게
하니 지금은 다 스스로 몸을 다스려 글 잘하는 선비가 되었네. 참으로

---

14) **사간**(司諫): 조선 시대에 사간원에 속한 종3품 벼슬.

그대의 우애가 성품에 뿌리를 둔 것이 아니라면 어찌 능히 이와 같은 일을 하였을까. 그대가 병들어 겨우 말할 때에도 오히려 형수님 집의 일을 걱정하였으니 어찌 정이 그리 지극한가. 그대가 돌아가서 황천길에서 형님을 만나도 형님께서 부족하였다 하지 않으시리라.

오호라! 형제간 우애가 지극하면 어버이에게 순종함을 알 수 있고, 어버이께 순종하면 임금에게 충성함을 미루어 알 수 있네. 그대의 지극한 행동은 내가 상감의 위엄을 손상한 이후로 근심을 함께한 지 16년이 되어 그대를 날마다 깊이 알게 되었네.

청렴하고 어질게 처신하고 사사로이 경영하지 않았으며 조정에 나가서는 강직하고 방정하며 교만과 과격을 싫어하였는데, 이것은 타고난 성품이었네. 그러나 예순 살을 살지 못하였고 벼슬은 아간(亞諫)[15]에 머물렀으니 이 어찌 된 일인가.

오호라! 일찍이 가는 무명옷을 입어 매우 아름답지 못하였는데 그대가 오히려 경계하기를 지나치게 아름답다고 하였네. 나의 벼슬이 이에 이르러서야 또한 그대가 갖춘 바를 알 수 있었으나 그대의 재주는 세상에서 바라는 바와 통하지 않았네.

지난날 여호(驪湖)에서 이상공(李相公)께서 그대의 죽음을 슬퍼하여 한 군은 경망스럽고 추잡한 기운이 한 점도 없다고 말씀하셨네. 또한 그대를 깊이 알고 하신, 후세에 남길 만한 말씀이었네.

오호라! 아프구나! 글로써 만사하기를 넓고 넓은 세상에서는 모두 이익에 눈이 멀어 종횡으로 바쁘게 달리는데, 그대 홀로 효도와 우애밖에 몰랐구나. 넘실대는 세상에서 모두 살을 찌우느라 급한데 그대

---

15) **아간**(亞諫): 사간원의 버금 벼슬.

홀로 마르고 피곤함을 싫어하지 않는구나. 그대는 한세상과 상반되기 때문에 벼슬이 낮고 목숨도 짧았네.

세상이 그대를 등졌구나. 높이 나타나 오래 볼 수 있기를 바라네. 차라리 화려함을 거두고 진실을 좇아 그대와 같은 곳에서 함께 살기를 바라네. 그대를 아프게 생각하는 이들이 누구였던가. 버리고 가짐이 쉬움을 알았네. 명은 짧지만 이름이 길이 남아 사랑하는 어머님을 위로하기 바라네.

5. 좌랑 이세운(李世雲)에 대한 애사

■ 세운의 자는 용경(龍卿)이다

주은(酒隱) 이 공(公) 용경 씨는 내가 형으로 섬기는 항렬에 드는 사람이다. 지난 경신년(1680)에 내가 총각으로 집의 형님을 따라갔을 때 처음 그를 백문동에서 만났다. 그때 그는 아름다운 소년이었다.

술에 취하여 높이 청련시(靑蓮詩)를 읊으면서 나에게 가르쳐주었다. 그때 기분이 몹시 상쾌하고 깨끗하였으며, 나이와 관계없이 다시 노래에 취하고 해학과 낭만을 즐겼다.

이때에 군을 알게 되었는데 문장이 탁월하고 믿음직스럽고 착실하며 속되지 아니하였고 어른이 되어서는 더욱 그윽한 바를 연구하였다. 타고난 기운이 젊어서부터 너절하지 않았고 세상에 집착하고 세파에 호락호락한 사람을 항아리 속의 구더기처럼 보았다.

세상을 접하는 데도 일찍이 말과 뜻과 행동이 같아 나는 그 헤아림에 미칠 수 없었다. 그러나 잘 생각해보니 눈썹 위에 채색이 움직이고 항상 오만함을 띠고 있었다. 보통 뜻으로 말을 할 때에도 늘 해학을 고루 써서 나는 일찍이 오직 희롱을 잘하는 사람이라고 하였다. 참으로 그 희롱이 희롱이 아님을 살피지 못한다면 또한 어찌 그 안에 담겨 있는 것이 무엇인지 알 수 있을까.

그는 술에 의탁하여 만나면 꼭 마시었다. 취하면 붓글씨를 쓰고, 취함이 극에 이르면 옛사람을 논하거나 혹은 감격하고 풍속의 쇠퇴를 한탄하기도 하며 때로는 죽은 벗을 생각하고 슬퍼하며 잔을 들어 통곡하였다.

울다가 또 노래를 하니 이것이 바로 군의 바른 자태이며 사종(詞宗)인 도연명이 아니라면 능히 그 뜻을 알지 못하므로 사람들이 가끔 경계를 하여도 다만 "그렇다"라고 답할 뿐이었다. 사람들이 비웃고 놀려도 개의치 않았고 마음에 두지 않았다.

슬프다! 그대의 기질과 재주를 가지고 끝내 이루지 못하고 거짓으로 죄를 뒤집어쓰고 고발되어 벼슬을 버렸고, 늙어서는 쓸쓸하게 낮은 관료에 머물러서 흐린 자취로 무리에서 놀았다. 마치 들의 학이 새장에 갇힌 것과 같고 잘 달리는 말에 굴레를 씌운 것과 같았으나 끝내 예순을 넘기지 못하고 갑자기 길을 돌아갔구나.

오호라! 세상은 그대를 알지 못한다. 하늘은 어찌하여 그대를 사랑하지 않고 이런 극한 지경에 이르게 하였는가. 오호라! 아프구나! 사람들은 그대가 술 때문에 병들었다고 하나 나는 술이 아니었다면 그대를 알지 못하였을 것이다.

사람들은 그대가 술에 취해 살았다고 하나 그대는 참으로 취한 것이 아니라 세상의 슬픔에 취한 것이다. 사람들은 술에 취함을 숨기지만 그대는 숨기지 않고 호(號)에 술을 넣었으니, 더욱 그대가 참으로 술을 좋아하지 않음을 믿을 수 있다.

오호라! 그대는 속이 넓어 빈궁과 영달을 함께 생각하였으나 오래
살고 일찍 죽음은 어쩔 수 없는 일이었다. 그대가 때를 만나지 못하고
죽었으니 내가 어찌 슬퍼하지 않겠는가.

옛날에 퇴지(退之)16)가 왕함(王含)17)에게 시를 보냈는데 퇴지는 주선
(酒仙)과 마음이 통하는 벗이라고 말하였다. 나는 그 때문에 그 뜻을 본
받아 애사를 짓는다.

중요한 것은 주은의 소리를 알아 위로하면서 영결하니 그대는 또한
내가 지음으로써 인정한 것을 알 것이다.

애사에 다음과 같이 말했다.

曠彼醉鄕方遊者幾人　저 넓고 취한 마을에 노니는 자가 몇이던가

籍潛云沒方千載吾君　적(籍)18)과 잠(潛)19)이 죽은 뒤 천년 만에 그대
　　　　　　　　　　　가 있어

陶陶醺醺方其樂如何　화평하고 즐거우며 따뜻하니 그 즐거움이 어
　　　　　　　　　　　떠한가

嗟哉末路方孰知君耶　슬프구나 끝이 났구나. 누가 그대를 알아줄까

不知何傷方聊自樂且　무엇에 상한지 알지 못하나 상한 중에도 그
　　　　　　　　　　　대는 스스로 즐겼네

---

16) **퇴지**(退之): 당나라 문장 한유(韓愈)의 자.

17) **왕함**(王含): 시인. 술을 잘 마시기로 유명함.

18) **적**(籍): 완적(阮籍). 중국 삼국시대 위(魏)나라의 사상가 문학자 시인(210~263).
　　자는 사종(嗣宗). 죽림칠현의 한 사람으로 노장(老莊)의 학문을 연구했음. 정계에
　　서 물러난 후 술과 청담(清談)으로 세월을 보냈음.

19) **잠**(潛): 도잠. 도연명.

巖江之南方昔君所捿	암강(巖江) 남쪽에 있는 집은 그대가 살던 집이었지
今而永返方君宣悲惱	지금 영원히 돌아가니 그대는 어찌 번뇌를 슬퍼할까
酌羹爲酒方可洗魂磊	강물을 잔에 담아 술로 삼으니 돌서덜20)을 씻을 수 있겠네
寂寂西社方風流家覯	적적한 서쪽 마을에서 풍류를 볼만하고
明月淸風方使我長億	밝은 달, 맑은 바람이 나로 하여금 길게 생각하게 하네

6. 문학(文學)21) 이방언(李邦彦)에 대한 애사

■ 방언의 자는 미백(美伯)이다

을미년(1715) 섣달 스무이튿날은 죽은 벗 미백의 대상이다. 벗 한산이 모는 그 전날 밤에 나가 영혼에게 고한다. 그대는 지난날 나의 조카여오와 함께 놀았는데 내가 옆에서 자세히 보니, 그대는 스무 살 난 얼굴빛이 희고 잘생긴 소년이었다. 붓을 들면 전서, 예서, 초서, 해서의 은과 옥이 교차했고, 글을 지으면 변려와 책문(策文)22)과 시율이 모두

---

20) **돌서덜**: 냇가나 강가의 돌이 많은 곳.

21) **문학(文學)**: 조선 시대에 세자시강원에 속하여 세자에게 글을 가르치던 정5품 벼슬.

22) **책문(策文)**: 책문(策問)에 답하던 글.

꽃송이처럼 빛나고 착실하니 무리 가운데 그대를 앞서는 이가 없었다.

얼마 지나지 않아 진사시에 급제하고 용문에 올라 대각에서 날개를 펼쳤으며, 주연(胄筵)[23]에 출입하였다. 언론은 모든 벼슬아치들을 엄숙하게 하였고 강학으로 왕세자를 도울 수 있었다. 이렇게 앞으로 나아간다면 무엇을 못하였겠는가.

남만(南蠻)[24]에 사자로 갈 때 험한 파도를 건너가면서 조금도 두려운 빛이 없었으니 이 또한 사람이 쉽게 판단할 수 없는 것이었다. 불행히 사신으로 돌아올 때에 갑자기 월상(越裳)[25]의 비방으로 당시에 따돌림을 받아 다시 쓰이지 못하고 벼슬을 마쳤으니, 누가 원통해 하지 않겠는가.

지금 그 일에 관계되었던 두 사람은 상황이 점점 풀려서 다시 임용되었으나 그대는 홀로 황천 아래서 원한을 머금고 있으니 누가 원통하지 않다고 할까.

오호라! 하늘이 그 재주를 주고도 그 앞길을 막음은 어떤 까닭인가. 아득하여 알 수 없구나. 지난날 한림원에 있을 때의 일을 생각해보니 함께 옛사람들이 바다에 떠간 기록을 보고 험한 길을 근심한 일이 어제와 같구나. 또한 어찌 걱정할 바가 사람에게 있고 바다에 있지 않음을 알았을까.

슬프고 슬프구나! 그대를 여오 때문에 알게 되었는데 인척의 정으로 얽히고설켜서 글과 술로 함께 논 지 거의 20년이 되었는데, 죽고 사는 즈음에서 어찌 그대가 죽어 장례하는 일까지 잊었을까. 일찍이 그대를

---

23) **주연(胄筵)**: 서연(書筵). 왕세자에게 경서를 강론하던 자리.

24) **남만(南蠻)**: 중국에서 남쪽의 오랑캐라는 뜻. 베트남.

25) **월상(越裳)**: 베트남의 옛 이름.

사랑하였으나 염을 못하고 장례에도 가지 못한 채 무덤의 풀이 두 해나 묵었구나.

궤연을 걷으려는데 아직도 한마디 말로 그대를 영결하지 못하니 그대가 안다면 어둠 속에서 슬퍼할 것이다. 이런 까닭으로 글을 지어 곡하며 고한다. 오호라! 아프구나! 그 사(辭)는 다음과 같다.

愷悌具心方實維君子	용모가 뛰어나고 기상이 화평하여 실제로 군자답고
餘事其藝方古人與比	그 밖의 재주는 옛사람과 빗댈 만하네
始亨終躓方抱寃以夭	처음에는 통하다가 나중에 막히니 원통함을 품고 요수하였네
天手與奪方一何顚倒	하늘이 사람을 주었다가 빼앗으니 어찌 재주 있는 사람들은 하나같이 일찍 넘어지는가
蒼蒼無信方漠漠無聞	저 하늘이 푸르고 푸름을 믿을 수 없고 막막하여 듣지 못하니
不知乎天方只惜其人	알 수 없으나 하늘이 사람을 아껴 불러간 것이다
酹酒于床方與涕俱流	술을 상에 올리니 콧물이 함께 흐르네
嗟嗟斯世方識君者疇	슬프고 슬픈 이 세상에 그대를 아는 자 누구일까

7. 오계직(吳季直)에 대한 애사

오 군(吳君) 계직은 양곡 선생의 다섯째 아들이다. 나와 오군은 삼대째 사귄 정이 있었지만 나이는 약간 차이가 나서 교우가 매우 더디었다. 일찍이 그와 더불어 사귀어 가까워진 정을 다 펴지 못하였다.

가끔 벗 사이에서 그를 칭찬하기를 생김새와 얼굴, 성품, 도량, 기미가 양곡 선생과 비슷하다고 하였다. 비록 처음에는 얼굴을 못 보았으나 이름을 들은 지는 오래되었다.

지난해 겨울 처음으로 서로 만나니 정신은 맑고 뼈는 단단하며 정기와 영기를 함께 지니고 있었다. 대개 내가 어릴 적에 우러러보았던 선생의 예의범절과 다르지 않았다. 드디어 다시 함께 놀아 몇 밤을 지내면서 정이 들고 뜻을 합쳐 점점 그의 가진 바를 알게 되었으니 쌓인 덕이 가볍지 않고 말이 적으며 기쁨이나 웃음이 거의 없었다.

밖은 쇠약하여 거의 옷을 이기지 못하는 것과 같았지만 안은 참으로 강직하여 범할 수 없는 데가 있었다. 더욱 벗들의 칭찬과 기리는 말이 헛되지 아니하고 선생의 남긴 운이 끊어지지 아니함을 믿었다.

불행하게도 그대에게 병이 있더니 지금 죽었구나. 그대의 나이는 겨우 스물여섯 살이니 사람들이 슬퍼한다. 그대는 딸만 있고 아들이 없었는데 딸을 유복으로 또 낳았으니 대를 이을 후손이 없어 더욱 슬프다. 그대의 재주는 숙성하였으나 과거 시험에 능하지 못했으니 사람들은 궁함을 슬퍼한다.

그러나 이보다 내가 더 슬픈 것이 있으니 세상에서 다시 양곡 선생을 뵐 수 없는데 선생 댁에 비슷한 사람이 있다면 다행이련만 그대가 죽은 것이다. 어찌 선생을 닮은 사람을 만났는데 그가 한 일이 홀로 선생 같지 못함을 알았을까. 그대의 둘째 형님 도위공(都尉公)이 눈물을 흘리며 그대가 아버지의 상사를 지나치게 슬퍼하여 병이 낫다고 하였다.

오호라! 충과 효는 다르지 않은데 그대의 효는 선생의 충과 같으니 아깝구나. 하늘이 나이를 빼앗아 배운 바를 다 펴지 못하게 하여 선생의 충렬을 더욱 빛내지 못하였다. 도덕이 땅에 떨어진 세상의 풍속을 쳐서 물리치지 못하였으니 내가 남들보다 더욱 슬픈 까닭이다.

함께 놀던 여러 사람들이 이미 모두 시를 지어 군의 평생을 자세히 말하였으므로 짧은 글을 지어 애오라지 매우 큰 슬픔을 부친다고 말한다. 다음과 같이 시로 이른다.

陽谷殉忠擧世悲	양곡이 나라 위해 죽은 충성을 온 세상이 슬퍼하네
承家猶喜有奇兒	집을 이을 귀한 아이 있어 오히려 기뻤는데
靑山又奪斯人去	푸른 산이 또 이 사람을 빼앗아 가버리니
棹楔門前淚雨垂	도계²⁶⁾의 문 앞에는 눈물이 비 오듯 흐르네

8. 도사(都事) 류응환(柳應煥)에 대한 애사

류 군(君) 숙장(淑章)을 묻으려 하는구나. 한주 이 모는 통곡하면서 다음과 같이 만사를 썼다.

오호라! 내 어찌 차마 숙장의 만사를 짓겠는가. 그러나 끝내 쓰지 않으면 어찌 그 슬픔을 삭일 수 있을까. 오호라! 숙장은 나의 친족이자 이웃이다. 또한 나의 아이와 비교하면 한 살 차이다. 함께 놀고 함께 배우면서 아침저녁으로 내 집에 있은 지 거의 5~6년이나 되는구나. 그

---

26) **도계**(棹楔): 홍살문. 능(陵), 원(園), 묘(廟), 대궐 관아(官衙) 등의 정면에 세우는 붉은 칠을 한 문.

러므로 내가 가까이하며 내 아이와 같이 사랑하였다.

재주와 학문이 날마다 좋아지더니 약관이 되자 사마시에 합격하였고, 5년이 지난 뒤 대과에 급제하였다. 나는 이러한 경사를 기뻐하였고 앞날을 기대하고 바랄 뿐 아니라 특별히 친애하였다. 그러나 그 뜻을 보니 다만 영화로운 명예와 부귀 사이에만 두지 않았다. 그 까닭으로 많은 흉한 사람들이 조정에 가득하고 칼과 톱이 앞에 있는데도, 간흉을 없애고자 임금의 문전에 상소하였다. 그 일로 임금에게 불려가 밤이 늦도록 홀로 사실을 보고하였다.

상감은 위엄을 크게 보였으나 그는 편안하고 조용하였으며 답을 명백히 하였다. 질문은 더욱 부지런하였고 말은 더욱 격하여 성상께서 비록 가벼운 벌을 내리시니 그대가 겸허하게 받아들였으나 실제는 벌을 내리신 것이 아니었으니 주위에서 이상하게 여기었다.

끝내 원을 풀지 못하고 미워하고 해하는 무리의 계책에 당하였는데, 족히 충성을 알 수 있었으며 충분히 하늘을 감동시킬 수 있었다. 그리하여 정도를 벗어나지 않으니 이에 궁중으로부터 조정과 시골과 초야에 이르도록 그대의 이름을 칭송하지 않는 이가 없었고 그대의 정성을 칭찬하였으니 참으로 기쁘구나. 기대하는 마음을 저버리지 않았구나.

오호라! 우리 성상의 영특함과 지혜를 하늘이 내리셨는데 어찌 충성을 끝내 살피시지 아니하겠는가. 그 힘을 다 써서 종사를 도모하려고 하시니 그대의 포부와 수립이 이와 같은데 성군께서 아셨다면 어찌 끝내 그 뜻과 사업을 이루지 못하였겠는가. 다만 하늘이 눈이 어두워 눈 깜짝할 사이에 그대가 크게 누워 깨닫지 못하게 하니 이 무슨 까닭인가.

상감이 마음을 돌리자 조정에서는 청명함이 나타났다. 뭇 어진 이들이 모두 나와서 학처럼 날개를 퍼덕이는데 홀로 그대만이 한 그루 나무에 묶이어 아무 것도 알지 못하니, 그대의 바른말은 땅속에서 되풀이되지 못한다. 사람 마음이란 잊기 쉬워 끝내 들어줄 수 없으니 어찌 슬프지 아니한가. 어찌 두렵지 아니한가.

오호라! 그대가 죽은 뒤부터 위로는 진신대부와 아래로 부녀자와 종들까지도 슬퍼하여 눈물을 흘리지 않는 사람이 없다. 모두 "아무개가 죽었단다. 아무개 죽었다네"라고 말한다. 여러 사람의 마음이 이와 같은데 하물며 나처럼 친애하는 사람은 아픔과 괴로움을 어찌 감당하겠는가.

내 마음이 이와 같거늘 그 부모와 조부모와 형제와 처자는 어떠하겠는가. 그러나 사람이 하고자 하는 바는 각각 스스로 가지고 있고 오래 살고 일찍 죽으며 궁하고 통하는 바는 내 힘으로 어찌할 수 없는 일이다.

얕고 깊고 가볍고 무거움은 그 성취에 따라 스스로 만족해야 한다. 이미 만족하였다면 한이 되지 아니하겠지. 오늘날 숙장은 이미 숙성하여 사마시와 대과에 모두 급제하여 부모를 영예롭게 하였다. 죽음과 삶을 가름하는 위급하고 어려운 때에도 큰 뜻으로 긴 밤의 어둠을 밝히었다.

숙장이 만족하고 또 만족할 것인데 무엇 때문에 이미 정해진 장수와 요수에 걸리겠는가. 세상의 운명을 알지 못하면서 생활을 구하고, 의리를 알지 못하면서 부귀에 빠진 자들이 본다면 숙장의 죽음은 참으로 슬픈 일이다.

숙장의 아버님과 할아버님은 모두 이치에 달한 군자이시다. 그분들께서 늙어 오래 사시면서 죽어가는 사람들을 보면 어떠하겠는가. 마땅히 구구한 정으로 너무 지나치게 슬퍼하지 아니할 것이다.

그 때문에 긴 말을 하여 아버님과 할아버님을 위로하고 그의 아우와 아내를 달래면서 숙장의 영혼에 고한다. 어버이의 뜻을 안다면 또한 저절로 위로가 될 것이다. 특별히 쓸쓸한 만사를 쓰고자 함은 아니다.

끝에 두 개의 시를 부친다.

誰知癘疾殺才英	누가 사나운 병이 영재를 죽일 줄 알았을까
神鬼惟應忌大名	귀신이 마땅히 큰 이름이 나는 것을 싫어해서겠지
莫謂叔章今已死	숙장이 지금은 이미 죽었다고 말하지 마라
芳留萬口若春生	향기는 많은 사람들의 입에 춘생처럼 남겠지
所恨忠言志未成	충성스러운 말과 뜻을 이루지 못해 한이 되는데
安能鬱鬱閟幽塋	어찌 답답하게 으슥한 무덤 속에 갇혀 있을까
要當化作尙方釖	모름지기 마땅히 상방검27)이 되어
殲彼奸凶怨始平	저 간흉들을 죽여야만 원한이 비로소 풀릴 것을

---

27) **상방검**(尙方劍): 옥황상제가 천마를 퇴치하기 위해 하늘의 장수에게 내리는 칼.

誄詞

뇌사: 죽은 사람의 살았을 때 공덕을 칭송하며 문상하는 말.

1. 신복초(申復初)에 대한 뇌사

우리 마을에 예부터 신 군 복초가 살았으니 성품은 편안하고 고요하며 고상하고 우아하였다. 모습은 고고하고 담백하며 겸허하고 조용했으며 몸은 좋지 않았으나, 고요하여 마음을 쓰지 않았다.

집이 매우 가난하여 일찍이 산업(産業)을 영위한 적이 없고, 다만 서사를 즐길 뿐 사람들과 교유가 드물었다. 일체 세간의 분잡(紛雜)하고 화려함과 권세와 이익에는 관여하지 아니하였다. 이러한 까닭으로 아는 사람은 없지만 그대와 더불어 나는 가장 가까웠다. 항상 나를 만나면 기뻐하면서 시문을 이야기하곤 하였다. 시를 말할 때는 더욱 정밀하였다. 그 뒤에 그대는 호서로 이사 갔고 나는 먼 곳으로 벼슬살이를 와서 분주하였기에, 편지로만 왕래하고 서로 얼굴을 못 본 지 거의 10년이나 되었다.

지난해 그대가 서항(西巷)으로 나를 방문하였는데 행동거지와 용모와 말은 추로(鄒魯)[1]와 같이 남달랐고 의관의 윤택함을 보고 깊이 공경하였으나, 끝내 내면에 가진 바를 묻지 못하였다.

그대가 죽자 그대의 둘째 아우가 편지를 보내어 뇌사를 구하며 말하기를 "형님께서는 평일 친애하는 정성이 남다르고 몸에는 항상 온전한 옷이 없었습니다. 변변치 못한 음식이지만 늘 정성을 갖추었으나 가난으로 제대로 부모를 봉양하지 못함을 근심하셨는데 어찌 노부모를 받드는 책임을 홀로 나에게 남겼단 말입니까. 형님은 만년에 더욱 군자의 사업에 힘써서 책을 보거나 읽으면 그치지 아니하였고, 마음과 행동이 더욱 정확하였습니다. 불행하게도 뜻만 품고 죽었으니 이별한 지오래되어 죽음을 혹 알지 못할 것입니다"라고 하였다.

한번 통곡을 하지 못하고 나는 "내가 그대를 얻은 것은 됨됨이가 군자인지를 증험하기 위함인데 지금 그대 아우의 말을 들으니 더욱 내가 그대를 잘 아는 사람이라고 생각된다. 어찌 그대 아우가 그대에게 사사로움을 가지고 말하였겠는가"라고 말하였다.

오호라! 그 궁함이 극에 달하였으나 슬퍼하지 아니하였고, 그 가난함이 지극하였으나 그 어버이를 잘 봉양하였다. 비록 사람들은 모르나 스스로 문장을 즐겼으며 성인을 배워서 끝내 법도가 지켜지는 땅에 나갔으니, 이는 참으로 지극한 이치를 지닌 사람이라고 말할 수 있다.

부모가 늙도록 장수하시는 것은 과연 이 때문일까. 또한 그 아우가 형님이 효도를 끝내지 못하고 죽은 바를 슬퍼하여 이어가고자 하였으며 그 형님이 학문을 마치지 못함을 애석해하였으나 드러낼 길을 알았다. 그대는 비록 죽었으나 어버이를 편하게 할 수 있고 학문을 오래 전할 수 있었으니, 어찌 갈고 닦은 공이 아니겠는가. 이것으로 충분히 뇌사를 짓기에 부끄러움이 없구나.

---

1) **추로(鄒魯)**: 공자는 노나라, 맹자는 추나라 사람이라는 뜻. 공자와 맹자를 아울러 이르는 말.

뇌하여 말하기를 "몸이 보잘것없는 풍속을 벗어났으니 누가 감히 세속의 때가 묻었다고 할 것이며 모습이 보기에 소박하니 누가 그 가진 바를 알겠으며, 글이 있고 실행도 있으니 가까운 벗들이 미더워하는구나. 그 학문으로써 중원(中原)에 가더라도 마땅히 견줄 만하고 비록 그 명은 길지 아니하였으나 문장은 오래 산 사람과 견줄 만하네. 다만 저 푸른 하늘은 무엇 때문에 이 사람만 저버리는가."

2. 제박(濟博) 조태만(趙泰萬)[2]의 딸에 대한 뇌사

계묘년(1723) 음력 칠월에 조제박이 반지에서 와서 내가 사는 곳을 지나는데 손에 한 송이 부용(芙蓉)을 들고 있었다. 내가 그 까닭을 물으니 "이것을 가지고 돌아가서 내 막내딸에게 주고자 합니다"라고 답하면서 미미하게 웃는 것을 보고 딸을 사랑하는 마음을 알 수 있었다.

이로써 늙도록 아들이 없는 제박이 정을 이 딸아이에게 쏟는다는 것을 알 수 있었다. 그 딸의 빼어남과 아름다움이 거의 그 손 안의 연꽃과 같았을 것이다.

두 달이 지나 구월 초이튿날 제박이 편지를 통해 "지난달 어느 날 갑자기 막내딸을 잃었는데 겨우 계년(笄年)[3]의 나이이며, 약혼을 하려고 하였는데 죽었습니다. 딸은 영특하고 수려하고 총명하고 지혜로우

---

2) **조태만**(趙泰萬): 조선 문신(1672~1727). 본관은 양주. 자는 제박(濟博), 호는 고박재(古朴齋). 권상하(權尙夏)의 문인. 세자익위사(世子翊衛司)의 시직(侍直)을 지냄.
3) **계년**(笄年): 여자가 처음 비녀를 꽂던 나이. 보통 15세.

며 얼굴은 옛사람과 같이 덕이 가득하고 부모의 사랑이 무궁하였는데,
지금 죽었습니다. 아비가 묘비명을 지어서 구월 오일에 유양(維楊) 금
곡(金谷) 선산에 묻으려고 합니다. 정이 더 없이 슬프니 다행히 한 말씀
주시어 황천길을 빛낼 수 있다면 그 아비의 마음이 위로될 것입니다"
라고 말하였다.

오호라! 슬프구나! 막내딸[季女]은 소민공(昭敏公) 판서 조존성(趙存
性),[4] 충정공(忠靖公) 판서 조계원(趙啓遠),[5] 참의공(參議公) 조가석(趙嘉
錫),[6] 이 삼부조(三祖父)가 된다. 속세에서 본다면 붉고 윤택한 수레를
타는 고관대작으로서 바른길을 갔으므로 오늘날의 선비와는 다르다.

어머니 임씨(任氏)는 지중추부사 임홍망(任弘望)[7]의 딸이며, 조비(祖
妣) 윤씨(尹氏)는 충신 윤계(尹棨)[8]의 손녀로 우암 선생이 송나라의 위

---

4) **조존성**(趙存性): 조선 선조, 인조 때의 문신. 본관은 양주. 성혼 박지화의 문하에서
   수학했으며 호조 판서 등을 지냄.
5) **조계원**(趙啓遠): 조선 중기 문신(1592~1670). 자는 자장(子長), 호는 약천(藥泉).
   형조 판서를 지냄.
6) **조가석**(趙嘉錫): 조선 중기 문신(1634~1681). 자는 여길(汝吉), 호는 태촌(苔村).
   장악원정(掌樂院正)으로 있을 때 예송(禮訟)에서 패배하여 귀양 가 있던 송시열
   과 김수항의 신구(伸救)를 상소하였다가 삭직되는 등 서인의 입장을 반영하는
   언론 활동을 펼침. 1680년 경신환국(庚申換局)으로 서인이 정권을 쥐자, 다시
   등용되어 동부승지, 우부승지를 거쳐 육조의 참의를 두루 역임함. 영조 때
   좌의정을 지낸 태억(泰億)이 둘째 아들이고, 숙종 때 노론 4대신의 한 사람으로
   우의정을 지낸 태채(泰采)가 조카임.
7) **임홍망**(任弘望): 조선 중기 문신(1635~1715). 본관은 풍천. 자는 덕장(德章),
   호는 죽실거사(竹室居士). 시호는 효정(孝貞).
8) **윤계**(尹棨): 조선 중기 문신(1583~1636). 본관은 남원. 자는 신백(信伯), 호는
   신곡(薪谷). 임진왜란 때 순절한 교리 섬(暹)의 손자. 병자호란이 일어나자 근왕

거사(韋居士)9)와 비슷하다고 한 분이다. 안팎으로 대대로 쌓은 미덕이 이와 같이 성하게 드러나는데, 막내딸이 태어난 때에 이르러 지경이 어찌 이리 초라한가.

그 바탕은 영특하고 수려하며 성품은 밝고 지혜로우며 그 모습이 마음과 같고 그 덕이 얼굴에 가득하니 부모의 무궁한 사랑을 받음이 마땅하였을 것이다. 다만 약혼을 한 달 앞두고 갑자기 먼저 가니 부모의 슬픔이 더욱 끝없을 것이다. 그러나 난초는 쉬이 꺾이고 구슬은 쉽게 부서지니, 대개 지극히 꽃답고 깨끗한 것들이다.

옛날에 정효녀(程孝女)10)가 죽었을 때 숙자(叔子)11)는 그 죽음을 한스러워하였지만 시집을 가지 못한 일은 한탄하지 아니하였다. 지금 제박이도 이러함을 생각하여 스스로에게 관대한 것이다. 나의 어리석음과 옹졸함을 돌아보니 덕으로 그의 아버지의 글을 증명하지 못하므로 대략 부연(敷演) 글을 지어 정숙자의 뜻에 붙여 그 아비를 비유하여 위로하고자 한다.

말하기를 "깨끗하고 깨끗한 막내둥이여! 옥같이 밝고 난처럼 향기롭네. 안에는 밝음을 지녔고 몸에는 네 가지 덕을 갖추었네. 이를 일러 규수라고 할 만하네. 어찌 좋은 일이 없었겠는가. 글을 전하였고 가족의 역사를 이었네. 다만 한 사나이의 아내가 되기에 만족하였네.

병(勤王兵)을 모집하여 남한산성으로 들어가려다 청병에게 잡혔는데 굴하지 않고 대항하다가 난도질당해 죽음. 시호는 충간(忠簡).
9) **위거사**(韋居士): 위허(韋許). 송나라 무호(蕪瑚) 사람. 호는 무음거사(蕪陰居士). 자는 심도(深道). 뜻이 고결하여 의리를 향하는 마음이 목마른 사람이 물을 찾는 것과 같았다고 함. 집을 짓고 홀로 즐겼으며 벼슬을 받았으나 모두 거절함.
10) **정효녀**(程孝女): 송나라 현인 정이(程頤)의 딸.
11) **숙자**(叔子): 중국 북송의 유학자 정이(程頤, 1033~1107).

늙어 사랑하는 정은 어디에 두어야 할까. 돌아보건대 날마다 성장하기를 바라고 시집을 보낼 준비로 보석과 화장대의 등이 채색으로 단장되었네. 늙은 소가 송아지를 떠나보내며 핥는 것과 같은 사랑이 있으니 슬픔을 이겨내지 못하네.

저 죽음과 삶은 막막하여 헤아리기 어렵고, 넋은 잠기고 혼은 날아가니 어떤 즐거움으로 보상할 수 있을까. 저 빛나는 누리로 올라 구름과 노을을 손으로 희롱하며 이 성시(成市)의 먼지 속에 빠져 사는 것을 비웃겠지. 죽음을 슬퍼함은 살아 있는 자의 어리석음일세. 슬프구나! 제박(濟博)은 너무 심려하지 말게나."

권 27

행장 行狀
선훈 先訓
가제 家祭
고사 告辭

行狀

행장: 죽은 사람이 평생 살아온 일을 적은 글.

1. 계구(季舅)[1]이신 참봉 양 공(梁公)에 대한 행장

공의 휘는 세남(世南), 자는 영숙(永叔), 성은 양씨이시며, 영주(瀛州)[2] 사람이다. 제주 양씨는 이미 오래된 성씨이고 기이한 자취가 아직도 전해지고 있으니 기록에서 잘 살펴볼 만하다. 자손들이 신라와 고려에서 차례로 벼슬을 하여 아름답고 빛나니 세상에서 우러르는 성이 되었다.

휘가 석재(碩材)[3]인 분은 고려조에 벼슬하여 드러남이 있으셨으니 공에게는 곧 11대조가 되신다. 그 뒤에 휘가 팽손(彭孫)이신 분은 통덕 랑으로 홍문관 교리를 지내셔서 가선대부(嘉善大夫)[4] 이조 참판에 추증되셨다. 호가 학포(學圃)이시며 기묘명현(己卯名賢)[5]으로 조정암을

---

1) **계구(季舅)**: 막내 외삼촌.
2) **영주(瀛州)**: 제주를 일컬음.
3) **석재(碩材)**: 고려 충혜왕부터 공민왕 때의 문신(1310~?). 문하시중을 지내고 금자광록대부(今紫光祿大夫)에 서품됨.
4) **가선대부(嘉善大夫)**: 조선 시대에 둔 종2품 문무관의 품계.
5) **기묘명현(己卯名賢)**: 조선 중종 14년(1519)에 일어난 기묘사화로 화를 입은 신하.

모신 능주(綾州)6)의 죽수서원(竹樹書院)7)에 배향되셨으니 공께는 고조부이시다.

증조부 휘는 응정(應鼎)이시며 통정대부로 성균관 대사성을 지내셨고, 가선대부 예조 참판에 추증되셨다. 호는 송천(松川)이시며 문장으로 세상에 이름을 날리시었다. 할아버님의 휘는 산축(山軸)이시며 처사로 학문을 좋아하시어 문장과 지조와 품행과 도의가 특이하셨다.

정유년 난리에 어머님 박씨를 모시고 섬으로 피난 갔을 때 밤에 왜놈 도적을 만나 어머님께서 돌아가시자 따라서 함께 강물에 빠져 돌아가시었으므로, 조정에서 효자로 포상하고 정려하였다. 아버님의 휘는 만용(曼容)이시며 통훈대부(通訓大夫)8)로 홍문관 응교를 지내셨으며, 거오(據梧)라고 스스로 호하셨다.

돌아가신 어머님은 광주(廣州) 이씨이신데 통훈대부 대흥(大興)9) 현감을 지내신 태남(泰男)의 따님이시다. 아들 둘을 두셨는데 공이 둘째다. 정묘년(1627) 칠월 스무이튿날 태어나셨고, 금성의 박산리(朴山里)에서 자라나셨다. 그 마을은 송천공 때부터 대대로 살아온 곳이다.

공은 어릴 때 보통 아이들과 달리 성품이 침착하고 고요하여 실속 없이 겉만 화려한 바를 즐기지 아니하였다. 다섯 살 때 갑자기 집에 불이 나서 옷가지와 살림살이가 모두 불탄 일이 있었다. 온 집안사람들이 창황(蒼黃)10)하여 공을 찾았는데 조금 뒤 공은 거오공(據梧公)께서

조광조, 김식, 기준, 한충, 김구, 김정, 김안국, 김정국 등을 이름.

6) **능주**(綾州): 전라남도 화순(和順) 능주면 일대 지역의 옛 이름.
7) **죽수서원**(竹樹書院): 조선 선조 때 건립된 서원. 조광조, 양팽손을 배향함. 화순에 있음.
8) **통훈대부**(通訓大夫): 조선 시대에 둔 정3품 문관의 품계.
9) **대흥**(大興): 충청남도 예산군 대흥면.

중요하게 여기시는 책을 옆에 끼고 밖에서 들어왔다. 거오공께서 이일을 기이하게 여겨 공을 특별히 사랑하셨다.

계유년(1633)에 거오공께서 과거에 급제하시어 잔치를 열었는데 모부인(母夫人)께서는 대흥공이 돌아가셔서 상중에 계시므로 참여하지 못하셨다. 공은 그때 겨우 일곱 살이었는데 잔치에 가서 놀지 않고 해가 지도록 할머님을 모시고 위로하였다. 아이 때부터 그 기량과 심성이 대개 이와 같았다.

열일곱 살에 소은(素隱) 신천익(愼天翊)[11] 선생의 가문에 장가들어 소은 공에게 가르침을 받아 서사를 널리 섭렵하시었다. 글을 짓거나 시를 짓는 내용이 예스럽고 간략하여 속되지 아니하였다. 그러나 수십 년 동안 여러 번 과거에 응하였으나 합격하지 못하니 사람들이 모두 슬퍼하고 안타까워하였다.

집에서는 효도하고 우애로우셨는데 맏형님께서 일찍 돌아가시고 다른 형제가 없었기에 부모님을 봉양하여 자손으로서의 직분을 충실히 하셨다. 신묘년(1651)에 거오공께서 청풍 관아에서 돌아가시니 복천(福川)[12] 대원산(大元山)에 돌아와 장사 지내고 3년 집상(執喪)[13]을 하는 데 예를 다하였으니 유감이 없으셨을 것이다.

어머님을 섬기는 일에는 정성을 다하여 효도하셨으며 자매를 대함

---

10) **창황(蒼黃)**: 미처 어찌할 사이도 없이 매우 급작스러움.

11) **신천익(愼天翊)**: 조선 중기 문신(1592~1661). 본관은 거창. 자는 백거(伯擧). 호는 소은. 대사간, 이조 참의 등 요직을 역임하다가 1659년 이조 판서 송시열의 추천으로 이조 참판에 서임되고, 이어 한성부 우윤에 특제(特除)됨. 문장과 시부(詩賦)에 능하여 송시열의 칭송을 받음.

12) **복천(福川)**: 동복(同福). 전라도 화순에 있는 옛 고을 이름.

13) **집상(執喪)**: 어버이 상사에서 예절을 지킴.

에 공경하여 서로 화목하고 좋아하셨다. 맏형님은 아들이 없이 딸 하나를 두셨는데 그 아이를 자신의 아이보다 더욱 사랑으로 기르셨고, 그 딸이 시집갈 때는 참된 사랑과 정으로 쉽게 손을 놓지 못하셨다. 자제들을 교육하는 데 반드시 엄정하시어 법도가 있었고, 먼 일가친척을 대해서까지 다 화목을 보이셨기에 그들은 공경하고 복종하였다.

경술년(1670)에 어머님 상을 당하여 나주 대명동에 있는 송천공의 묘소 옆에 새로 터를 잡아 안장하였다. 대원산에 쓴 옛 무덤이 맞지 아니하여 부장(祔葬)을 해드리지 못한 것이 공의 평생의 한이 되었다. 그곳에 여막을 짓고 묘를 모시면서 3년 동안 죽을 드시고 상복을 벗지 아니하셨다. 복을 마치고 옛집으로 돌아오시지 않고 그대로 살면서 다만 책 짓기를 즐기셨다.

날마다 글을 소리 내어 읽고 외우시되 『중용』과 『대학』에 특히 힘을 쓰셨다. 한마음을 고요하게 거두어 다시는 바깥일을 신경 쓰지 않고, 젊어서부터 과거 공부하면서 쓴 글자를 가져다가 모두 불태워버리시면서 스스로 늦게 뉘우쳤을 뿐이라고 말씀하셨다.

한마을의 선비들이 혹 시사(時事)를 가지고 번잡하게 하면 듣지 못한 척하면서 어울리지 않으셨다. 제사를 받드는 일에 정성과 공경을 다하셨고 항상 가묘에 나가서 예를 올리셨으며, 제물을 옛집에서 가져와서 제사가 끝나면 곧 집으로 돌려보내셨다.

이와 같이 몇십 년을 지내면서 아침저녁으로 묘에 나가 절하시고 바람과 비를 피하지 않으며 영원히 사모하는 정성이 처음과 끝이 하나와 같으셨다. 이러하니 마을에서 인품을 존경하지 않는 사람이 없었고 그분에 대한 평가에 서로 다른 말을 하지 않았다.

고을에서 조정에 천거하여 신유년(1681) 팔월에 효릉(孝陵) 참봉에 제수(除授)¹⁴⁾되었으나 병을 핑계로 사직하고 나가지 않으셨다. 임술년 정월 초여드렛날 병으로 여막에서 마치니 연세가 쉰여섯이셨다. 두 달이 지나고 삼월 스무나흗날 대명동 선영과 다른 언덕 해좌(亥坐)[15] 동쪽과 남쪽 사이에 영원히 장사 지냈다.

공이 여막에 사실 때부터 "흰 까치가 날아와 뜰 안의 소나무에 둥지를 틀고 하루도 빠짐없이 뜰 앞에 날아다녔다. 내가 이상하게 여겨 밥알을 던져주면 까치가 기쁘게 받아먹었으나, 다른 사람들이 줄 때는 까치가 돌아보지도 아니하였다"라고 말씀하셨다. 공께서 돌아가시자 까치가 여막 뒤 대나무 숲에 혼자 죽어 있었다. 마을 사람들이 놀라 탄식하며 효에 감동하여 생긴 일이라고 하였다.

배위(配位)[16]는 거창 신씨로 가선대부 예조 참판을 지낸 천익(天翊)의 손녀이며, 통사랑(通仕郎)[17] 성삼(聖三)의 따님이시다. 두 아들을 낳았으니 극가(克家)와 대가(大家)이다. 극가는 참봉 윤명거의 딸에게 장가를 들어 아들 넷과 딸 둘을 두니, 딸은 진사 김시현(金始炫)에게 시집을 가고 아들 몽욱(夢旭)은 군수 이만동(李萬東)의 딸과 혼인하여 딸 하나를 낳았으나 아직 어리다.

몽익(夢翼), 몽혁(夢爀), 몽현(夢賢)과 딸 하나는 어리다. 대가는 첨지(僉知)[18] 임일유(林一儒)의 딸에게 장가를 들어 아들 둘과 딸 넷을 낳으니, 딸은 이세현(李世顯)에게 시집갔고 나머지는 모두 어리다. 측실에게 아들 둘과 딸 하나가 있는데 아들은 건가(建家)와 선가(善家)요, 딸은

---

14) **제수**(除授): 옛 관직을 없애고 새 관직을 내림.
15) **해좌**(亥坐): 묏자리나 집터 따위가 해방(亥方: 북북서)을 등진 방향.
16) **배위**(配位): 남편과 아내가 다 죽었을 때 그 아내를 높여 이르는 말.
17) **통사랑**(通仕郎): 조선 시대에 둔 정8품 문관의 품계.
18) **첨지**(僉知): 첨지중추부사(僉知中樞府事). 조선 시대에 중추원에 속한 정3품 무관.

임상태(林象泰)와 혼인하였다.

오호라! 공의 덕으로도 벼슬을 한 번 하는 데 그치었고, 공의 어진 덕으로도 예순 살을 채 못 사셨으니, 또한 이는 운명인가. 전에 들어보니 선배들의 말에 호남 사람들은 한결같이 고씨(高氏)와 양씨(梁氏) 두 문중에 태어나는 것을 영광이라고 생각한다고 들었다. 대개 왜란을 겪으며 송천공의 부인과 자식들이 의롭게 죽었고, 처사공의 형제와 부부들은 나라를 위하여 죽거나 또는 어머니를 위하여 죽거나 남편을 위하여 죽으니, 그 당시 충효와 의기는 두 문중이 가장 많았다고 한다.

처사공이 복수장(復讐將)[19]인 고종후의 딸을 배필로 삼았는데 매우 바른 부녀자의 도리를 지니시었다. 한 문중이 어찌 그리 빛나는가. 그러나 학포공께서 갖추신 어진 덕으로도 그 뜻을 펴지 못하였고 송천공이 닦으신 문장과 기국을 크게 펼치지 못하셨으니 충과 효와 의와 열이 밝고 밝아 해와 달에 비쳤다면 한때 세상에 드러난 사람들은 족히 말할 바가 못 된다.

다만 나의 외할아버님의 지식과 도량이 참으로 전대의 광명으로 생겨나 마땅히 그 보(報)를 받은 것이다. 불행하게도 겨우 빛나는 관직을 지내시고 나이에 비해 먼저 황천길을 재촉하셨으니, 그렇다면 외숙께서 지닌 인효와 꿋꿋함과 충성은 멈춰지지 아니할 것이다. 바닷길에 막히고 노년에는 스스로 숨으셨으니 세상에 또한 아는 이가 드물구나.

슬프다! 이는 어떤 이치인가. 후손에게 기대한다는 뜻인가. 생(生)[20]은 후손으로서 친히 의범을 접하여 보지 못했음이 한이 되나, 항상 어머님으로부터 그 평생 동안 곧고 높은 덕성을 자세히 들었다. 지

---

19) **복수장**(復讐將): 나라의 원수를 갚으려는 장수.
20) **생**(生): 편지글에서 글 쓰는 이가 윗사람에게 자기를 낮추어 이르는 말.

금 외종인 큰형님과 둘째 형님께서 부탁을 하시어 삼가 이처럼 쓰니 앞으로 당세의 문장을 가려서 고쳐 쓰기를 바랄 뿐이다. 모월 모일에 조카 한주 이 모는 삼가 초서를 쓴다.

2. 외구(外舅) 참판 유 공(俞公)에 대한 가장(家狀)[21]

공의 휘는 헌(櫶)이요, 자는 회이(晦而), 자호(自號)는 송정(松汀)이라 하였다. 기계(杞溪) 유씨(俞氏)[22]는 세상에 자손이 많고 세력이 큰 집안으로 알려져 있다. 윗대인 신라와 고려에 널리 알려진 사람이 많았다. 신라 말엽 충신인 휘 의신(義臣)인 분과 고려의 좌복야(左僕射)[23]인 휘 득선(得瑄)인 분이 더욱 드러났다.

조선조에 들어와 휘 기창(起昌)[24]은 벼슬이 첨지중추부사로 연산조 때 성준(成俊)[25]과 가까운 사이라고 하여 귀양을 갔다가 중종반정 때

---

21) **가장**(家狀): 한집안 어른의 평생 동안 행적을 기록한 글.

22) **기계**(杞溪) **유씨**(俞氏): 시조 유삼재(俞三宰)는 신라 시대 아찬(阿飡). 그 후 유의신(俞義臣)이 신라 멸망 후 고려 왕조에 불복하자 그를 기계현 호장으로 강등시킨 이후 후손들이 그곳을 본관으로 정함.

23) **좌복야**(左僕射): 고려 시대와 조선 전기에 삼사(三司)에 속한 정2품 벼슬.

24) **유기창**(俞起昌): 조선 초기 무신(1437~1514). 자는 자성(子盛), 호는 서호산인 (西湖山人). 성품이 청렴결백하고 근엄하며 9군(郡)을 역사(歷仕)할 때 공적이 있었음.

25) **성준**(成俊): 조선 세조부터 연산군 때의 문신(1436~1504). 본관은 창녕(昌寧). 좌의정, 영의정 등을 지냄. 1495년(연산군 1) 시폐십조(時弊十條)를 주청하는 등 난정(亂政)을 바로잡으려 했으나, 이루지 못하고 갑자사화 때 유배되었다가 교살(絞殺)당함.

특별히 병조 참의에 임명되었으나 병들어 벼슬에 나아가지 않았으니 공께는 육대조 되시는 분이다. 이분이 휘 여림(汝霖)²⁶⁾을 낳았는데 예조 판서를 지내었고, 이분이 휘 강(絳)²⁷⁾을 낳았는데 호조 판서를 지냈다.

부자가 조정에 있었는데 두 분 모두 올바른 관리라고 칭찬을 받았다. 증조부의 휘는 영(泳)인데 군수를 지내고 좌승지(左承旨)²⁸⁾에 추증되었으며, 할아버지의 휘는 대의(大儀)로 이조 참판에 추증되었고, 아버지의 휘는 희증(希曾)인데 군수로 병조 참판에 추증되었다.

선비(先妣)는 능성 구씨로 자손을 두지 못하였으며 후비(後妣)는 구성 이씨(駒城李氏)²⁹⁾로 기묘명현 때 학문으로 첨지를 한 홍간(弘幹)³⁰⁾의 증손자이며 호는 송파(松坡)이고 처사로 의금부 도사(都事)³¹⁾에 추증된 덕민(德敏)의 손자인 별좌(別坐)³²⁾ 치요(致堯)의 따님이다.

공은 만력(萬曆)³³⁾ 정사년(1617) 오월 열아흐레 임오일에 태어났다. 태어나면서 뛰어나고 영리하며 우뚝 솟아 범상치 않았다. 포대기에 있을 때 공의 외조부 별좌공이 아들이 없어 거두어 길렀다. 무진년(1628) 별좌공 상사(喪事) 때 공의 나이 겨우 열두 살이었는데 상을 주관해 마

26) **유여림**(兪汝霖): 조선 연산군, 중종 때의 문신(1476~1538).
27) **유강**(兪絳): 조선 중종, 선조 때의 문신(1510~1570).
28) **좌승지**(左承旨): 조선 시대에 중추원이나 승정원에 속하여 왕명의 출납을 맡아 하던 정3품 벼슬.
29) **구성 이씨**(駒城李氏): 오늘날의 용인 이씨(龍仁李氏).
30) **이홍간**(李弘幹): 조선 중종, 명종 때의 문신(1486~1546). 조광조 김정 등과 교유했고 기묘사화 때 남곤의 과오를 지적하는 등 강직한 언사로 명망이 있었음.
31) **도사**(都事): 중추부 의금부 등에 속하여 벼슬아치의 감찰 및 규탄을 맡아보던 종5품 벼슬.
32) **별좌**(別坐): 조선 시대 때 관아에 둔 정 종5품 벼슬.
33) **만력**(萬曆): 중국 명나라 신종의 연호(1573~1619).

음으로 제도를 지킴이 어른과 같았다. 열세 살에 월식에 대해 읊은 노동(盧仝)34)의 시를 여섯 번 보고는 문득 외웠으며, 열네 살에 홀로 『서경(書經)』35)을 강론하는데 스승에게 묻지 않았다. 한도부(漢都賦) 200여 구를 지었는데 유림의 큰 선비들이 보고 크게 기이하게 여기었다.

이리하여 경서와 사기와 제자를 널리 통하였고 보면 잊지 않았으며 글을 짓는 데 마음을 모아 크게 잘 지었으나, 중요한 일로 삼지는 않았다.

얼마 뒤 병자호란과 정묘호란을 당하여 백성들이 크게 아픔에 잠기자 벼슬길에 뜻을 버리고 그때 과거 공부를 중지하였다. 화사함을 버리고 실상을 취하였으며 성리의 여러 책을 연구한 지 10여 년이 되었을 때이다.

병자년(1636)에 외조모 상을 당하여 친상과 같은 슬픔으로 몹시 여위었다. 계미년(1643)에 아버님 상을 당한 뒤 묘 아래 여막을 짓고 비바람이 부는 때를 가리지 않고 아침저녁으로 묘에 올라갔다. 크게 추울 때나 몹시 더울 때도 상복을 벗지 않고 『예기(禮記)』36)를 숙독하여 상례와 제례의 의법을 그대로 시행하였다.

을유년(1645)에 상복을 벗자 둘째 큰아버님인 감사공(監司公)을 찾아가 뵈었는데 감사공께서 그 문호가 점점 쇠함을 민망히 여겨 과거에 나아가기를 명령하고 가르치고 꾸짖기를 엄하게 하였다.

---

34) **노동(盧仝)**: 당나라 시인. 차(茶)를 노래한 것으로 유명함. 청렴한 인품을 가졌으며 조정에서 벼슬을 주었으나 끝내 사양함.
35) 『**서경(書經)**』: 유교 경전인 오경(五經)의 하나로 중국에서 가장 오래된 역사서.
36) 『**예기(禮記)**』: 예(禮)의 이론과 실제를 풀이한 유교 경전. 전한(前漢) 무제(武帝) 때 유덕(劉德)이 공자와 그 후학이 지은 131편의 책을 모아 정리한 책.

공은 할 수 없이 자신의 계획을 중단하고 무자년(1648)에 처음 과거 시험장에 들어가 한성시(漢城試)[37]에서 장원하였다. 신묘년(1651)에 사마시에 합격하고 생원·진사 양장(兩場)에서 모두 장원으로 합격하였다. 고시관 한 사람이 양장에서 중복해 장원하는 것은 너무 지나치다고 하여 초장에는 이등으로 강등시켰다. 이해에 동당(東堂)[38]의 초시에 합격하니 이때부터 문장이라는 소문이 크게 드러났다.

병신년(1656)에 순릉(順陵)[39] 참봉이 되고 무술년(1658)에 만기가 되었는데 병으로 교체되었다. 이때부터 벼슬길에 나가려고 애쓰지 않았다.

임인년(1662)에 다시 동몽(童蒙)[40] 교관이 되어 예에 따라 육품에 오르고 사축서(司畜署)[41] 별제(別提)[42]와 금오랑(金吾郎)[43]을 지내고 을사년(1665)에 지부(地部)[44]에서 보는 정시(庭試)[45]에 세 번째로 높은 성적으로 합격하여 춘추관(春秋館)[46]과 기사관(記事官)[47]을 겸했다.

---

37) **한성시**(漢城試): 조선 시대에 한성부에서 치른 과거. 식년시 문과 초시와 식년시 생원·진사 초시의 두 가지가 있었음.

38) **동당**(東堂): 조선 시대에 문관을 선발하기 위해 실시한 과거. 3년에 한 번씩 실시한 식년시(式年試)는 초시(初試), 복시(覆試), 전시(殿試)의 세 단계를 거쳐 33명을 급제자로 선발했음. 이외에 증광시(增廣試), 별시(別試), 정시(庭試), 알성시(謁聖試), 춘당대시(春塘大試) 등의 비정규 시가 있음.

39) **순릉**(順陵): 조선 성종의 원비 공혜왕후의 능. 경기도 파주시 조리읍 봉일천리에 있음.

40) **동몽**(童蒙): 지금의 초·중고생.

41) **사축서**(司畜署): 조선 시대에 잡축(雜畜) 기르는 일을 맡아보던 관아.

42) **별제**(別提): 조선 시대에 각 관아에 속한 정6품, 종6품 벼슬.

43) **금오랑**(金吾郎): 조선 시대에 의금부에 속한 도사를 이르던 말.

44) **지부**(地部): 지부아문(地部衙門). 조선 시대에 호조를 달리 이르던 말.

45) **정시**(庭試): 조선 시대에 과거 급제자를 불러 보이던 고시.

병오년(1666)에 사헌부 지평(持平)⁴⁸⁾이 되었으나 이조 판서의 미움을
사서 고산(高山) 찰방(察訪)⁴⁹⁾으로 나갔다. 정미년(1667)에 이르러 지평
자리로 다시 돌아왔다. 그때 조정에서 벌금형을 받은 사람이 있었는데
그 허물을 상감의 탓으로 돌렸으나, 삼정승을 탄핵하는 논의가 나오지
않았다.

이에 공이 집의인 이숙(李䎘) 등 여러 사람과 논계(論啓)⁵⁰⁾하니 현종
(顯宗)⁵¹⁾께서 진노하여 모두 멀리 귀양을 보내도록 명령했다. 공이 처
음 명천(明川)⁵²⁾으로 귀양을 갔으나 상감께서 특별히 배려하여 부령(富
寧)⁵³⁾으로 옮겼다.

파리한 나귀와 피곤한 종과 함께 걸어서 높은 산을 넘으니 고산의
우리(郵吏)⁵⁴⁾들이 공을 존대하여 옛 예법에 따라 파발마를 데리고 와
서 기다렸다. 공이 말하기를 "어찌 귀양살이하며 파발마를 타고 다니

---

46) **춘추관**(春秋館): 조선 시대 때 시정의 기록을 맡아보던 관아.
47) **기사관**(記事官): 조선 시대에 춘추관에 둔 벼슬. 품계는 정6품에서 정9품까지
    있었으며 실록을 편찬할 때 기초 자료로 삼았던 시정기(時政記)를 기록하는
    일을 담당했음.
48) **지평**(持平): 사헌지평(司憲持平). 사헌부에 속한 종5품 벼슬.
49) **찰방**(察訪): 조선 시대에 각 도의 역참 일을 맡아보던 종6품 외직 문관의
    벼슬. 공문서를 전달하거나 공무로 여행하는 사람의 편리를 도모했음.
50) **논계**(論啓): 신하가 임금의 잘못을 따져 아룀.
51) **현종**(顯宗): 조선 제18대 왕. 재위 1641~1674년. 이름은 연(棩). 자는 경직(景直).
    즉위 직후 조대비(趙大妃)의 복상(服喪) 문제로 남인과 서인이 당쟁을 벌여
    많은 유신(儒臣)이 희생되었음.
52) **명천**(明川): 함경북도 명천군에 있는 읍.
53) **부령**(富寧): 함경북도 중동부에 있는 읍.
54) **우리**(郵吏): 역참(驛站)에서 일을 보는 하급 서리.

는 사람이 있느냐'라고 하면서 끝끝내 타지 않으니 같이 귀양을 갔던 사람들이 그 율법을 지키는 모습에 복종하였다. 기미년(1679)에 오랜만에 은혜를 입어 돌아왔고, 그해 겨울에 모친상을 당하였는데 슬픔에 몹시 파리해진 모습으로 예를 다하였고 아버님의 상례와 같이하였다.

기유년(1669)에 가평(加平)에 계시던 송정공의 상복을 입었다. 경술년(1670)에 다시 병조 정랑(正郎)[55]이 되었고 곧 지평으로 제수되었으나, 모두 부임하지 않았다. 다시 지평에 제수되어 왕명을 받고 궁전에 들어가 왕을 배알하면서 신하들이 임금에게 말씀을 올릴 수 있는 기회를 막는 폐단이 극심함을 간하였다.

곧 가평의 송정으로 돌아와서는 병조의 좌랑이 되었다가 두 번째로 지평이 되었다. 얼마 뒤 장령으로 임명되었으나 모두 소명을 따르지 아니하였다.

겨울에 사간원 정언(正言)[56]에 임명되어 들어가 사례하였는데 이조, 사간원, 사헌부, 홍문관, 승정원(承政院)[57]의 여러 신하가 모두 엄중한 비답을 받았다.

이 뒤로 연이어 사간원과 사헌부의 아장(亞長)[58]이 되고 춘방관(春坊官)[59]을 받았는데 다 아껴주신 은덕이었다. 임자년(1672)에 제용감(濟用監)[60] 정(正)[61]과 장악원의 으뜸 벼슬을 지내었고 다시 동궁의 보덕(輔

---

55) **정랑**(正郎): 조선 시대에 육조에 둔 정5품 벼슬.
56) **정언**(正言): 사간원에 속한 정6품 벼슬.
57) **승정원**(承政院): 조선 시대 왕명의 출납을 관장하던 관청. 국왕과 밀착되어 중추적인 정치 기구의 역할을 했음.
58) **아장**(亞長): 사간원과 사헌부의 버금 벼슬. 사간과 집의를 이름.
59) **춘방관**(春坊官): 세자시강원에 속한 벼슬아치.
60) **제용감**(濟用監): 각종 직물 등을 진상, 하사하는 일이나 채색, 염색, 직조의

德)[62]으로 승진하였다.

그때 동궁께 소미사(少微史)를 가르쳤는데 동한(東漢)의 『환제기(桓帝紀)』[63]에 이르러서 환관인 오후(五候)가 권세를 독점하여 안팎을 놀라게 했다는 대목에서 공이 아뢰기를 "예로부터 환관들이 국사를 어지럽힘이 이와 같으니 임금은 마땅히 크게 경계하여야 할 것입니다"라고 하니 옆에 모시고 서 있던 여러 환관 가운데 곁눈질하지 않는 자가 없었다.

왕세자에게 경론을 가르치는 자리에서 대충 가르치면 상감께서 반드시 회초리를 드셨는데 여러 신하가 늘 화통하게 아뢰었다. 공이 나아가서 강론할 때 세자께서 글을 비록 잘 외우나 글 뜻이 혹 막혀 대강 아뢰면 여러 관료들이 "공은 어찌 그리 가르쳤느냐"라고 비난했다. 그리하면 공은 "나라의 세자를 서연에서 바른 곳으로 이끄는 일에 거짓을 보일 수 없는 것이다"라고 답했다.

또한 다른 사람이 "글의 뜻을 정확히 해야 하는데 어찌 대강 거짓으로 가르치는가"라고 말하니 공이 아뢰기를 "저하께서는 어찌 어려운 글의 뜻을 저에게 묻지 않으셨습니까"라고 물었다. 그러자 세자께서 "자세히 비유하여 가르쳐주었는데 다시 무슨 의문이 남아 있겠습니까"라고 답하였다.

겨울에 장악원의 정(正)이 되었다가 계축년(1673)에 봉상시(奉上侍)[64]

일을 맡은 관아.

61) **정**(正): 여러 관아에 둔 정3품 당하관 벼슬.
62) **보덕**(輔德): 세자시강원에 속하여 경사(經史)와 도의(道義)를 가르치던 정3품의 벼슬.
63) 『**환제기**(桓帝紀)』: 동한 환제의 역사 기록.
64) **봉상시**(奉上侍): 제사와 시호에 관한 일을 맡아보던 관아.

의 으뜸 벼슬로 옮기었다. 남원부사가 되었으나 부임하지 않았고 다시
이산군(理山郡)[65]의 군수로 발령되었다. 남원 전(前) 부사가 토호(土
豪)[66]들에게 모욕을 당한 일이 난 뒤라 이산군수는 대신들이 특별히
청하여 뽑힌 것이다. 시종신(侍從臣)[67] 가운데서 차출하였는데 대신 가
운데 공을 싫어하는 사람이 있어 이조에서 그 뜻에 따르려고 하였으나
공은 왕명으로 이를 물리칠 수 있었다.

그러나 공은 거의 그런 과정에 신경을 쓰지 않았다. 이산을 다스린
지 석 달 만에 정치가 바로 잡혀 형장을 쓰지 않으면서 아전과 백성이
모두 편안하였다. 겨울에 통정계(通政階)에 올라 강계(江界)[68] 부사가
되었다. 변방 지대는 사람들이 거칠고 무식하여 선비라는 사람들도 다
만 삼을 캐서 이익을 볼 줄만 알았다.

공께서 문자를 조금 이해하는 자들을 뽑아 훈장으로 삼고 교생을 가
르치게 하였다. 초하루와 보름에 직접 시험하여 상벌을 차등으로 내리
고 봉급을 줄여서 그것으로 이익을 취하여 학생들의 양식으로 삼았다.

서사를 평양에서 인쇄하여 학교와 서원에 쓰도록 나눠주자 고을의
선비들이 처음으로 책이 있다는 사실을 알고 서로 격려하고 응원하여
자못 글을 읽는 풍습이 생겨났다.

관에 올리는 부첩은 날마다 구름처럼 많았으나 내용을 듣고 결단함이
물 흐르는 듯하여 두어 달 뒤에는 관에 올리는 상소가 많지 않았다.

---

65) **이산군**(理山郡): 평안북도 북부의 읍. 지금의 초산군.
66) **토호**(土豪): 지방에서 오랫동안 살면서 양반에게 텃세를 할 만큼 세력이 있는
   사람.
67) **시종신**(侍從臣): 종관(從官). 임금의 곁에서 문학으로 보필하던 벼슬아치.
68) **강계**(江界): 평안도 북동쪽에 있는 고을 이름.

일찍이 많은 사람들이 공을 시험하면 공께서 앞에 고소하는 사람들의 말을 하나하나 들어 판결을 하는 데 조금도 어기거나 그릇됨이 없었다.

아전과 백성이 공을 신(神)으로 여겼다. 고을에서는 많은 사람들이 산을 넘으며 약초 캐는 일을 생업으로 삼으면서 속이는 일이 많았다. 그러나 공이 군수로 오고 나서는 백성들이 서로 경계하여 "이 원님이 계시는데 우리가 어찌 감히 속이겠는가"라고 하였다. 임기가 끝나 돌아가게 되자 고을에 사는 아전, 백성, 귀머거리, 장님, 절름발이까지 모두 나와 길을 막고 울부짖었다.

을묘년에 조정으로 들어와 형조 참의가 되니 지금 상감께서 즉위하시던 이듬해이다. 그때 영의정 허적(許積)[69]이 북방 오랑캐가 침입한 일을 상감께 아뢰기를 "강계부사로 간 유(兪) 모는 벼슬살이는 비록 청백하였으나 고집스러운 선비에 불과합니다. 변방을 엄히 수비하는 데는 무관만 못하니 그를 서울에 있는 벼슬을 시켜야 마땅합니다"라고 하여 이런 명이 내려졌다.

다시 승지에 제수되고 '범(凡)', '제(除)', '배(拜)' 자를 써서 허리에 두르게 하였다. 경주부윤과 형조 참의와 승지에 번갈아 임명되었으나 직위에서 스스로 물러났다. 겨울에 무주부사가 되었는데 무주에는 적상산

---

69) **허적**(許積): 조선 인조·숙종 때의 문신(1610∼1680). 본관은 양천(陽川). 자 여차(汝車). 호 묵재(默齋) 휴옹(休翁). 1671년 영의정에 올랐으나, 이듬해 송시열의 배척으로 중추부 영사에 전임됨. 1674년 인선대비(仁宣大妃)가 죽어 자의대비의 제2차 복상 문제가 일어나자 서인의 대공설(大功說)을 반대하고, 기년설(朞年說)을 주장하여 채택됨으로써 영의정에 복직, 송시열의 처벌 문제에서 온건론을 펴 탁남(濁南)의 영수가 되어 집권자가 됨. 1680년 조부 잠(潛)이 시호(諡號)를 받게 된 축하연에서 유악(帷幄)을 사용한 사건과 아들 견(堅)의 역모 사건에 연좌되어 사사됨. 1689년 기사환국으로 신원됨.

성(赤裳山城)이 있어 남쪽 도적을 수비하는 데 요충지였다.

건국 초부터 설치하여 각 고을에 군량을 수송하는 곳으로 삼았는데 성으로 가는 길이 험준하여 성의 아래에 군량을 저장해두곤 하였다. 공께서 "이 성을 부수면 되는 일이지만 그러기 전에는 성 아래 쌓아둔 곡식은 수송이 급한 때에는 만에 하나도 쓸모가 없다. 그러니 이것이 야말로 도적에게 양식을 제공하게 되는 꼴이다"라고 말하였다. 주사(籌司)70)에 보고하여 승군(僧軍)과 재물을 얻은 뒤 기와를 구워 성안에 창고를 100칸쯤 마련하고 곡식을 옮겨 채우니, 이것으로 공께서 어떻게 나라를 다스리고 경영하였는지 볼 수 있다.

이듬해 가을에 벼슬을 버리고 돌아왔다. 무오년(1678)에 첨지중추부사가 되었다가 곧 공조로 옮겼다. 기미년(1679)에 다시 춘천부사로 나갔다. 고을이 좁고 외져서 사람들이 글을 배운 적이 없었는데 교육 과정을 강계부사로 계셨을 때와 같이 마련하였다.

경신년(1680)에 강원도 관찰사로 승진되었는데 도 안에 기근이 크게 들었으므로 나라에 상주하여 함경도와 경상도 두 도에서 곡식을 옮겨 와 백성들에게 먹였다. 백성의 폐단에 관한 상소를 수십 조 올려 시행하게 하였고 물고기와 소금에 세를 거두어 대동세를 보충하니, 동쪽의 백성들이 모두 "이제는 살았다"라고 하며 기뻐하였다.

신유년(1681)에 들어와 호조, 병조, 형조의 참의를 지내고 다섯 번이나 은대(銀臺)에 들어갔다. 임술년(1682)에 대사간이 되어 호포를 시행하기 어려운 사실과 국문의 폐단을 논하니 상감께서는 그 보고를 인정하여 의논을 거쳐 파하게 하였다. 정초청(精抄廳)71)에서 병조의 주장(主

---

70) **주사**(籌司): 비변사. 조선 시대에 군국의 사무를 맡아보던 관아.
71) **정초청**(精抄廳): 군영(軍營)의 하나. 인조 때 병조 소속의 보병과 기병 가운데에

將)들이 금위영(禁衛營)[72) 설치를 주장하니 비록 줄이고 바꾼다는 명분
은 있으나 실상은 빈 것이었다.

동당의 시험관이 되었는데 과거에 응시한 사람 홍치상(洪致祥)이 대
책(對策) 시험에서 훈척(勳戚)[73)들이 부리는 권세를 극렬히 논하니 대
개 정승 김석주(金錫胄)[74)에 관해서였다.

여러 고시관이 그 논의를 버리고자 하니 공이 고집스럽게 다투어 옳
지 못하다고 하면서 "비록 광해 임금 때 소암(疏庵)[75)이 내린 대책을
고시관들이 함부로 버리지 못하였는데 이와 같은 성인이 다스리는 밝

서 정예한 군사를 뽑아 훈련시켰으며 숙종 8년(1682)에 서울을 수호하는 금위영
에 합침.
72) **금위영**(禁衛營): 조선 시대 때 서울을 지키던 군영.
73) **훈척**(勳戚): 나라를 위하여 드러나게 세운 공로가 있는 임금의 친척.
74) **김석주**(金錫胄): 조선 현종·숙종 때의 문신(1634~1684). 본관은 청풍(淸風).
자 사백(斯百). 호 식암(息庵). 시호 문충(文忠). 숙부 김우명(金佑明)이 현종의
장인. 1674년(현종 15) 자의대비(慈懿大妃)의 복상(服喪) 문제로 제2차 예송(禮
訟)이 일어나자 남인 허적(許積) 등과 결탁하여 송시열, 김수항 등의 산당을
숙청하고 도승지 등으로 특진됨. 그 뒤 송시열과 밀접한 관련을 맺고, 남인의
잔여 세력을 꺾은 다음 청성부원군(淸城府院君)에 봉해짐. 1682년 우의정으로
김익훈(金益勳)과 함께 남인들이 모역한다고 고변하게 하는 등 음모를 꾀함.
기사환국으로 공신의 호를 박탈당했다가 후에 복귀됨.
75) **소암**(疏庵): 조선 광해군·인조 때의 문신 임숙영(任叔英, 1576~1623)의 호.
본관은 풍천(豊川). 자는 무숙(茂叔), 1611년(광해군 3) 별시 문과에 응시하여
척신들의 무도함을 공박하는 대책문(對策文)을 써서 급제하였으나 이를 본 광해
군이 크게 노하여 급제자 명단에서 삭제하도록 명함. 이를 두고 여러 달 동안
삼사(三司)가 간쟁하고 영의정 이항복(李恒福)이 주장하여 다시 급제자가 됨.
주서(注書)로 있을 때인 1613년(광해군 5) 계축화옥(癸丑禍獄)이 일어나자 신병
을 핑계로 사직했다가 1623년 인조반정 후 부수찬, 지평을 지냄.

은 세상에서 임금이 싫어한다고 하여 어찌 버릴 수 있는가"라며 끝내 수용하였다가 승지에서 안동부사로 임명되었으나 사직했다.

그리고 날마다 청성부원군 김석주를 찾아갔는데 청성이 "홍치상을 소암과 빗대는 것은 지나치지 않은가"라고 묻자 공이 "홍치상과 소암을 빗댄 바는 아니나 비록 혼조(昏朝)76)라고 하더라도 소암의 대책을 버리지 않았다는 사실을 말하였습니다"라고 답하였다. 나와서 공이 말을 타고 중문(中門) 밖에 이르렀을 때 막대로 배리(陪吏)77)를 쳤는데 거의 죽음에 이르렀다.

고을에는 막강한 세력이 많아 작은 백성들은 의지할 곳이 없었는데 공이 그것을 적발하고 두세 차례 중한 법으로 묶어 들이니 간활한 무리들이 모두 자취를 감추었다. 흉년을 잘 구제한 공을 세워 포상으로 말 한 필을 내리라는 은혜로운 특전이 있었다.

계해년(1683)에 벼슬을 버리고 돌아왔다. 갑자년(1684)에 다시 대사간, 예조 참의, 좌승지가 되었으나 모두 청하여 사면하였다. 을축년 (1685)에 우승지와 예조 참의를 지내고 이어 대사간이 되어 북쪽 선비인 주계(朱棨)78)가 올린 소의 시비를 가려 물리쳤다.

겨울에 병조 참의가 되고 병인년(1686)에 공조 참의가 되었다가 안동부사의 사직을 청한 일로 파직되었다. 곧 용서를 받고 등용이 되어

---

76) **혼조**(昏朝): 연산군과 광해군 때를 말함. 이 글에서는 광해군 때를 이름.
77) **배리**(陪吏): 고을의 원이나 지체 높은 양반이 출입할 때 모시고 따라다니던 아전이나 종.
   아전(亞銓): 이조 참판을 달리 이르는 말. 전조(銓曹) 곧 이조에서 버금가는 벼슬이라는 뜻.
78) **주계**(朱棨): 조선 중기 문신. 대북파의 한 사람. 본관은 전주.

정묘년(1687)에 다시 예조 참의가 되고 사간원의 으뜸이 되었다.

판서 김만중(金萬重)[79]이 덧없는 소리를 전달하였다가 임금의 위엄을 크게 범하니 잡아들여 근거를 물었는데 귀양을 보내라는 명이 내려졌다. 온 조정이 두려워하였는데 공이 병석에서 일어나 들어가 배알하며 앞장서서 귀양을 거두어들이기를 청하였다. 임금께서 비록 받아들이지 않았으나 사람들은 그 용감함을 칭찬하였다.

겨울에 상감의 특명으로 이품직에 올라 한성우윤에 임명되고 도승지와 예조 참판을 지냈다. 무진년(1688)에 총관(摠管)[80]을 지냈고 지신사(知申事)[81]로 옮겼다가 호조 참판이 되었다. 그러나 일에 연루되어 파직되었다. 기사년(1689)에 다시 등용이 되어 잇따라 과거 시험관이 되었는데 사람을 윗자리에 천거한 일이 모두 상감의 뜻에 어긋나 특별

---

79) **김만중**(金萬重): 조선 문신(1637~1692). 본관은 광산(光山), 자는 중숙(重叔), 호는 서포(西浦), 시호는 문효(文孝). 동부승지를 지낼 때(1674) 인선왕후(仁宣王后)가 작고하여 자의대비(慈懿大妃)의 복상 문제로 서인(西人)이 패하자 관직이 삭탈됨. 그 후 다시 등용되어 1679년(숙종 5) 예조 참의, 공조 판서, 대사헌이 되었으나, 조지겸(趙持謙) 등의 탄핵으로 전직됨. 1686년 지경연사(知經筵事)로 있으면서 김수항(金壽恒)이 아들 창협(昌協)의 비위(非違)까지 도맡아 처벌되는 것이 부당하다고 상소했다가 선천(宣川)에 유배되었으나 1688년 방환(放還)됨. 이듬해 박진규(朴鎭圭), 이윤수(李允修) 등의 탄핵으로 다시 남해(南海)에 유배되어 그곳에서 병사함. 『구운몽』의 저자. 이 작품은 어머니를 위로하기 위해 쓴 것으로 전문을 한글로 집필하여 숙종 때 소설문학의 선구자가 됨. 저서로 『구운몽』, 『사씨남정기(謝氏南征記)』, 『서포만필(西浦漫筆)』, 『서포집』, 『고시선(古詩選)』 등이 있음.
80) **총관**(摠管): 조선 시대에 오위도총부에 속한 도총관과 부총관을 통틀어 이름.
81) **지신사**(知申事): 조선 전기 때 대언사(代言司)의 으뜸인 정3품 벼슬. 태종 1년(1401)에 승정원을 대언사로 고쳤고, 세종 15년(1433)에 도승지로 고쳤음.

히 파면되었다.

사월에 왕비[82)]께서 폐출되자 여러 신하가 모여 소를 올렸는데 공은 병이 깊어 숨이 끊어질 듯하였다. 이 때문에 소회에 가지 못하고 아들에게 반드시 참여한다는 뜻을 전하였다. 그리하여 다른 이가 서명을 대신하였다. 소가 들어가자 상감께서 크게 노하여 소두(疏頭) 이하 세 사람을 몸소 신문을 하셨는데, 공은 그중 한 사람이었다.

일이 갑작스럽게 벌어지자 공은 상소문의 원래 글조차 보지 못하였는데 죄인으로 불려 들어가 상감께서 소를 내어 들고 중간 중간 조목 조목 물으시니 공은 실제대로 진술하였다. 또한 나이 칠십이 넘었기에 특별히 형벌은 면하였으나 삭직(削職)을 당하였다. 그러나 공은 홀로 형벌을 면한 것을 항상 한으로 여기시었다.

그날로 곧 송정(松汀)으로 향하였으나 병세가 위독하여 도중에 용호의 우사에서 머물렀는데 4년 동안 병을 앓다가 마침내 임신년(1692) 구월 열엿새에 졸하였다. 두 달 뒤 동짓달에 양주에 있는 차유령(車踰嶺)[83)] 동쪽 해좌의 언덕에 장사 지내니 선대의 무덤 아래였다.

공의 품성이 청렴하고 기국과 도량이 넓어 어버이를 효도로 섬기고

---

82) **왕비**: 조선 제19대 숙종의 계비 인현왕후. 성은 민씨(閔氏) 본관은 여흥(驪興)이며, 존호(尊號)는 효경숙성장순(孝敬淑聖莊純), 휘호(徽號)는 의열정목(懿烈貞穆). 병조 판서 등을 지낸 여양부원군 민유중의 딸로 1681년 숙종의 계비가 됨. 숙종은 후궁 장씨(張氏: 희빈 장씨)를 총애하여 왕후를 멀리하고, 장씨가 왕자 윤(昀: 뒷날의 경종)을 낳자 윤을 세자로 책봉하려 함. 이 문제로 1689년(숙종 15) 기사환국이 일어나 서인이 밀려나고 인현왕후도 폐위되어 궁중에서 쫓겨나 서인(庶人)이 되었다가 1694년 갑술옥사로 다시 왕후로 복위됨. 소생이 없었으며, 능은 경기도 고양(高陽)의 명릉(明陵).

83) **차유령**(車踰嶺): 경기 남양주시 와부읍과 화도읍 경계에 있는 고개.

상을 당하여 한결같이 옛 예절을 따랐다. 일흔 살을 넘겨서도 부모님을 끊임없이 생각하였다. 기일이 되면 비록 병이 중하여도 반드시 흰옷을 입고 곡하였다. 꿈에 자주 부모님을 보고는 베개를 눈물로 적시었다.

자제를 법도가 있게 엄히 가르쳤고 두 조카가 과거에 급제하자 축하자리를 마련하였는데, 공께서 율시 한 수를 지어 풍속에서 말하는 별급(別給)을 대신하였다.

그 시에 다음과 같다.

| 忠孝吾家物 | 충과 효는 우리 집의 재물인데 |
| 淸勤爾輩期 | 맑고 부지런함은 너희의 일이다 |

사람들은 아름답다고 하였다. 평생에 겉만 화려한 것을 꺼리고 고요함을 스스로 지켰으며 갑작스럽게 기뻐하거나 성내지 않았으며 남을 헐뜯는 일을 부끄러이 여겼다. 일을 할 때는 자상하였고 사람을 대접할 때는 온화하고 편히 하였다.

벼슬한 뒤로 다만 늙은 부모님을 봉양하고자 끝내 벼슬에 오래도록 머물지 못하였다. 기유년(1669)에 상복을 벗고는 벼슬길에 뜻을 끊어버렸다. 앞뒤로 제수된 직명이 비록 많았으나 모두 면하기를 청하였고 송정에 물러나 있었으나 서울에 있는 한집안 사람들도 공의 뜻을 알지 못하였다. 예에 따라 군직의 녹을 받게 되자 공이 듣고 곧 반납하도록 명하였다.

대개 궁달(窮達)과 득실에 더욱 뜻을 두지 아니하였다. 과거 보는 시험장에서 지은 시축은 이미 완성하였더라도 체와 격식이 뜻에 맞지 않으면 문득 거두어서 나왔다. 일찍이 한 사우와 함께 과장에 들어갈 때

"우리들이 지은 글이 항상 서로 비슷하니 오늘은 등을 대고 앉아 짓자"
는 약속을 하고 글을 다 짓고 서로 보이니 또한 서로 비슷하였다. 그
벗이 자못 놀라 제출하기를 주저하자 공이 "나는 마땅히 제출하지 아니
할 것이니 그대는 글을 마쳐서 어서 제출하라"고 말하고 나와버렸다.

부제학 조지겸(趙持謙)[84]이 을사년(1665) 판서 조복양(趙復陽)[85]이 부
학으로 있을 때 홍문관 관원으로 공을 선임하는 데 반대하는 자가 있
었는데 이 일을 들어 "득실에 집착하는 것이 어찌 이와 같은가.

이 사람은 실로 우리로서는 따라할 수 없는 바가 있다"라고 말하여
끝내 홍문관에 올리었다. 이 일이 의정부에 오르자 또 공을 헐뜯는 자
가 있어 다시 홍문관에서 지워버렸다.

송정은 공이 자리를 보시고 정하신 곳이다. 높은 벼슬로 나아가는
일은 항상 마음에서 꺼렸으나 벼슬을 그만두고 돌아올 때마다 상감의
은혜가 점점 더하였다. 그리하여 차마 오래 이별하지 못하고 여러 번
돌아갔다가 여러 번 나갔으므로, 언제나 처음 먹은 뜻을 이루지 못함
을 한탄스러워 하였다.

---

84) **조지겸**(趙持謙): 조선 중기 문신(1639~1685). 본관은 풍양(豊壤). 자는 광보(光
甫). 호는 오재(汚齋). 1683년 사간(司諫) 때 서인 김익훈(金益勳)이 남인의 모반
사건을 허위·조작하여, 남인을 해치려 하자 이를 탄핵하여 처단할 것을 주장함.
그때 서인 송시열이 김익훈을 비호하자 재차 송시열을 공박하여 노론, 소론으로
분당됨으로써 윤증과 함께 소론의 중심인물이 됨. 부제학, 대사성, 형조 참의를
거쳐 1685년 경상도 관찰사가 됨.
85) **조복양**(趙復陽): 조선 중기 문신(1609~1671). 본관은 풍양. 자는 중초(仲初).
호는 송곡(松谷). 김상헌의 문인이며 시호는 문간(文簡). 예조 참판, 대사헌,
부제학을 거쳐 1667년 이조 참판으로 진휼청 당상이 되고, 이듬해 예조 판서로
대제학을 겸함. 조지겸의 부친.

시골로 물러앉아서 교유를 사절하며 퇴근 후에는 늘 서사를 즐겼고 아이 때 읽어본 글을 가끔 기억하고 외웠으나 한 자도 틀리지 않았다. 집에 있을 때는 정치의 잘잘못을 말씀하지 아니하였으며, 바람이 불거나 비가 올 때도 일찍이 백성을 생각하지 않음이 없었다. 나라를 근심함이 늘 간절하였는데 조정의 논의가 나뉘고 무너짐을 통탄하며 이것이 반드시 나라의 커다란 화가 되리라고 하였다.

병진년(1676)에 판서 신정(申晸)[86]이 술에 취하여 와서 몹시 분해하며 "방금 성상께서 오로지 한쪽 말만을 쓰시고 충신을 모두 몰아내니 어찌 큰 근심이 아니겠는가. 그대는 오래도록 세자를 모셨으니 성덕이 어떠한지 알 것이다"라고 말하였다. 공이 "성상께서 영특함과 분명함이 지나치시어 당이 나뉘는 것을 싫어하시니 협동할 뜻이 없기에 지금처럼 국면이 바뀌어서 요사이 저 무리들이 하는 행패가 끝이 없다. 그러나 성상께서는 반드시 깨달으실 것이다"라고 답하였다.

경신년(1680)이 되어 다시 변화가 일어나자 신 판서가 또 와서 공의 선견지명에 탄복하였다. 공이 말하기를 "번복되기 쉬우니 우리들도 단단히 생각하지 아니한다면 바뀐 정국이 오히려 전례를 따를 것이다.

---

86) **신정**(申晸): 조선 중기 문신(1628~1687). 본관은 평산, 자는 백동(伯東), 호는 분애(汾厓). 남인인 허적을 탄핵하다가 자신이 삭직당하기도 했음. 시호는 문숙(文肅), 영의정 흠(欽)의 손자. 전라도 관찰사, 대사간, 대사성, 평안도 관찰사 등을 두루 역임하다가 1675년(숙종 1) 남인들이 집권하자, 서인이 추방될 때 파직되었는데 3년 후 도승지로 다시 등용됨. 1679년 한성부 좌윤으로 있을 때 남인인 허적(許積)을 탄핵하다가 오히려 자신이 삭직당하기도 했음. 1680년 경신대출척으로 남인이 물러나자 대사헌에 발탁됨. 그 뒤 좌참찬, 예조·이조 판서 등을 지냄. 바른 정사로 일세의 추중(推重)을 받는 이름난 재상이었고, 시문과 글씨에 뛰어났음.

어찌 다시 지난날의 화를 당하지 않을 수 있겠는가"라고 하였다. 신 판서는 이에 "공의 말이 맞다"라고 동의하였다.

공이 조정에 서서는 언론이 공평무사(公平)하여 사람들과 구차하게 맞추려고 하지 않았고 대각에서 한 말은 비록 다 시행하지는 못하였으나 그 소로 논할 때 지론이 매우 알맞고 적절하여 헛된 문자가 없었다. 그 대략은 다음과 같다.

옛날 제왕께서 관직을 만들 때는 위로 삼정승과 육판서로부터 아래로 모든 문무관과 여러 관료에 이르도록 각각 일이 있습니다. 다만 대간은 관장하는 바가 없고 말로만 책임을 다하였습니다. 임금의 부족함을 채우고 현 정치의 득실을 논하며 모든 관료가 충성스러운지 간사한지 현명한지 그렇지 못한지를 속이지 않고 다 말하는 것을 그 책임으로 삼아야 합니다.

그것이 참으로 가볍지 아니하고 언로(言路)에 통하고 막힘은 실제로 나라의 존망에 관계되는 바입니다. 사람이 타고날 때 품부가 다르니 공손하나 게으른 사람이 많고 곧고 떳떳한 사람은 적습니다. 임금이 되어서는 반드시 그들을 인도하여 꾸밈없이 말을 다하게 하여 충간하는 사람에게는 상을 주고 하지 않는 사람은 벌을 받게 하였습니다.

다만 대우에 따라서 오래도록 빛이 나기도 하고 잠시 드러났다가 물러나서 움츠리고 있는 자들도 있습니다. 도도한 흐름은 모두 오늘에 이르지 못하고 전하께서 대간을 이끄는데 그 말을 듣지 않으실 뿐 아니라 그 말을 의심하고 성을 내시니 세도가를 비판하는 바른말을 배척하고 상감을 능멸한다고 생각합니다.

내시의 일에 이르러서 일이 지극히 작은 일이기는 하나 조금이라도 뜻에 거슬리면 항상 인정이 없는 하교를 내리시니 신하로서 차마 충간을 드릴 수 없는 지경입니다. 오늘날 조정의 신하들 가운데 직위를 잃어버릴까 근심하지 않는 사람이 없습니다. 간사한 무리들은 벼슬자리를 도적질하고 녹에 구차하게 얽매인 사람들 중에 누가 전하의 대간이 되기를 바라겠습니까. 청렴함과 부끄러움을 스스로 택하여 자리에서 쫓겨나기를 바라겠습니까. 다만 전하께서 박함을 꺼려 바른말을 꺾으신다면 조신들 사이에 미치는 바가 더욱 클 것입니다.

쫓겨난 신하들이 한때 허물이 드러나서 배척을 당하더라도 뒷날을 기약하며 가만히 움직일 것입니다. 나중에 차질이 생기면 여러 사람은 시기하고 성을 내어도 이미 지나간 일이므로 어쩔 수 없습니다. 오늘날 대간이란 자리가 어찌 어렵지 않겠습니까. 이러한 까닭으로 사람들이 피하고 함정을 만난 듯 꺼립니다.

이조에서 사람을 가려서 천거를 하여 겨우 대간 자리가 충당될 뿐입니다. 가만히 고사(故事)를 생각해보니 임금께서 합당하지 못한 조치를 하셨을 때는 대간들이 장계를 올렸습니다. 그런데도 상감께서 장계를 채택하지 않으시고 명령을 내리시더라도 집행부에서 시행하지 않았던 것은 대간을 중히 여겼기 때문입니다.

지난해의 일이기는 하나 사간원과 사헌부에서 날마다 이어 상소를 올려 시행을 막고자 하였지만 전하께서는 윤허하지 않고 굳게 막으시니 서로 버티는 사이에 이미 틈이 생겼습니다.

고금 천하에 어찌 이와 같은 대간이 있으며 이와 같은 대접이 있겠습니까. 큰일이 생겼을 때는 숨 쉴 사이에도 생사가 엇갈리지만, 한편 대간의 간언을 막고 다른 한편으로 상감의 욕심대로 시행한다면 비록 곧은 신하가 약석과 같은 말을 올린다고 해도 무엇이 나라에 도움이 되겠습니까.

신이 말하기를 대간을 두고 그 말을 쓰지 않으려면 대간의 자리를 없애고 후세에 오늘날 이러한 일이 오래도록 전하지 않는 것만 못하다고 하였습니다. 또한 『서경(書經)』에 이르기를 신하는 임금의 명령이 없이는 큰 죄를 바로잡지 못한다고 하였습니다.

송나라 인종(仁宗)[87]이 "재상이 만약 제멋대로 대간을 쓴다면 대간은 자신을 천거한 재상이 잘못해도 그 허물을 간언하지 못할 것이다. 이제부터 재상들은 대간을 천거하지 말라"고 하교하였으니 옛날 성제(聖帝)와 명왕(明王)들이 대간을 대접하는 도리가 참으로 어떠합니까. 오늘날 전하께서 대간을 대접하심은 크게 박하시다고 할 수 있습니다.

비록 일은 미세하나 대간이 한 달이 넘도록 고집스럽게 논하였는데도 끝내 들어주거나 허락하지 않으시다가 혹 다른 사람의 입에서 나오면 한마디로 윤허하십니다. 이는 전하께서 대간의 말은 반드시 따르지 아니하시고 다른 사람의 말은 따를 수도 있다는 것입니다. 이 것은 신(臣)이 앞에 올린 상소에서 말씀드렸듯이 차라리 대간의 자리를 없애어 뒷세상에 이러한 일을 전하지 않는 것이 낫기 때문입니다. 지금의 일은 말할 것이 많은데 하늘의 재앙과 기근은 옛날에는 드물었습니다. 팔도의 백성들이 장차 굶주림에 죽어서 그 시신이 골짜기를 메울 지경입니다.

갈영(葛嬰)[88]이나 황소(黃巢)[89]의 무리가 반드시 뒤이어 일어날 것

---

87) **인종**(仁宗): 중국 북송(北宋)의 제4대 황제(1010~1063). 재위 1022~1063년. 북송의 최전성기를 누렸지만 말년에 재정이 곤란에 빠짐.

88) **갈영**(葛嬰): 한나라 부리(符離) 사람. 진섭(陳涉)이 기 땅의 동쪽을 순행하도록 명하자 그곳에 가서 양강(襄强)을 왕으로 삼았음. 그러나 진섭이 왕이 되었다는 소식을 듣고 양강을 죽이고 돌아왔는데 결국 진섭에 의해 죽음을 당함.

89) **황소**(黃巢): 중국 당나라 말기의 군웅 가운데 한 사람(?~884). 왕선지가 난을 일으키자 그를 따르다가 그가 죽은 뒤 남은 무리를 이끌고 중국 땅 대부분을 공략했음. 한때 수도 장안을 점령하여 스스로 황제라 일컫고 국호를 '대제(大齊)'라 하였으나 이극용 등의 관군에게 패하여 자살함.

이니 나라의 위망(危亡)할 시기가 조석으로 임박하였습니다. 조정 공론은 셋으로 갈라졌으니 그 근심이 고질이 되어 치료하기 어렵고 노론, 소론, 남인의 세 당파로 나뉜 외에도 여러 갈래로 갈기갈기 찢어져 각각 문호를 세우고 서로 눈을 부라리면서 국사는 잊은 채 나라를 도우려는 생각이 없습니다. 상감을 도와야 하는 조정에서 다만 관료들은 장부만을 처리하고 조정은 관료들이 모여 당론을 만드는 장소로만 삼을 뿐입니다.

양전(兩銓)[90]에서 추천되는 관리의 반이 그들의 친구들이니 사사로운 청탁과 인척의 관계로 사사로움이 점점 깊어졌습니다. 관청에는 교만하고 난폭한 습관이 늘어나서 위망의 기운이 한둘이 아닙니다. 그리고 대각의 위에서는 한 사람도 족히 큰 소리를 낼 사람이 없으며 대간에게 보잘것없는 뇌물을 주어 잘못을 전가하려고 하니 오늘날의 대간은 가련한 직책입니다.

이 까닭은 전하께서 왕으로서 자질이 비록 높으시나 학력이 이에 미치지 못하시고 덕과 도량이 넓으시나 사사로운 뜻을 버리지 못하셨기 때문입니다. 대각의 논리를 능히 겸허하게 받아들이지 못하시고 지나치게 얽매임이 많아 이이(訑訑)[91]한 말씀과 안색으로 천 리 밖의 사람을 거절하시기 때문입니다.

또한 호포를 논한 계문에는 오늘날 호포법에 대한 많은 이론이 갑론을박하여 서로 모순이 됩니다. 신은 이웃이나 일가들이 어린이와 죽은 이를 대신하여 세금을 내게 하는 것은 실로 임금께서 차마 하지 못할 일이라고 생각합니다. 만약 지금과 달리 대신 납부하는 것을 금

---

90) **양전(兩銓)**: 조선 시대에 이조와 병조를 통틀어 이르던 말.
91) **이이(訑訑)**: 사람이 경박하고 자존심이 높아 남의 말을 듣지 않는 모양.

지한다면 모자란 경비를 충당할 수 없습니다. 이러한 일은 전에 없던 일이 될 것입니다.

그러나 옛날의 성왕들은 반드시 시대에 맞추어 법을 만들었습니다. 나라를 다스리고 백성을 보호하기 위하여 시대에 맞지 않고 백성들이 그 법으로 인해 힘들어질 것이라고 생각되면 성왕들께서는 아무리 좋은 법이라고 하더라도 고치지 않을 수 없었던 것입니다.

하물며 지금 위로는 천심이 기뻐하지 않아 재앙이 계속 일어나고 아래로는 민심이 이상하여 사나운 원성이 일어나니 아침저녁으로 나라가 보전되지 못할 것 같아 두려운 때에 갑자기 이러한 법을 시행한다면 이는 국조 삼백 년 안에 일찍이 없던 일입니다.

신의 어리석은 생각으로는 나라를 다스리는 일은 병을 다스리는 일과 같고 병을 다스리는 방법은 마땅히 원인을 진찰하여 생기는 곳을 먼저 다스리는 것입니다. 오늘날 폐단을 구제하는 계책은 또한 병의 뿌리가 생긴 곳을 찾아서 다스리는 데 있지 아니하고 병부터 다스리고자 하는 데 있습니다.

장마에 대한 대비는 비록 평상시 일이 없을 때라도 미리 준비해야 하거늘 하물며 오늘날에는 나라의 형편이 얽히고설키는데 더욱 믿고 준비하게 할 사람이 없습니다.

다만 요사이 군대에서 필요 없는 비용을 너무 많이 써서 셈할 수조차 없습니다. 사람들 중 어떤 이는 도감과 어영청 두 곳의 군병은 정밀하게 가려 줄여 쓰는 것이 마땅하고 백성의 힘을 펴게 해야 한다고 하니 이런 논의는 가볍게 다룰 수가 없는 것입니다.

별동대를 창설할 당시에 본래의 뜻은 한양의 정규군과 위치를 돌아가면서 바꾸어 근무시키고자 한 것이었습니다. 그런데 한결같이 어영청의 규칙에 따르니 지금에 와서는 본래의 뜻대로 운영하지 못하고 있습니다.

한 병영과 별대를 더 만드는 데 드는 비용을 신은 비록 자세히 알지는 못하나 대강 듣기로는 한 병영이나 별대의 군사와 보인을 합하면 그 수가 매우 많습니다. 또한 훈련된 초병의 시설은 본래 기병으로부터 옮겨와야 하므로 본대로 환속시키는 것은 옳지 못합니다. 그런데도 전례에 따라 포를 징수하려 하십니까.

이 밖에 서울에 있는 각 관청과 외방에 있는 각 영과 각 관아에 속한 세를 확인하고 거두어 보충한다면 어찌 곡식을 저장하고 폐단을 없애는 데 도움이 되지 않겠습니까. 그 밖에 재물을 아끼고 쓸데없는 비용을 줄인다면 도움이 될 터인데 반드시 새로운 것을 만들어 지난날에 없던 조치를 내린다고 소문을 퍼뜨린다면 더욱 민심이 요동칠 것입니다.

그러나 신이 잘 알지 못하는 일일 뿐입니다. 예로부터 나라의 존망은 사람의 마음이 떠나느냐 합하느냐에 따르는 것이지 군병이 많고 적음에 있지 아니합니다. 인심이 한번 흩어지면 다시 합치기 어려우니 비록 굳은 갑옷과 날카로운 병기가 있다 해도 도리어 큰 도적의 밑천이 될 뿐입니다.

지나간 역사를 상고해보면 군대가 강하기로 진나라와 수나라만 한 곳이 없었으나 모두 두 왕조 안에 망하였고 소수의 소강(小康)[92]과 삼판(三版)[93]인 진양(晉陽)[94]은 능히 옛 기업을 회복하였으니 그렇다면

---

92) **소강**(小康): 소란이나 혼란 등이 그치고 조금 잠잠함.
93) **삼판**(三版): 옛날 조양자(趙襄子)와 지백(智伯)의 싸움에서 지백이 조양자의 성을 수공하였는데 물이 다 잠기지 않은 것이 삼 판(여섯 자) 정도 되었으나 군민이 참고 견디어 끝내 전쟁을 승리로 이끌었다는 고사.

나라의 존망이 과연 군사가 많고 적음에 있다고 하겠습니까. 인심이 합하고 떠남에 있다고 하겠습니까.

오늘날 군문을 주관하는 사람들은 모두 군대 줄이기를 즐겨하지 않고 형편에 따르지 않아 반드시 가구(家口)를 산정하여 군포를 거두어 백성의 원망을 사기도 하는데 신은 이 일이 옳다고 할 수 없습니다. 만약에 다만 양병에만 힘쓰고 민심을 돌보지 않는다면 나무를 심는 자가 그 뿌리를 흔들고도 그 가지를 보호하기를 바라는 것과 다르지 아니할 것입니다.

또한 주계가 올린 소계(疏啓)[95]를 배척하며 "요사이 북인인 주계 등이 올린 상소가 아침저녁으로 많아 놀라고 두려워하며 불안해하는 사람들이 많으니 누가 그들이 하는 일을 칭찬하겠는가. 소에서 당의 주요 인물들의 억울함을 일러 밝히려고 하였으나 말이 매우 질서가 없었다"라고 말씀하셨습니다.

요 임금 때에도 흉인 네 사람이 있었고 역대로 조고(趙高)[96], 노기(盧杞)[97], 진회(秦檜)[98], 한탁주(韓侂冑)[99]와 같은 간신이 있었습니다.

---

94) **진양**(晉陽): 조양자가 지키고 있던 성의 이름. 여기서는 조양자를 이름.

95) **소계**(疏啓): 지방관리가 중대한 사항을 문서로 보고하는 일.

96) **조고**(趙高): 진나라의 환관. 진시황이 죽자 호해(胡亥)와 승상인 이사(李斯)와 진시황의 교서를 위조하여 황태자 부(扶)를 죽이고 호해를 두 번째 황조에 올림. 자기를 따르지 않는 자를 모두 죽이고 호해까지 죽인 뒤 세 번째 황제인 영(嬰)을 세웠으나 나중에 영에게 죽음을 당함.

97) **노기**(盧杞): 당나라 활주(滑州) 사람. 덕종이 그 재주를 사랑하여 동중서 문하평장사(同中書門下平章事)에 발탁했으나 성질이 음험하여 크게 정치를 문란하게 하자 신주사마(新州司馬)에 좌천됨.

98) **진회**(秦檜): 송나라 강령(江寧) 사람. 정승이 되어 악비(岳飛)를 죽이고 장준(張

지금 조정에 와서 정여립(鄭汝立)[100], 정인홍(鄭仁弘)[101]과 이에 견줄 만한 여러 신하들을 상감께서는 삿됨을 물리쳐서 가상하다며 우답(優答)[102]을 하셨으니, 임금의 정치하는 도리에서 간신을 물리치는 것보다 앞서는 일은 없습니다.

전하께서 만약 배척을 당한 여러 신하가 과연 간사한 신하라고 한다면 내쫓거나 죽이는 것이 옳지 않은 바가 없겠지만, 그대로 조정에 두시니 처분이 어찌 이와 같음을 용납하겠습니까. 또한 피척(皮斥)이 된 사람들은 어떤 얼굴을 가지고 부끄럽게 조정의 반열에 서 있겠습니까.

신이 하고자 하는 말은 비답하실 때에 말씀이 신중하지 아니하신다면 여러 신하의 대접도 정성스럽지 못할 것입니다. 마땅히 성의를 열어보이시어 시비가 밝지 않은 폐단을 없게 하시고 김만중을 멀리

浚)과 조정(趙鼎)을 귀양을 보내고 충신과 양장(良將)을 모두 죽임. 성품이 음험하고 잔인했음.

99) **한탁주(韓侂冑)**: 중국 남송의 정치가(?~1207). 영종(寧宗)을 옹립하는 데 공을 세워 정권을 장악하고 주자학파를 억압했음.

100) **정여립(鄭汝立)**: 조선 문신(1546~1589). 본관은 동래(東萊), 자는 인백(仁伯). 전주에서 첨정(僉正)을 지낸 정희증(鄭希曾)의 아들. 처음에는 서인에서 동인으로 입장을 바꿔 왕의 미움을 사게 되어 관직에서 물러났는데 대동계를 조직, 전국적으로 확대함. 1589년(선조 22) 반란을 일으키려 한다고 고발당해 도망했다가 자살함. 이 사건으로 동인 세력이 크게 약화됨. 이를 기축옥사라고 함.

101) **정인홍(鄭仁弘)**: 조선 중기 문신 학자(1535~1623). 자는 덕원(德遠). 호는 내암(萊庵). 임진왜란 때 합천에서 의병을 모아 활약하여 영남 의병장의 호를 받았음. 대북(大北)의 영수로 광해군 즉위 후 계축옥사를 일으켜 영창대군을 죽게 하고 인목대비를 폐위시키며 영의정에 올랐음.

102) **우답(優答)**: 임금이 상소를 훌륭하다고 인정하여 내린 답서.

귀양을 보내라는 어명을 거두어주옵소서.

만중은 일품의 재상으로서 듣는 것을 모두 아뢰고 숨기지 말라는 뜻을 부쳤을 뿐인데 어찌 뜻을 거스른다고 여기시어 신하를 시험할 계책이십니까. 예로부터 떠도는 소문103)이란 근본을 탐구하여도 얻을 이치가 없습니다.

---

103) **떠도는 소문**: 숙종의 후궁 장씨 문제에서 비롯된 소문을 말한다. 송정공이 대사간이 된 1687년 조정은 후궁 장씨(장옥정) 문제로 극심한 혼돈 상태에 빠져 바람 잘 날이 없었다. 숙종보다 두 살 위인 장옥정은 역관(譯官) 장형(張炯)과 천인(賤人) 윤씨 사이에서 태어났다. 장형이 일찍 죽자 윤씨는 장렬왕후(인조의 계비: 자의대비)의 사촌동생으로 대사헌 예조·호조·병조·이조 판서를 지낸 조사석(趙師錫)의 처갓집 여종으로 들어갔는데, 이때 조사석의 여자가 된 것으로 알려져 있다. 이런 연유로 장씨는 열 살 무렵 조사석의 도움으로 궁으로 들어갔고 자의대비의 시종이 됐다. 미모의 장씨는 당시 세자였던 숙종의 눈에 띄어 총애를 받게 되었으나 숙종의 어머니인 명성왕후 김씨는 아들의 장래를 염려해 장씨를 궁 밖으로 내쫓았다. 그러나 1683년(숙종 9) 명성왕후가 세상을 떠난 뒤 삼년상이 끝나자 숙종은 장씨를 궁으로 불러들여 종4품 숙원(淑媛)의 첩지를 하사하고 후궁 자리에 정식으로 앉혔다.

상황이 이에 이르자 뜻있는 조정 중신들과 지사들은 심하게 동요했는데 그 선봉에 나선 인물이 바로 당시 중신 김만중(金萬重)이었다. 김만중은 사계(沙溪) 김장생(金長生)의 증손이며 병자호란 때 강화도에서 순절한 김익겸(金益兼)의 유복자로 숙종의 첫 번째 부인인 인경왕후(仁敬王后)의 숙부였다. 사단은 그가 대제학을 지내던 1687년 구월 열하루 경연 석상에서 벌어졌다. 쉰한 살의 김만중은 죽음을 각오한 듯 스물일곱 살 숙종의 면전에서 먼저 포문을 열었다.

"요사이 김수항(金壽恒)과 이단하(李端夏: 바로 직전 사직한 영의정과 좌의정)에 대한 전하의 대우가 전보다 크게 달라지셨는데 김수항에 대해서는 외부 사람들의 말이 '(장씨 문제를 지적한) 김창협의 상소 때문이다'라고 합니다. 어찌 전하께서 아들이 한 일 때문에 아비에게 화풀이를 하시겠습니까. 아마도 인조 조정 때 민간에서 여자를 가려내어 궁중으로 불러들인다는 말이 조정과 민간에 전파되었을 때 대사간 이명준(李命俊)[104]이 상소하여 실행

김수항의 죄명이 분명하지 않기 때문에 이런 의심하는 말이 외간(外間)에 마구 퍼지게 된 것입니다. …… 유언은 옛적부터 대내(對內)에서 총애받는 궁녀가 있을 적에 생기는 수가 많았습니다. 바라건대 전하께서는 반성하시면서 더욱 수신하고 제가하는 도리를 닦으소서. 후궁 장씨의 어미가 평소에 조사석의 집과 친밀했습니다. 정승에 오른 것이 이 길에 연줄을 댄 것이라고 온 나라 사람이 모두 말하고 있습니다만 유독 전하께서 듣지 못하신 것입니다."

숙종은 분을 참지 못하고 대로(大怒)했다.

"재주도 없고 덕도 박한 사람이 임금의 자리에 있으면서 이런 말을 듣게 되니 진실로 군신(群臣)을 대할 면목이 없다. 김창협이 한 일은 비록 해괴한 일이기는 했지만 어찌 죄를 그의 아비에게 옮길 리가 있겠는가. 내가 조사석에게 금을 받았다는 것이냐 은을 받았다는 것이냐. 분명히 근거를 대라. 결코 그만두지 않겠다."

김만중은 결단코 물러서지 않았다.

"비록 주륙(誅戮)을 당하게 되더라도 신이 진실로 달게 여기겠습니다만 이는 전하께서 바로 신을 형륙(刑戮)에 빠뜨리시려는 것입니다. …… 신은 여기에 더 있을 수 없습니다. 스스로 의금부로 달려가 명을 기다리겠습니다."

결국 김만중은 의금부에서 추국(推鞫: 특명으로 중죄인을 신문)을 받고 하옥되었다가 다음 날 평안도 선천으로 귀양을 떠났다. 김만중을 유배 보내자 신하들은 숙종의 서슬에 놀라 모두 침묵하였다. 온 조정이 두려움에 떨고 있었지만 송정공은 병석에서 일어나 들어가 임금을 배알하며 앞장서서 귀양을 거두어들이기를 청하였다.

104) **이명준**(李命俊): 조선 문신(1572~1630). 본관 전의(全義). 자 창기(昌期). 호 잠와(潛窩) 진사재(進思齋). 이항복(李恒福) 성혼(成渾)의 문하생. 1603년 정시문과(庭試文科)에 장원, 호조·형조 좌랑을 역임함. 1613년(광해군 5) 계축화옥(癸丑禍獄) 때 영덕(盈德)에 유배됨. 1623년 인조반정 후 충청도 관찰사, 대사간, 병조 참판을 지냄.

하지 말 것을 간절히 간하였습니다. 인조께서 진노하시어 특히 말의 뿌리를 샅샅이 살피라는 명령을 내리니 온 조정 대신들이 기가 꺾여 한 사람도 상감께서 그릇된 명을 내리셨다고 논할 수 없었습니다. 그러나 마침 장령으로 있던 성증(成曾)이 홀로 그 잘못을 아뢰었고, 성조께서는 갑자기 깨달으시어 마침내 명령을 잠재우시어 지금까지 도덕을 지킨 임금으로 전해집니다. 이 어찌 오늘날 전하께서 본받으실 일이 아니겠습니까.

지금 김만중을 귀양 보내라는 뜻밖의 어명에 신하들과 백성들이 다 놀라 기색이 비참합니다. 여기에 만수전(萬壽殿)[105] 재앙의 참혹함을 목격하여 비참함이 더욱 극에 달하였습니다. 전하께서는 마땅히 백성의 말을 두려워하시고 몸을 닦으시어 여러 선업을 모으시며, 언로를 여시고 재앙을 풀어 다스리는 도를 삼으셔야 합니다.

고을을 다스리는 데에도 정사는 굳게 하고 법률은 밝히며 자기 몸을 맑히고 간략히 하면, 아전들이 감히 속이지 못할 것입니다. 백성들은 그 은혜를 생각할 것이니, 다스리는 여러 고을이 다 구리와 돌을 갈아서 맑은 덕과 선정을 새길 것입니다. 그런 뒤에 크게 학교를 일으킨다고 하였습니다."

상국 이상진(李尙眞)[106]이 일찍이 어전에 나가 상감을 뵙고 아뢰기를 "유(兪) 모가 행동이 밝고 곧아 벼슬에 있을 때에도 청렴하였는데, 강계부사가 되었을 때 인삼을 약으로 먹지 않았다는 말이 사대부 사이에 퍼졌습니다. 그 뒤에 신이 모(某)를 만나서 이 일을 물어보니 답하기를 '인삼이 소중하여 아껴두려고 먹지 않은 것이 아니라, 그때에 바로 죄인을 벌하고 있

---

105) **만수전(萬壽殿)**: 조선 시대 창덕궁에 있던 건물. 1656년에 인정전 북쪽 흠경각(欽敬閣) 터에 건축. 대왕대비전으로 사용함. 숙종 13년(1687) 불타 없어짐.
106) **이상진(李尙眞)**: 조선 문신(1614~1690). 자는 천득(天得). 호는 금강(琴岡), 만암(晩庵). 이조 참판, 대사헌, 우의정 등을 역임했음.

었는데 그가 도적질해서 캔 삼이 다른 삼과 섞여 들어와 삼이 깨끗하지 않아 먹지 않은 것입니다'라고 하였습니다. 그의 평생에 일찍이 옳지 못한 일을 한 적이 없습니다. 지금 나이 들어서 은대의 기록에서 빼버리고 조정에서 사퇴하는 지경에 이르렀으니 참으로 애석하고 한탄스러운 일입니다. 신이 일찍이 최관(崔寬)의 가자(加資)[107]를 임금께 청하였는데 승지 신계화(申啓華)가 아뢰기를 '그의 청백함이 최관에 비하여 손색이 없다'라고 하였고, 여성제(呂聖齊)[108]는 '그의 청백은 조신 가운데서도 가장 으뜸이다'라고 하였기 때문에 일찍이 대사간에 임명하였습니다. 승지의 수첩에서 다만 나이가 많을 뿐만 아니라 또한 병이 있기 때문에 빼버린 것인데 만약에 병에 차도가 있다면 다시 헤아려서 보고할 때가 있을 것입니다'라고 하였다.

이상진이 또 말하기를 "이 같은 사람을 발탁하여 쓰는 일은 지나치지 않습니다. 이른바 인삼을 약으로 쓰지 않음은 공이 이 고을을 지키는 사람으로서 산악 지방을 다스리면서, 경계를 넘어서 산삼을 채굴하는 사람들을 죽이면서까지 그들의 물건을 차마 먹을 수 없기 때문에 약에는 더덕을 대신 쓰라고 한 것입니다. 서울 친구들 가운데 산삼을 구하는 이들이 있어 편지로 거절하기를 '이 땅에서 그 물건은 사람을 죽이는 물건이니 어찌 사람을 죽이는 물건을 남에게 먹일 수 있는가'라고 썼습니다"라고 하였다.

고산(高山)에서 돌아올 때 한 역졸이 초피를 자신의 공물로 바쳤는데 공

---

107) **가자**(加資): 조선 시대에 관원들의 임기가 찼거나 근무 성적이 좋은 경우 품계를 올려주던 일. 또는 그 올린 품계. 왕의 즉위나 왕자의 탄생과 같은 나라의 경사스러운 일이 있거나 반란을 평정하는 일이 있을 경우에 주로 행했음.
108) **여성제**(呂聖齊): 조선 문신(1625~1691). 본관은 함양(咸陽). 자는 희천(希天). 호는 운포(雲浦). 인현왕후의 폐출 소식을 듣고 상경하여 반대하는 소를 이상진(李尙眞)과 올렸으나 허사가 되자 다시 고향으로 내려가 울분을 삼키다 죽음.

은 서기에게 명하여 장부에 기록하게 하였다. 서기가 말하기를 "종전에는 혹 이러한 물건을 바치면 장부에 적지 않고 관리가 그의 집으로 모두 가져갔습니다"라고 아뢰었으나, 공은 끝내 듣지 아니하고 서기에게 명령하여 초피(貂皮)[109]를 남은 가죽 상자에 담아두고 뒤에 오는 사람이 쓰지 못하게 하니, 북쪽에서는 지금까지 이러한 일을 칭찬하고 있다.

슬프다! 공이 벼슬한 기간이 30년이나 되며 벼슬이 아경(亞卿)에 이르렀으나, 성의 서쪽에 있는 옛집은 한 칸도 더 늘지 아니하였고 거느리는 종의 수도 그대로이다. 부인은 비단옷을 입지 아니하였고 항아리에는 쌓아둔 봉급이 없었다. 반은 친구들이 이사 가거나 죽거나 집이 가난하거나 초상을 당하였을 때 비용으로 부조하였으니, 공의 얼음과 같은 지조는 옛사람에게도 뒤지지 않았다. 그러나 공은 빛을 숨기고 채색을 가려 남달리 스스로 높이지 않았기 때문에 세상과는 어긋날 때가 많았다. 여러 번 세상과 어긋나는 일을 당하였고 문장과 덕을 갖추었으나, 이를 아는 사람은 드물었다. 이러한 까닭에 벼슬은 덕을 따르지 못하였고 본래의 포부를 다 펴지 못한 것이다.

오호라! 슬프다. 오호라! 슬프다. 평소에 쓴 시문의 원고는 일찍이 더 모으지 못하고 오로지 몇 권이 있어 집에 보관해두었다. 초혼은 현감인 완산(完山) 이태선(李泰先)의 딸과 하였는데 자손을 두지 못하였고, 재혼은 남양 홍경신(洪慶臣)[110]의 손녀이며 사의(司議)[111] 채(采)의 따님과 하였다.

---

109) **초피**(貂皮): 담비 종류 동물의 모피를 통틀어 이르는 말.
110) **홍경신**(洪慶臣): 조선 중기 문신(1557~1623). 본관은 남양. 자는 덕공(德公). 호는 녹문(鹿門). 호조 참의, 우승지, 대사성, 부제학 등을 지냈음.
111) **사의**(司議): 장례원(掌隸院)에 속하여 노비의 적(籍)과 소송에 관한 일을 맡아보던 정5품 벼슬.

딸 셋을 낳고 아들이 없었기에 형의 아들을 양자로 삼았다. 세 번째 혼인은 거창 신씨 학생 영조(榮祖)의 딸과 했는데 아들과 딸 하나씩을 낳았다.

맏아들은 명량(命亮)인데 학생으로서 효행을 하였고 승지 정면(鄭勔)의 딸에게 장가들어 아들 셋, 딸 둘을 낳았으나 공에 앞서 죽었다. 그의 맏아들은 필기(弼基)인데 감찰 이만길(李萬吉)의 딸과 혼인하여 딸 하나를 낳았으나 일찍 죽었고, 둘째는 업기(業基)로 스물이 안 되었으나 공이 임종할 때 필기가 자손이 없었으므로 임종을 지키도록 명하였다. 두 딸은 열다섯 살이 되지 않았다. 둘째 아들은 명봉(命鳳)으로 유학이며, 목사 신여식(申汝拭)의 딸에게 장가들어 아들딸 하나씩 낳았는데 모두 어리다. 첫째 딸은 학생 윤응적(尹凝績)에게 시집갔고, 둘째 딸은 진사 김두정(金斗井)에게 시집갔으며, 셋째 딸은 학생 신지화(申志華)에게 시집갔고, 넷째 딸은 나의 아내다. 서녀(庶女)가 하나 있는데 통덕랑인 여사제(呂思齊)와 혼인하였고, 윤응적과 신지화는 자식 없이 남편과 아내가 모두 죽었다.

둘째 아들 김생(金生)은 아들 둘, 딸 둘을 낳았는데 첫째는 김인경(金麟慶)으로 유생 윤지교(尹智敎)[112]의 딸에게 장가들었고, 둘째 딸은 유학 윤종주(尹宗柱)에게 시집가서 사내와 딸 하나를 낳았는데 아직 어리다. 나는 딸 하나를 두었는데 아직 어리다. 서녀의 남편인 여생(呂生)은 일찍이 죽었다.

다행스럽게도 지금 하늘이 나라를 도와 왕후를 다시 세웠으니 상감께서 첫째로 명하여 공의 관직을 회복해주시었고 제사를 지내며 부조를 명하시었는데, 신에게 그 제문을 대신 초하라고 하셨다. 공의 언행록을 집에서 모

---

112) **윤지교**(尹智敎): 조선 중기 학자(1658~1716). 본관은 파평. 자는 숙정(叔正). 호는 숙야재(夙夜齋). 서연관으로 재직하면서 경전에 대한 해박한 지식과 명료한 강의로 명성을 얻었음.

두 찾아내어 나에게 짓게 하니, 나는 옹졸함을 무릅쓰고 삼가 연보를 기하여 평소에 듣고 본 것을 참작하여 대략 이와 같이 서술하였다.

이 일은 몹시 분수에 넘친다. 공이 병으로 돌아가셨을 때 평생의 경력을 펴라고 여러 번 나에게 명하시었으나, 나는 공의 뜻을 자세히 몰라 다만 가슴에 새겨두었을 뿐이다. 이제 와서 붓을 잡게 하신 상감의 어명에 감히 사양하지 못하니, 어찌 강절(康節)[113] 선생께서 구양수를 대하여 세계의 미묘한 뜻을 설하지 못한 것과 다르겠는가. 지난날 일을 생각해보니 눈물이 흐르나 깨달을 수 없다. 갑술년(1694) 구월 초나흘날 사위 이 모는 삼가 초한다.

3. 당형(堂兄) 평창공(平昌公)에 대한 행장

■ 을유년[乙酉, 1705]

공의 성은 이씨요, 휘는 행(涬)이요, 자는 중심(仲深)인데 한산 사람이다. 윗대에 휘가 곡(穀)이라는 분이 계신데 호를 가정(稼亭)이라 하며 아드님의 휘는 색(穡)인데, 고려의 시중(侍中)이며 도학과 문장으로 이름이 중국에까지 알려졌다. 이분이 동방유림의 시조인데 학자들이 말하기를 목은(牧隱) 선생이라고 한다.

이분이 휘 종선(種善)인 분을 낳았으니 지중추부사를 지냈고 영의정에 증직되었으며, 시호를 양경공이라고 한다. 이분께서 휘 계전(季甸)

---

113) **강절**(康節): 송나라 유학자 소옹(邵雍)의 시호. 자는 요부(堯夫). 호는 안락(安樂) 선생. 상수(象數)에 의한 신비적 우주관과 자연 철학을 제창했음.

인 분을 낳았는데 영중추부사(領中樞府事) 한성부원군을 지냈고 영의정에 추증되었으니, 시호가 문열공이다. 이분이 휘 우(堣)를 두셨는데 대사성을 지냈으며 참판에 증직되고 한성군에 봉해졌다. 이분이 휘 장윤(長潤)을 낳았는데 봉화현감을 지냈고, 판서 한원군에 추증되었다.

이분이 휘 질(秩)을 낳으니 한성군에 봉해졌고, 이분이 휘 지숙(之菽)을 낳으니 종묘서령(宗廟署令)114)을 지냈고 판서 한평군에 증직되었다. 이분이 휘 증(增)을 낳으니 예조 판서를 지냈고 아천군에 봉해졌으며 영의정에 추증되었으니, 시호는 의간공이다. 이분이 공에게는 고조부가 된다. 증조의 휘는 경류(慶流)인데 병조 좌랑을 지냈고, 도승지에 증직되었다. 임진왜란 때 상주에서 순절하니 조정이 포상하고 정려각을 하사받았다. 할아버님의 휘는 제(穧)인데 이른 나이에 사마시에 장원하고 대과에 급제하여 벼슬이 통정대부로 부사를 지내고, 참판에 추증되었다. 아버지의 휘는 정기(廷夔)로 이조 참판을 지냈으며 인종, 효종, 현종의 세 임금을 고루 섬겨 명신이 되었다. 어머님의 배위는 안동 김씨로 선원(仙源)115) 선생의 손녀이며 광현(光炫)116)의 따님이다.

행실이 지극하고 지식이 높았으니 숭정(崇禎) 기원 뒤 정해년(1647) 사월 스무아흐렛날 진시에 무안에서 공을 낳았다. 공은 태어날 때부터 기품이 크고 행동거지가 여느 아이와는 달랐다. 안겨 있을 때에 이미 글자를 쓰고 글귀를 지을 수 있었다. 스승에게 배우자 학문의 재주가

---

114) **종묘서령**(宗廟署令): 조선 시대에 종묘의 수위를 맡아보던 관아의 우두머리.
115) **선원**(仙源): 조선 인조 때의 상신(相臣) 김상용(金尙容, 1561~1637)의 호. 병자호란 때 순절함. 본관은 안동. 자는 경택(景擇). 인조 초 서인이 노서(老西), 소서(少西)로 갈라지자 노서의 영수가 됨.
116) **김광현**(金光炫): 조선 중기 문신(1584~1647). 자는 회여(晦汝). 호는 수북(水北).

날마다 자라나고 과정을 제대로 가르치지 않았지만 묵묵히 대의를 통하였으며, 모든 행동이 엄연하여 어른과 같았다.

열다섯 살에 향시에 합격하니 이때부터 명성이 드러났다. 계묘년(1663)에 정관재(靜觀齋)[117] 이 선생의 문하에 장가를 들었는데, 정관재공이 매우 중히 여기고 사랑하였다. 학교에서는 날개가 돋친 듯하였고 사우들을 따라 배울 때에도 언론과 풍의가 무리보다 매우 뛰어났다. 넉넉하고 민첩한 재주와 타고난 지혜는 더욱 사람들이 좇기가 어려웠다.

마침내 족조부(族祖父)[118]의 상을 당해서는 참판공을 따라가서 그 상을 다스렸는데, 처음부터 끝에 이르도록 예절에 따라서 일을 처리하여 하나도 빠뜨리거나 어기지 아니하였다. 이때가 공의 나이 열여덟 살 때로 모인 손님 가운데 입을 모아 칭찬하지 않는 이가 없었고 선배와 장로들도 한번 공을 보고 나서는 모두 크게 쓰일 그릇이라고 기대하였다.

그래도 이러한 말에 머무르지 않고 스스로 원대한 포부를 가지고 한결같이 글을 짓는 것이나 벼슬하려는 습관을 버리고 오로지 위를 향한 공부에만 전념하였다. 정관공에게 글을 배우는데 부지런히 성심과 정의와 궁리와 격물 공부에 힘을 다 쏟았다. 경전의 깊은 뜻과 의문(儀

---

117) **정관재**(靜觀齋): 조선 중기 문신 이단상(李端相, 1628~1669)의 호. 본관은 연안. 자는 유능(幼能). 시호 문정(文貞). 1649년(인조 27) 정시문과(庭試文科)에 급제, 이조와 병조의 정랑(正郎)을 역임하고 대간(臺諫), 청풍부사(淸風府使)를 거쳐 1658년(효종 9) 응교(應敎)가 됨. 인천부사(仁川府使)가 되었으나 곧 사퇴하고 양주(楊州)에서 학문 연구에 힘씀. 1664년(현종 5) 집의(執義)가 되고 1669년 부제학 겸 서연관(書筵官)이 됨. 문하에서 아들인 희조(喜朝)와 김창협, 김창흡, 임영(林泳) 등 유명한 학자가 나옴.

118) **족조부**(族祖父): 일가에서 조부 항렬에 속하는 사람.

文)119)의 번거로운 절차를 탐색하여 꿰뚫지 않은 바가 없었다.

또한 우암 송 선생의 문하에서 배웠는데 질의하거나 의리를 강론하는 데 더욱 연구하여 그 공이 말에 나타났다. 움직일 때는 규범에 맞게 하여 한 자와 한 치를 어기지 아니하니 한때 뜻을 두텁게 하고 배움을 향하는 선비들이 눈을 부릅뜨고 눈여겨보지 않는 이가 없었다. 그러면 공이 물러나 앞자리를 양보하기도 하였다.

기유년(1669)에 정관공께서 임종할 때는 죽은 뒤의 일을 공에게 부탁하면서 거듭거듭 당부하였는데 공을 크게 의지하였기 때문이었다. 신해년(1671)에 참판공의 상을 당해서는 공도 또한 병에 걸려 거의 위태로웠는데 겨우 살아나서 아침저녁으로 궤연 앞에 음식을 반드시 직접 올렸으니 여느 상주와 같이 몸이 파리해졌다.

장례는 처음과 끝을 『예경(禮經)』대로 따랐으며 조금이라도 의심이 나는 것은 스승에게 질문하였고, 힘써서 정성과 믿음을 이루어 유감이 없게 하였다. 겨우 복을 마쳤을 때에는 갑인년(1674) 큰 액[百六之運]을 만나 과거 공부를 그만두고 대부인을 모시고 광주 땅 소광천(昭曠川)에 있는 묘소 밑에 물러나 살면서 힘써 농사를 지어서 어머님께 음식을 제공하면서 봉양하였다.

책에 마음을 두고 스스로 임천의 좋은 경치를 즐겼다. 송 선생께서 그 말을 듣고 아름답게 여기어 그 당(堂)을 '죽백암(竹栢庵)'이라고 이름 붙였다. 그리고 주부자가 남긴 뜻을 이으라고 기문을 지어 격려하였다.

무오년(1678)에 어머님의 상을 당하여 예를 전과 같이 행하였다. 신해년(1671) 말에 두 번째 기일을 맞이하여 아우가 몸이 약해 상을 이기

---

119) **의문(儀文)**: 의식(儀式)의 표(標)를 이르던 말.

지 못할 듯하자 공이 피눈물을 흘리며 여막에 살며 지키니 몸이 헐고 상함이 이미 극에 달하였다. 슬픔을 만나 지극한 아픔이 골수에 사무치고 쌓여 병이 되었고 또한 수토(水土)가 빌미가 되어 다른 병이 생기니, 안으로 혈기가 줄고 밖으로 보는 것이 불분명하여 의원의 치료가 끝에 달하였다.

점점 치료가 어려워져 정신과 사고의 규범이 급히 바뀌고 예전처럼 보고 느끼는 힘을 잃었다. 이때부터 문을 닫고 고요하게 살면서 더욱 세상으로 나갈 생각이 줄어들었다.

경신환국(庚申換局)[120] 때 재주와 덕으로 이름이 공문에 올랐고, 신유년(1681)에 밖으로 선공감(繕工監)[121]의 감역관에 제수되었으나 병으로 나가지 못하였다. 계해년 삼월에 다시 희릉(禧陵)[122] 참봉이 되었으나 공은 두 번째 임명에 이르러 여러 번 명을 어기는 일이 그르다고 여기었다.

집이 가난하여 병을 무릅쓰고 벼슬에 나가 직분을 다하였다. 갑자년(1684) 칠월에 돈령부 봉사(奉事)[123]로 승직되고 병인년(1686) 이월에 상서원(尙瑞院)[124] 부직장으로 전보되었다. 유월에 예에 따라 실직에 오르고 십이월에 육품으로 승진되어 전생서(典牲署)[125] 주부(主簿)[126]

---

120) **경신환국**(庚申換局): 조선 숙종 6년(1680) 서인 일파가 반대파인 남인을 몰아내고 권력을 잡았던 사건.

121) **선공감**(繕工監): 공조에 소속돼 토목과 영선의 일을 맡아보던 관아.

122) **희릉**(禧陵): 경기도 고양시에 있는 조선 중종의 계비 장경왕후 능. 서삼릉의 하나.

123) **봉사**(奉事): 관상감, 돈령부, 훈련원 및 시(寺), 원(院), 감(監), 서(署), 사(司), 창(倉) 등에 둔 종8품 벼슬.

124) **상서원**(尙瑞院): 옥새, 옥보, 부패, 절부월에 관한 일을 맡아보던 관아.

가 되었다. 정묘년(1687) 유월에 포천현감이 되었으나 몇 달이 지나지 않아 작은 일에 연루되어 파직되고 돌아왔다.

무진년(1688) 겨울에 서용(敍容)되어 청양현감에 제수되었고 기사년 봄에 국모가 쫓겨나고 어진 스승이 화를 당하자 공은 근심하고 분을 내어 곧 사직하고 결성(結城)127)의 삼산(三山)으로 돌아갔다. 삼산은 곧 참판공이 일찍이 집을 지어놓은 곳으로 이름을 '일휴당(逸休堂)'이라고 하여 벼슬에서 물러나서 쉴 곳으로 삼았다. 공은 그 뜻을 이어 터를 닦고 집을 지어 옛 현판을 달았으며 장차 늙어서 살 곳으로 정하였다.

갑술년(1694)에 정권이 바뀌자 공은 오히려 충청도에서 넉넉하고 한가함을 지극한 낙으로 삼고 일찍이 벼슬할 뜻을 접었다. 을해년(1695) 삼월에 군대에서 부르니 서울에 있는 공의 자매와 여러 조카가 다 편지를 보내 공에게 이를 수용하기를 권하였다. 공은 타향에 떨어져 산지 10년이 지났으므로 이 일로 서울로 돌아가 단란한 즐거움을 이루어 늘그막의 즐거움으로 삼고자 하였다. 이리하여 뜻을 굽혀 나가 부임하였다.

경진년(1700) 사월에 종묘서(宗廟署)의 으뜸이 되었고 칠월에 군자감(軍資監)128)으로 옮겼다. 시월에 평창군수로 승진되었는데 그때 공을 공격하는 자가 전관(銓官)129)으로 있었으므로 경연에서 공은 병들어 수령은 합당하지 아니하다고 아뢰었다. 그리하니 사정에 끌리어 선택

---

125) **전생서**(典牲署): 나라의 제향에 쓸 양, 돼지 등을 기르는 일을 맡아보던 관아.
126) **주부**(主簿): 각 아문의 문서와 부적(符籍)을 주관하던 종6품 벼슬.
127) **결성**(結城): 오늘날의 충청남도 홍성군 광천읍 결성면, 서부면 등을 포함했던 옛 고을 이름.
128) **군자감**(軍資監): 군수품의 출납을 맡아보던 관아.
129) **전관**(銓官): 이조와 병조에 속해 문무관을 선발하는 일을 맡아보던 벼슬아치.

하지 않았다. 상감께서 대궐에 있는 여러 신하에게 물어보니 영상 서문중(徐文重)130)이 말하기를 "이 모는 신이 잘 알고 있습니다. 비록 오래된 병이 있어도 서울의 여러 관아를 이미 다스린 바 있으니 어찌 수령에 합당치 못함이 있겠습니까"라고 아뢰었다.

호조 판서 김구(金構)131)도 "그는 어릴 때부터 본래 명망이 있었는데 중년에 비록 병이 났으나 훈련도감(訓鍊都監, 訓局)132)과 군자감 등에서 직분을 잘 처리하였으니 어찌 작은 군 하나를 감당하지 못하겠습니까"라고 아뢰었다. 상감께서 "요사이는 다만 직책을 거두어들이는 일을 전관들이 일로 삼으며 공평하지 않은 일을 하면서도 스스로 공평하다고 말하며 마음과 입이 다르니 매우 밉구나"라고 하며 교체하자던 사람들의 직분을 갈아버렸다.

여러 사람이 말하기를 "조정에서 간관이 허물하는 것을 지나치게 꺼릴 일은 아니다"라고 하며 모두 부임을 찬성하였다. 공이 "저는 이미 유신들이 경연에서 배척을 하였으니 설혹 여러 신하가 변명을 해주었다고 하더라도 저에게는 스스로 처리할 길이 있습니다. 벼슬길에 오름이 마땅하지 않습니다"라고 하고 네 번이나 병상을 아뢰어 사직하니

---

130) **서문중**(徐文重): 조선 중기 문신(1634~1709). 본관은 대구. 자는 도윤(道潤). 호는 몽어정(夢漁亭). 시호 공숙(恭肅). 1689년 기사환국 때 노론의 중신으로 인현왕후 폐위를 반대하고 금천(衿川)에 퇴거했으나 남인의 책동으로 안변부사(安邊府使)로 밀려남. 1698년 사은사(謝恩使)로 청나라에 다녀와서 좌의정을 지내고 이듬해 영의정에 오름.

131) **훈련도감**(訓鍊都監): 오군영(五軍營) 가운데 수도 경비와 포수(砲手), 살수(殺手), 사수(射手) 등 삼수군(三手軍) 양성을 맡아보던 군영.

132) **김구**(金構): 조선 문신(1649~1704). 본관은 청풍. 자는 자긍(子肯). 호는 관복재(觀復齋). 시호는 충헌(忠憲).

마침내 체임되어 부임하지 아니하였다.

신사년(1701) 10월에 사직서(社稷署)[133] 으뜸에 임명되고 임오년(1702) 칠월에 돈령부로 전근되었다. 그해 시월 초닷샛날 작은 병이 나고 연방동(聯芳洞) 자택에서 돌아가셨으니 그때 나이 쉰여섯 살이다. 십일월에 상여를 끌고 삼산으로 돌아와 십이월에 홍천 덕두리(德豆里) 모(某) 좌(坐) 모 향(向) 언덕에 장사를 지내었다. 부인 숙인(淑人)[134]은 공보다 먼저 돌아가시어 그곳에 이미 묘를 썼기에 합장의 예로 행하였다.

오호라! 공의 기품은 빼어나고 헤아림이 밝아서 훤히 꿰뚫어 알았다. 효우의 행실은 천성에 근거하여 예를 가정에서 배우고 부모님을 섬김에 화평하고 순종하며 어기지 않았다. 옆에 계실 때는 가끔 어린 아이처럼 장난을 쳐서 기쁨과 웃음을 드리는 바를 바탕으로 삼았다.

여러 고모들과 참판공 형제들과 동서들이 모였을 때 공이 혹 참여하지 못하면 문득 사람들이 "그 아이가 없으니 당중(堂中)의 화기가 갑자기 줄어들어 자못 적막하구나"라고 하였다.

이로 미루어보아 그 형제와 자매에게 우애가 돈독하였음을 알 수 있었다. 종족을 대함에도 기쁘고 흡족함을 다하였고, 두터운 뜻을 잃지 않았다. 친자녀와 조카들을 가르칠 때 일찍이 큰소리를 치는 일이 없이 조용히 인도하였다. 종들을 대할 때는 은혜롭고 위엄이 있어 어짊과 용서를 앞세웠다. 일을 맡아서 수고하는 사람들은 다 즐겁게 할 수 있었다.

공은 일찍이 고아가 되어 늘 효행을 못함을 돌아가실 때까지 아픔으로 여기었다. 부모님의 묘제는 형께 아뢰어 직접 행한 지 10년이 되었

133) **사직서**(社稷署): 조선 시대에 사직단(社稷壇) 관리를 맡아보던 관아.
134) **숙인**(淑人): 정3품 당하관의 아내에게 내리던 외명부의 품계.

다. 호남에 있는 임시 처소에서 처음으로 종가에 제사를 반납하였는데 종질이 불행하게 단명하자 집안일이 날마다 꼬여서 제사를 거의 못 지낼 지경에 이르렀다. 공은 늘 아픔을 참아 크고 작은 제사에 힘을 다하여 보조하였으며 초하루와 보름의 여러 제사에는 비바람과 추위와 더위에 상관없이 반드시 친히 가서 예를 행하였다. 병들고 쇠하였어도 빠지는 일이 없었다.

둘째 누님이 일찍 돌아가시고 집이 가난해지자 공은 그 고아들을 데려다 자기 자식처럼 길렀다. 공의 작은 아버님 군수공(郡守公)이 공을 자식처럼 기르시니 공도 친아버지처럼 섬겼다. 병이 들어 벼슬을 하는 틈에도 가서 모시기를 일찍이 여러 날 동안 어기거나 떠난 일이 없었다.

아우에게 아들이 하나 있었는데 공은 그가 드러나기를 바라며 자식보다 더 아끼고 가르쳤다. 항상 집안이 넉넉하지 못하여 함께 살지 못함을 지극히 한(恨)으로 여기었다. 집안이 대대로 청렴하고 생계거리가 없으니 돌아가신 어머님께서 민망히 여기시어 "여러 딸이 이미 모두 시집가서 생계를 이어가고 있으나 세 아들은 살림이 어려워 살아가기가 힘이 드는구나"라고 하며 약간의 땅을 공의 삼형제에게 나누어주고 여러 딸에게는 주지 아니하였다. 공은 "그때의 가르침은 진실하셨고 사심이 없으셨다"라고 말하였다. 그래도 서운히 생각하여 딸에게도 함께 나누어 주었다. 이것이 공이 집안일을 처리한 대략의 예이다.

공은 직장에서 한마음으로 일하였고, 고을을 두 번 다스릴 때에는 행정을 쉽게 하여 도를 어기고 명예를 취하는 일을 부끄럽게 여기었다. 오래지 않아 아전과 백성들이 모두 편히 지내면서 공이 떠날 일을 걱정하였다.

송사를 해결할 때에는 모두 법문에 따르면서 사사로움에 흔들리지 아니하였다. 청양에서 대대로 전해오는 고을 사람의 산을 고급 관리가 빼앗고자 여러 번 송사를 벌이자 해가 다하도록 관리가 처리하지 못하였는데 공이 그 고을의 수령이 되자 그 관리와 친해졌다. 부임하는 해에 한 번 보고 그 산을 원래 주인에게 돌려주도록 판결하여 멀고 가까운 마을 사람들의 칭찬이 지금까지 이어진다. 고급 관리도 공의 판결이 공정함을 인정하여 유감으로 받아들이지 아니하였다. 이는 공이 관리로서 일을 처리한 예이다.

공은 자기의 행동에서 마음가짐을 정대함과 관대함에 두어 조급하고 사나운 말을 하지 않으며 분하고 험한 빛을 얼굴에 나타내지 않았다. 사람을 대접함에 따뜻한 화기가 감돌고 시골에 살 때에는 높고 낮음과 친하고 멂에 관계없이 모두 정성과 믿음으로 대하였다. 대략 작은 일은 지나치고 남에게 다정하게 먼저 말을 건네기를 좋아하니, 사람들이 흔히 즐겁게 복종하였다. 이러한 까닭에 비록 상놈이나 무식한 사람이라 하더라도 한번 공을 뵈면 두려워하면서도 존경하였다.

공의 시신이 삼산으로 돌아오자 마을의 선비나 백성이 먼 곳까지 나와 모두 울며 맞이하였다. 각각 술과 전물을 가지고 왔고 돈과 쌀의 부조를 앞을 다투어 바치었다. 눈물을 흘리면서 덕이 높은 군자를 이제 다시 볼 수 없음을 슬퍼하고 한탄하였다. 공의 평소 어질고 효도한 덕이 사람을 흡족하게 함을 알 수 있었다. 그러나 선악과 시비를 확실히 지켰고 마음을 숨기거나 간사한 자를 뱀과 같이 여기어 꺼렸다. 언론에 구차한 사람을 한낱 개미처럼 낮게 대하였다. 친척과 벗과도 술을 마시거나 담소를 하다가 허물을 보면 정색하고 간절히 꾸짖어서 조금도 용서하지 아니하셨다.

일찍이 이조의 벼슬을 지낸 사람이 삼산 가까이 살았다. 고을 관리와 선비들이 다 찾아가서 거짓말로 뒷날을 부탁하고자 하였다. 공과는 죽마고우였으나 그의 그른 행동을 보고 마음속으로 낮게 여기고 끝내 다시는 만나지 아니하였다. 사람들이 너무 외고집이라고 하였으나 마침내 그 사람이 귀양 갔다가 죽음을 당하자 비로소 마을 사람들은 공의 확실한 견해를 깨달았다.

몸가짐에 법도가 있었으며 사람을 대함에 이와 같은 의리가 있었다. 공이 일찍이 부모를 여의고 자주 초상의 화를 입으면서 슬픔이 안으로 쌓이고 병이 밖에서 침범해, 늘 자신을 돌아보면서 쓸쓸히 여겼으니 즐겁지 못하였다. 비록 할 수 없이 벼슬을 하였으나 본뜻은 아니었다.

깊은 골짜기에 집을 짓고 살면서 교유를 끊었다. 공의 어릴 적 벗들이 높은 관리로서 조정에 몸을 담고 이름을 드러내었는데, 10년 동안 서울에 살았으나 그들의 문 안에 발을 들이지 않았다. 문득 집안 뜰을 쓸고 한적함을 그림으로 그려 삼산 옛집에 있는 모든 벽 위에 걸어두고 퇴근 후 여가에 펴 보며 옛사람이 병을 고치려던 뜻을 생각하였다.

비록 신음하는 때에도 아침 일찍 일어나 세수하고 의관을 정돈하고 날이 다 가도록 바로 앉으니 게으른 기색이 나타나지 않았다. 아들과 손자에게 글을 가르치는 일이 지극한 낙이었고 손님이 때때로 찾아와 대할 때에도 정치의 옳고 그름을 드러내지 아니하고 묵묵히 바둑을 둘 뿐이었다.

때로는 여러 조카를 불러 아들들과 즐겁게 지냈다. 아들과 조카 들이 계를 모았으니 이름이 '육이(六二)'였다. 그것은 『주례』의 목이(睦婣)135)의 뜻을 따온 것으로 공의 뜻을 받든 것이었다. 그 기회를 나누어서 모시고 잔치하다가 밤에 이르렀는데 공이 편안히 가운데에서 귀를 기울여 이야기를 듣고 한집안의 화목을 도모하였다. 겸하여 만년의

---

135) **목이**(睦婣): 인척 사이의 화목에 관한 내용을 적은 편(篇).

회포를 위로하였다. 공이 편안하고 고요하게 자신을 지키며 밖에서 아무 것도 구하지 않음이 또한 이와 같았다.

오호라! 공의 학문이 중국의 주돈이(周敦頤)136), 정호(程顥)137), 정이(程頤)138)의 계통을 이을 만하고 재주가 한때의 경영을 맡길 만한데, 불행하게도 중년에 이상한 병에 걸려 몸을 버리니 큰 사업을 마치지 못하고 목숨을 다하여 장차 없어져도 뒤를 이을 사람이 없었다. 진실로 어진 스승이나 벗이나 이름난 높은 벼슬아치가 공에 관하여 말을 하지 않았다면 또한 어찌 믿을 수 있겠는가.

공이 처음 정관공의 사위가 되었을 때 정관공께서 공과 두 사람의 학도를 데리고 우서(虞書)의 선기옥형(璇璣玉衡)139)과 기삼백(朞三百) 소주(疏註)140)를 보다가 처음부터 질문하지 아니하고 각자에게 연구하도록 하여 그 풀이가 빠르고 더딤과 재주와 지식의 깊이를 시험하였다. 공은 한번 보고 문득 통하여 가장 먼저 도수(度數)를 해석하니 조리가 털끝만큼도 어긋나지 않았다.

---

136) **주돈이**(周敦頤): 중국 송나라의 유학자. 정호, 정이 형제의 스승으로 도가(道家) 사상의 영향을 받아 새로운 유교 이론을 창시함.
137) **정호**(程顥): 중국 송나라 인종·철종 때의 문신 학자. 송나라 이학(理學)의 기초를 마련함.
138) **정이**(程頤): 송나라 때의 문신 학자. 이기(理氣)의 철학을 제창하여 유교 도덕에 철학적 기초를 부여함.
139) **선기옥형**(璇璣玉衡): 혼천의(渾天儀). 고대 중국에서 천체의 운행과 위치를 관측하던 장치. 지평선을 나타내는 둥근 고리와 지평선에 직각으로 교차하는 자오선을 나타내는 둥근 고리, 하늘의 적도와 위도 따위를 나타내는 눈금이 달린 원형의 고리를 한데 짜 맞추어 만든 것임.
140) **소주**(疏註): 본문에 대한 주해. 또는 이전 사람의 주해에 대한 주해. 소(疏)는 주(註)를 해석·부연한 것이고, 주(註)는 경(經)을 해석한 것임.

정관공이 매우 특별하게 여기어 "이 사람은 나도 따라잡을 수 없구나"라고 말하였다. 창계 임영[141]은 일찍이 편지에서 "모의 학문은 지금 세대에서 제일갈 것이다"라고 하였다. 공이 처음 병이 들었을 때 송선생께서 오셔서 몸소 진맥하고 탄식하다가 돌아가서 사람들에게 "그가 이러한 병이 든 것은 사문의 불행이다"라고 말하였다. 현석 박 선생은 늘 사람들을 대하여 문득 "그의 재주와 지식이 뛰어난데 그 성취를 어찌 헤아릴 수 있겠느냐. 불행하게도 그러한 고질병이 있구나"라며 탄식하였다.

공이 벼슬길에 나가니 상서 이유(李濡)[142]와 상서 김창집(金昌集)과 상서 민진후(閔鎭厚)[143]가 함께 말하기를 "이 모의 젊을 때 명망이 어떠하였는데 요사이 와서 보통 음사 한 자리도 추천하지 않는가. 비록 병이 들었다고 하나 세상길이 한탄스럽구나"라고 하였다. 상서 김진구(金鎭龜)[144]와 참판 서문유(徐文裕)[145]가 일찍이 공석에서 "모의 기국(器局)

141) **임영**(林泳): 조선 문신(1649~1696). 본관 나주(羅州). 자 덕함(德涵). 호 창계(滄溪). 대사헌, 개성부 유수, 부제학, 참판을 지냄. 문장이 뛰어났고 경사(經史)에 밝았으며 송시열, 송준길에게도 사사한 기호학파(畿湖學派) 학자.

142) **이유**(李濡): 조선 문신(1645~1721). 본관은 전주, 자는 자우(子雨), 호는 녹천(鹿川). 1689년(숙종 15) 송시열의 사사로 인하여 노론이 실각하자 벼슬자리에서 물러났다가 1694년(숙종 20)에 갑술환국으로 다시 기용되어 이조 판서, 우의정을 거쳐 1712년(숙종 38)에 영의정에 오름.

143) **민진후**(閔鎭厚): 조선 숙종 때의 문신(1659~1720). 여양부원군 민유중의 아들이며, 숙종 비 인현왕후의 오빠이자 좌의정을 지낸 민진원(閔鎭遠)의 형. 판의금부사, 예조 판서, 우참찬 등을 지냄.

144) **김진구**(金鎭龜): 조선 숙종 때의 문신(1651~1704). 본관은 광산. 자는 수보(守甫). 호는 만구와(晚求窩). 시호 경헌(景獻). 돈령부 영사 만기(萬基)의 아들. 숙종의 비 인경왕후(仁敬王后)의 오빠. 도승지, 전라도 관찰사, 강화부 유수, 한성부

과 재망(才望)으로도 이와 같이 침체되어 있거늘 우리들은 적은 재주로 이와 같이 드러나고 있구나"라고 말하였다.

공의 영화와 쇠퇴는 참으로 알 수 없는 것이다. 공이 세상을 떠나자 농암 김창협 공이 만시에 다음과 같이 이르렀다.

器宇堂堂早出群	기우는 당당하여 일찍부터 무리 사이에서 뛰어났는데
更從師友廣知聞	다시 스승과 벗을 따라 들음과 앎을 넓히었네
一時月朝徵題品	한때 달마다 조회에서 지은 글이 증거이니
俊及中間輒數君	준수함이 중간에 미쳤으나 임금을 번번이 자주 뵈었네
禮家雜服能詳究	예가의 여러 가지 복식을 자세히 연구하였고
易象圖書解妙論	역상의 도서와 묘한 논의를 잘 풀었네
茲事倘敎君卒業	이 일은 오히려 그대를 가르치어 졸업하게 하였으니
詎慙黃蔡在朱門	어찌 황채[146]가 주문에 있는데 부끄럽겠는가

판윤, 형조·공조·호조 판서를 거쳐 좌참찬을 지냄.

인경왕후(仁敬王后): 숙종의 비(1661~1680). 본관 광산(光山). 성 김씨(金氏). 광성부원군(光成府院君) 만기(萬基)의 딸. 1671년(현종 12) 세자빈에 책봉되고, 1674년 숙종의 즉위와 함께 왕비에 진봉됨. 두 딸을 낳았으나 일찍 죽었고 인경왕후도 일찍 죽음. 능은 익릉(翼陵).

145) **서문유**(徐文裕): 조선 숙종 때의 문신(1651~1707). 본관은 달성. 자는 계용(季容). 시호 정간(貞簡). 1689년 동부승지 때 기사환국으로 죽산부사(竹山府使)로 좌천되었다가, 1694년 갑술환국으로 대사간에 발탁됨. 1699년 대사성을 거쳐 1706년 형조·예조 판서 등을 지내고 중추부 지사가 됨.

一哭山頹歲月遷	한 번 산이 무너짐을 곡하고 세월은 흘렀는데
舊徒蕭瑟各風煙	옛 무리는 쓸쓸히 바람과 연기처럼 흩어졌네
憐君更抱清瘴疾	그대가 다시 맑은 이질을 앓으니 가련하고
志業虛抱少壯年	소장147) 시절에 안은 지업은 헛되었네

또 주부 김창흡은 만시에서 다음과 같이 이르렀다.

芝洞先生吾道托	지촌 선생께서 우리 도를 부탁하셨는데
尋常氷玉豈同論	평범한 빙옥을 어찌 함께 논할까
流通妙算周天數	신묘한 헤아림으로 주천148)의 도수를 유통시 키었는데
灑落當機格物言	쇄락149)함은 기회마다 격물을 말하였네

오호라! 송 선생과 정관공 같은 분들께 친히 가르침을 받고 박 선생
이 어진 재목으로 아낀 일과 임창계와 김농암 형제의 동문(同門)과 상
서 김여택(金麗澤) 등 반생 동안 따라다닌 이들의 말이 이와 같으니 이
는 모두 공의 지행과 재주와 학문의 실체이다. 이로 본다면 공의 평생
을 알 수 있다.

---

146) **황채**(黃蔡): 황간(黃幹), 채원정(蔡元定).
147) **소장**(少壯): 나이가 젊고 혈기가 왕성함. 젊고 씩씩함.
148) **주천**(周天): 천체(天體)가 각기의 궤도를 따라 한 바퀴 도는 일.
149) **쇄락**(灑落): 기분이나 몸이 개운하고 깨끗함.

4. 병조 좌랑을 지내시고 도승지에 추증된 증조부 부군에 대한 행장

증조고(曾祖考) 부군의 휘는 경류(慶流)요, 자는 장원(長源)이다. 가문의 계통이 한산(韓山)에서 나왔다. 윗대에 자성(自成)이라는 분이 계셨는데, 정읍(井邑)의 감무(監務)[150]를 지내고 도첨의찬성사(都僉議贊成事)[151]에 추증(追贈)되었다.

이분이 휘 곡(穀)인 분을 낳으니 도첨의찬성사를 지내고 시호를 문효공(文孝公)이라고 하며, 호를 가정(稼亭)이라고 한다. 이분이 휘 색(穡)인 분을 낳으니 고려의 문하시중(門下侍中)[152]을 지냈는데 후학들이 목은 선생이라고 불렀다.

목은 선생이 휘 종선(種善)을 낳으니 지중추부사(知中樞府事)[153]를 지내고 영의정(領議政)에 추증되었으며, 시호는 양경(良景)이다. 이분이 휘 계전(季甸)을 낳으니 영중추부사(領中樞府事)[154]로 한성부원군(漢城府

---

150) **감무**(監務): 고려 중기부터 조선 초기까지 군현(郡縣)에 파견되었던 현령(縣令) 보다 낮은 지방관. 조선 태종 13년(1413) 감무를 현감(縣監)으로 개칭할 때까지 약 200여 군현에 두고 있었음.

151) **도첨의찬성사**(都僉議贊成事): 고려 후기 도첨의사사(都僉議使司)의 정2품 관직. 재상으로서 도평의사사의 일원이 되어 국가 기무에 참여했음.

152) **문하시중**(門下侍中): 고려 시대의 수상(首相). 중서문하성(中書門下省)의 장관으로 종1품.

153) **지중추부사**(知中樞府事): 조선 시대 일정한 직무가 없는 당상관(堂上官)들을 우대하기 위하여 설치한 관청인 중추부(中樞府)의 정2품 관직.

154) **영중추부사**(領中樞府事): 조선 시대 중추부의 정1품 관직으로 정원은 한 명이 었음.

院君)을 지냈으며 영의정에 추증되었는데, 시호가 문열(文烈)이며 호가 존양재(存養齋)이다. 이분이 휘 우(堣)인 분을 낳았는데 대사성(大司成)155)을 지냈고, 참판에 추증되었다.

이분이 휘 장윤(長潤)인 분을 두니 봉화(奉化)현감을 지내고 이조 판서 한원군(韓原君)에 추증되었는데 부군에게는 고조부가 된다. 증조의 휘는 질(秩)로 한성군(韓城君)이고 할아버님의 휘는 지숙(之菽)이며, 종묘서령(宗廟署令)156)을 지내었고 이조 판서 한평군(韓平君)에 추증되었다.

아버님의 휘는 증(增)인데 판서로 추충분의(推忠奮義) 평난공신(平難功臣)157)에 책봉되었고 아천군(鵝川君)에 봉해졌으며 영의정과 아천부원군에 추증되었으니, 시호가 의간(懿簡)이며 호가 북애(北崖)이다. 어머님은 정경부인 경주(慶州) 이씨로 사직(司直)158) 몽원(夢蕿)의 따님이다. 가정(嘉靖)159) 갑자년(1564) 구월 스무아흐렛날 해시(亥時)에 부군을 낳았다. 부군은 태어날 때부터 성질이 맑고 굳세었으며 기력과 도량이 굳세고 씩씩하였다. 젊을 때부터 강개(慷慨)하고 곧고 끊음이 분명하였고, 글을 짓는 데 다듬고 꾸미는 풍습을 좋아하지 아니하였다.

오로지 경서(經書) 공부를 하다가 만력(萬曆)160) 신묘년(1591)에 진사시(進士試)161)에 합격하고, 그해 가을 명경과(明經科)162)의 을과(乙科) 제

---

155) **대사성**(大司成): 성균관(成均館)의 정3품 당상관으로 성균관의 장(長)이 됨.

156) **종묘서령**(宗廟署令): 조선 시대 역대 임금들의 사당인 종묘를 지키고 관리하는 일을 맡았던 종5품 벼슬.

157) **평난공신**(平難功臣): 조선 선조 23년(1589년)에 정여립(鄭汝立)의 난을 평정하는 데 공을 세운 신하들에게 내린 훈호(勳號).

158) **사직**(司直): 조선 시대의 5위(五衛)에 속하는 정5품 무관직(武官職).

159) **가정**(嘉靖): 명나라 세종(世宗) 때의 연호.

160) **만력**(萬曆): 명나라 신종(神宗) 때의 연호.

사인(第四人)으로 붙었다. 북애 선생의 공덕(功德)으로 같은 해 겨울에 바로 육품(六品) 관직이 되어 성균관(成均館) 전적(典籍)163)이 되었다.

임진년(1592) 정월에 사헌부(司憲府) 감찰(監察)164)이 되고, 이월에는 기조(騎曹)165)의 정랑(正郎)166)이 되었다. 얼마 뒤 예조(禮曹) 정랑으로 옮겼다. 사월 열이렛날에 왜구가 침략하였다는 보고가 갑자기 이르자 온 나라가 물결처럼 무너졌다. 모든 관리가 서울을 버리고 도망가서 거의 남은 사람이 없었고 대신(大臣) 이하 몇 사람만 남았다. 부군이 그중 한 사람이다.이러한 사실은 박동량(朴東亮)167)의 잡기(雜記) 『임진일록(壬辰日錄)』에 차례로 적혀 있다. 서울을 떠날 때 궁에 남은 관리인 부군과

---

161) **진사시**(進士試): 소과(小科)의 하나. 생원시(生員試)와 함께 사마시(司馬試)라고 했음.

162) **명경과**(明經科): 조선 시대 식년시 문과 초시의 분과로 생원과(生員科)라고도 함.

163) **전적**(典籍): 조선 시대 성균관의 정6품 관직.

164) **감찰**(監察): 조선 시대 사헌부의 정6품직. 내외관(內外官)의 비위(非違)를 실제로 감찰하는 임무를 수행하였으며, 또 각사(各司)로부터의 청대(請臺: 사헌부의 검찰을 요청하는 일)에 파견되기도 했음.

165) **기조**(騎曹): 병조의 다른 이름.

166) **정랑**(正郎): 조선 시대 정5품 관직. 병조의 정원은 네 명. 조선의 정랑은 6조의 실무를 관장하여 청요직으로 간주되었으며, 특히 이조·병조 정랑은 좌랑(佐郎)과 함께 인사행정을 담당하여 전랑(銓郎)이라고 함. 또한 이들은 삼사(三司) 관직의 임명동의권인 통청권(通淸權)과 자신의 후임자를 추천할 수 있는 재량권이 있어 권한이 막강했음.

167) **박동량**(朴東亮): 조선 중기 문신(1569~1635). 본관 반남(潘南). 자 자룡(子龍). 호 기재(寄齋). 시호 충익(忠翼). 1590년 증광문과에 급제하여 검열(檢閱)을 지냈다가 임진왜란 때 왕을 의주(義州)에 호종, 승지(承旨)에 승진함. 그 뒤 형조 판서를 역임한 뒤 의금부 판사(判事)가 됨. 저서로 『기재잡기(寄齋雜記)』 등이 있음.

교리 윤섬(尹暹), 수찬 박지(朴篪)의 이름자 밑에는 모두 상주에서 죽었다는 네 글자가 적혀 있다]

비국(備局)[168]에 청하여 이일(李鎰)[169]을 순변사(巡邊使)[170]로 삼아 중간 길로 내려가게 하고, 성응길(成應吉)[171]을 좌방어사(防禦使)[172]로 삼아 왼쪽 길로 내려가게 하고, 조경(趙儆)[173]을 우방어사로 삼아 서쪽 길로 내려가게 하고 유극량(劉克良)[174]을 조방장(助防將)[175]으로 삼아 죽령(竹嶺)[176]을 지키게 하고, 변기(邊璣)를 조방장으로 삼아 새재[177]를

---

168) **비국(備局)**: 비변사(備邊司). 조선 시대에 군국의 사무를 맡아보던 관아. 중종 때 삼포왜란의 대책으로 설치한 뒤 전시(戰時)에만 두었다가 명종 10년(1555)에 상설 기관이 되었음. 임진왜란 이후 의정부를 대신하여 정치의 중추 기관이 되었음.

169) **이일(李鎰)**: 조선 무신(1538~1601). 본관 용인(龍仁). 자 중경(重卿). 시호 장양(壯襄). 임진왜란 때 순변사(巡邊使)로 상주(尙州), 충주(忠州)에서 왜군과 싸워 패배함. 그 후 임진강, 평양 등을 방어하고 동변방어사(東邊防禦使)가 됨. 이듬해 평안도 병마절도사로 있을 때 명나라 원병과 함께 평양을 수복함. 서울 탈환 후 함경북도, 충청도, 전라도, 경상도 등의 순변사를 거쳐 무용대장(武勇大將)을 지냄.

170) **순변사(巡邊使)**: 왕명으로 군무(軍務)를 띠고 변경을 순찰하던 특사.

171) **성응길(成應吉)**: 조선 무신. 전란 중 방어사 심희수(沈喜壽)의 종사관으로 활약하고 요동(遼東)에 들어가 원병을 요청했음. 명나라 장수 접대 등에 공로가 많았음.

172) **방어사(防禦使)**: 나라의 방위를 위하여 군사 요지에 파견하던 종2품 무관.

173) **조경(趙儆)**: 조선 무신(1541~1609). 본관은 풍양. 자는 사척(士惕). 시호는 장의(莊毅).

174) **유극량(劉克良)**: 조선 무신(?~1592). 연안(延安) 유씨 시조. 시호 무의(武毅).

175) **조방장(助防將)**: 주장(主將)을 도와서 적의 침입을 방어하는 장수.

176) **죽령(竹嶺)**: 경상북도 영주와 충청북도 단양의 경계에 있는 고개 이름.

지키게 하였다.

그때 비국에서 사간원(司諫院) 관리인 부군의 둘째 형 참판공(參判公)[178]을 변 조방장의 종사관(從事官)[179]으로 삼았는데 들어가서 보고할 때 착오로 부군의 이름과 바뀌었다.

이미 명령이 내려졌을 때 참판공이 "조정의 뜻은 나에게 있는데 어찌 착오로 너를 대신 가게 하겠는가. 내가 당연히 청해서 갈 것이다"라고 하니, 부군이 "이미 아우의 이름으로 승낙이 내려왔고, 일은 급한데 어느 틈에 고치겠습니까"라고 하며 곧 절하여 하직하고 임지로 달려갔는데 조금도 늦추려는 낌새가 없었다.

이미 새재에 이르렀을 때 적군(敵軍)이 점점 가까이 온다는 말을 듣고 여러 장수가 흩어지자 장수의 우두머리는 겁이 나서 어찌할 바를 몰랐다. 부군이 우두머리가 회피하며 나아갈 뜻이 없음을 알고 의리로 꾸짖었으나 주장(主將)은 과연 밤을 타서 도망쳤다. 장수와 졸병이 한 사람도 보이지 아니하니 부군은 계책(計策)을 내지 못했다.

그리고 스스로 헤아리기를 순변사 이일이 본래 명장(名將)이어서 전술과 전략을 믿을 만하니 군사를 맡길 만하다고 판단하였다. 이어 말

---

177) **새재**: 경상북도 문경시와 충청북도 괴산군 사이에 있는 고개.

178) **참판공**(參判公): 조선 문신 이경함(李慶涵, 1553~1627). 자 양원(養源), 호 만사(晚沙). 1585년 식년시 병과 급제. 사간원, 정언, 좌부승지, 황해 감사, 호조 참판, 경기 관찰사, 경상도 관찰사, 병조 참판, 지의금부사(知義禁府事) 등을 지냄.

179) **종사관**: 각 군영의 주장(主將)을 보좌하던 종6품 벼슬.

지의금부사(知義禁府事): 조선 시대 특별 사법기관이었던 의금부(義禁府)의 정2품 문관직. 다른 관직을 겸임하였던 당상관 네 명 가운데 하나로서 의금부의 최고위직인 판의금부사(判義禁府事)와 함께 업무를 관장함.

한 필과 서리(書吏)[180] 한 사람과 종 한 명을 데리고 고개를 넘어 상주로 달려가는데, 이십 리에 못 미쳐 이미 적이 들판에 가득하였다.

어렵게 순변사 진영을 찾으니 이일은 도망간 뒤였고, 종사관 윤섬과 수찬 박지는 이미 적에게 죽음을 당한 후였다. 부군은 이미 의리를 지키고자 결심하였으므로, 남은 졸병들에게 "나랏일이 이 지경인데 어찌 마음이 아프지 않겠느냐. 내가 궁(窮)하여 재주는 없으나 너희들과 함께 죽기를 각오하고 결전(決戰)하리라"라고 말하며 힘써 싸우다 죽음을 당하니 사월 스무닷새였다.

적과 대적하기 전에 조복(朝服)과 띠와 이불을 서리(書吏)에게 주어 돌려보내고 편지를 써서 집에 부친 뒤에 말하기를 "일은 이미 급박하고 나의 생명은 하늘에 달려 있으니 다만 바라는 것은 평안하게 양친을 잘 모시고 아이들을 잘 키우라"라고 할 뿐이었다. 또 집에서 따라온 종인 선록(先祿)에게 말하기를 "내가 기운이 다하였으니 너는 군막(軍幕)에 가서 밥 한 그릇을 가지고 오라"라고 시켰는데, 선록이 밥을 찾아 돌아왔을 때 부군은 이미 전투에 뛰어든 뒤였다.

군중(軍衆)은 이미 무너지고 있었고 부군의 소재는 알 수가 없었다. 선록은 군대의 상황이 이미 회복될 가망이 없어 보이자 뒷길을 따라 피하여 달아나 산골로 가서 북애공이 계시는 행재소(行在所)[181]로 달려가 부군이 우두머리를 꾸짖던 말씀과 적진으로 뛰어들어 전사한 일을 알렸다. 선록은 곧 북애공의 종으로 부군이 떠날 때 데리고 간 종이었다.

이리하여 가지고 온 조복과 띠와 이불을 광주(廣州) 돌마면(突馬面)

---

180) **서리(書吏)**: 하급 관리. 3년마다 각 고을의 교생 가운데 해서(楷書)와 행산(行算)을 시험하여 채용했음. 종7품 내지 종8품.

181) **행재소(行在所)**: 임금이 왕궁을 떠나 거둥할 때에 임시로 머무는 곳.

낙생[182]리(樂生里)에 있는 한원군의 묘 동쪽 기슭 간좌(艮坐)[183]의 언덕에 장사 지냈으며, 적 속으로 뛰어든 날을 기일(忌日)로 삼았다. 그때 이일과 변기는 모두 자취를 감추었고 도순무사(都巡撫使)[184] 신립(申砬)[185]의 군대는 길이 막혀서 세 종사관이 전사한 보고를 듣지 못하였으므로, 상감께도 보고를 올리지 못하였다.

전란이 평정(平定)되었으나 조정에 일이 많아 의리로 죽은 선비들을 하나하나 포상(褒賞)하거나 적어놓지 못하였으므로, 부군도 바로 은전(恩典)을 받지 못하였다. 부군의 아들 부사공(府使公)[186]은 부군이 남긴 하나의 혈육이니, 그때 나이 겨우 네 살이었다. 자라나 부군이 생명을 바친 사적(事蹟)을 상소(上疏)로 올려 드러내니 조정에서는 특별히 증직(贈職)을 내리고 정려(旌閭)[187]를 명하였다.

---

182) **낙생**(樂生): 경기도 성남시 분당구 수내동 중앙공원.

183) **간좌**(艮坐): 묏자리나 집터 등이 간방(艮方, 동북쪽)을 등진 방향.

184) **순무사**(巡撫使): 반란과 전시에 군대 일을 맡아보던 임시 벼슬.

185) **신립**: 조선 무신(1546~1592). 본관 평산(平山). 자 입지(立之). 시호 충장(忠壯). 1567년(선조 즉위년) 무과에 급제. 임진왜란이 일어나자 삼도도 순변사(三道都巡邊使)로 임명되어 충주(忠州) 탄금대(彈琴臺)에 배수진을 치고 북상하는 적군과 대결했으나 힘이 미치지 못해 패배한 뒤 부하 장수인 김여물(金汝吻)과 함께 강물에 투신하여 자결함. 영의정에 추증됨.

186) **부사공**(府使公): 좌랑공의 아들 제(穧, 1589~1631). 자 이실(而實). 1613년 증광 문과에 급제하고 이듬해 병과 제7인에 뽑혔음. 대구부사를 지냈으며 이조 참판으로 증직됨. 좌랑공은 부사공 손위로 딸 두 명을 둠.

187) **정려**(旌閭): 충신, 효자, 열녀 등을 그 동네에 정문(旌門)을 세워 표창하던 일. 정문(旌門): 충신 등을 표창하기 위해 그 동네나 집으로 들어가는 어귀에 세우던 붉은 문. 마을에는 정문(旌門)을 세워 표창하고, 복호(復戶): 특정한 대상자에게 그 호(戶)의 조세(租稅)나 부역(賦役)을 면제해주는 일로써 그 집의 부역을 면제

오호라! 부군은 젊은 나이에 선비로 급제(及第)하고 겨우 한 해를 넘겼는데 전쟁에 관한 일을 익힌 적이 없었으나, 형(兄)을 대신하여 전란(戰亂)에 나가 조금도 마음에 흔들림이 없었다. 두 장수가 연이어 도망하였는데 손에 한 치의 칼과 병졸도 없이 남은 졸개들을 수습(收拾)하여 거느리고 빠르고 용감하게 많은 적 가운데로 뛰어들었다. 적이 올빼미처럼 벌려 선 가운데 흰 칼날을 무릅쓰고 생명을 바치고도 후회가 없었다.

위급한 일을 당하여 집안일을 부탁하며 조용함을 버리지 아니하니 참으로 몸을 버리고 나라에 보답하기로 작정하지 않았다면 어찌 능히 이러할 수 있겠는가. 또한 부군이 순절(殉節)한 뒤 40여 년의 세월이 흘렀으나 정혼(精魂)이 오히려 사라지지 않고 집안사람들의 꿈속에 나타나고, 새벽과 저녁 사이에 공중(空中)에서 들리는 말소리가 평일(平日)처럼 역력하였는데 세상 사람들이 전해 듣고는 모두 슬퍼하였다.

부군의 충직(忠直)한 기운과 분(憤)하고 원통(寃痛)한 혼이 위아래에 가득하여 허공에 떠도니 이처럼 기이(奇異)하고 신령(神靈)스러운 일이 일어나지 않았겠는가. 어찌 옛 충신이나 열사의 죽음과 다르겠는가. 살았던 기운이 다하지 않으니 오래도록 사라지지 않고 가끔 그 영험(靈驗)을 보인 게 아니겠는가.

그때의 실적(實蹟)은 이미 백헌[188]공(白軒公)과 정두경(鄭斗卿)[189]이

했으며 벼슬을 주기도 했음.

188) **백헌**(白軒公): 조선 문신 이경석(李景奭, 1595~1671)의 호. 본관은 전주. 시호는 문충(文忠). 김장생(金長生)의 문인(門人)으로 1617년 문과, 1623년 알성(謁聖) 문과에 급제한 후 도승지, 대제학, 이조 판서, 우의정, 좌의정, 영의정을 지냈음. 청나라의 침략으로 위기에 처한 국가를 구하는 데 많은 공을 세움.

지은 북애공 시장(諡狀)190)과 비문(碑文)에 나타나 있고, 우암(尤菴)191) 선생이 지은 부군의 손자 참판공(參判公)192)의 비문에서도 드러났다.

야사(野史)나 가록(家錄)에까지 상세히 실려 있으며 교리 윤계선(尹繼善)193)의 『달천몽유록(達川夢遊錄)』에도 쓰여 있다. 그때 죽음으로 충성한 신하 가운데 부군이 지었다고 짐작되는 시가 있으니 다음과 같다.

劍碧萇弘血　　　칼은 장홍194)의 피로 푸르렀고
花殘杜宇聲　　　꽃은 두견새 소리에 지네

이 글귀는 후세 사람들로 하여금 오열(嗚咽)하면서 눈물을 흘리게 한

---

189) **정두경**(鄭斗卿): 조선 문신(1597~1673). 본관 온양(溫陽). 자 군평(君平). 호 동명(東溟). 이항복(李恒福)의 문인. 1629년(인조 7) 별시 문과에 장원하여 부수찬, 정언, 직강(直講) 등을 지내고, 1669년(현종 10) 용문관제학에서 예조 참판, 공조 참판 겸 승문원 제조(提調) 등에 임명되었으나 노환으로 나가지 못함.

190) **시장**(諡狀): 재상이나 유교에 밝은 사람들에게 시호(諡號)를 내리도록 임금에게 건의할 때 그의 생전의 행적을 적어 올리던 글.

북애공 시장: 임진에 왜적이 깊이 들어오자 임금의 행차가 서쪽으로 파천하게 되었는데, 공이 이를 따라서 고양(高陽)까지 갔음. 그러나 이때 마침 공의 넷째 아드님이 순변사 종사관으로 상주에서 전사했다는 소식을 듣고 병이 생겨 임금의 행차를 따라가지 못함. 가을에 비로소 의주에 있는 행조(行朝)에 가서 대사헌을 제수받았으나, 공은 병으로 따라가지 못한 까닭에 이를 사양함.

191) **우암**(尤菴): 조선 문신 송시열(1607~1689)의 호.

192) **손자 참판공**: 조선 문신 이정기(李廷夔, 1612~1671).

193) **윤계선**(尹繼善): 조선 문신(1577~1604). 본관은 파평. 자는 이술(李述). 호는 파담(坡潭). 문장이 뛰어나 붓을 잡으면 그 자리에서 만여(萬餘) 언(言)을 지었음.

194) **장홍**(萇弘): 중국 주나라 경왕(敬王) 때의 문신. 충간(忠諫)을 하다가 받아들여지지 않자 자결했는데 그 피가 맺혀 벽옥(碧玉)으로 변하였다고 함.

다. 구(具) 팔곡(八谷)[195] 삼종사가(三從事歌)는 한때 더욱 퍼져, 서문에 대략의 사실을 짧게 적었다. 삼종사는 곧 부군과 윤섬, 박지를 가리킨다.그 노래는 다음과 같다.

有生莫作叔季人	태어나서는 말세의 사람이 되지 말고
有身莫遭亂離辰	몸이 있거든 난리 때를 만나지 마라
叔季由來多喪敗	말세에는 예로부터 죽고 다친 사람이 많고
亂離未免饒酸辛[196]	난리가 되면 시고 매워 배고픔을 면하지 못하리
玉堂學士尹與朴	옥당의 학사 윤씨와 박씨와
南宮李郎俱青春	예조의 이 낭관은 모두 청춘인데
皎皎清姿避鷄鶴	교교하고 맑은 모습은 닭을 피하는 학이고
亭亭高標映雪筠	당당하고 높은 표상은 눈에 비친 대나무와 같네
昵侍經幄討典墳[197]	임금을 모시며 경연하고 고전을 토론하였고
演雅只合垂朝紳	넉넉하고 바른 성품은 조정의 신사들과 합치되었네
干戈一朝滿南州	무기가 하루아침에 남주에 가득하니
報章紛馳憂紫宸	보고서가 분분히 달려와 임금께서 걱정하시네

---

195) **팔곡**(八谷): 조선 문신 구사맹(具思孟, 1531~1604)의 호. 자는 경시(景時). 좌찬성을 지냄.

196) **산신**(酸辛):맵고 시다는 뜻으로, 삶의 괴로움을 비유하여 일컫는 말.

197) **전분**(典墳): 중국 고대 오제(五帝)의 책인 『오전(五典)』과 삼황(三皇)의 책인 『삼분(三墳)』을 통틀어 이르는 말. 지금은 뜻이 바뀌어 고서(古書)를 이름.

命將出師事已急	장수에게 명하여 군사를 출동시키나 이미 늦었고
三君應辟爲幕賓	세 사람이 부름에 응하여 종사관이 되었네
訣別焉能顧妻子	이별할 때 어찌 능히 처자를 돌아보겠는가
堂上各有白髮親	당상에는 각기 백발의 어버이가 계시네
超超遠逐戎旆去	멀고 멀리 군대의 깃발을 따라가니
鐵馬錯莫迷關津	철마는 착막¹⁹⁸⁾하고 나루터가 아득하네
豺虎如林勢莫當	승냥이, 호랑이 숲처럼 많아 형세를 당할 수 없는데
書生性命安足珍	서생의 목숨이 어찌 족히 보배로울까
商山一破血成川	상주에서 크게 패하니 피는 내를 이루었고
貴賤同死隨灰塵	귀인, 천인 함께 죽어 재와 먼지를 따라 흩어졌네
三從事竟何歸	세 종사관은 끝내 어디로 돌아갔는가
寃氣泱漭浮蒼旻	원통한 기운이 드넓은 푸른 하늘을 떠도네
自古兵禍何代無	예로부터 병화가 어느 때인들 없었겠는가
未聞先及乎儒臣	그러나 먼저 유신들이 당했다는 말은 듣지 못하였네
國家養士二百年	국가가 선비를 기른 지 이백 년이나 되었는데
大者棟梁少輿輪	크게는 진량¹⁹⁹⁾이 되고 작게는 수레바퀴가 되었네
用未盡材委鋒辨	재능을 다 쓰기도 전에 칼날에 맡겨 판단하니

---

198) **착막**(錯莫): 정신이 어지럽게 혼란스러운 것.
199) **동량**(棟梁): 기둥이 될 만한 인물.

惻然軫念吾君仁	측은하게 생각하시는 상감의 근심은 나라님의 어짊일세
我今作此從事歌	지금 이 종사의 노래를 지으니
一字一淚堪傷神	한 자에 한 번 눈물 흘려 정신이 상함을 감당 못하네
誰將緩頰慰其親	누가 장차 온건히 천천히 말해 그 어버이를 위로할까
歲久年深恨益新	세월이 가고 해가 더하면 한이 더욱 새로울 것을
三從事難重陳	삼종사와 같은 일은 되풀이되기 어렵다고 하였네

　이것은 전란이 평정된 뒤 팔곡 공이 난리에 죽은 일에 관하여 정성스러운 표(表)를 세웠고, 표에 드러낼 수 있는 사람을 노래와 시를 지어 슬퍼하였는데, 이것을 '조망록(弔亡錄)'이라고 이름 붙였다. 간행되어 세상에 전해지니 지금까지도 사람들의 이목을 밝히고 충신에게 상을 주고 절개(節槪)를 숭상하게 하며, 재주를 아끼고 풍속을 격려하려는 뜻이 글 사이에 넘친다.

　상서(尙書)[200] 택당(澤堂) 이식(李植)[201]이 선조(宣祖) 때에 무사(誣史)[202]

---

200) **상서**(尙書): 판서.

201) **이식**(李植): 조선 문신(1584~1647). 본관은 덕수(德水), 자는 여고(汝固), 호는 택당(澤堂). 1610년(광해군 2) 문과에 급제하여 대제학, 예조 판서 등을 역임함. 당대의 이름난 학자로서 신흠(申欽), 이정귀(李廷龜), 장유(張維)와 한문 4대가의 한 사람으로 꼽힘.

를 바로잡아 간행할 때 야사와 소설을 모아 취합하지 않은 글이 없었는데, 다만 이『조망록』을 증거와 신용으로 삼고 팔곡의 말을 중히 여긴 것이다.

그 뒤에 외재(畏齋) 상국(相國)[203] 이단하(李端夏)[204]가『팔곡집』가운데 상세하게 편집한 뜻을 모아 '시(詩)의 사기(史記)'라고 했으니, 어찌 믿지 않겠는가. 이에 감히 전편(全篇)을 수록하여 유능한 역사가가 증거로 삼도록 기다린다.

부인은 횡성(橫城) 조씨(趙氏)로 첨지(僉知)[205] 인(遴)의 따님이다. 가정 계해년(1563)에 태어나서 숭정(崇禎)[206] 경인년(1650)에 돌아가시니 묘는 부군의 묘 오른쪽 다른 등성이 간좌(艮坐)의 언덕에 썼다. 부인의 성도(性度)는 방정(方正)하고 행동은 옹용(雍容)[207]하였으며, 참화(慘禍)를 만난 뒤로 인간의 세상에 살 뜻이 없어져 사람을 대하여도 말이 드물었다.

일 처리에 소리가 나거나 낯빛이 변하지 않았으며, 다만 부군이 남긴 영결서(永訣書)를 종신토록 지켰다. 시부모님을 정성과 공경으로 섬겼고, 부사공(府使公)을 교육함에 사랑보다 옳음을 먼저 가르치어 마침내 큰 선비로 키웠다. 이를 한집안이 모범으로 섬겼다. 부사공의 휘는 제(穧)로 문과에 급제하여 참판에 추증되었고, 첫째 딸은 별좌(別坐)[208]

---

202) **무사**(誣史): 거짓된 역사 기록.

203) **상국**(相國): 영의정, 좌의정, 우의정을 통틀어 이르는 말.

204) **이단하**(李端夏): 조선 문신(1625~1689). 본관은 덕수. 자는 계주(季周). 호는 외재(畏齋). 송시열의 문하에서 자라난 경학의 대표적 학자. 시호는 문충(文忠).

205) **첨지**(僉知): 조선 시대 중추부(中樞府)의 정3품 당상관(堂上官).

206) **숭정**(崇禎): 명나라 숭정제의 연호.

207) **옹용**(雍傛): 마음이나 태도 따위가 화락하고 조용함.

권영(權偀)에게 시집갔으며, 둘째 딸은 목사 김효성(金孝誠)[209])에게 시집갔다.

부사공은 두 아들과 네 딸을 낳았는데, 맏이는 정기(廷夔)로 참판을 지냈고, 다음은 정룡(廷龍)으로 군수를 지냈다.

첫째 딸은 사평(司評)[210]) 박승후(朴承後)와 혼인했고, 둘째 딸은 사인(士人)[211])김광(金桄)에게 시집갔다. 다음은 참봉(參奉) 변박(卞搏)에게 시집갔고, 다음은 사인 심약호(沈若湖)에게 시집갔다. 권 별좌는 아들 헌(憲)을 두었는데 사인이며, 김 목사는 아들 세정(世鼎)[212])을 두었는데 승지를 지냈다.

참판은 세 아들과 다섯 딸을 두었는데 맏아들은 자(濱)로 봉사(奉

---

208) **별좌**(別坐): 조선 시대 녹봉이 없는 무록관(無祿官)의 하나. 정·종5품으로서 360일을 근무하면 다른 관직으로 옮겨갈 수 있었음.

209) **김효성**(金孝誠): 조선 문신(1585~1651). 본관 광주(光州). 자 행원(行源). 1613년 생원이 되고, 인목대비(仁穆大妃) 폐비에 반대하다 길주(吉州) 진도(珍島)로 유배됨. 1623년(인조 1) 인조반정과 함께 복관되어 청안현감, 여산군수, 남원 죽산의 부사, 공주·청주 목사 등을 지냄. 강직한 성품으로 선정을 베풀어 청빈한 목민관으로 이름을 떨침. 무예에도 조예가 있어 조사오위장(曹司五衛將)을 지냄.
    조사: 벼슬에 갓 임명되어 일의 경험이 적은 사람을 일컫는 말.
    오위장: 조선 시대의 군직(軍職). 오위의 으뜸 벼슬로, 초기에는 종2품관 열두 명을 두어 그때그때 각 위를 나누어 맡아 통솔하게 하였으며, 모두 타관(他官)이 이를 겸직.

210) **사평**(司評): 장례원(掌隸院)에서 노비의 호적과 송사에 관한 일을 맡아보던 정6품 벼슬.

211) **사인**(士人): 벼슬을 하지 않은 선비.

212) **김세정**(金世鼎): 조선 문신(1620~1686). 효종 때 우부승지 등의 내직을 두루 역임했고, 성품이 매우 강직하고 권세에 동요하지 않았다고 함.

事)213)를 지냈고, 다음은 행(洊)으로 군수(郡守)를 지냈으며, 다음은 항(沆)으로 사인이다.

첫째 딸은 진사(進士) 윤개(尹揩)에게 시집갔으며, 둘째 딸은 감사(監司) 윤반(尹攀)에게 시집갔고, 셋째 딸은 사인 서문제(徐文濟)에게 시집갔다. 넷째 딸은 감사 김만길(金萬吉)에게 시집갔고, 다섯째 딸은 진사 서종보(徐宗普)에게 시집갔다.

군수는 네 아들과 딸 하나를 두었는데 맏아들은 오(澳)로 부사(府使)를 지냈고, 다음은 택(澤)으로 참판을 지냈다. 다음은 협(浹)으로 진사이며, 그다음은 집(潗)으로 감사를 지냈다. 딸은 사인 박태정(朴泰正)에게 시집갔다. 측실(側室)의 아들 필(泌)은 절충장군(折衝將軍)214)을 지냈다.

자(濱)는 아들 둘을 두었는데 병원(秉元)과 병익(秉益)이니 모두 사인(士人)이요, 행(洊)의 아들은 병철(秉哲)이니 참봉(參奉)을 지냈다. 항(沆)은 아들 하나와 딸 하나를 두었는데, 아들은 병상(秉常)215)으로 판서를 지냈고 딸은 사인 송준원(宋濬源)에게 시집갔다.

오(澳)는 아들 넷과 딸 셋을 두었는데, 맏아들은 병정(秉鼎)으로 판관(判官)216)을 지냈고 다음은 병관(秉觀)이니 진사다. 남은 이는 모두 어리다. 첫째 딸은 사인 심교(沈灚)에게 시집갔고, 둘째 딸은 유학(幼學)217) 김상

---

213) **봉사**(奉事): 조선 시대 돈령부와 각 시(寺), 사(司), 서(署), 원(院), 감(監), 창(倉), 고(庫), 궁(宮)에 설치된 종8품의 관직.

214) **절충장군**(折衝將軍): 조선 시대 서반(西班) 정3품 당상관의 품계명.

215) **이병상**(李秉常): 조선 문신(1676~1748). 자 여오(汝五). 호 삼산(三山). 1729년 대사헌이 되고 이어 형조 판서, 공조 판서, 판돈령부사를 지냈음.

216) **판관**(判官): 조선 시대의 중앙 관직. 종5품. 돈령부, 한성부(漢城府), 상서원(尙瑞院), 봉상시(奉常寺), 사옹원(司饔院), 내의원(內醫院) 등에 소속되어 있었음.

217) **유학**(幼學): 벼슬을 하지 않은 유생(儒生)을 칭하는 말. 양반의 자손이나 사족(士

무(金相戊)와 혼인하였고, 셋째 딸은 유학 심중희(沈重希)에게 시집갔다.

택(澤)의 아들 병겸(秉謙)은 사인이다. 측실과는 세 아들과 두 딸을 두었는데 아들은 병점(秉漸)이고, 나머지는 다 어리다. 첫째 딸은 박사길(朴師吉)에게 시집갔고, 둘째 딸은 김상후(金相厚)에게 시집갔다. 협(浹)은 아들 둘, 딸 둘을 두었다. 첫째 아들은 병태(秉泰)로 부제학을 지냈고, 둘째 아들은 병항(秉恒)으로 참봉을 지냈다. 첫째 딸은 진사 윤적(尹勣)에게 시집갔으며, 둘째 딸은 유학 박사순(朴師淳)에게 시집갔다.

집(潗)은 1남 3녀를 두었는데 아들은 병건(秉健)으로 생원이다. 첫째 딸은 유학 김달행(金達行)에게, 둘째 딸은 유학 송재희(宋載禧)에게 시집갔다. 나머지는 어리다. 필(泌)은 아들 넷과 딸 하나를 두었는데, 아들은 모두 어리고 딸은 곽진흥(郭鎭興)에게 시집갔다.

병원의 세 아들 가운데 맏이 세중(世重)은 참봉을 지냈다. 둘째 도중(道重), 셋째 두중(斗重)은 모두 사인이다. 병익(秉益)은 아들과 딸 하나씩을 두었는데, 아들 태중(泰重)은 선비이다. 딸은 유학 심명현(沈命賢)에게 시집갔다. 병철(秉哲)은 5남 4녀를 두었는데, 첫째 아들은 화중(華重)으로 참봉을 지냈다. 둘째 태중(台重)과 셋째 기중(箕重)은 진사를 지냈고, 넷째는 형중(衡重)인데 유학이다. 다섯째는 어리다.

맏딸은 진사 김업(金爍)에게 시집갔고, 둘째 딸은 유학 신무혁(愼無爀)에게 시집갔으며, 셋째 딸은 진사 황인겸(黃仁謙)에게 시집갔고, 넷째 딸은 유학 박사선(朴師善)과 혼인하였다. 병상(秉常)의 아들은 양중

族)의 신분을 표시하는 말로 쓰임. 유교를 신봉하고 유교도덕을 실천하며 한문을 자유로이 구사할 수 있었음. 유건(儒巾)이나 유관(儒冠)을 쓰고 유복(儒服)을 입어 다른 사람들과 구별되는 복장을 하고 있었으며, 선비로서의 체통을 잃거나 법도를 지키지 않았을 때에는 유벌(儒罰)을 받아 유적(儒籍)에서 제적당했음.

(養重)인데 유학이다. 병정(秉鼎)은 아들 셋과 딸 하나를 두었는데, 첫째 아들은 홍중(弘重)으로 유학이다. 나머지는 모두 어리다. 딸은 유학 여선겸(呂善謙)에게 시집갔다. 병겸(秉謙)의 아들은 덕중(德重)[218]인데, 생원이고 병항의 아들 헌중(獻重)[219]은 유학이다.

병관과 병달은 각기 세 딸을 두었다. 화중은 세 아들을 두었고 태중도 아들 셋을 두었다. 기중은 아들 둘을 낳았고, 도중과 태중도 아들 둘을 두었다. 덕중은 아들 하나, 딸 셋을 낳았는데 다 어리다. 외증조 이하는 거의 200명에 이르므로 번잡하여 다 쓰지 못한다. 증손 집(潗)이 삼가 초(草)하다.

삼종사가(三從事歌)의 짧은 서문은 "홍문관 교리 윤섬과 수찬 박지는 순변사 이일의 종사관이고, 예조 좌랑 이 모는 조방장 변기의 종사관이다. 상주에서의 싸움 끝에 죽었다고 한다. 섬의 아버지 윤우신(尹又新)[220]은 지중추부사요, ○○ 아버지 ○는 판서다. 박지는 참봉 천서(天敍)의 아들이며, 죽은 목사 율(栗)의 손자 ○이다"라고 썼다. 『조망록』은 만력 갑오년 (1594) 가을에 쓴 것이다.

『달천몽유록』은 공을 헤아려서 짓기를 "사업은 아버님의 가업을 이었고

---

218) **이덕중**(李德重): 조선 문신(1702~1748). 자 자이(子彝). 호 결재(潔齋). 1730년 (영조 6) 경술 정시에 병과로 급제하여 예문관 검열이 됨. 그 후 승지, 홍문관 부제학, 대사간, 이조 참의 등을 지냄.

219) **이헌중**(李獻重): 조선 문신(1711~1742). 음보(蔭補: 과거를 거치지 않고 조상의 공덕에 의해 벼슬을 받는 것)로 관계(官階)에 진출하여 양성현감을 역임.

220) **윤우신**(尹又新): 조선 중기 문신. 서울에서 태어나 1561년(명종 16) 문과에 급제함. 안악군수, 함흥 판관, 창원부사를 지냄. 임진왜란 때에는 지중추부사가 되었으며, 같은 해 호조 참판이 됨.

입으로는 성현의 조박(糟粕)[221]을 외웠다. 이미 경륜(經綸)의 재목이 다하니 묘당(廟堂)을 운영하기 어려웠고 또한 병사의 용맹이 적어 승냥이와 호랑이에게서 벗어나지 못하였는데, 한 통의 글을 아내에게 부쳤다. 장부는 두 개의 귤을 형에게 던지는 게 우스웠다. 원통한 귀신은 비참한 정을 슬퍼하기에 족하였으니 어찌 그 끝이 있겠는가"라고 썼다.

드디어 다음과 같이 읊었다.

身佐青油幕	몸은 청유막(青油幕)[222]을 도왔는데
胡窺細柳營	오랑캐는 가는 버들 가의 영을 엿보았네
雲龍忽顚倒	구름을 탄 용이 갑자기 거꾸러졌고
豺虎已縱橫	승냥이와 호랑이는 이미 종횡으로 날뛰네
劒碧萇弘血	칼은 장홍의 피에 푸르렀고
花紅杜宇聲	꽃은 두견이 소리에 붉어지는구나
無人收白骨	백골 거둘 사람이 없으니
芳草遍郊生	방초만 들판 가득히 나는구나

귤을 던진 일은 가승(家乘)[223]에도 적힌 바가 없다. 조씨 부인이 일찍이 항상 가르치기를 이씨 부인(참판공의 부인 全義 이씨)이 병이 들어서 감귤이 먹고 싶어졌는데 갑자기 공중에서 소리가 나더니 귤 두 개가 떨어지는 것을 참판공이 받았다고 했는데 이것이 집안에서 전설처럼 내려온다. 참판공의 휘는 경함(慶涵)이다.

---

221) **조박**(糟粕): 학문, 서화, 음악 등에서 옛사람이 다 밝혀 새로운 의의가 없음.
222) **청유막**(青油幕): 장군의 막부.
223) **가승**(家乘): 직계 조상을 중심으로 간단한 가계를 기록한 책.

5. 돌아가신 아버님에 대한 가장

부군의 휘는 ○○이요 자는 ○○이니 십오대조는 권지호장으로 휘는 윤경(允卿)이다. 호장이 효진(孝進)을 낳고 이분이 창세(昌世)를 낳으니 봉익대부(封翊大夫) 판도판서(版圖判書)이다. 이분이 자성(自成)을 낳으니 진사에 올라 정읍현감이 되었고 광정대부, 도첨의, 찬성사로 추봉[224]되었다.

이분이 휘 곡인 분을 낳으니 도첨의 찬성사를 지냈고, 시호는 문효공 호는 가정(稼亭)이다. 이분이 휘 색인 분을 낳으니 고려의 문하시중을 지내고 조선조에서 문정의 시호를 받았으며 후학들이 목은 선생이라고 칭했다.

목은께서 휘 종선(種善)을 낳으니 조선조에서 지중추부사를 지내고 영의정에 추증되었으며, 시호는 양경(良景)이다. 셋째 아들의 휘는 계전(季甸)이니 판중추부사를 지냈고 한성부원군에 봉해졌으며 영의정에 추증되어 문열의 시호를 받았다. 호는 존양재(存養齋)이다. 맏아들의 휘는 우(塥)로 대사성을 지내고 참판에 추증되었으며, 맏이의 휘는 장윤이니 봉화현감을 지냈고 이조 판서 한원군에 추증되었다. 이분의 맏이는 휘가 질(秩)인데 한성군이며 선군께는 오대조가 된다. 고조의 휘는 지숙(之菽)인데 종묘서령을 지내고 이조 판서 한평군에 추증되었다.

증조의 휘는 증인데 예조 판서를 지냈고 평난공신 아천군에 책봉되었다. 영의정과 아천부원군에 추증되었으며 시호는 의간 호는 북애이다. 할아버님의 휘는 경류(慶流)로 병조 좌랑을 지내고 도승지에 추증

---

224) **추봉**(追封): 죽은 뒤에 관위(官位)를 내림.

되었는데, 임진왜란 때 상주에서 순절하셨다. 조정에서 정포(旌褒)[225]의 은전을 내렸다. 아버님의 휘는 제인데 문과에 급제하여 대구부사를 지내고 이조 참판에 추증되었다. 어머님 정부인은 나주 임씨로 관찰사 임서(林㥠)[226]의 따님이다.

부군은 숭정 이년 기사년(1629) 오월 초나흘날 무자일에 대구부 관아에서 태어났다. 어려서부터 영특하고 빼어나 남들과 달랐다. 자라나면서 생각하는 바가 높고 명랑하며 행동거지가 편안하고 자세하였다.

과거 공부를 하여 여러 번 대과와 소과와 지방시에 합격하였으나 끝내 임용되지 못하다가 경술년(1670)에 좌랑 부군이 상주에서 전사한 공으로 나라에서 특전을 내리어 후릉 참봉이 되었으나, 부군의 본래 뜻은 아니었다. 얼마 가지 않아 병으로 스스로 면직하고 신해년(1671)에 목릉 참봉이 되었다.

갑인년(1674)에 장흥고(長興庫)[227]의 봉사로 옮겼다. 인선대비의 초상에 국장 감동관(監董官)[228]으로 차출되었는데 그 노고로 군자감 주부로 승진·발령되었다. 현종께서 승하하자 또 국장도감(國葬都監)[229] 낭청(郎廳)[230]으로 차출되었으나 예를 마치자 수레를 만드는 사람이 수레의 고리를 빼는 일이 법에 어긋난다고 아뢰었다가 낮은 아전으로 강

---

225) **정포**(旌褒): 나라에서 공신이나 효자, 열녀 등에게 내리는 포상.

226) **임서**(林㥠) :조선 중기 문신(1570~1624). 자는 자신(子慎). 호는 석촌(石村). 입조(立朝) 26년 동안 출입이 깨끗하여 칭송을 받았음.

227) **장흥고**(長興庫): 돗자리, 종이, 유지(油紙) 등의 관리를 맡아보던 관아.

228) **감동관**(監董官): 국가의 토목 공사나 서적 간행 등 특별한 사업을 수행하던 임시직 벼슬.

229) **국장도감**(國葬都監): 국장에 관한 일을 맡아보던 임시 관아.

230) **낭청**(郎廳): 실록청 도감 등 임시 기구에서 실무를 맡아보던 당하관 벼슬.

등되어 멀리 쫓겨났다. 그러나 부군의 잘못 때문은 아니었다.

병진년(1676)에 다시 군자감 주부가 되고 본감의 판관으로 승진되었다가 문화(文化)현령으로 나갔다. 경신년(1680) 봄에 사들인 쌀을 납부하는 일이 가장 늦어서 잡아들이라는 명을 받았으나 마침내 용서를 받았다. 그러나 삭직(削職)을 당했다. 신유년(1681)에 김제군수가 되었는데 임술년(1682)에 방백의 미움을 받았으므로 벼슬을 버리고 돌아오니, 여름 고과에서 가장 낮은 평을 받았다. 처음에 김제 관리가 백성을 대신하여 정미를 받은 지가 오래되었는데도 갚지 아니했는데 갑자년(1684)에 관찰사가 부군을 낮은 관리와 연좌시켜 의금부에 보고하며 직첩을 뺏기를 청하였다. 상감의 명에 따라 용인에 귀양을 갔으나 그해 겨울에 사령(辭令)[231]에 따라 방면되어 돌아왔다.

정묘년(1687)에 사복시 판관이 되고 무진년(1688)에 장렬왕후(莊烈王后)[232] 초상에 산릉도감 낭청으로 차출되었다가 온양군수에 임명되었으나 사복시와 도감이 모두 유임을 청하였으므로 이에 부임하지 아니하였다. 기사년(1689) 이월 십삼일에 고향에 있는 본집에서 세상을 뜨니 겨우 예순한 살이었다. 사월에 광주 돌마촌 선영 옆 임좌(壬坐)[233] 언덕에 장사 지냈다.

이보다 앞서 부군은 선영 아래 집을 짓고 늘 뒷산에 올라가 자제들에게 "풍수의 술법이란 아득하여 헤아리기 어렵고 사람들이 화복의 말에 현혹되어 사방으로 돌아다니다가 해를 넘기도록 장사를 지내지 못

---

231) **사령**(辭令): 임명, 해임 등 인사에 관한 명령.
232) **장렬왕후**(莊烈王后): 조선 제16대 인조의 계비(繼妃, 1624~1688). 효종과 인선왕후(仁宣王后)가 죽자 예송(禮訟) 논쟁에 휘말림. 능은 휘릉(徽陵).
233) **임좌**(壬坐): 묏자리나 집터 등이 임방(壬方: 서북쪽)을 등지고 앉은 자리.

하니 어찌 이를 예라고 하겠느냐. 이 언덕은 내 집에서 가까우니 나를 이곳에 장사 지내면 편할 것이다"라고 말했다. 뒤에 감여가(堪輿家)[234] 가 옛날에는 의관을 가지고도 장사를 지냈다고 하므로 마침내 남기신 뜻에 따랐다.

부군은 일찍부터 몸을 닦아 늙어서도 게으르지 아니하였다. 집에 있을 때나 관직에 몸담았을 때에도 모두 법대로 하였고, 집안에서는 효도와 우애를 근본으로 하였다. 겨우 세 살 때 부사 부군이 돌아가시니 부군은 일찍이 고아가 되어 종신의 아픔이 되었다. 정성을 다하여 어머님을 섬기니 매우 편안해 하셨다.

맏형님인 참판공은 부군보다 열일곱 살 위였는데 부군이 어릴 때부터 아버님과 스승같이 섬겼다. 참판공의 우애가 두텁고 지극하였으나 부군은 공경하며 너무 가깝다고 불손하지 아니하였다. 대신 예를 다하여 섬겼다. 정관재(靜觀齋) 이단상(李端相)이 본래 부군 형제와 더불어 친하게 지냈다. 어느 날 돌아와 형제들에게 "나는 모가 그 형님 섬기는 것을 오랫동안 보았다. 한 번도 편히 앉아 있는 것을 보지 못하였으니 사람으로서 어려운 일이다"라고 말하였다.

어머님의 상을 당하여 여막에 살면서 예를 다하였는데 그때 참판공도 이미 늙은 뒤였다. 부군이 좌우에서 붙들고 보호하는 일이 모두 합당하니 보는 이들이 모두 칭찬하였다.

참판공이 병이 들었을 때 부군이 밤낮으로 직접 간호하자 집안사람들이 위태롭게 여겨 잠깐 쉬도록 지극히 권하였다. 그러나 부군은 내가 어찌 차마 쉴 수 있겠는가"라고 하며 끝내 피해 가지 않았다. 참판

---

234) **감여가**(堪輿家): 풍수지리를 공부하여 묘지나 집터의 길흉을 가리는 사람.

공이 일어나지 못하자 부군은 손수 염습하고 그 곁을 떠나지 않았다. 그 뒤 집안사람들이 모두 이 병을 앓았으나 부군은 홀로 탈이 없었다. 사람들이 "모가 한 일은 유곤(庾袞)[235]에게 부끄럽지 않다"라고 하였다.

규문(閨門) 안의 규범이 조정과 같이 엄숙하여 비록 사사로운 때에도 사람들이 희롱하거나 장난기를 보이지 아니하였다. 한 문중이 모두 그것을 칭찬하였다. 부군은 늘 여러 자제들에게 "방안에서 한 말이 형제에게 미치지 않는다면 집안이 잘될 것이다. 내가 40년 동안 집안을 다스렸는데 위로는 형수님들과 여러 누님들을 받들어 언제나 화목하여 조금의 불평이 없던 것은 이러한 방법을 썼기 때문이다"라고 가르쳤다.

무당과 박수의 무리들은 한 번도 문 안에 들어온 적이 없었고 세속에서 다른 방법을 쓰거나 제도에 구애되어 두려워하고 꺼리는 일은 전혀 말하지 않았다. 역법(曆法)[236]을 사대부들이 참으로 많이 믿고 따랐으나 부군은 또한 따르지 아니하였다. 벼슬살이를 할 때도 정도에 힘쓰고, 문법에만 얽매이지 아니하였다. 전관(前官)이 잘한 일은 즐거이 쓰고 잘못한 일은 부득이 고쳐 쓰나, 잘못을 한마디도 지적하지 않았다.

여러 가지를 시설하는 데 임시방편을 허가하지 않았고 일찍이 "정치는 마땅히 백성을 편히 하는 일을 최상으로 삼으며 잘못 거두는 일을 없게 하고 사사로움을 끊을 뿐이다. 오늘 좋은 관리들은 백성의 부역을 줄이고 잘 다스린다는 말을 듣는다. 흉년이 들면 문득 구제해야 하

---

235) **유곤(庾袞)**: 진나라 언릉(鄢陵) 사람. 자는 숙포(叔褒). 명목(明穆)황후의 백부. 근검하고 독학(篤學)하였으며 지극히 효성스러워 세상에서 유이행(庾異行)이라고 부름.

236) **역법(曆法)**: 천체의 주기적 현상을 기준으로 하여 세시(歲時)를 정하는 방법으로 택일할 때 썼음.

는 곡식을 많게 하여 상을 타기를 바라는데 이러한 일에는 능하지 못하다"라고 말하였다.

아랫사람을 엄히 다스렸으나 형벌을 쓸 때는 너그럽게 하였으며, 마지못해 형벌을 내리더라도 지극히 공평하게 다스려 한 번도 법에서 벗어나지 않았다. 앞뒤의 고을에서 백성을 다스렸으나 언제나 곡물을 반드시 고루 나누어 주었다. 범죄를 처리하는 데 걸림이 없도록 하였다.

문화에 계실 때 백성들이 공적을 소신신(召信臣)237)과 두시(杜詩)238) 같다고 칭송하였다. 전(前) 군수 최석영(崔碩英)이 이 고을을 은혜로이 다스렸고 부군의 정치도 민심을 얻었기 때문이었다.

김제에 있을 때 일곱 고을의 세금을 모아 군산 창고에 납입하는 일을 보았는데 창고를 맡은 관리가 정량 밖의 여분의 쌀을 취하였다. 부군은 재빨리 금지시키고 모두 백성들에게 돌려주었다. 백성들은 크게 기뻐하나 예속들은 모두 원망하여 말을 퍼뜨리니, 방백이 듣고 해직하였는데 백성들은 모두 애석히 여기었다.

부군의 성질이 관후하고 기개와 도량이 화평·담백하고 곧이곧대로 내보이니 속과 겉이 하나같아 사물에 꺼림이 없으나 덕을 숨기고 드러내지 않았다. 사람의 장단을 논하지 않고 남의 과실을 말하지 않았다. 어깨를 들썩이며 아첨하며 웃고 권세의 이익에 붙는 자는 자신을 더럽힐 듯 생각하였다.

자취를 감추고 음덕으로 벼슬을 하신 지 수십 년이 되었으나 한 번

237) **소신신**(召信臣): 중국 전한의 문신. 남양(南陽) 태수로 있을 때 어진 정사를 펼침.

238) **두시**(杜詩): 중국 후한 때의 문신. 횡포한 장군 소광(蕭光)을 죽이는 등 선정을 베풂.

도 상관을 찾아가서 나가기를 청탁한 적이 없었다. 자제들에게 "내가 서른이 넘어 과거를 보는 것이 합당하지 않으나 형님께서 가난을 피하라시며 벼슬에 나가기를 권하실 때에는 부끄러움이 얼굴에 드러남을 깨닫지 못하였다. 오늘날 사대부의 자제들이 겨우 스무 살이 지나자마자 벼슬에 뜻을 두고 분주히 따라다니면서 청탁한 일을 자랑하는데 이러한 일로 보아 내가 젊을 때에는 오히려 풍속이 순후함을 알 수 있다"라고 말하였다.

또 자제들에게 "뜻이 약한 자는 서지 못하고 일을 쉽게 여기는 사람은 반드시 궁하며 지나치게 앞서 가는 자는 반드시 그만두고 스스로 높은 자는 후회가 많다"라고 말씀하시었다. 이 몇 마디 말씀은 부군의 마음을 알게 한다.

부군은 덕은 아름답고 재주를 갖추어 다른 사람보다 크게 달함이 참으로 마땅하나, 흉중에 쌓인 지식을 쓰지 못한 채 낮은 자리에 끝내 머물렀고 목숨이 짧아 마침내 그 시대에 드러나지 못하였다.

오호라! 아프구나! 오호라! 아프구나! 돌아가신 어머님은 숙인(淑人) 양씨로 본관은 제주이다. 응교를 지낸 휘 만용(曼容)인 분의 딸이자 대사성을 지낸 휘 응정(應鼎)의 증손녀이며 기묘명현인 교리 휘 팽손(彭孫)의 현손(玄孫)[239]이다. 경오년(1620) 정월 스무닷샛날 태어나고 경진년(1700) 동짓달 초엿샛날 돌아가시니, 그때에 일흔한 살이었다. 돌아가신 아버님의 묘 왼쪽에 부장하였다.

돌아가신 어머님의 천성과 자질은 맑고 높았으며 행동과 도량은 단정하였다. 직접 부녀자들에게 하는 훈시와 교훈을 써서 늘 스스로 보

---

239) **현손**(玄孫): 손자의 손자.

고 반성하였다. 견식이 뛰어나고 이치를 많이 알아 군자도 따를 수 없었다. 또한 시어머님을 정성껏 섬겼다. 할머님은 자주 나와 어머님의 공양을 받았다.

아버님을 도운 지 40년이 지났으나 서로 손님처럼 공경하였다. 언제나 아버님을 대하여 말과 기운이 더욱 씩씩하였으며, 옷과 그릇과 쓰는 물건이 조금 오래된 것은 다 물리어 아버님의 눈에 띄지 않게 하였다. 세속의 부녀들이 투기하고 성내는 행동을 싫어하였다.

첩을 대할 때에도 은혜와 의리로 다스렸고 서자(庶子)를 지극히 사랑하니 그 정성이 자기의 소생과 다르지 않았다. 집이 몹시 가난하였으나 한 번도 굶주림과 추위를 얼굴과 말에 드러내지 아니하였고, 다만 아버님이 가난을 잊게 하였다. 아들이나 며느리의 무리에게도 알지 못하게 하였다. 모든 집안일을 살펴서 작건 크건 간에 빠트림이 없었다.

재산을 늘리고 물건을 꾸어서 쓰는 일에도 알맞은 도를 행하였다. 그리고 목소리가 집 밖으로 나가지 않았고 종일 고요히 앉아 늘 조심할 뿐이었다. 종족과 인척들이 그 덕을 오래도록 칭송하기를 그치지 않았다. 동서 간에는 거스르는 바가 없었고 노복이 기쁘도록 다스렸다. 이것은 돌아가신 어머님에게는 아주 작은 절차일 뿐이다.

뒤에 둘째 아들이 귀히 되어 아버님은 이조 참판에 추증되었고, 어머님은 정부인으로 추증되었다. 어머님은 아들 넷, 딸 하나를 두었다. 맏아들은 오(澳)인데 부사를 지냈고, 둘째는 택(澤)인데 문과에 급제하여 이조 참판을 지냈으며, 셋째는 협(浹)인데 진사가 되었고, 넷째는 집(潗)인데 문과에 급제하여 관찰사가 되었다. 딸은 선비인 박태정에게 시집갔으며 측실의 아들은 필(泌)인데 호군(護軍)[240]이다.

부사는 처음에 현령 홍원보(洪遠普)의 딸에게 장가를 들어 두 아들과 딸 하나를 낳았다. 맏아들은 병정(秉鼎)으로 판관을 지냈고, 둘째는 병관(秉觀)인데 진사이며, 딸은 선비인 심교(沈潒)에게 시집갔다. 두 번째 혼인은 사과(司果)인 안규(安紏)의 딸에게 장가를 들어 아들 둘과 딸 둘을 낳았다. 아들은 병승(秉升), 병함(秉咸)이요 딸들은 선비인 김상무(金相戊)와 심중희(沈重希)에게 시집갔다.

참판은 처음 혼인에 김광식(金光烒)의 딸에게 장가들어 아들 병겸(秉謙)을 낳았고, 두 번째 혼인에 사인 황준(黃晙)의 딸에게 장가를 들었다. 세 번째 혼인은 진사인 류휴(柳畦)의 딸과 혼인하였으나, 모두 자녀가 없었다. 측실은 아들 셋과 딸 둘을 낳았는데 아들은 병점(秉漸)이며, 나머지는 어리다. 딸들은 박사길(朴師吉)과 김상후(金相厚)에게 시집갔다. 진사는 참군(參軍)인 한제유(韓濟愈)의 딸과 혼인하여 아들 둘과 딸 둘을 낳았다. 아들 병태(秉泰)는 문과에 급제하여 부제학을 지냈고, 둘째는 병항(秉恒)인데 참봉이며 딸들은 생원 윤적(尹勣)과 사인인 박사순(朴師淳)에게 시집갔다.

집은 참판을 지낸 유헌(俞櫶)의 딸에게 장가들어 아들 하나와 딸 셋을 낳았다. 아들 병건(秉健)은 생원이고, 딸들은 사인인 김달행(金達行), 송재희(宋載禧), 홍봉한(洪鳳漢)에게 시집갔다. 박태정(朴泰正)은 아들이 없어 필렴(弼濂)을 양자로 삼고 딸들은 첨정인 임경(任璟)과 직장(直長)인 구정훈(具鼎勳)241)과 사인 홍선(洪瑄)에게 시집갔다. 필(泌)은 한석보(韓碩輔)의 딸에게 장가들어 아들 셋과 딸 하나를 두었다. 아들은 병곤

---

240) **호군**(護軍): 오위(五衛)에 속한 정4품 벼슬. 현직(現職)이 아닌 음관(蔭官) 가운데에서 임명했음.

241) **구정훈**(具鼎勳): 조선 후기 문신. 본관은 능성. 자는 자수(子受). 청렴결백하여 녹봉 남은 것이 있으면 공용(公用)에 썼으며, 시와 문장에 능하고 글씨도 잘 썼음.

(秉坤)이며 나머지는 어리다. 딸은 곽진흥(郭鎭興)에게 시집갔다. 병정 (秉鼎)은 아들 셋을 두었는데 홍중(弘重), 흥중(興重), 응중(應重)이고 딸 은 사인 여선겸(呂善謙)에게 시집갔다. 병관(秉觀)의 세 딸은 어리다. 병 겸(秉謙)의 아들은 덕중(德重)인데 생원이고, 병항(秉恒)의 아들은 헌중 (獻重)이며 딸은 어리다. 병건의 세 아들은 어리고 덕중(德重)과 홍중(弘 重)은 아들 하나씩을 두었으나 모두 어리다. 외족과 증현손(曾玄孫)은 번잡하여 다 쓰지 못한다.

先訓

선훈: 부친이 남긴 가르침.

　선군자께서 일찍이 자제들에게 경계하시기를 일을 쉽게 아는 사람은 반드시 궁하고 뜻이 약한 사람은 서지 못하며, 지나치게 앞으로 나가는 자는 그만두게 되어 있고 스스로 높은 자는 후회가 많다고 하시었다. 선군자께서 "사람이 부모를 효로 섬기고 형제 사이에 화목한 뒤에 다른 일을 할 수 있다. 비록 반마(班馬)[1]이지만 귀하지는 못하다"라고 가르치셨다.

　불초가 일찍이 손님을 대접할 때 불만의 빛이 있었는데 손님께서 가시자 선군자께서는 앞으로 나오게 하시고 크게 꾸짖으시며 곧 명하여 옛사람이 말한 "무호인삼자비유덕자지언(無好人三字非有德者之言: 좋은 사람이 없다는 세 글자는 덕이 있는 사람이 한 말이 아니다)"이라는 열한 글자를 써서 벽 위에 붙여 놓고 반성하게 하시었다.

　불초가 모시고 앉아 있을 때 맏형수님의 손을 잡아당겨 화롯불을 쬐게 하니 아버님께서 나에게 이르시기를 "너는 지금 『맹자』[2]를 읽는데

---

1) **반마**(班馬): 중국 전한 때 『사기』(史記)를 저술한 사마천(司馬遷)과 후한 때 『한서(漢書)』를 저술한 반고(班固)를 함께 부르는 말. 문장에 뛰어난 사람을 뜻함.

예에서 '남녀는 주고받으며 가까워져서는 안 된다'라는 말을 못 보았느냐'라고 하시며, 곧 『맹자』를 가져와 수익장(嫂溺章)을 보이시면서 가르쳐주셨다.

불초의 형제 네 사람이 너무 사랑하여 예를 줄이고 서로 농지거리로 노는 일이 있었다. 돌아가신 아버님께서 불초들에게 "형제가 귀히 여기는 바는 서로 화목하고 좋아하기 때문이다. 지금 너희들은 서로 화목을 어기지 않고 남다른 정성으로 오고 가지만, 가끔 희학하느라 얼굴빛이 바뀌거나 소리와 기운이 사나워질 수 있으니 모름지기 경계하여라. 낮은 사람이 예의를 갖추어야 한다. 나는 어려서 아버님을 여의고 백형이신 참판공과 일평생을 함께 살았는데, 백형께서는 나를 자식처럼 사랑하셨고 나는 맏형님을 아버님처럼 공경하였다. 화합하지 못하면 쇠하기 때문에 나는 맏형님 앞에서 한 번도 부좌(跗坐)를 한 적이 없다'라며 꾸짖으셨다.

선군자께서 말씀하시기를 "옛사람들이 형제 사이가 좋지 못한 것은 대개 부인들 때문이라고 하더니 참말이다. 너희들도 지금 모두 장가를 갔으니 이러한 근심이 없겠느냐. 너희 어머니는 나에게 시집와서부터 오늘날까지 나에 대한 말을 한마디도 하지 않았고 맏형수이나 여러 누이들이나 집안사람들에 대한 말을 한 적이 없으며, 나 또한 입에 담아본 적이 없다. 나는 백형님과 네 분의 누님을 모시고 화목하게 산 지 거의 40년이 되었지만 일찍이 털끝만큼도 불편한 기상이 없었다. 어찌 너희 어머니의 힘을 입은 것이 아니겠느냐. 내가 평생에 제 할 일을 잘하지 못하고 잘했다고 거짓을 말해왔다면 지금 이 말을 할 수 없을

---

2) 『맹자(孟子)』: 유교 경전인 사서(四書)의 하나. 맹자의 제자가 맹자의 언행을 기록한 책.

것이다"라고 하시었다.

불초가 나이 열예닐곱 살이 되었을 때 시학에 빠져 옛사람을 반드시 모방하고자 하였는데, 이에 당나라 이하(李賀)[3]가 손톱을 기르는 것을 본받고 큰 비단 주머니를 차고 그 주머니에 벼루와 붓과 먹을 담아 도처에 다니면서 읊곤 하였다.

선군자께서 "너는 시객이 되려고 하느냐"라고 물으시고는 선비가 벼슬을 얻지 못하면 사부(詞賦)[4]에 공을 쓰지 않을 수 있으나, 어찌 반드시 제일로 삼겠느냐. 이하는 당나라의 재주 있는 사람으로 다만 명예만 있을 뿐이고 큰 그릇은 아니니, 반드시 따를 필요는 없다. 또한 이하의 시가 어찌 손톱과 주머니에 있겠는가. 옛일을 좋아하는 바는 또한 이와 같이 합당하지 아니하니 그 모양을 본다면서 해괴함은 깨닫지 못하는구나"라고 말씀하셨다.

불초가 일찍이 남의 거문고 악보를 빌려 보았는데 선군자께서 "너는 거문고를 배우려 하느냐"라고 물으시기에 불초가 답하기를 "거문고는 삿됨을 금하는 것이어서 성인들도 즐기신 일이니 배우고자 합니다"라고 하였다.

선군자께서 "너는 군자의 일을 배우고자 하느냐, 아니면 시주장(詩酒場)에서 좋아하는 일을 하고자 하느냐. 금성(錦城) 임씨(林氏)는 나의 외가이다. 지난날 문중에 호걸들이 많아서 술과 시를 좋아하고 거문고와 북을 좋아하니, 시와 술을 좋아하는 선비들이 서로 다투어 쫓아다니며

---

3) **이하**(李賀): 중국 당나라 때의 시인(790~816). 자는 장길(長吉). 시작(詩作)에 몰두하여 15세 때 그 이름이 알려졌으며, 몽환적인 인상과 기이한 분위기의 시로 귀재(鬼才)라는 평을 받았음.
4) **사부**(詞賦): 운자를 달아 지은 한시를 통틀어 이르는 말.

재미있게 놀고 즐겁게 지냈다. 참으로 한때의 영웅호걸들이다. 그러나 선비가 세상에 나와서 높게는 성현의 도를 배워야 하니 과거 공부에 힘을 쏟아 몸을 세우고 문호를 지켜야 한다. 어찌 한가로이 편안하게 지내면서 세월을 허송하겠느냐. 만일 삿됨을 금지하려면 또한 여력이 있어야 할 것이니 지금 네가 거문고를 배우는 일이 어찌 급하다고 하겠느냐. 하물며 지금 부르는 곡조가 속되니 다시는 옛 소리를 들을 수 없겠구나"라고 말씀하셨다.

불초의 형제가 일찍이 모시고 밥을 먹을 때 상 위에 반찬이 없어 괴로워하니 선군자께서 "나물도 내게는 과분하다"라고 하시며, "나물 뿌리를 씹고 나서야 백 가지 일을 할 수 있다"는 왕신민(汪信民)5)의 말을 벽 위에 써서 보고 힘써 공부하게 하셨다.

불초가 밤에 앉아서 주렴계의 『태극도설(太極圖說)』6) 한 편을 외우고 나니 선군자께서 갑자기 부르시더니 "어떤 구절의 뜻은 무엇을 말하는 것이냐"라고 물어보시는데, 불초가 머뭇거리자 "네가 뜻을 두고 외웠다면 글을 읽는 소리가 그러하지 않았을 것이다. 너의 글 외는 소리가 늦고 빠름을 분별하지 못하기에 물은 것이다. 글을 외울 때에는 주의해야 한다. 그렇지 아니한다면 비록 많이 읽은들 무슨 쓸모가 있겠느냐"라고 말씀하시었다.

선군자께서 밖에 나가셔서 다른 사람들이 불초의 형제를 칭찬하는 말을 들으시고 불초와 형제들에게 말씀하시기를 "오늘 어떤 사람이 너

---

5) 왕신민(汪信民): 송나라 유학자. 『채근담』을 지음.
6) 『태극도설(太極圖說)』: 중국 북송의 유학자 주돈이(周敦頤)가 지은 책. 전문(全文) 249자의 짧은 글. 무극(無極)인 태극(太極)에서부터 음양오행과 만물이 생성하는 발전 과정을 그림으로 풀이하여 태극도를 만들고 이에 설명을 붙인 철학서.

희들을 칭찬하였는데 실로 너희들이 그러하냐. 혹여 실상 없이 이름뿐인 칭찬일까 두렵구나. 이름은 좋은 것이 아니며 빠르게 이루는 것도 좋은 일이 아니다'라고 말씀하시었다.

선군자께서는 "'착실(着實)'이라는 두 글자는 사람이 되기 위해 가장 중요한 말이다. 너희들이 늘 염두에 둔다면 무슨 일인들 하지 못하겠느냐. 물정에 어둡다는 것은 거짓되고 교묘한 자에 빗대면 조금은 낫지만, 일을 처리하는 데는 실패한 것과 같다'라고 말씀하시었다.

선군자께서는 일찍이 아들들에게 글씨를 쓰도록 명하시었다. 쓴 글씨를 가져다 보시고는 "글씨란 초서를 쓰려거든 다 초서로 쓰고 해서를 쓰려거든 다 해서로 쓸 것이지, 무엇 때문에 초서와 해서를 섞어서 처음과 끝이 다르게 하느냐. 서찰이란 비록 작은 일이기는 하지만 오히려 받는 사람을 생각한다면 조심스럽게 쓰지 않을 수 있겠느냐'라고 말씀하시었다.

선군자께서 주무실 때 불초에게 명하여 등을 주무르게 하시었다. 불행히 손을 잘못 놀려 주무르지 못하거나 주무르는 방법이 고루 같지 않으면 "모든 일은 작다고 하여 소홀히 하지 마라'라고 말씀하시었다. 선군자께서는 늘 마문연(馬文淵)이 형의 아들에게 준 경계하는 글과 범노공(范魯公)7)이 조카에게 준 경계하는 시로 자제들에게 권하고 가르치셨다.

불초가 낙계에서 모시고 있을 때 추수철이 되어 타작하는 곳을 보도록 명하셨다. 불초가 종이 대신하도록 명하시기를 청하니, 선군자께서

7) **범노공**(范魯公): 송나라 종성 사람. 이름 질(質). 자 문소(文素). 태조 때 시중이 되고 노국공(魯國公)에 봉해졌음. 청렴결백하여 얻은 녹을 많은 고아들에게 나누어 줌.

정색을 하시며 "너는 왜 그러느냐. 너의 나이 벌써 스무 살인데 아직도 궁하고 어려움을 겪지 못하였으므로 농사짓는 수고를 알지 못하여 그러할 것이다. 지난날 회현방(會賢坊)[8]의 정 정승(鄭政丞) 부자는 시골에서 농사를 지어주는 사람들과 친하지 않은 바가 없었으며 그들을 천하게 여기지 않았다. 하물며 곤란을 겪으면 반드시 형통한 것이 상도이니라"라고 하시며 가서 보도록 재촉하시었다.

불초가 모시고 이야기할 때 여자들의 소견이 매우 좁다고 거듭 말씀 드렸더니 선군자께서 말씀하시기를 "남자 가운데도 여자가 있고, 여자 가운데도 남자가 있다. 너는 남자라고 하여 여자를 무시하거나 비웃지 마라"라고 하시니, 불초가 답을 올리기를 "남자가 졸렬하다고 하나 어찌 여자만 하겠습니까"라고 아뢰었다. 이에 선군자께서는 "여자 가운데 요순이라는 말의 뜻은 무엇이냐. 한양 사람들이 귀마개를 하는 것은 옛날 제도는 아닐 것이다. 부인들이 귀마개로 귀를 가리면 비녀가 올라가고 불편하기 때문에 다만 얼굴을 다듬는 도구로 쓸 뿐이다. 부인들이 머리를 앓을 때 바람막이로 쓴다면 옳을지 모르나 그렇지 않으면 반드시 할 필요는 없다"라고 말씀하시었다.

선군자께서 말씀하시기를 "요즘 사람들은 장인이나 처족의 어른들을 모멸하는 뜻을 남에게 보이려 하니 이는 무슨 풍습이냐. 대개 사람들이 부녀자들에게 휘말려 스스로 가문을 떨치지 못하면 남들이 비웃는다. 그런다면 사람들이 처가를 업신여기고 얼굴빛을 바꾸는 것은 처가의 이름을 소중히 여기지 않으려고 하는 것이니 참으로 우습구나"라고 하시었다. 선군자께서는 "사람이 처자를 잘 다스리지 못하면 다른

---

8) **회현방**(會賢坊): 지금의 서울시 중구 회현동.

일은 말할 것이 없다"라고 말씀하시었다.

불초가 일찍이 『중용』을 읽고 있을 때 "아내와 아들이 모이기를 좋아하고 형제 사이가 흡족하면 부모는 곧 안락하시다"라는 말을 써서 대청 기둥에 붙여놓고 말하기를 "인간의 일은 여기에 있구나"라고 하니, 선군자께서 "네가 만약 글과 같이한다면 내가 무엇을 근심하겠느냐. 처음부터 끝까지 노력하라"라고 말씀하시었다.

불초가 지난날 술을 좋아하여 여러 번 술에 취하여 난동을 부렸는데 선군자께서 경계하시기를 "나는 너에게 한 잔의 술도 금한 적이 없지만 만약 너무 좋아하게 된다면 매우 걱정스러울 것이다. 네가 마땅히 내 뜻을 깨달아 너무 취하여 근심하게 하지 마라"라고 하시었다.

불초가 일찍이 낙계에서 모시고 있을 때 마을에서 착하지 못한 자가 어느 날 찾아와 선군자를 뵈었다. 불초가 막고자 하니 선군자께서 "『논어』에 이르기를 '비록 한마을 사람들이 다 좋아하더라도 착한 사람을 좋아하고 착하지 못한 사람을 미워하라'는 말이 있으나 오늘날 세상 사람들의 마음이 곱지 아니하여 자신이 선한지 나쁜지 알지 못하고, 자신을 좋아하지 않는 사람을 해하니 어찌 나아가고 물러감을 뜻대로 하여 화를 부르겠느냐. 오늘날 시골에서 살아가는 방법은 다만 착한 사람을 대하여 너그러이 대접하면 친해질 것이며 착하지 못한 자를 만나도 서로 막지 말고 인사만 하며 다른 말을 하지 않는다면, 스스로 멀리 물러날 터인데 하필 화를 취하겠느냐. 그렇다면 반드시 『논어』의 뜻대로 하지 않아도 될 뿐이다"라고 가르치셨다.

불초가 일찍이 손톱을 깎고 줍지 아니하였더니 선군자께서 "너는 무슨 일로 손톱을 줍지 아니하느냐. 손톱과 털은 부모가 남긴 몸이어서 나는 40년이 넘도록 한 개도 잃어본 적이 없다. 반드시 거두어 외진 곳에 묻거나 숨기는 것이 옳다. 이것도 모든 행실 가운데 하나이다"라고 말씀하시었다.

불초가 일찍이 낙계에서 모시고 있을 때 그 겨울에 눈이 오지 않았다. 불초가 모시고 앉아 말씀드리기를 "올해 눈이 내리지 않아 반드시 보리농사가 잘 안 될 것이므로 굶주릴 듯합니다"라고 하니 선군자께서 "너의 뜻은 멀구나. 그러나 다른 날 재상이 되었을 때도 그런 마음을 길이 보전하겠느냐"라고 말씀하시었다.

때에 한 사인이 있어 둑을 쌓는데 이익을 보고자 옳지 못한 일을 많이 행하였는데 관청에 붙잡혀 옥에 갇히었다. 불초가 그 잘못을 말하니 선군자께서 "너의 뜻이 비록 좋으나 그가 혹 가난하여 둑을 쌓았다면 무엇이 큰 허물이 되겠느냐"라고 하셨다. 불초가 "비록 둑을 쌓는데 어찌 그른 일을 한 뒤에 쌓아야 합니까. 또한 가난하지 않은데 둑을 쌓았다면 더욱 옳지 못합니다"라고 말씀드리니 선군자께서 "비록 그렇기는 하지만 말이 그와 같이 과격해서는 안 된다"라고 타이르시었다.

선군자께서 말씀하시기를 "남의 길고 짧음을 말하기를 좋아하는 사람은 반드시 단점이 많은 사람이다. 장자(長者)[9]는 일찍이 인물의 좋고 나쁨을 말하지 않느니라. 너그럽고 넉넉하고 공손하고 말이 없음이 우리 집안의 장점이다. 너희들은 법으로 삼으라"라고 하셨다.

선군자께서 일찍이 불초 형제들에게 말씀하시기를 "오늘의 이론은 공과 사가 서로 얽히고 사와 정이 뒤섞이니 대개 우리나라에서 의론의 서로 갈림이 한때의 일은 아니다. 지내면서 자손들이 점점 갈리니 오늘날에 이르러서는 서로 원수 보듯 한다. 그러므로 사람들이 비록 이쪽에서 하는 바가 옳지 못하고 저쪽에서 하는 일이 옳다는 것을 알지

---

9) **장자**(長者)[9]: 덕망이 뛰어나고 경험이 많아 세상일에 익숙한 어른.

만 앞뒤의 일을 계산하여 감히 공정하게 하지 않고, 옳고 그름이 바르게 논의되지 못한다. 어찌 삿됨과 바름을 구분하여 공론으로 삼겠느냐. 그러므로 오늘날에는 세상의 의론에 관여하지 않는 경우가 학식이 높은 사람에게 많이 있다"라고 하셨다.

그때에 서인들이 노론과 소론으로 나뉘었다. 이른바 노당의 선비들은 윤증이 그 아버지 노서(魯西)[10]를 변론한 일이 율곡 선생이 산으로 들어간 일보다 중하다면서, 선현을 거짓으로 헐뜯고 앞으로 상소를 올리어 죄를 청하고자 관학[11]에 통지하여 불초들에게 이르렀다.

선군자께서 "윤증은 노서의 아들인데 평생 동안 율곡과 우계[12]를 받들고 믿은 사람이다. 어찌 무욕(誣辱)하고자 하였겠느냐. 설혹 무욕하고자 하였다면 그 무욕을 빌려 아비의 원통함을 풀고자 하겠는가. 또한 오늘날 관학의 예로 사양하는 풍습이 끊어진 지 오래되었고 다만 시끄럽고 욕되게 다툼을 일삼으니 마치 전장과 같다. 선비들은 마땅히 삼가여 행동해야 할 것이다"라고 하셨다.

자제들이 출입하는 데 시간을 어기거나 장소를 바꾸면 선군자께서 "이때는 문득 부모를 잊은 것이다"라고 말씀하셨다. 불초가 일찍이 친구의 초상을 듣고 복을 입으니 선군자께서 아시고 어머님을 돌아보시면서 "이 아이가 아직 어린데 장래에 상할 우려가 있으니 잘 생각하시오"라고 말씀하셨다.

선군자께서 말씀하시기를 "요즈음 세상에 사대부 자제들은 자신의

---

10) **노서**(魯西): 윤선거(尹宣擧)의 자.

11) **관학**(館學): 성균관과 사학(四學).

12) **우계**(牛溪): 조선 선조 때의 유학자 성혼(成渾, 1535~1598)의 호. 자는 호원(浩原). 성리학의 대가로 기호학파의 이론적 근거를 닦았음.

편리를 위하여 배우지 않고 과거 공부를 싫어하다가 스무 살이 넘으면 벼슬을 하고 싶어서 분주하게 청탁을 넣고는 능하다며 자랑을 삼으니, 어찌 세속의 투박함이 이 지경이 되었는가. 나는 서른 살이 넘어서도 과거에 뜻을 갖지 못하였는데 맏형님께서 벼슬을 말씀하시어 나도 모르게 얼굴이 붉어졌다. 요사이 사람들은 다만 부끄러움이 없을 뿐 아니라 오히려 미치지 못할까 두려워하니 이것을 가지고 본다면 수십 년 전의 풍속이 조금은 순후함을 느끼겠구나"라고 하셨다.

선군자께서 벼슬이 없을 때는 문을 닫고 출입이 드무시며 전혀 추축(追逐)[13]할 뜻을 두지 않으셨다. 어떤 사람이 아버님께서 벼슬길이 순탄하지 못하다고 하자 선군자께서 말씀하시기를 "과업을 이루지 못하고 관직에 있게 되면 선비로서 매우 불안한 일이다. 나는 재주가 없고 명이 박하여, 이러한 지경에 이르러 음덕을 입어 벼슬한 것으로 만족하는데 무엇이 순탄하지 못하다는 말인가"라고 하셨다.

불초가 일찍이 서가(書架) 하나를 만들어 앞과 뒤, 왼쪽과 오른쪽에 종이를 바르고 앞에 두 문을 만들었다. 문 밖에는 진서산(眞西山)[14]의 「야기잠(夜氣箴)」을 써 붙이고 문 안쪽에는 주렴계의 『태극도설』과 설(說)을 써 붙였다. 왼쪽과 오른쪽에는 주 문공의 초은조(招隱操)를 써 붙였더니 선군자께서 보시고는 "너는 어찌하여 이 세 가지 글을 써서 붙였느냐"라고 물으셨다.

불초가 "잠자리에 두고자 하여 앞에는 「야기잠」을 붙였는데 인간 만사의 이치가 모두 『태극도설』에 쓰인 이치로 돌아가므로 평생 동안 보

---

13) **추축**(追逐): 친구끼리 서로 오가며 사귐.
14) **진서산**(眞西山): 송나라 유학자 진덕수(眞惪秀)의 호. 벼슬은 참지정사(參知政事). 강직하기로 유명하였고 주자학파로 『심경(心經)』 등을 지음.

고 연구하며 이해하기 위하여 아침저녁으로 보고 익히는 자료로 쓰기 위해서입니다. 초은조는 부르고 돌아가는 것이 모두 이치가 있으니 유한함을 사랑하기 때문입니다"라고 말씀드렸다. 선군자께서 "너의 뜻한 바는 좋으나 요사이 그럭저럭 세월을 보내는데, 태극을 언제 연구하며 밤기운을 어찌 기르겠느냐. 더욱 힘쓰고 노력하라"라고 말씀하셨다.

선군자께서 말씀하시기를 "가만히 오늘날 사부(士夫)들을 보니 벼슬을 하고자 하여 높은 학식과 능력을 자랑하는 것이다. 선비는 고을의 주인이 되고자 하지 않고 정승만을 사람들이 칭찬하는 것 같은데 고을의 주인을 거치지 않고 정승이 되면 그 사람은 보지 않아도 알 수 있다"라고 하셨다. 불초가 일찍이 복기(服氣)[15]하는 말을 선군자 앞에서 논하였더니 아버님께서는 "예로부터 오늘까지 누가 너만큼 기질이 없겠느냐. 나는 술법을 익혀 장생하였다는 말을 듣지 못하였다"라고 하셨다. 불초가 모시고 낙계로 갔었는데 개울에 놓인 다리가 매우 높았다. 선군자께서 다리로 건너지 않으시면서 불초들을 돌아보시고는 "마음이 없이 이 다리를 건너는 자는 참을성이 있는 사람이다"라고 하셨다.

---

15) **복기**(服氣): 도교의 수련 방법. 지금의 복식호흡법을 이름.

家祭

가제: 집에서 지내는 제사

집에서 제사 지낼 때 부인들이 해야 할 일을 맏형수님께 올림

제사를 지낸다는 것은 그 정성을 다할 뿐이기 때문에 옛날의 어진 분들이 말씀하시기를 "정성이 있으면 신(神)이 있고 정성이 없으면 신이 없다"라고 하였습니다. 그렇다면 자식이 되어 그 부모님에게 제사를 지낼 때 어찌 정성을 다하고자 하지 않을 수 있겠습니까.

이러한 까닭으로 정성 없이 지내는 제사는 제사라고 할 수 없습니다. 그러나 정성을 들이지 않는 사람들은 "이러한 말은 귀신을 섬기는 일에 지나지 않으므로 미묘하여 알 수가 없다"라고 하니, 이익으로 더럽혀진 마음이 사이에 끼인 것이기에 참으로 슬픈 일입니다.

저 높은 갓을 쓰고 위대한 옷을 입으며 경전[1]을 들고 다니면서 외우는 사람들도 흔히 풍속의 더러움에 빠져 그 옳음을 알지 못하거늘, 하물며 규중의 여자들은 바느질과 집안 살림만 할 뿐 일찍이 경전을 읽

---

1) **경전(經傳)**: 유학의 성현(聖賢)이 남긴 글. 성인의 글을 경(經)이라 하고, 현인의 글을 전(傳)이라고 함.

지 않았으니 타고난 바탕이 민첩하고 정성스럽지 못하다면 어찌 이러한 사실을 알 수 있겠습니까. 부녀자의 직분은 규방을 벗어날 수 없어 바깥일에 참여할 수 없지만 제사 지내는 일만은 여자의 도리라고 할 수 있습니다.

이러한 까닭으로 옛날 성인께서 제례를 만드실 때 반드시 부부가 함께 제사를 지내도록 규정하였습니다. 그렇게 해야만 안과 밖의 제관(祭官)이 구비된다고 하여 제물을 구하여 바치는 예를 소중하게 하였습니다.

그 절문(節文)의 뜻은 매우 넓고 크고 자세하기 때문에 부인들이 일마다 능통할 수 없고, 그때에 따라 제물을 구비하여 씻고 삶고 베는 것을 살핌이 곧 부인들의 대절(大節)이니 마땅히 공경하고 삼가야 하는 일입니다. 공경하고 삼간다는 말뜻은 미리 빠짐없이 준비하고 조리에 있어 청결하도록 노력하라는 것입니다.

제사를 받는 분이 평소에 즐기시던 음식을 생각하여 준비하는 것입니다. 마음을 비우고 다스려서 수고롭게 구비한다면 제물(祭物)이 깨끗해지는 것입니다. 정성을 드린다고 하는 말은 여기서 벗어나지 아니합니다.

가만히 오늘날 사대부의 집을 살펴보니 부녀자들의 교만과 편안함이 버릇이 되어, 친히 제물을 다듬고 장만하지 않고 아랫사람을 시켜 놓고 태연히 바라보고만 있습니다. 또한 무당과 중들이 화복을 속여 귀신들에게 아첨하고 비는데, 혹 귀신들에 미치지 못함을 두려워하여 정성을 쏟고 제사 지내는 일은 소홀하게 합니다. 그러나 그 기도하는 대상은 신이 아니라 다만 이익을 앞세울 뿐입니다. 어찌 매우 슬픈 일이 아니라 하겠습니까.

생각하건대 나의 맏형수님께서는 이름난 재상 집안 따님으로 맏형님께 시집오신 지 거의 20년이 되셨습니다. 집안을 두루 다스렸으나 법도에 어긋남이 없으셨고 시부모님을 우러러 섬기는 데 정성과 효도를 다하셨으니, 선고께서 항상 형수님의 어짊을 우리 집안의 복이라고 칭찬하셨습니다. 이것은 맏형수님께서 요즈음 부인네들과 다름을 아시고 하신 말씀이십니다. 저 또한 더욱 오늘까지 형수님을 뵈며 희망을 가졌습니다.

어머님께서 상고를 당하신 뒤에 근력이 날마다 쇠하시니 제사에 관한 일을 형편상 맏형수님께 전하려고 하셨는데, 맏형수님께서는 어찌 그 수고로움을 대신하여 어머님의 뜻을 받지 못하셨습니까.

아! 우리 네 형제가 나고 자랐으니 부모님의 은덕이 하늘처럼 어찌 끝이 있겠습니까. 하물며 저는 나이도 가장 어리고 재주도 가장 모자랐기 때문에 선고께서 평일에 어린아이처럼 돌보아주셨으나 교육은 엄히 하셨습니다. 사람의 도리를 알게 하신 선친의 은혜로 금수보다 나을 수 있었습니다.

그러나 불효자는 내세울 만한 선행이 없이 약관에 이르자 갑자기 부모를 잃는 아픔을 보게 되었습니다. 그사이를 돌아보면 겨우 포대기를 면하여 아침과 저녁에 이부자리를 보살펴드리고 안후를 여쭌 지 몇 해라고 할 수 있겠습니까.

3년의 상례조차 스스로 이루지 못하였고 최마(衰麻)[2]의 복제도 빨리 나가버렸으니 아득한 하늘과 땅에 어느 곳으로 좇아가며 어느 곳에서 찾을 수 있겠습니까. 지금부터 정(情)을 쓸 곳은 다만 봄, 여름, 가을, 겨울 사시에 지내는 제사에 어머님의 뜻을 받들어 성의를 다하는 일뿐

---

2) **최마**(衰麻): 부모, 증조부모, 고조부모의 상중에 아들이 입는 상복인 베옷.

입니다.

맏형님과 맏형수님께서는 반드시 정성을 다하여 받들 것이니 제가 무엇을 가지고 감히 여쭙겠습니까. 그러나 집집마다 제사 지내는 방법은 풍족함과 간소함이 같지 아니하니 안에서 주관하는 일이 더욱 어려울 것입니다. 정확하게 따르려면 제삿날 바칠 제물을 불가불 연구하여 영구히 시행할 방법으로 정해야 합니다. 그리하여 맏형님께 아뢰었더니 맏형님께서 예서를 참고하여 시대에 맞도록 나열한 뒤 아래와 같이 기록하시고 '가제내의(家制內儀)'라 이름 붙이셨는데 제가 맏형수님께 올립니다.

속절(俗節),3) 시제(時祭),4) 묘제(墓祭),5) 기제(忌祭)6)가 각각 자주 있어 번거롭고 게을러서 잊기 쉽습니다. 제사 때 올리는 고기와 반찬의 그릇은 그 예의 가볍고 무거움에 따라 풍족하고 단출함을 결정할 일이나 크게 치우치지 말아야 합니다.

엎드려 생각하건대 맏형수님께서 소제의 우매함으로 인해 소홀하지 않으신다면 다행이리라 여깁니다. 아마도 선고의 영혼께서 명명한 가운데 이르실 것이며, 우리 형제들의 종천(終天)7)의 아픔도 만분의 일이나마 의지할 곳이 있을 것입니다. 신미년(1691) 사월 하순에 소제(少弟)이 모는 울며 피로 글을 씁니다.

---

3) **속절**(俗節): 제삿날 이외에 철이 바뀔 때마다 사당이나 조상의 묘에 차례를 지내는 날.
4) **시제**(時祭): 음력 2월, 5월, 8월, 11월에 가묘에 지내는 제사.
5) **묘제**(墓祭): 무덤 앞에서 지내는 제사.
6) **기제**(忌祭): 기제사(忌祭祀). 해마다 사람이 죽은 날에 지내는 제사.
7) **종천**(終天): 비통함이 오래감. 부모의 초상이 남을 이르는 말.

■ **초하룻날 참례(參禮)** [8]

과일 두 가지, 포 한 그릇, 식해(食醢) 한 그릇, 청주 두 잔(한 잔은
강신[9] 때 씀. 아래로도 이와 같음).

■ **보름날 참례**

실과(實果) 두 가지.

■ **속절 설날[正朝], 정월 보름날[上元], 삼월 삼짇날, 한식, 단오, 유두, 칠석, 추석,**
중양절(9월 9일), 동지, 납일 [10]

실과 네 가지, 마른 정과[11] 한 그릇, 수정과 한 그릇, 포 한 가지, 식
해 한 그릇, 탕 한 그릇, 구이 세 꼬치, 떡 한 그릇[맑은 나물 한 그릇],
국수 한 그릇, 청주 두 잔.

※ 시식(時食)[12]은 탕, 떡, 약밥, 쑥떡, 참꽃 전, 수단(水團)[13], 국수, 송

---

8) **참례(參禮)**: 예식, 제사, 전쟁 등에 참여함.
9) **강신(降神)**: 제사를 지내는 절차의 하나. 처음 잔을 올리기 전에 신을 내리게
하기 위하여 향을 피우고 술을 따라 모사(茅沙) 위에 부음.
10) **납일(臘日)**: 민간이나 조정에서 조상이나 종묘 또는 사직에 제사 지내던 날.
동지 뒤의 셋째 술일(戌日)에 지냈으나 조선 태조 이후에는 동지 뒤 셋째 미일(未
日)로 했음.
11) **정과(正果)**: 온갖 과실, 생강, 연근, 인삼 등을 꿀이나 설탕물에 졸여 만든
음식.
12) **시식(時食)**: 그 계절에 특별히 있는 음식. 또는 그 시절에 알맞은 음식.
13) **수단(水團)**: 쌀가루나 밀가루를 반죽하여 경단같이 만들어서 삶은 후에 냉수에
헹구어 물기가 마르기 전에 꿀물에 넣고 실백잣을 띄운 음식. 흔히 유월 유두에
먹음.

숭(鬆鬆), 국화전, 팥죽과 그 밖에 새로 생긴 물건을 반드시 갖추어서 바치도록 노력함.

■ 사당에 고할 때, 아들이 성장하여 스무 살 되는 관례 때, 아들과 딸의 혼사 때, 과거에 급제하였을 때, 직품(職品)이 승급 또는 변동되었을 때, 신주14)를 옮겨 봉안할 때

행례15)는 초하루 의식과 같음. 단 신주를 몹시 서둘러 옮기거나 되돌려놓기 편안할 때, 즉 관례, 혼사, 과거, 승진 등 경사가 있을 때 대략 구비하는 물품은 속절 행사 때와 같이 해도 무방함.

■ 시제는 춘분, 하지, 추분, 동지의 네 번으로 나누어 행하다

네 가지 날짜 가운데 유고(有故)가 있으면 다시 날을 가려서 행해도 무방하나 반드시 그 절기 내로 십오일을 넘겨서는 안 됨. 그날이 되면 속절을 행하는 것이 당연하지만 시제를 까닭 없이 행하면 예가 중복되니 옳지 못함.

과일 여섯 가지, 마른 정과 한 그릇, 수정과 한 그릇, 포 한 가지, 식해 한 그릇, 어간람(魚看覽)16) 한 그릇, 육간람(肉看覽)17) 한 그릇, 탕 다섯 그릇, 구이 열한 꼬치, 떡 한 그릇[맑은 나물 각 한 그릇], 국수 한 그릇, 청주 네 잔.

---

14) **신주**(神主): 죽은 사람의 위패.

15) **행례**(行禮): 예식을 행함.

16) **어간람**(魚看覽): 어간납(魚肝納). 제사에 쓰는 생선살로 만든 전유어.

17) **육간람**(肉看覽): 제사에 쓰는 저냐. 소의 간이나 처녑 등으로 만듦.

반상구(飯床具)

밥 한 그릇, 탕 한 그릇, 좌반(佐飯) 한 그릇, 젓 한 그릇, 숙채(熟菜) 한 그릇, 세채(細菜) 한 그릇[혹은 초채(醋菜)¹⁸⁾ 또는 소금에 절인 나물], 생채 한 그릇, 침채(沈菜) 한 그릇, 맑은 간장 한 그릇.

■ 기제사

과실 여섯 가지, 마른 정과 한 그릇, 수정과 한 그릇, 포 한 그릇, 식해 한 그릇, 어간람 한 그릇, 육간람 한 그릇, 탕 세 그릇, 구이 아홉 꼬치, 떡 한 그릇, 국수 한 그릇, 맑은 간장 네 그릇, 반상구는 시제 때와 같음.

■ 묘제, 정조, 한식, 단오, 추석

한식과 추석은 기제 의식과 같고, 정조와 단오는 반상구를 감(減)함.

■ 산신제(山神祭)

추석, 한식 때의 제의와 같음.

■ 천신(薦新)¹⁹⁾

오곡으로 밥을 짓고 몇 가지 반찬을 준비하여 올림. 만약 초하루나 보름 또는 속절이 겹치게 되면 아울러 함께 지내며 비록 보름날이라도

---

18) **초채(醋菜)**: 초나물. 봄에 먹는 나물. 숙주, 미나리, 물쑥 등을 데치고 양념을 하여 초를 쳐서 먹음. 나물을 무칠 때 쇠고기, 돼지고기, 해삼, 전복 등을 저며 섞기도 함.
19) **천신**: 철에 따라 새로 난 과실이나 농산물을 먼저 신위(神位)에 올리는 일.

술과 어물과 과실을 때에 따라 단설(單設)[20]할 수 있음(어물을 올릴 때 술이 있어야 함). 오곡 가운데 밀[小麥]이나 푸른 콩[靑菽]과 같은 종류는 밥을 지을 수 없으니 떡을 만들거나 그 자체로 올릴 수 있음.

유밀과(油蜜菓)[21]는 비록 예부터 전해오는 고품(古品)은 아니지만 시속(時俗)[22]에서 좋은 음식이라고 말하니, 홀로 제사에 쓰지 않으면 죄송한 일이라 시제와 기제에 한두 그릇을 준비하여 과실 수에 채워도 마땅하니 반드시 배척할 물건은 아님. 포 그릇에 말린 포육 등을 쓰는데 속가에서 말하는 절육(切肉)[23]임. 큰 제사 때 능력에 따라 준비하여 써도 무방함.

모든 제사에는 전날에 부녀들과 종들이 재결(齋潔)[24]에 힘쓰게 하고 제청(祭廳)을 소제하며 그릇을 씻고 제물을 준비하게 함. 제사에 쓸 물건은 제사를 지내기 전까지 조심스럽게 저장하여, 절대로 사람들이 먼저 먹게 하지 말 것이며 닭이나 개나 고양이나 쥐에 의해 더럽혀지지 않아야 함.

사람의 집마다 제찬(祭饌)[25]이 각각 다르니 풍족하게 하려고 너무 지나친 집이 있고 간단히 하고자 하여 태만하거나 소홀히 하는 경우가 있는데, 이는 부인들이 ·예의를 알지 못하기 때문에 일어나는 일이며

---

20) **단설**(單設): 제례에서 신주 하나만을 모시고 제사를 지냄. 부모가 다 돌아가셨을 때 양위의 신주가 아닌 하나만을 설치할 수 있다는 뜻.

21) **유밀과**(油蜜菓): 밀가루나 쌀가루 반죽을 적당한 모양으로 빚어 말린 후 기름에 튀겨 꿀이나 조청을 바르고 튀밥, 깨 등을 입힌 과자.

22) **시속**(時俗): 그 당시의 속된 것.

23) **절육**(切肉): 얄팍하게 썰어 양념장에 재워서 익힌 고기.

24) **재결**(齋潔): 마음을 가지런히 하고 몸을 깨끗하게 함.

25) **제찬**(祭饌): 젯메. 제사 때 올리는 밥.

그 허물이 사나이에게만 있지는 아니함.

대개 부인들이란 덧없는 세상에 익숙해서 풍요와 사치(奢侈)에 힘쓰니 예가 아닐뿐더러 자력(資力)26)이란 시작만 있고 끝은 없으니[지난날 우리 종가(宗家)에서 제수를 지나치게 많이 하다가 탕진을 하였는데 한탄스럽고 한탄스러움] 결단코 그런 일을 해서는 안 됨. 제사를 주관하는 사람은 이와 같은 사실을 분명히 알아 정해진 수를 참작해야 함.

부인들이 가끔 집안 살림이 넉넉하지 못하다는 핑계로 숫자만 채우려고 급급하다가 그 제물 수마저 줄이고 보잘것없이 한다면 그 실수는 지나친 사치를 부리는 것과 무엇이 다르겠는가. 부인들은 모름지기 이러한 뜻을 알아서 그릇 수의 많고 적음에 관계없이 반드시 정갈하게 제물을 구비하고, 절대로 구차하게 채우기 위하여 추잡한 짓은 하지 않음이 마땅함.

■ **원조(遠祖)27)에 대하여 제사 지내는 의식**

예제에는 한계가 있으므로 감히 어길 수가 없음. 예가(禮家)28)로 인을 받는 집이라고 하더라도 정성이 없으면 어찌 자손들이 무식하고 무지하다는 폐단이 되지 아니하겠는가.

옛날에 어떤 사람이 종묘에 올리는 제사에 대한 설을 공자께 여쭈니 "나는 잘 모르겠다. 그것을 설하는 사람은 천하에 이와 같은 모든 일을 보이고자 함을 알겠다. 그 일을 손바닥 가리키듯 하는구나. 선왕(先王)께서 근본을 만들어준 덕에 대해 갚아주고 원조를 추모하려는 뜻은 종묘

---

26) **자력(資力):** 물자나 자산 따위를 낼 수 있는 경제적인 능력.
27) **원조(遠祖):** 고조 이전의 먼 조상.
28) **예가(禮家):** 예문가(禮文家). 예법에 밝고 잘 지키는 집안.

에 올리는 제사보다 더 깊은 것이 없는데 인효와 공경이 지극한 사람이 아니라면 족히 이와 같은 일을 하지 못할 것이다"라고 말씀하셨음.

연평(延平)29) 이 선생은 "이승과 저승의 원인을 추구하며 귀신의 정상(情狀)30)을 알게 되면 이치를 비추는 지혜가 깊다고 하겠다. 천하에 그러한 사람이 있다면 어려울 것이 무엇이겠는가"라고 말하였음.

또 주자는 "체(禘)의 뜻은 가장 깊으면서도 깊다. 할아버지와 자신이 일찍이 멀도록 관계가 끊이지 아니하였으니 제사의 뜻도 쉽게 이해될 것이다. 하늘과 땅에 제사하는 일이 오히려 하늘과 땅이 분명하게 존재하므로 감히 그 마음을 다하지 아니할 수 없다. 그 시조(始祖)에 대한 제사도 자기에게서 대단히 멀어져 감격(感格)하는 도리를 다하기 어렵다. 지금 시조에게서 나온 사람을 차례로 찾아가 제사 지내려고 한다면, 참으로 이치를 정미(精微)하게 살피거나 정성을 지극히 다하지 않은 사람이라면 어찌 이렇게 할 수 있을까. 그러므로 이러한 사실을 바로 알게 되면 천하를 다스리는 일이 어렵지 아니할 것이다"라고 하였음.

이러한 말만 가지고 체의 뜻을 분명하게 알 수가 있는데 어찌 그 밖의 일을 말할 수 있으며 오히려 감득할 수 있는데 다른 일에서 찾고자 하는가. 주자가 조종(祖宗)으로부터 천 수백 년을 내려오는 동안 다만 하나의 방법으로 서로 전해왔는데 덕이 두터우면 나라가 잘되어 빛을 내고 덕이 박하면 일찍이 사라짐.

다만 법이란 그치는 곳이 있으니 천자는 다만 칠묘(七廟)만을 둠. 성

---

29) **연평**(延平): 송나라 유학자 이동(李侗)의 호. 검포(劍浦) 사람. 자는 원중(愿中). 시호는 문정(文靖). 뒤에 물러나 여산 아래에 집을 짓고 40여 년을 은거함. 주희가 제자의 예를 바침.

30) **정상**(情狀): 있는 그대로의 사정과 형편.

인의 마음에는 오히려 불만이 있기 때문에 자기들을 세상에 나오게 한 제(帝)를 시조로 배향함. 그러나 자신들은 사당이 없기 때문에 다만 시조의 사당에 절하게 함.

그러나 다만 천자는 이와 같이할 수 있지만 제후 이하는 그렇게 하지 못함. 그러므로 추모는 쉽게 감하지만 먼 것은 이르기 어려움. 만약 거칠고 얕은 사람이라면 그의 성의가 어찌 그러한 데 이르겠는가. 도리를 대단히 분명하게 얻어서 본 사람이 아니라면 어찌 성인이 조상에 대한 은혜를 갚고, 조상의 마음으로 돌아가는 뜻을 알겠는가.

이와 같이 생각이 깊고 멀지 아니하다면 장차 그러한 일을 할 수 있겠는가. 다만 이러함을 알아서 이러한 말을 할 때는 그 사람은 도리의 지극히 옳은 곳을 보고 얻었기 때문에 다른 일을 처리하더라도 자연스럽게 잘할 수 있을 것이라고 하였음. 산소가 각각 다른 곳에 있으면 한때 제사를 멈추더라도 정(情)에 해가 될 게 없고, 한 산소에서 위아래는 음식을 준비하여 제사 지내고 상위(上位)는 지내지 아니하는 것은 거의 인정에 가깝지 않다고 할 것임.

告辭

고사: 제사 때 가정의 일을 조상에게 고하는 일

1. 기묘년(1699) 소과에 급제하였을 때 분묘를 청소하고 고한 글

해는 기묘년이요 오월 초하루는 을사일인데, 십사일 임오일에 새로 생원과에 급제한 후손 모는 가선대부 이조 참판 겸 동지 경연[1] 의금부 춘추관 성균관사 홍문관제학 예문관 제학 세자좌부빈객(世子左副賓客)[2] 이시며, 한산군의 증직을 받으신 통정대부 성균관 대사성 지제교(知製敎)[3] 부군(府君)의 묘에 감히 밝게 고합니다.

대가 먼 손자가 가냘프고 약하여 오래도록 묘소에 와서 절을 하지 못하다가 찾아와, 예를 올리면서 삼가 술과 과일로 이번에 연방(蓮榜)

---

1) **경연**(經筵): 고려·조선 시대에 임금이 학문을 닦기 위하여 학식과 덕망이 높은 신하를 불러 경서(經書) 및 왕도(王道)에 관하여 강론하게 하던 일.

2) **세자좌빈객**(世子左賓客): 조선 시대에 세자시강원에 속하여 왕세자에게 경서, 사적(史籍), 도의(道義) 등을 강의하는 일을 맡아보던 정2품 벼슬. 이사(貳師)의 아래 벼슬로 정원은 한 명임.

3) **지제교**(知製敎): 조선 시대 국왕의 교서(敎書) 등을 작성하는 일을 담당한 관직.

에 오른 일을 공경스럽게 고합니다.

같은 해 같은 달 열닷새 계미일에 새로 생원이 된 후손 모는 현칠대
조고 봉화현감 부군의 묘에 감히 밝게 고합니다. 남은 경사가 먼 후손
까지 미쳐 과명을 입게 되니 은혜를 받들고 봉영(封塋)을 첨배(瞻拜)하
면서, 삼가 술과 과일로써 그 사실을 공경스럽게 고합니다.

같은 해 같은 달 같은 날에 모는 현육대조고이신 가선대부 한성군의
묘에 감히 밝게 고합니다(축문은 위와 같음).

같은 해 같은 달 같은 날에 새로 생원이 된 후손 모는 오대조고이신
종묘서령 부군의 묘에 감히 밝게 고합니다(축문은 위와 같음).

같은 해 같은 달 같은 날에 새로 생원에 급제한 현손 모는 대광보국
숭록대부 의정부 영의정 겸 영경연 홍문관 예문관 춘추관 관상감사(觀
象監事)[4] 세자사(世子師)[5]이시며 아천부원군을 증직받으시고, 추충분의
평난공신 정헌대부 예조 판서 겸 지의금부사(知義禁府事)[6] 오위도총부
도총관 아천군의 봉작(封爵)[7]을 받으셨으며, 의간공의 시호를 받으신
현고조고 북애 선생의 묘에 감히 밝게 아룁니다.

높으신 고조부님의 덕업과 문장이 한때 우러른 바이니 자손이 창성
함이 마땅할 것입디다만, 저 같은 불초가 가성을 잇지 못하고 오히려
노망하였는데 늦게 와서 조금이라도 이루어 영화롭게 묘소를 소제합
니다. 다만 절실하여 변변치 못한 음식을 올리오니 신께서는 흠향하시

---

4) **관상감**(觀象監): 예조에 속해 천문, 지리, 역수(曆數), 기후 관측, 각루(刻漏) 등을
   맡아보던 관아.
5) **세자사**(世子師): 세자시강원의 정1품 벼슬. 영의정이 겸임했음.
6) **지의금부사**(知義禁府事): 의금부에 속한 정2품 벼슬.
7) **봉작**(封爵): 제후(諸侯)로 봉하고 관작(官爵)을 줌.

옵소서. 삼가 고합니다.

같은 해 같은 달 같은 날에 개증손(介曾孫)[8]이 새로 생원이 되어 통정대부 승정원 도승지 겸 경연참찬관 춘추관 수찬관 예문관 직제학 상서원정에 추증되시고, 선교랑(宣敎郎)[9] 수(守)[10]병조 좌랑을 지내신 현증조고 부군의 묘소에 감히 밝게 고합니다.

의관을 소장한 곳에 초목이 무성합니다. 슬픈 당시의 운명과 열렬한 충절에 인연하여 과거에 급제한 경사를 얻었으나 봉역에 절을 올리지 못하고, 남기신 향기를 감상하면서 저 송백을 어루만지며 삼가 술과 과실을 가지고 그 사실을 삼가 고합니다.

같은 해 같은 달 같은 날에 개증손 모는 숙부인[11]에 추증되신 현증조비 횡성 조씨의 묘소에 감히 밝게 고합니다. 제가 은혜를 입어 생원이 되어, 분영을 소제하고 삼가 술과 과일을 가지고 그 사실을 공경스럽게 고합니다.

같은 해 같은 달 열사흗날 임오일에 새로 생원이 된 개손 모는 가선대부 이조 참판 겸 동지 경연 의금부 춘추관 성균관사 홍문관제학 예문관 제학 오위도총부 부총관에 추증되시고, 통정대부 대구도호부사 대구진 병마첨절제사[12]를 지내신 현조고 부군과 현조비 정부인 나주 임씨의 묘소에 감히 밝게 고합니다.

손자가 된 불초는 선대의 자취를 잇지 못하고 늦게 사마시에 급제하

---

8) **개증손**(介曾孫): 종증손.

9) **선교랑**(宣敎郎): 종6품 문관의 품계.

10) **수**(守): 품계(品階)는 낮으면서 보임(補任)된 직(職)이 높은 경우를 말함.

11) **숙부인**(淑夫人): 정3품 당상 문무관의 아내에게 주던 품계. 숙인(淑人)의 위, 정부인의 아래.

12) **병마첨절제사**(兵馬僉節制使): 병마절도사에 속한 종3품 무관 벼슬.

였으므로, 다만 죄악이 더할 뿐입니다. 공경하여 상감의 은혜를 받들고 와서 성묘의 예를 올립니다. 송백을 돌아보면서 추모한들 어찌 미치겠습니까. 술과 과일을 준비하여 그 사실을 삼가 고합니다.

같은 해 같은 달 열닷새에 효자 모는 통훈대부로 김제군수와 전주진관[13] 병마동첨절제사[14]를 지낸 현고부군의 묘소에 감히 밝게 고합니다.

개자(介子) 모는 삼월 스무닷새 은혜를 입어 생원시에서 삼등으로 입격하였습니다. 선대의 유훈을 받들어 이어서 과명을 얻었고 영화롭게 봉영을 소제하오니, 엄숙함이 생전의 뜰을 걷는 것과 같습니다. 덕음을 듣는 것 같지만 기뻐하시는 모습은 접하기 어려워 오래도록 추모한다는 말씀을 드리오니, 넓은 하늘이 끝이 없습니다. 삼가 술과 과실을 가지고 이 뜻을 공경스럽게 고합니다.

같은 해 같은 달 열나흘날에 새로 생원에 급제한 조카 모는 현백부이신 가선대부 이조 참판 겸 동지의금부 성균관사 오위도총부 부총관 세자우 부빈객[15] 부군과 현백모이신 정부인 안동 김씨의 묘에 감히 밝게 고합니다.

조카가 태어난 지 2년 만에 백부님께서 세상을 떠나시니 항상 어리석은 몸으로 깨우침을 듣지 못해 한탄하였습니다. 오늘 과거에서 얻은 경사로 인하여 와서 분묘를 소제하오니 덕음을 직접 들음과 같아 마음속으로 사모함이 더욱 깊습니다. 삼가 술과 과실을 가지고 공경하면서

---

13) **진관**(鎭管): 지방 방위 조직.

14) **동첨절제사**(同僉節制使): 절도사에 속한 진(鎭)에서 수군을 거느려 다스리던 군직(軍職).

15) **세자우빈객**(世子右賓客): 세자시강원에 속한 정2품 문관 벼슬.

삼가 고합니다.

같은 해 같은 달 열닷새에 아우 모는 숙형이신 진사부군의 묘소에 감히 밝게 고합니다. 삶과 죽음의 사이에서 세월이 너무 빠릅니다. 묘소에 와서 뵙지 못한 지 벌써 한 해가 지났습니다. 눈물을 해묵은 풀에 뿌리고 몸에는 최복도 없어졌으니, 반쪽 이불로 몇 밤을 지냈는지 바람과 비가 소슬합니다. 남겨진 아이는 돌이 다가오는 데 이해하지 못하여 아버지만 부르고 있습니다. 그러므로 살아 있는 이 세상에 부닥치는 곳마다 슬픔뿐입니다.

근래에는 저도 병이 들어 회복을 기약할 수 없으니 제사도 때에 맞게 지낼 수 없으며 무덤도 고쳐 쓰지 못하였습니다. 저승에서 생각해 보아도 역시 슬프실 것입니다. 마침 사마가 되어 와서 선영을 소제하던 길에 형님께도 한 잔을 드리오니 혼령이 계시다면 돌아보아 주소서. 만사에 감정이 일어나니 눈물이 비처럼 쏟아집니다. 상향.

같은 해 같은 달 같은 날에 새로 생원에 참방(參榜)한 모는 둘째 형수님이신 장수 황씨의 무덤에 감히 밝게 고합니다. 오늘 과거의 경사로 와서 봉영에 절을 드리며 삼가 술과 과일을 가지고 사실을 아뢰며 고합니다.

2. 입석(立石)할 때 산신을 제사한 축문

해는 경자년(1720)이고 이월 초하루는 무술일인데 열닷새 임자일에 통훈대부 부평부사로 있는 이 모는 아우인 통훈대부 이천부사로 있는 모를 시켜 감히 토지신께 밝게 고합니다.

가선대부 이조 참판에 증직되시고 통훈대부 김제군수를 지내신 저의 돌아가신 아버님 부군과 정부인에 추증되신 어머님 제주 양씨의 묘 앞뜰이 좁고 짧아서 석물(石物)을 갖추지 못하였습니다. 이에 좋은 날을 가려서 땅을 돋운 뒤 돌을 배치하니 토지신께서는 도움을 주셔서 이 뒤에는 어려움이 없게 해주소서. 삼가 술과 안주를 갖추어 공경하는 마음으로 드립니다. 상향.

3. 산소에 고유(告由)[16]한 축문

같은 해 같은 달 같은 날에 효자 통훈대부와 부평부사로 있는 모는 병으로 관차에 머물면서 아우인 통훈대부와 이천부사인 모를 시켜 감히 밝게 고합니다.

가선대부 이조 참판 겸 동지의금부사 오위도총부 부총관에 추증되시고 통훈대부 김제군수와 전주진관 병마동첨절제사를 지내신 현고 부군과 정부인에 추증되신 현비 제주 양씨 무덤의 층계 앞에 있는 뜰이 짧고 좁아 석물을 갖추지 못하였습니다. 이에 좋은 날을 가려서 오늘 묘시부터 흙을 보강하는 역사[17]를 시작하고 겸하여 돌을 배치하고 축대를 쌓고자 합니다. 놀라실 것을 두려워하여 맑은 술과 서수를 준비하여 먼저 고하오니 그런 줄 알아주시기 바랍니다.

---

16) **고유**(告由): 중대한 일을 치른 뒤에 그 내용을 사당이나 신명에게 고함.
17) **역사**(役事): 토목이나 건축 따위의 공사.

4. 역사(役事)를 마친 뒤 산신에게 제사한 축문

같은 해 같은 달 스무나흗날 신유일에(나머지는 위와 같음) 현고와 현비의 묘에 영역을 보축(補築)하고 나무를 심었으며 석물을 안치하고 무덤에 떼를 다시 덮었으니, 신께서는 도와주시어 이 뒤로는 어려움이 없게 해주시기 바랍니다. 삼가 맑은 술과 서수를 가지고 공손하게 올립니다. 상향.

5. 같은 날 산소에 고유(告由)한 축문

연월일은 위와 같다. 효자인 통훈대부 부평부사인 모는 병으로 관차에 머물면서 아우인 통훈대부 이천부사인 모를 시켜 감히 밝게 고합니다.

모는 가선대부 이조 참판 겸 동지의금부사에 추증되신 현고에게 감히 밝게 고합니다.

오위도총부 부총관에 추증되시고 통훈대부로 김제군수와 전주진관 병마동첨절제사이신 부군과 정부인에 추증되신 제주 양씨 묘소의 영역을 개축하고 사초를 다시 깔며 석물을 안배하고 나무를 심었습니다.

혹 놀라실까 두려워하여 밤낮으로 편하지 못하였는데 역사를 시작한 지 열흘 만에 오늘 다행스럽게도 완전히 마쳤으므로 삼가 맑은 술과 서수를 가지고 고합니다. 상향.

6. 을사년 대과(大科) 때 분묘를 소제하며 고한 글

해는 을사년(1725)이고 십일월 초하루는 을미일인데 초이레 신축일에 후손인 통정대부 장례원(掌隸院) 판결사로 있는 모는 가선대부 이조 참판 겸 동지경연 의금부 춘추관 성균관사 홍문관 제학 예문관 제학 세자우부빈객 한산군에 추증되시고 통정대부 성균관 대사성 지제교를 지내신 현팔대조고 부군과 정부인에 추증되신 현팔대조비 이천 서씨와 안동 권씨의 묘소에 감히 밝게 고합니다.

모가 지난 시월 스무이레 은혜롭게 문과 제일인에 급제해 법에 따라 본직으로 승자[18]함을 제수받았습니다. 다행스럽게도 선덕을 입어 급제를 더하였으므로, 영화롭게 묘정을 쓸면서 마음속으로 사모함을 이기지 못합니다. 삼가 맑은 술과 서수를 갖춰 이 일을 아뢰면서 고합니다.

같은 해 같은 달 십일월 초하루는 을미일인데 초아흐레 계묘일에 후손인 통정대부[19] 병조 참지 모는 정헌대부 호조 판서 겸 지의금부사 오위도총부 도총관 한원군에 추증되시고, 통정대부를 지내셨으며 봉화 현감 안동진관 병마동첨절제도위를 지내신 현칠대조고 부군과 정경부인에 추증되신 현칠대조비 고령 박씨[20]의 묘소에 감히 밝게 고합니다.

후손 모는 지난 시월 스무이레 은혜를 입어 문과 을과에 제일인으로 급제하여 법에 따라 승자하고 본직을 제수받았습니다. 다행스럽게도 선대의 가르침에 따라 벼슬을 하게 되었으니 남은 영화가 미치는 바에

---

18) **승자**(陞資): 직위가 정3품 이상의 품계에 오르던 일.

19) **정헌대부**(正憲大夫): 정2품 문무관의 품계.

20) **고령 박씨**(高靈朴氏): 시조 박언성(朴彦成)은 박혁거세(朴赫居世)의 29세손인 경명왕(景明王)의 둘째 아들인 고양대군(高陽大君).

감모함을 이기지 못합니다. 삼가 술과 과실을 준비하고 이 사실을 공손하게 고합니다.

같은 해 같은 달 같은 날 후손인 모관 모는 가선대부 한성군 현육대조고 부군과 현육대조비 무송(茂松) 윤씨(尹氏)의 묘소에 감히 밝게 고합니다(위의 시월 이하 글과 같음).

같은 해 같은 달 같은 날에 후손 모관 모는 순충보조공신(純忠補祚臣) 정헌대부 이조 판서 겸 지의금부사 오위도총부 도총관 한평군(韓山君)에 추증되시고, 통훈대부 종묘서령을 지내신 현오대조고 부군과 현오대조비 선산 김씨의 묘소에 감히 밝게 고합니다(위의 스무이레 이하 글과 같음).

같은 해 같은 달 같은 날 현손인 모관 모는 현고조이신 모관 북애 선생 부군과 정경부인에 추증되신 현고조비 경주 이씨의 묘소에 감히 밝게 고합니다(현손 모 이하는 위의 글과 같음).

같은 해 같은 달 같은 날에 증손인 모관 모는 현증조고이신 모관 부군의 묘소에 감히 밝게 고합니다(증손 모 이하는 위의 글과 같음).

같은 해 같은 달 같은 날에 증손인 모관 모는 숙부인에 추증되신 현증조비 횡성 조씨의 묘소에 감히 밝게 고합니다(증손 모 이하는 위의 글과 같음).

해는 을사년이고 십일월 초하루는 을미일인데 초이레 신축일에 손자 모관 모는 현조고이신 모관 부군과 현조비이신 정부인 나주 임씨의 묘소에 감히 밝게 고합니다.

손자 모는 시월 스무이레에 은혜를 입어 문과인 을과에 제일인으로 급제하였으므로 이미 지낸 직품에 따라 통정계로 승진하고 본직을 제수받았습니다. 불초가 내세울 만한 선을 쌓지 못하고 대대로 내려온 사업을 추락시키고 지내다가, 늦게야 처음 과거에서 갑과(甲科)[21]로 급제하여 법에 따라 직급을 뛰어넘어 현작에 이르렀습니다.

스스로 노망함을 알지만 다만 선덕에 힘입었으므로 공손하게 임금의 뜻을 받들고, 영예롭게 봉영을 소제하오니 삼삼(森森)한 송백에 추모함이 끝이 없습니다. 삼가 맑은 술과 서수를 가지고 이 사실을 펴서 삼가 고합니다.

같은 해 같은 달 같은 날에 조카 신방(新榜)[22]에 급제한 모관 모는 현백부이신 모관 부군과 현백모이신 정부인 안동 김씨의 묘소에 감히 밝게 고합니다.

조카가 태어난 지 열 달 만에 큰아버님께서 별세하시어 온화하고 순수하시고 덕을 품으신 모습을 끝내 잃어서 가르침을 더 받지 못하니 평생토록 사모하는 한이 가슴에 맺혀 있었는데, 금년 구월 말에 꿈에 오셔서 이마를 어루만지시며 웃는 얼굴로 말씀하셨습니다. 그 모습이 완연하여 살아 계신 듯하였습니다. 정령께서 아직도 돌보아주시어 꿈을 깨고 나서도 기쁨을 표현할 수 없었습니다.

오늘 과거에 급제하여 봉영을 소제합니다. 어디를 돌아보아야 다시 가르침을 받겠습니까. 오랜만에 찾아뵌 까닭에 다만 눈물이 흐를 뿐입니다. 맑은 술과 떡을 준비하고 사실을 삼가 고합니다.

해는 을사년이고 십일월 초하루는 을미일인데 초아흐레 계묘일에 일등인 장원, 이등인 방안, 삼등인 탐화가 이 등급에 속함.

아들 통정대부 병조 참지 모는 가선대부 이조 참판 겸 동지의금부사 오위도총부 부총관에 추증되시고, 통훈대부를 지내셨으며 김제군수 전주진관 병마동첨절제사를 지내신 현고 부군과 정부인에 추증되신

---

21) **갑과**(甲科): 과거 합격자를 성적에 따라 나누던 세 등급 가운데 첫째 등급.
22) **신방**(新榜): 과거에 새로 급제한 사람의 성명을 써 붙여 발표하는 방.

현비 제주 양씨의 묘소에 감히 밝게 고합니다.

아들 모는 지난 시월 스무이레 은혜를 입고 문과 을과 제일인으로 급제하였습니다. 법전에 따라 승자하여 본직을 제수받았으므로 영화로운 소분(掃墳)[23]의 예를 폅니다.

엎드려 말씀드리자면 세상에는 혹 백세 장수를 하는 이가 있습니다. 부모님의 엄하시고 온화한 덕과 유한하고 정정한 행동으로 완전한 복을 누리지 못하시어 상수(上壽)[24]를 얻지 못하시었습니다. 참으로 하늘의 이치를 헤아리기 어려우니 어찌 다만 불초들에게 종천의 아픔뿐이겠습니까.

하늘이 내리신 끊이지 않는 복은 오직 불초 등 네 사람에게 있었으나, 돌아가신 아버님께서는 다만 둘째 형님과 셋째 형님의 작은 성취를 보셨을 뿐입니다. 그러나 어머님께서는 중형이 크게 문호를 빛낸 일과 불초의 작은 성취를 보셨습니다.

10년을 가난하게 홀로 사시는 동안 셋째 형님과 세 분 형수님의 죽음을 보셨고, 둘째 형님의 화려한 출세의 영광과 큰형님과 제가 군수가 되어 그 녹으로 올리는 봉양을 모두 미처 보시지 못하여 불초들의 지극한 아픔과 한으로 남았습니다. 비록 죽어서 먼지가 된다고 하더라도 어찌 사라질 때가 오겠습니까. 지금 제가 비록 다행히 등과를 하였으나, 눈물 흘리지 못하는 아픔을 당하여 어찌 참을 수 있겠습니까.

엎드려 생각하건대 저는 부모님의 막내로 태어나 자라면서 지극한 편애를 입었습니다. 또 저에 대한 부모님의 기대와 소망이 깊었습니

---

23) **소분**(掃墳): 오랫동안 외지에서 벼슬하던 사람이 친부모의 산소를 찾아가 돌보고 제사를 지내는 일.
24) **상수**(上壽): 100살이 넘는 나이.

다. 저는 노망(鹵莽)하고 멸절하여 백 가지의 착하지 못함으로 이미 그 은혜를 갚을 수 없었고, 그 소망도 거듭 어긋나서 반세를 분주하게 장부를 처리하느라 배움도 진보가 없었고 뜻도 이루지 못하였습니다.

올여름에는 다른 사람으로부터 대장을 위조하여 거짓으로 꾸미고 없는 일을 만드는 거짓 참소를 받기에 이르렀습니다. 삼가 왕창(王昶)의 경계를 지켰으므로 조급한 일은 당하지 아니하였지만 몸과 명예를 오욕시키었고 선대의 가르침을 추락시킴에 거의 여지가 없으니, 지금 생각해보더라도 마음과 뼈가 저려옵니다.

만약 평소의 행동이 남에게 믿음을 주었더라면 사람들의 하는 말이 어찌 이 지경에 이르렀겠습니까. 이것은 더욱 불초의 죄와 허물이 산처럼 쌓여서 스스로 너그러울 수가 없는 것입니다. 그 뒤에 이어서 여러 고을에 임용이 되었으나 끝내 감히 부임하지 아니하였습니다.

오늘에 와서 과거를 빌려 은혜롭게 발탁되어 가난한 굶주림을 구제하라는 명을 받았기에 물러났다가 다시 벼슬로 나아가야 할 것입니다. 세상의 길이 이와 같고 상황이 날마다 위태로워지는데, 볼품이 없는 재능과 지략과 미약한 힘으로 나랏일에 도움을 주기에는 이미 가망이 없습니다.

또한 넘어지거나 낭패할지도 모르는데 어찌해야 합니까. 그래도 다행한 것은 조카 병관(秉觀)이 비록 아직 통달하지는 못하였지만, 인망이 자못 무거워 집에 있을 때나 일을 처리함에 부모의 이름을 더럽히지 않을 만합니다. 또 조카 병항(秉恒)도 영화로운 길을 통하였으니, 사람들의 칭찬이 많습니다. 그러므로 형님들은 돌아가셨으나 돌아가시지 않은 것이라고 할 수 있습니다.

병관, 병항과 저의 아들 병건이 모두 연방에 등제하였고 항이 또 처음 벼슬길에 올랐으며, 둘째 형님의 손자 덕중이 장성하여 선대의 업을 이을 만합니다. 그 밖에 아홉 아이들도 나아갈 능력이 있어 성립을 기대할 수 있으니 적선(積善)한 뒤가 아니라면 어찌 이러할 수 있겠습니까.

지금 영화롭게 분묘를 소제하면서 아울러 이러한 사실을 나열하여 기쁘게 해드립니다. 선조의 영혼께서도 바라시던 일이니 어짊을 드리우시고 도와주시어 선대의 영광을 천양(闡揚)하도록 하시기 바랍니다.

기억해보니 지난 병인년 제가 입춘 때 집에 글을 써서 행운을 빌기를 "처자가 화목하고 형제가 화락하여 부모께 순종하자"라고 썼는데 아버님께서 불초에게 말씀하시기를 "진실로 네 말과 같다면 어찌 우리 집의 복이 아니겠느냐"라고 하신 덕음이 조용히 흘러 아직까지도 귀에 남아 있습니다.

저의 운명이 어두워 일찍 부모님을 여의고 이어 세 형님을 잃은 뒤 과부로 홀로 지내시는 누님과 인간 세상에 남겨졌으니, 가끔은 살아 갈 뜻이 없었습니다. 때로 이러한 일을 생각하면 축복의 말도 막막해 얻기 어려웠습니다. 다만 스스로 병든 마음에 눈물을 흘릴 뿐이었습니다.

남기신 뜻에 따라 동전에 집을 지어 늘그막에 기댈 곳으로 삼고자 하였으나 세상의 일이 사람을 몰아가니 오래 머물 수 없을 것 같습니다. 더구나 나이는 늙고 병이 잦아 철마다 묘소에 올라오는 풀마저 제 힘으로 없애지 못합니다. 오히려 음덕을 입고 일찍이 편하게 물러난다면 거의 본래의 뜻을 어기지 않을 것 같습니다. 천지가 망망하여 만사가 마음을 찢습니다. 애통함이 지극한데 어찌 글을 쓸 수 있겠습니까.

삼가 맑은 술과 떡을 갖추어 이 일을 펴서 삼가 고합니다.

같은 해 같은 달 같은 날에 아우 모관 모는 현백형이신 통훈대부 부평부사 수원진관 병마동첨절제사 부군과 현백수이신 남양 홍씨의 묘소에 감히 밝게 고합니다.

모는 시월 스무이레 은혜를 입어 문과 을과 제일인에 급제하여 법에 따라 승자하여 본직을 제수받고 다행히 임금이 직접 내리신 휴가를 얻어 영화롭게 무덤을 소제하면서, 대략 지극히 아픈 정을 쏟아 먼저 부모님의 영전에 고하였습니다.

엎드려 생각해보니 제 큰형님과 형수님의 영혼은 부모님을 모시고 내용을 들었을 터이니, 와서 한 잔 술을 올리며 무슨 말을 하겠습니까. 영화로 인하여 생기는 슬픔에 다만 눈물만 흐를 뿐입니다. 맑은 술과 떡으로 이 사실을 펴서 아뢰며 삼가 고합니다.

같은 해 같은 달 초열흘 갑진일에 아우인 모관 모는 시월 스무이레에 은혜를 입어 문과 을과 제일인에 급제하여 법에 따라 승자하여 본직을 제수받고 영화롭게 낙산(樂山)을 소제하면서 현중형 가선대부 이조 참판 겸 동지의금부 춘추관 성균관사 오위도총부 부총관 부군과 정부인에 추증된 현중수 안동 김씨의 묘소에 고합니다.

형님과 이별한 지 벌써 6년이 지났는데 꿈속과 같습니다. 그때 주신 일을 돌아보니 희미하고 황홀한데 어찌 평석(平昔)[25]과 같겠습니까. 깨닫고 나니 눈물이 잠잠히 흐를 뿐입니다. 다만 그새 상전벽해의 변화가 있었는데 청산에 편히 누워 계시는 형님을 사람들은 부러워합니다.

제 외로운 모습을 돌아보니 인간 세상에서 절고 뛰면서 머리가 희게 되어서야 갑과에 급제를 하였으나, 무슨 기쁨이 있겠습니까. 조정의 반열도 새로워져 옛 어진 이들은 거의 다 죽었고 세도와 인심이 날마다 더욱 혼미해지니, 저와 같이 약한 자가 큰 어려움에 처한다고 한들 누가 저를 위하여 잡아주어 작은 효과라도 얻을 수 있겠습니까.

---

25) **평석**(平昔): 모든 시간에 걸쳐 계속하여 달라짐이 없음.

생각이 이러한 데 미치자 슬픈 생각이 더욱 간절합니다. 생각해보니 형님은 저승에 계시면서도 아직 동정하시고 보호하시어 임아(壬兒)의 병이 요사이 차도가 있으며, 건(健)은 글을 쓰는 행동과 도의가 날마다 크게 나아지고 있으니 우리 형님께서 남기신 업이 반드시 떨어지지는 아니할 것입니다. 평소 형님께서 하시던 근심이 거의 풀릴 것입니다.

건은 팔월에 향시에 합격하였으나 중앙에서 치르는 과거에는 떨어져 오늘 아우의 영화스러운 걸음에 함께하지 못하였으니, 앞길이 멀고 잘못되었습니다. 더욱 힘써 노력한다면 무엇이 한이 되겠습니까. 먼 데서부터 즐거움에 이르고 제사에 관한 일을 잘 이루게 되면 영화가 고향을 움직일 것이니, 이승이나 저승에 감동이 일어날 것입니다. 이로 인하여 형님의 묘소에 절하며 한 잔 술로 고하니 망망한 이 일을 형님은 아십니까. 모르십니까.

영광과 상감이 내린 은혜가 비록 지극하다고 할 것이나 풀과 나무 사이에서 종일토록 절하면서 꿇어앉아 있어도, 집 안의 훈지는 옛 소리가 되었습니다. 하늘과 땅을 보고 슬픔을 억눌러도 무슨 말을 하겠습니까. 삼가 맑은 술과 떡을 가지고 사실을 펴면서 고합니다.

같은 해 같은 달 초아흐렛날 아우 모관 모는 셋째 형님인 성균관사 부군의 묘소에 감히 밝게 고합니다. 모는 10월 스무이레에 은혜를 입어 문과 을과 제일인에 급제하고 법에 따라 승자하여 본직을 제수받고, 다행스럽게도 은가를 얻어 영화롭게 묘를 소제합니다.

대략 지극히 아픈 마음으로 먼저 부모님의 영전에 고하였습니다. 엎드려 생각해보니 셋째 형님의 영혼이 부모님을 모시고 들었을 것입니다. 와서 한 잔 술을 올릴 뿐 다시 무슨 말을 하겠습니까. 영화로 인한 슬픔으로 다만 눈물이 흐를 뿐입니다. 맑은 술과 떡을 가지고 이 사실을 펴서 삼가 고합니다.

같은 해 같은 달 같은 날 모관 모는 둘째 형수님으로 정부인에 추증되신 장수 황씨의 무덤에 감히 밝게 고합니다. 과경(科慶)으로 인하여 와서 무덤에 절하면서 지나간 일을 생각해보니 다만 슬플 뿐입니다.

삼가 술과 과실을 가지고 사실을 펴면서 고합니다. 같은 해 같은 달 같은 날에 모관 모는 정부인에 추증이 된 중수 문화 류씨의 묘소에 감히 밝게 고합니다(이하는 위와 같음).

7. 병오년 봄에 완주 관아로 내려가서 가묘에 고한 글

해는 병오년(1726)이요 삼월 초하루는 계사일인데, 십팔일 경술일에 통정대부로 전에 승정원 좌부승지를 지낸 증손 모는 현증조고이신 모관 부군과 현증조비이신 모봉 모씨(현조고와 조비, 현고와 비, 현백형이 함께 주관에 봉안을 하였으므로 축문을 같이하여 고함)에게 감히 밝게 고합니다.

저는 은혜를 입어 문과 을과 제일인으로 급제하여 구례에 따라 통정계에 올랐습니다. 선대의 가르침을 받들어 점점 은혜로운 영화를 입어 남은 경사가 미치었으므로 감모(感慕)함을 이기지 못합니다.

또한 생각해보니 저는 지난여름 거듭 돌림병에 걸렸으나, 신령과 부처의 도움을 얻어 거의 죽었다가 겨우 살아났습니다. 사묘가 멀리 떨어져 있어, 다니는 발길이 끊겼습니다. 등과를 하던 날 마땅히 빨리 와서 고해야 하였으나, 곧 제수(除授)의 명령이 있어 자유롭지 못하여 영분(榮墳)[26]을 청해 대강 슬픈 정을 펼칠 뿐입니다. 곧 말을 달려 성묘를 하고자 하였으나 또 은대(銀臺)로 들어가라는 명을 받았고 여이어 국가에 사고가 많았기에, 감히 밖으로 나와 이곳에 이르지 못하였습니다.

차츰차츰 세월이 흘러 깊은 봄이 되었으니, 남쪽 구름을 바라보며 슬피 사모함이 어찌 끝이 있겠습니까. 지금 다행스럽게 틈을 얻어 정성을 다하여 말씀을 드려 교체됨을 입었습니다. 빨리 달려와서 비로소 제물을 가지고 와 절을 하니, 하늘과 땅이 아득하여 미칠 곳이 없습니다. 한 치 되는 풀과 같은 작은 정성이기는 하나 아픔과 괴로움은 새로이 가득합니다(이하는 위와 같음).

8. 외구의 묘소에 고한 글

해는 병오년이요 사월 초하루는 계해일인데 십삼일 을해일에 외생인 통정대부 예조 참의 이 모는 지난겨울에 등제를 하였으나, 바로 직책에 얽매어 영화로운 분묘의 소제에 이르지 못하고 오늘에야 비로소 여가를 얻어 술과 과실의 전물을 갖추어 가선대부로 승정원 도승지 겸 경연 참찬관 춘추관 수찬관 예문관 직제학 상서원정을 지내신 현외구 송정 유부군(兪府君)과 정부인에 추증된 현외고 남양 홍씨와 현외고 정부인 거창 신씨의 묘소에 감히 밝게 고합니다.

오호라! 옹(翁)의 장례를 치른 지 몇 해가 지났습니까. 갑술년(1694) 상사 때 애오라지 잠시 보고 돌아가서 그 뒤로는 세상일에 구박(拘縛)이 되었으므로, 한 번도 찾아뵙지 못하고 다만 바라보면서 사모하는 일로 세월을 허비하였습니다. 세태와 시풍은 항상 장인과 장모에게만 박하였으니 소자는 참으로 바꾸고 싶었습니다. 하물며 공고께서는 저

---

26) **영분(榮墳)**: 새로 과거에 급제하거나 벼슬한 사람이 그 향리의 조상 묘를 찾아가 풍악을 연주하며 그 영예를 받들어 고하던 일.

를 깊이 편애하시었고 맑고 높은 모범을 저는 늘 공경하였지만, 그 아름다움에 털끝만큼도 덕을 갖지 못하니 경경(耿耿)한 마음이 부족하여 절로 부끄러웠습니다. 어렵게 지내다가 늦게 급제한 것이 자못 부군과 비슷합니다. 그 나이를 비교해보면 오히려 7년이 더 걸렸습니다.

쇠한 몸으로 세상일에 이바지하고자 하나 어떤 사업을 하겠습니까. 조정에 선다고 한들 공의 정직함에 어떠한 노력으로 따를 수 있겠습니까. 30년 사이에 상전과 벽해가 여러 번 변하여 세상일의 근심이 홍수보다 심합니다. 그 누가 있어 바로잡고 돌려서 성군의 다스림을 도울 수 있겠습니까.

멀고 깊은 구원(九原)²⁷⁾에서 죽은 이가 무엇을 할 수 있겠습니까. 길을 잃은 후생이 장차 누구에게 배우고 묻겠습니까. 지난날 조금이라도 배워서 채우지 못함이 두려울 뿐이니 석양 속에 홀로 서서 망연자실한 지 오래입니다.

오호라! 돌아가실 때 정녕 하신 말씀이 아직도 귀에 들리는 듯합니다. 이러함을 잃어버린 더럽고 옹졸한 사람이 외람되이 장사(狀辭)²⁸⁾를 지으나 마땅히 뛰어난 문장을 가려서 그윽함을 돌에 새겨야 할 것입니다.

영문의 혹독한 앙화로 두 사람의 손자가 겨우 남았습니다. 사람이 없어 곤궁하였으나 이러함을 도울 여가가 없었습니다. 크게는 고을을 다스리는 일에서부터 시작하였지만 작게나마 이루었습니다. 가업을 찾아 드러내어 널리 퍼지게 할 길을 도모할 것입니다. 행색이 바빠서 정성스러운 생각을 다 기울이지 못합니다. 다만 이 술 한 잔은 따님께서 빚으신 것이니 두 분의 영혼이 아신다면 어찌 와서 드시지 않겠습니까.

---

27) **구원**(九原): 구천.
28) **장사**(狀辭): 소장(訴狀)에 기록된 사연.

후기

8년여에 걸친 기나긴 작업 끝에『국역 한주집』제1, 2권을 발간하게 되었다. 여러 문헌을 통해 존재만 알려졌던『한주집』의 국역본을 발간할 수 있게 된 결정적 계기는 무엇보다『한주집』원본의 소재를 파악한 것이었다.

『한주집』원본이 연세대학교 중앙도서관에 귀중본으로 소장되어 있다는 것이 한주공의 8대손인 이춘규(李春珪, 2007년 작고) 님에 의해 확인되었다. 이춘규 님은 "『한주집』의 소재를 반드시 찾아야 한다"라는 족형 일몽(一夢) 이중규(李仲珪, 1970년 작고) 님의 유지(遺志)에 따라 오랜 세월 수소문한 끝에 연세대학교 중앙도서관에 소장되어 있음을 확인했다.

『한주집』원본의 소재를 알아낸 뒤 연세대학교의 협조를 얻어 우선 영인본을 제작했고, 2006년에는 한주공의 후손들로 구성된 한산 이씨 감사공(한주공)파 종회 내에 '한주집국역본간행위원회'가 구성되었다.

위원장은 한주공의 10대 종손이 맡았으며, 당시 종회 이사장으로 재직하던 이갑규(李甲珪) 님, 상무이사 이융구(李駥求) 님, 이사 이특구(李特求) 님 등이 간행위원으로 선임되었다. 간행위원회는 2007년 한학자 권오호(權五虎) 님에게 번역을 의뢰했고, 장기간의 번역·교열 작업을 거쳐 『한주집』국역본이 세상에 모습을 드러내게 되었다.

한주공 이집의 문집 『한주집』은 전 7책으로 구성되어 있으며, 이 중 권7~권17과 권22, 권23이 결본 상태이다. 권1에는 사(詞) 1편, 부(賦) 2편, 시 165수와 잡가 1편, 권2에는 시 198수, 권3에는 시 186수, 권4에는 시 176수, 권5에는 시 167수, 권6에는 시 171수가 수록되어 있으며, 권18부터 권21까지에는 서(書)와 별폭(別幅), 소지(小紙), 추고(追告) 등이 192편, 권24부터 권26에는 제문(祭文) 56편을 비롯해 축문(祝文), 애사(哀辭), 뇌사(誄詞), 권27에는 행장(行狀), 가장(家狀), 선훈(先訓), 가제(家祭), 고사(告辭), 축문 등이 수록되어 있다.

『국역 한주집』은 사·부·시 등을 묶은 1권과 서를 비롯한 기타의 글을 묶은 2권으로 구성했다.

오랜 세월 동안 질정(叱正)과 성원을 보내며 출간을 기다려준 많은 종원(宗員)들, 번역을 맡아 노고를 아끼지 않은 한남고전연구소의 권오호 님, 류은경(柳恩卿) 님, 『국역 한주집』의 출간에 기꺼이 응해준 도서출판 한울의 김종수(金鍾洙) 사장님, 출간 과정에서 정성스럽게 편집·교열 작업을 해준 도서출판 한울 편집부에 깊은 감사를 드린다.

한주집국역본간행위원회 위원장

이도성

찾아보기

한울아카데미 1702

牧隱研究會研究叢書 8
국역 한주집 제2권

ⓒ 한주집국역본간행위원회, 2014

지은이 | 이집
옮긴이 | 권오호
펴낸이 | 김종수
펴낸곳 | 도서출판 한울

초판 1쇄 인쇄 | 2014년 7월 21일
초판 1쇄 발행 | 2014년 8월 4일

주소 | 413-756 경기도 파주시 파주출판도시 광인사길 153 한울시소빌딩 3층
전화 | 031-955-0655
팩스 | 031-955-0656
홈페이지 | www.hanulbooks.co.kr
등록번호 | 제406-2003-000051호

Printed in Korea.
ISBN 978-89-460-5702-9 94810
     978-89-460-4881-2 94810(전2권)

* 책값은 겉표지에 표시되어 있습니다.